ACTES NOIRS
série dirigée par Manuel Tricoteaux

# LA FAISEUSE D'ANGES

## DU MÊME AUTEUR

*LA PRINCESSE DES GLACES*, Actes Sud, 2008 ; Babel noir n° 61.

*LE PRÉDICATEUR*, Actes Sud, 2009 ; Babel noir n° 85.

*LE TAILLEUR DE PIERRE*, Actes Sud, 2009 ; Babel noir n° 92.

*L'OISEAU DE MAUVAIS AUGURE*, Actes Sud, 2010 ; Babel noir n° 111.

*L'ENFANT ALLEMAND*, Actes Sud, 2011.

*CYANURE*, Actes Sud, 2011 ; Babel noir n° 71.

*SUPER-CHARLIE*, Actes Sud Junior, 2012.

*À TABLE AVEC CAMILLA LÄCKBERG*, Actes Sud, 2012.

*LA SIRÈNE*, Actes Sud, 2012.

*LE GARDIEN DE PHARE*, Actes Sud, 2013.

*SUPER-CHARLIE ET LE VOLEUR DE DOUDOU*, Actes Sud Junior, 2013.

Titre original :
*Änglamakerskan*
Éditeur original :
Bokförlaget Forum, Stockholm
© Camilla Läckberg, 2011
publié avec l'accord de Nordin Agency, Suède

© ACTES SUD, 2014
pour la traduction française
ISBN 978-2-330-03210-4

# CAMILLA LÄCKBERG

# La faiseuse d'anges

roman traduit du suédois
par Lena Grumbach

*ACTES SUD*

*Si un seul homme peut exprimer autant de haine,
imaginez combien d'amour nous pouvons exprimer ensemble.*

Ils s'étaient imaginé pouvoir surmonter le deuil en se lançant dans les travaux de rénovation. Ni l'un ni l'autre n'était sûr que ce soit une très bonne idée, mais ils n'avaient pas beaucoup d'autres options. À part abandonner et se laisser lentement dépérir.

Ebba fit danser le racloir sur la façade de la maison. La peinture s'enlevait facilement. Déjà sérieusement écaillée, il suffisait d'un petit coup de pouce pour qu'elle s'en aille. Le soleil brûlant de juillet la faisait transpirer, la sueur collait sa frange sur son front et son bras la faisait souffrir à force de répéter le même va-et-vient pour le troisième jour consécutif. Mais la douleur physique l'aidait à oublier la douleur dans son cœur, et elle l'accueillait avec gratitude.

Elle se retourna et observa Melker qui sciait des planches sur le gazon devant la maison. Il dut sentir son regard, car il s'arrêta un instant, leva la tête et lui fit un petit signe de la main, comme à une connaissance qu'on salue en passant. Ebba sentit sa propre main faire le même geste maladroit.

Plus de six mois s'étaient écoulés depuis le drame, et ils ne savaient toujours pas comment se comporter l'un avec l'autre. Tous les soirs, ils se tournaient le dos quand ils se couchaient dans le lit conjugal, redoutant un contact involontaire qui aurait pu déclencher une situation ingérable. Comme si le chagrin les remplissait à tel point qu'il n'y avait de place pour aucun autre sentiment. Pas d'amour, pas de chaleur, pas de compassion.

La faute restait suspendue entre eux, lourde et inexprimée. Tout aurait été plus simple s'ils avaient pu la définir et déterminer à qui elle incombait. Mais elle passait de l'un à l'autre, changeait de taille et de forme et modifiait sans cesse son angle d'attaque.

Ebba se remit au travail. Sous ses mains, des plaques entières de peinture blanche se détachaient de la façade, et le bois apparaissait. Elle caressa les planches avec sa main libre. De toute évidence, cette maison possédait une âme. Leur pavillon mitoyen à Göteborg était pratiquement neuf quand ils l'avaient acheté. À l'époque elle avait adoré son aspect brillant et rutilant, sans la moindre éraflure. Aujourd'hui, le neuf n'était qu'un rappel de ce qui avait été, et cette vieille maison avec tous ses défauts semblait plus en accord avec son état d'esprit. Elle se reconnaissait dans le toit et ses fuites d'eau, dans la chaudière qu'il fallait régulièrement redémarrer à grands coups de pied et dans les fenêtres à courants d'air qui interdisaient de poser une bougie sur leur bord sans qu'elle soit soufflée. Dans son cœur aussi il y avait des courants d'air et des fuites d'eau. Et les bougies qu'elle essayait d'allumer étaient implacablement éteintes.

Peut-être son âme pourrait-elle guérir ici, sur Valö. Elle ne conservait pas de souvenir de l'endroit, pourtant c'était comme si l'île et elle se retrouvaient. Valö était située juste en face de Fjällbacka. En descendant vers l'embarcadère, elle pouvait voir la petite localité s'étendre de l'autre côté du bras de mer. Devant la paroi rocheuse escarpée, les petites maisons blanches et les cabanes rouges de pêcheur formaient comme un collier de perles. C'était tellement beau que ça lui faisait presque mal.

La sueur coulait dans ses yeux et les irritait. Elle s'essuya le visage avec le bas de son tee-shirt, plissa les paupières vers le soleil. Dans le ciel, les mouettes tournoyaient et s'interpellaient bruyamment, leurs cris se mêlaient au vrombissement des bateaux à moteur qui sillonnaient l'archipel. Elle ferma les paupières et se laissa emporter par les bruits. Loin d'elle-même, loin de…

— Ça te dit, une petite trempette? On a besoin de faire une pause.

La voix de Melker perça l'écran sonore et la fit tressaillir. Confuse, elle secoua la tête, puis acquiesça.

— Oui, c'est une bonne idée, dit-elle et elle descendit de l'échafaudage.

Leurs maillots de bain séchaient à l'arrière de la maison et elle se débarrassa de ses vêtements de travail trempés de sueur pour enfiler son bikini.

Melker, plus rapide qu'elle, l'attendait avec une certaine impatience.

— Alors, on y va?

Il la précéda pour descendre à la plage. L'île était assez grande et moins aride que la plupart des îlots de l'archipel du Bohuslän. Le sentier étant bordé d'arbres touffus et de hautes herbes, elle frappait vigoureusement le sol du pied en marchant. Sa peur des serpents était solidement ancrée et avait été ranimée quelques jours auparavant quand ils avaient aperçu une vipère qui prenait le soleil sur une dalle.

Le petit chemin devenait plus pentu à l'approche de l'eau, et Ebba se demanda combien de pieds d'enfant l'avaient foulé au fil des ans. On continuait d'appeler cet endroit "la colo", bien qu'il n'y ait pas eu de colonie de vacances ici depuis les années 1930.

— Attention! lui lança Melker en montrant quelques grosses racines à fleur de terre.

Sa sollicitude, qui aurait dû l'émouvoir, lui parut étouffante, et elle enjamba les racines en exagérant le geste. Quelques mètres plus loin, elle sentit du sable rugueux sous ses pieds. Les vagues frappaient la longue plage. Elle balança la serviette par terre et partit tout droit dans l'eau salée. Des filaments d'algues caressèrent ses jambes et le froid soudain lui coupa la respiration, mais bientôt elle jouit de la fraîcheur de l'eau. Derrière elle, elle entendit Melker l'appeler. Elle fit semblant de ne pas l'entendre et continua d'avancer. Quand elle ne sentit plus le fond, elle se mit à nager et arriva après quelques brasses à la petite plate-forme de baignade ancrée non loin du rivage.

— Ebba!

Melker l'appelait depuis la plage, mais elle l'ignora à nouveau et saisit l'échelle du ponton flottant. Elle avait besoin de passer un instant seule. Si elle s'allongeait et fermait les yeux, elle pourrait faire semblant d'être une naufragée au milieu de l'océan. Seule. Sans avoir à tenir compte de quelqu'un d'autre.

Elle entendit le clapotis d'un nageur. La plate-forme tangua quand Melker y monta, et elle serra plus fort ses paupières pour l'exclure encore un petit moment. Elle aurait voulu avoir un instant rien qu'à elle, vraiment toute seule. Et non cette situation intenable : Melker et elle, ensemble mais seuls. À contre-cœur, elle rouvrit les yeux.

Erica était assise à la table du salon. Autour d'elle on aurait dit qu'une bombe de jouets avait explosé. Voitures, poupées, peluches et déguisements jetés pêle-mêle. Trois enfants, tous âgés de moins de quatre ans, contribuaient à donner cette allure à leur foyer la plupart du temps. Mais comme d'habitude quand elle avait un instant libre, elle avait donné la priorité à son écriture aux dépens du rangement.

En entendant la porte d'entrée s'ouvrir, elle leva les yeux de l'ordinateur et aperçut son mari.

— Salut, qu'est-ce que tu fais là ? Tu ne devais pas aller voir Kristina ?

— Elle n'était pas là. Évidemment, j'aurais dû l'appeler avant, dit Patrik en se débarrassant de ses Crocs.

— Tu es obligé de mettre ces trucs-là ? Et de conduire avec ?

Erica regarda les sabots détestables, qui par-dessus le marché étaient vert fluo. Sa sœur Anna les avait offerts à Patrik pour rire et maintenant il refusait d'utiliser d'autres chaussures.

Il vint l'embrasser avant de rejoindre la cuisine.

— Ils sont trop confortables. Au fait, ton éditeur t'a appelée ? Ça devait être vraiment urgent, pour qu'ils passent par moi.

— Ils me proposent d'aller à la Foire du livre cette année comme promis. Je n'arrive pas à me décider.

— Bien sûr que tu vas y aller. Je m'occuperai des enfants ce week-end-là, j'ai déjà posé mes congés.

— Merci, dit Erica.

En réalité, elle s'en voulut de se sentir reconnaissante envers son mari. Quand son travail de policier le réclamait dans la minute, ou quand des fêtes et des soirées étaient ruinées parce que le boulot ne pouvait pas attendre, c'était elle qui se mobilisait. Elle aimait Patrik par-dessus tout, mais parfois elle avait l'impression qu'il ne songeait pas une seconde au fait qu'elle se chargeait de pratiquement tout à la maison. Y compris des enfants. Elle aussi, elle avait une carrière, assez honorable qui plus est.

Souvent on lui disait que ça devait être formidable de gagner sa vie en tant qu'auteur. De disposer librement de son temps et d'être son propre chef. Chaque fois, cela l'agaçait au plus haut point. Même si elle adorait son travail et comprenait parfaitement la chance qu'elle avait, la réalité était tout autre. Pour elle, liberté n'était pas un mot qui rimait avec auteur. Au contraire, un projet de livre pouvait engloutir tout son temps et toutes ses pensées vingt-quatre heures sur vingt-quatre, sept jours sur sept. Parfois elle enviait ceux qui partaient au boulot le matin, travaillaient pendant huit heures, puis rentraient chez eux le soir, libres comme l'air. Elle n'arrivait jamais à se déconnecter de son travail, et le succès entraînait des exigences et des attentes qu'il fallait conjuguer avec la vie de maman de trois petits enfants.

Il était en outre difficile de soutenir que son travail était plus important que celui de Patrik. Lui, il protégeait les gens, élucidait des crimes et contribuait au bon fonctionnement de la société. Elle, elle écrivait des livres que les gens lisaient pour se divertir. La plupart du temps, elle comprenait et acceptait de tirer la plus courte paille, mais parfois cela lui donnait envie de se cabrer et de hurler dans le vide.

Avec un soupir, elle se leva et suivit son mari dans la cuisine.

— Ils font la sieste? demanda Patrik.

Il sortit de quoi se préparer sa tartine de prédilection : pain croquant, beurre, *kaviar** et fromage. Erica eut un frisson de dégoût en pensant qu'il allait ensuite la tremper dans du chocolat chaud.

— Oui, une fois n'est pas coutume. Mais j'ai réussi à les mettre au lit tous en même temps cette fois. Ils ont joué comme des fous toute la matinée, du coup ils étaient complètement claqués, tous les trois.

---

* Pâte d'œufs de cabillaud salés et/ou fumés, présentée en tube, une des garnitures pour tartines les plus appréciées en Suède. (*Toutes les notes sont de la traductrice.*)

— Bien, dit Patrik en s'installant à table pour manger.

Erica retourna dans le salon pour avoir le temps d'écrire encore un peu avant que les enfants se réveillent. Des moments volés. Elle ne pouvait compter que sur ça.

Dans son rêve, il y a le feu. Les yeux fous de terreur, Vincent appuie le nez contre une vitre. Derrière lui, elle voit des flammes s'élever de plus en plus haut. Elles s'approchent de lui, roussissent ses boucles blondes, et il hurle sans un bruit. Elle veut se jeter contre la vitre, la briser et sauver Vincent des flammes qui menacent de le dévorer. Mais elle a beau essayer, son corps refuse de lui obéir.

Puis elle entend la voix de Melker, accusatrice. Il la hait parce qu'elle ne fait rien pour sauver Vincent, parce qu'elle reste là, à le regarder brûler vif.

— Ebba! Ebba!

On la secouait par les épaules et on la forçait à s'asseoir. Lentement le rêve s'estompait. Elle aurait voulu le retenir, se jeter dans le brasier pour sentir un instant le petit corps de Vincent dans ses bras avant qu'ils meurent tous les deux.

— Réveille-toi! Il y a le feu!

D'un coup, elle fut entièrement réveillée. L'odeur de fumée lui piqua les narines et la fit tousser à s'en arracher la gorge. En ouvrant les yeux, elle vit la fumée jaillir par la porte ouverte.

— Il faut qu'on sorte! cria Melker. Mets-toi par terre et rampe sous la fumée. J'arrive. Je vais d'abord voir si je peux éteindre le feu.

Ebba trébucha hors du lit et s'effondra par terre. Elle sentit la chaleur du plancher contre sa joue. Ses poumons brûlaient et elle se sentait incroyablement fatiguée. Comment aurait-elle la force d'aller où que ce soit? Elle eut envie de s'abandonner au sommeil et ferma les yeux. Une lourde somnolence envahit son corps. Se reposer ici. Juste dormir un instant.

— Lève-toi! Il faut que tu te lèves!

La voix de Melker était aiguë et Ebba sortit de sa torpeur. D'habitude, il n'avait jamais peur. Il la tira brutalement par le bras et l'aida à se mettre à quatre pattes.

De mauvaise grâce, elle commença à bouger ses mains et ses genoux. La peur avait trouvé un écho en elle aussi. À chaque respiration elle sentait la fumée entrer dans ses poumons, tel un insidieux poison. Mourir sous l'effet de la fumée, pourquoi pas, mais par le feu, non. L'idée de sa peau brûlant suffit à la faire accélérer et ramper hors de la chambre.

Subitement, tout devint confus. Elle aurait dû savoir dans quelle direction se trouvait l'escalier, mais c'était comme si son cerveau ne fonctionnait plus. Devant elle il n'y avait qu'un brouillard compact gris-noir. Prise de panique, elle se mit à avancer tout droit pour ne pas rester coincée dans la fumée.

Au moment où elle arriva devant l'escalier, Melker passa en courant, un extincteur dans les mains. Il dévala l'escalier à toute vitesse et Ebba le regarda. Exactement comme dans son rêve. Comme si son corps ne voulait plus lui obéir. Ses membres refusaient de bouger, elle restait clouée au sol, impuissante, pendant que les quintes de toux se succédaient. Les larmes coulaient de ses yeux, et ses pensées allèrent vers Melker, mais elle n'eut pas la force de s'inquiéter pour lui.

Encore une fois, elle fut tentée d'abandonner. De disparaître, d'être débarrassée du deuil qui déchirait son corps et son esprit. Sa vue commença à se brouiller, elle s'allongea tout doucement, la tête posée sur ses bras, puis ferma les yeux. Autour d'elle, tout était doux et chaud. La torpeur la remplit de nouveau, si bienveillante, prête à l'accueillir et à la régénérer.

— Ebba! cria Melker en la tirant par le bras.

Elle lui résista. Elle voulait continuer son voyage vers ce lieu calme et agréable qui l'attendait. Puis elle sentit un coup au visage, une gifle cuisante sur sa joue, et, tout ébranlée, elle leva la tête vers Melker. Son regard était à la fois inquiet et furieux.

— J'ai éteint le feu. Mais on ne peut pas rester là.

Il fit un geste pour la relever, mais elle se défendit. Il l'avait privée de la seule possibilité de repos qu'elle avait eue depuis longtemps, et elle se mit à tambouriner avec rage sur sa poitrine. C'était bon de laisser libre cours à toute la colère et toute la déception, et elle frappa de toutes ses forces jusqu'à ce qu'il réussisse à saisir ses poignets. Les tenant fermement, il l'attira tout près de lui, plaqua son visage contre sa poitrine, la tint serrée dans ses bras. Elle entendit les battements accélérés de son cœur et se mit à pleurer. Puis elle se laissa faire. Il la porta dehors et quand l'air frais de la nuit remplit ses poumons, elle déclara forfait et retomba dans la somnolence.

# FJÄLLBACKA 1908

Ils arrivèrent tôt le matin. Mère était déjà debout avec les petits tandis que Dagmar profitait de la chaleur du lit. C'était ça, la différence entre la vraie enfant de maman et l'un des bâtards dont elle s'occupait. Dagmar était spéciale.

— Qu'est-ce qu'il se passe? cria père depuis la chambre.

Ils avaient été réveillés par un tambourinement insistant sur la porte.

— Ouvrez! C'est la police!

Apparemment, les visiteurs étaient à bout de patience, car la porte s'ouvrit brutalement et un homme en uniforme de police se rua dans la maison.

Effrayée, Dagmar se dressa dans son lit et essaya de se couvrir avec la courtepointe. Père arriva dans la cuisine en boutonnant maladroitement son pantalon. Sa cage thoracique était creuse sous de rares touffes de poils gris.

— La police? Laissez-moi enfiler ma chemise, et après on verra. Il doit y avoir une erreur. Chez nous, vous ne trouverez que des gens respectables.

— C'est bien ici qu'habite Helga Svensson? demanda l'agent de police.

Deux autres hommes se tenaient derrière lui. Ils durent se serrer, car la cuisine était petite et pleine de lits. Ces temps-ci, ils avaient cinq petits enfants dans la maison.

— Je m'appelle Albert Svensson, et Helga est mon épouse.

Père avait réussi à mettre sa chemise et se tenait à présent bien droit, les bras croisés sur la poitrine.

— Où est-elle?

*La voix du policier était sans concession. Dagmar vit la ride d'inquiétude qui s'était formée entre les yeux de père. Si prompt à se faire du mauvais sang, disait toujours mère. Une petite nature aux nerfs fragiles.*

*— Mère est dans le jardin derrière la maison. Avec les petits, dit Dagmar, et les policiers ne semblèrent la remarquer qu'à cet instant.*

*— Merci, répondit celui qui semblait être le chef, puis il pivota sur ses talons.*

*Père lui emboîta le pas.*

*— Vous ne pouvez pas vous introduire ainsi chez des gens honnêtes. Vous effrayez tout le monde. Expliquez-nous au moins de quoi il s'agit.*

*Dagmar rejeta la couverture, posa ses pieds sur le sol froid de la cuisine et se précipita à leur suite, vêtue de sa seule chemise de nuit. Au coin de la maison, elle s'arrêta net. Deux des policiers tenaient fermement mère par les bras. Elle se débattait et les hommes avaient du mal à la maîtriser. Les mouflets criaient et, dans le tumulte, le linge que mère était en train d'étendre fut arraché.*

*— Mère! cria Dagmar en se précipitant vers elle.*

*Elle se jeta sur la jambe d'un des agents de police et lui mordit la cuisse de toutes ses forces. Il hurla, lâcha la femme, et se retourna pour donner une gifle retentissante à Dagmar qui l'envoya rouler par terre. Elle resta dans l'herbe, éberluée, et frotta sa joue brûlante. De toute sa vie, personne ne l'avait tapée et elle avait pourtant huit ans. Certes, sa mère corrigeait les petits, mais elle n'avait jamais levé la main sur Dagmar. Et du coup, père n'osait pas s'y risquer non plus.*

*— Qu'est-ce que vous faites? Vous frappez ma fille? dit mère en lançant des coups de pied furibonds en direction des hommes.*

*— Ce n'est rien à côté de ce qui nous amène ici, répliqua le policier en saisissant de nouveau le bras d'Helga. Vous êtes soupçonnée d'infanticide et nous avons l'autorisation de fouiller votre maison. Et, croyez-moi, nous allons la ratisser de fond en comble.*

*Dagmar vit mère s'affaisser. Sa joue brûlait toujours comme du feu et son cœur cognait fort dans sa poitrine. Tout autour d'eux, les petits hurlaient comme si le jour du Jugement dernier était arrivé.*

*Ce qui était peut-être le cas. Car même si Dagmar ne compre-
nait pas ce qui se passait, la mine de sa mère lui apprit que leur
monde venait de s'écrouler.*

— Patrik, tu peux te rendre à Valö ? On vient de nous signaler un incendie, *a priori* d'origine criminelle.

— Quoi ? Pardon ? Tu peux répéter ?

Patrik était déjà en train de sortir du lit. Il coinça le téléphone entre l'oreille et l'épaule tout en attrapant son jeans. Encore étourdi de sommeil, il regarda l'heure. Sept heures et quart. Une brève seconde il se demanda ce qu'Annika faisait au commissariat si tôt.

— Je te dis qu'il y a eu un incendie sur Valö, dit Annika avec beaucoup de patience. Les pompiers y sont allés tôt ce matin, ils pensent que c'est un incendie criminel.

— Où sur Valö ?

À côté de lui, Erica se retourna.

— Qu'est-ce qu'il se passe ? marmonna-t-elle.

— C'est le boulot. Il faut que j'aille à Valö, chuchota-t-il, pour ne pas réveiller les jumeaux qui dormaient encore, ce qui était plutôt rare.

— À l'ancienne colonie de vacances, répondit Annika au bout du fil.

— D'accord. Je prends le bateau et j'y vais. J'appelle Martin, c'est bien lui qui fait équipe avec moi aujourd'hui ?

— Oui, c'est ça. On se voit tout à l'heure au poste.

Patrik raccrocha et enfila un tee-shirt.

— Qu'est-ce qu'il s'est passé ? demanda Erica en se dressant dans le lit.

— Les pompiers pensent que quelqu'un a mis le feu à la vieille colo sur Valö.

— La colo? On a essayé de l'incendier?!

— Je te promets de tout te raconter après, sourit Patrik. Je sais que Valö, c'est ton petit projet personnel.

— C'est incroyable, comme coïncidence! Qu'on mette le feu à la maison juste au moment où Ebba y revient.

Patrik secoua la tête. Il savait d'expérience que sa femme aimait se mêler de ce qui ne la regardait pas, qu'elle s'emportait et tirait des conclusions souvent aberrantes. Parfois elle avait raison, il devait bien l'admettre, mais elle avait aussi l'art d'embrouiller les choses.

— Annika a juste dit qu'ils suspectent un incendie criminel. C'est tout ce qu'on sait, et ça demande évidemment à être vérifié.

— Non mais quand même, objecta Erica. C'est bizarre que ça arrive juste maintenant. Je peux pas venir avec toi? De toute façon, je voulais y aller pour discuter un peu avec Ebba.

— Et qui va s'occuper des enfants, à ton avis? Maja est encore trop petite pour préparer les biberons de ses frères, tu ne crois pas?

Il embrassa Erica sur la joue avant de dévaler l'escalier. Derrière lui, il entendit les jumeaux se mettre à crier comme sur commande.


Patrik et Martin échangèrent peu de mots sur le trajet de Valö. La possibilité que l'incendie soit d'origine criminelle était aussi effrayante qu'incompréhensible et à l'approche de l'île, à la vue de ce cadre naturel idyllique, l'idée leur parut encore plus irréelle.

— Comme c'est beau! s'exclama Martin quand ils montèrent le sentier après avoir amarré le bateau à l'embarcadère.

— Mais tu es déjà venu, non? dit Patrik sans se retourner. Au moins à Noël, cette fameuse fois?

Martin se contenta de marmonner une réponse. Il n'avait pas trop envie de se rappeler le Noël funeste où il avait été mêlé à un drame familial sur l'île.

Une grande pelouse s'ouvrait devant eux ; ils firent une pause et balayèrent le panorama du regard.

— J'ai plein de bons souvenirs d'ici, dit Patrik. On venait avec l'école chaque année, j'ai fait un stage de voile aussi un été. Je peux te dire que j'en ai shooté, des ballons, sur ce gazon. Et joué au *brännboll** aussi.

— Bien sûr, on est tous venus faire des stages ici. Mais les gens préfèrent continuer à dire "la colo".

Patrik haussa les épaules tandis qu'ils poursuivaient vers la maison d'un bon pas.

— On ne change pas les vieilles habitudes, et puis c'est sans doute plus pratique comme ça. Après tout, l'épisode de l'internat n'a pas duré bien longtemps, et on n'avait pas non plus envie d'utiliser le nom de ce von Schlesinger qui habitait là avant.

— Ah, ce vieux fou! Qui n'a pas entendu parler de lui? dit Martin, puis il poussa un juron quand il se prit une branche en pleine figure. C'est qui maintenant, le propriétaire?

— Le couple qui y habite, je suppose. Après les événements de 1974, c'est la commune qui a géré le lieu, d'après ce que je sais. La maison a été laissée à l'abandon, c'est dommage, mais on dirait qu'ils sont en train de la rénover.

Martin regarda la grande bâtisse, dont la façade était entièrement couverte d'échafaudages.

— Ça pourrait devenir très sympa, ce coin. Espérons que le feu n'a pas fait trop de dégâts.

Ils continuèrent jusqu'à l'escalier en pierre qui menait à la porte d'entrée. Tout paraissait calme, quelques hommes du corps de pompiers volontaires de Fjällbacka ramassaient leurs affaires. Ils devaient transpirer des litres dans leurs épaisses tenues d'intervention. La chaleur était déjà pénible, malgré l'heure matinale.

— Bonjour!

Le capitaine des pompiers, Östen Ronander, vint les accueillir en les saluant d'un petit signe de la tête. Ses mains étaient noires de suie.

— Salut Östen. Qu'est-ce qu'il s'est passé? Annika m'a dit que vous soupçonnez un incendie criminel.

* Sorte de baseball simplifié.

— Oui, ça m'en a tout l'air. Mais on n'est pas trop qualifiés pour en juger d'un point de vue technique. J'espère que Torbjörn est en route.

— Je l'ai appelé avant de venir et il devrait être là avec son équipe d'ici... Patrik regarda sa montre. D'ici une trentaine de minutes.

— Tant mieux. Vous voulez jeter un coup d'œil en attendant ? On a essayé de ne rien abîmer. Le propriétaire avait déjà éteint le feu avec l'extincteur quand on est arrivés, et on s'est juste assurés qu'il n'y avait pas de foyers qui couvent. On ne pouvait pas faire grand-chose de plus. Là, vous voyez ?

Östen montra le vestibule. Devant la porte, les flammes avaient brûlé le plancher, on voyait des traces bizarres et irrégulières.

— Un liquide inflammable, non ? demanda Martin, et Östen hocha la tête.

— Je dirais qu'on a fait couler le produit sous la porte avant d'allumer. À en juger par l'odeur, c'est probablement de l'essence, mais ça, Torbjörn et ses hommes nous le confirmeront.

— Où sont les occupants ?

— Derrière la maison, ils attendent les ambulanciers qui ont été retardés par un accident de la route. Ils semblaient sous le choc et je me suis dit qu'ils avaient besoin de rester au calme. De toute façon, il valait mieux qu'ils ne traînent pas par là avant que vous ayez pu récolter des preuves.

— Bien vu, dit Patrik avec une tape sur l'épaule d'Östen, puis il se tourna vers Martin. On va leur parler ?

Sans attendre la réponse, il se dirigea vers l'arrière de la maison où il découvrit une sorte de terrasse avec des meubles de jardin. Vieux et usés, ils avaient apparemment été exposés aux intempéries pendant de nombreuses années. Un couple de trentenaires était installé autour de la table, l'air perdu. Quand l'homme les aperçut, il se leva et vint à leur rencontre, la main tendue. Elle était dure et calleuse comme si elle avait manié des outils depuis toujours.

— Melker Stark.

Patrik et Martin se présentèrent.

— On n'y comprend rien. Les pompiers ont parlé d'incendie criminel?

La femme de Melker avait suivi son mari. Elle était petite et menue – bien que Patrik ne soit pas particulièrement grand, elle ne lui arrivait qu'à l'épaule. Elle avait l'air fragile et vulnérable, et elle frissonna malgré la chaleur.

— Ce n'est pas forcément ça. Nous n'en savons rien pour l'instant, dit Patrik pour la calmer.

— Je vous présente Ebba, ma femme, dit Melker et il passa sa main sur son visage avec un geste las.

— On peut s'asseoir? demanda Martin. On aimerait en apprendre un peu plus sur ce qui s'est passé.

— Oui, bien sûr, allons nous installer là-bas, dit Melker en montrant les meubles de jardin.

— Qui a découvert l'incendie?

Melker avait une tache sombre sur le front et ses mains étaient couvertes de suie, comme celles du chef des pompiers. Il sembla se rendre compte maintenant seulement qu'elles étaient sales, et il essuya lentement ses paumes contre son jeans avant de répondre.

— C'est moi. Je me suis réveillé et j'ai senti une odeur bizarre. Très vite j'ai compris qu'il y avait le feu en bas et j'ai essayé de réveiller Ebba. Ce n'était pas facile, elle dormait à poings fermés, mais j'ai finalement réussi à la faire sortir du lit. J'ai couru chercher l'extincteur, je n'avais que ça en tête : éteindre le feu.

Melker parlait si vite qu'il n'arrivait plus à respirer et il dut se taire un instant pour reprendre son souffle.

— J'ai cru que j'allais mourir. J'en étais même certaine, dit Ebba en tripotant le bord de ses ongles, et Patrik la regarda avec compassion.

— J'ai attrapé l'extincteur et aspergé les flammes dans le vestibule comme un fou, poursuivit Melker. Au début, j'ai trouvé que ça n'avait pas beaucoup d'effet, mais j'ai continué à projeter de la mousse partout et d'un coup le feu s'est éteint. Mais la fumée est restée, il y en avait partout.

De nouveau, il respira fort.

— Pourquoi quelqu'un ferait ça, je ne comprends pas…

Ebba semblait absente et Patrik fut enclin à donner raison à Östen : elle était en état de choc. Cela expliquerait aussi
pourquoi elle tremblait de tout son corps. Quand le personnel soignant arriverait, ils devraient examiner Ebba en premier
et s'assurer que ni elle ni son mari n'ait été intoxiqué par la
fumée. Les gens ignoraient en général que la fumée est beaucoup plus dangereuse que le feu lui-même. Les conséquences
d'une trop forte inhalation pouvaient ne se révéler qu'au bout
d'un certain temps.

— Pourquoi croyez-vous que c'est un incendie criminel? 
demanda Melker.

Il se frotta de nouveau le visage et Patrik se dit qu'il lui manquait sûrement plusieurs heures de sommeil.

— Comme je l'ai dit, nous ne sommes sûrs de rien pour
l'instant, répondit-il en hésitant. Certains signes l'indiquent,
mais je préfère ne pas trop m'avancer avant la confirmation
des techniciens. Vous n'avez pas entendu des bruits suspects
plus tôt dans la nuit?

— Non, comme je vous l'ai dit, je dormais, c'est le feu qui
m'a réveillé.

Patrik hocha la tête en direction d'une maison proche.

— Vos voisins sont là? Est-ce qu'ils ont pu voir si un étranger rôdait par ici?

— Ils sont en vacances, il n'y a que nous sur cette partie de
l'île.

— Pensez-vous à quelqu'un qui pourrait vous vouloir du
mal? ajouta Martin.

Il laissait souvent Patrik mener les interrogatoires, mais il
écoutait toujours attentivement et observait les réactions des
gens, ce qui était au moins aussi important que de poser les
bonnes questions.

— Non, personne à ma connaissance, répondit Ebba en
secouant lentement la tête.

— Ça ne fait pas très longtemps qu'on habite ici. Deux mois
seulement, dit Melker. C'est la maison des parents d'Ebba,
mais elle a été mise en location pendant des années et Ebba
n'y était jamais revenue avant. On avait décidé de retaper le
lieu et d'en faire quelque chose de bien.

Patrik et Martin échangèrent un rapide regard. L'histoire de cette maison, et par conséquent celle d'Ebba aussi, était connue dans la région, mais ce n'était pas le bon moment pour en parler. Patrik se félicita qu'Erica ne soit pas là. Elle n'aurait pas su tenir sa langue.

— Et avant, où habitiez-vous? demanda Patrik, même s'il pouvait deviner la réponse d'après le fort accent de Melker.

— À Göteborg, *Götlaborg*, tu vois? dit Melker en exagérant sa prononciation, mais sans esquisser le moindre sourire à sa propre plaisanterie.

— Pas de comptes à régler avec quelqu'un?

— On n'est brouillés avec personne, ni à Göteborg ni ailleurs, répondit Melker sur un ton sec.

— Et pour quelle raison avez-vous emménagé ici?

Ebba fixa la table en tripotant la chaîne en argent autour de son cou. Le pendentif représentait un très joli ange.

— Notre fils est mort, dit-elle et elle tira si fort sur l'ange que la chaîne lui entama presque la peau.

— Nous avions besoin de changer d'air, dit Melker. Cette maison a été laissée à l'abandon pendant très longtemps, personne ne s'en est occupé, et nous avons vu ça comme une bonne occasion de tout recommencer. Mes parents tenaient un restaurant, ça m'a paru tout naturel de créer notre propre établissement. Nous allons commencer par proposer des chambres d'hôte, et après on essaiera d'attirer des congrès.

— On dirait qu'il y a beaucoup de travaux à faire.

Patrik regarda la grande maison à la façade blanche et sa peinture qui s'écaillait. Il choisit sciemment de ne pas poser d'autres questions sur le fils décédé. La douleur qu'on lisait sur leur visage était trop grande.

— On n'a pas peur de travailler. On continuera tant qu'on le pourra. Si nos forces s'épuisent, on engagera des bras pour nous aider, mais on aimerait autant en faire l'économie. Ça va être suffisamment difficile comme ça de s'en tirer financièrement.

— On ne peut donc imaginer personne qui vous voudrait du mal, à vous ou à votre activité ici? insista Martin.

— Notre activité? Quelle activité? dit Melker avec un rire ironique. Non, on ne voit vraiment personne. Nous menons une vie banale. Nous sommes des Suédois tout à fait ordinaires, des citoyens lambda.

Patrik songea un instant à l'histoire personnelle d'Ebba. Peu de citoyens lambda renfermaient, dans leur passé, un si lourd mystère. Depuis des années, les rumeurs et les spéculations les plus folles sur ce qui était arrivé à sa famille allaient bon train à Fjällbacka et ses environs.

— À moins que... dit Melker, mais Ebba ne sembla pas comprendre ce qu'il voulait insinuer, et il la fixa un moment du regard. La seule chose qui me vienne à l'esprit, ce sont les cartes d'anniversaire.

— Les cartes d'anniversaire? répéta Martin.

— Depuis qu'elle est toute petite, Ebba reçoit chaque année pour son anniversaire une carte signée d'un G. Ses parents adoptifs n'ont jamais réussi à découvrir qui en est l'expéditeur. Elle a continué à les recevoir même après avoir quitté le foyer familial.

— Et Ebba non plus ne sait pas qui ça peut être? demanda Patrik, avant de se rendre compte qu'il parlait d'elle comme si elle n'était pas là. Il se tourna vers elle et répéta sa question : Vous ne savez pas du tout qui vous envoie ces cartes?

— Non.

— Et vos parents adoptifs? Vous êtes sûre qu'ils n'en savent rien?

— Ils n'en ont aucune idée.

— Ce "G", il n'a jamais pris contact avec vous par un autre moyen? Ou sous forme de menaces?

— Non, jamais. N'est-ce pas, Ebba?

Melker déplaça sa main en direction d'Ebba comme s'il voulait la toucher, puis la laissa retomber sur ses genoux.

Elle secoua la tête.

— Tiens, voilà Torbjörn, dit Martin avec un geste vers le sentier.

— Bien, on vous laisse vous reposer maintenant. Les infirmiers sont en route, et s'ils veulent vous emmener à l'hôpital, suivez leur avis. Il ne faut pas rigoler avec ce genre de choses.

— Merci, dit Melker et il se leva. Prévenez-nous si vous avez du nouveau.

— Bien entendu.

Patrik jeta un dernier coup d'œil soucieux à Ebba. Elle paraissait toujours enfermée dans sa bulle. Il se demanda à quel point la tragédie de son enfance l'avait marquée, puis s'obligea à abandonner là ses spéculations. Il devait se concentrer sur leur travail : démasquer un éventuel incendiaire.

## FJÄLLBACKA 1912

Dagmar ne comprenait toujours pas comment cela avait pu arriver. On lui avait tout pris, elle se retrouvait seule au monde. Où qu'elle aille, les gens chuchotaient des insultes derrière son dos. Ils la détestaient à cause de ce que sa mère avait fait.

Parfois, la nuit, ses parents lui manquaient au point qu'elle devait mordre son oreiller pour ne pas pleurer de désespoir. Si elle cédait aux larmes, la mégère qui l'hébergeait la rouerait de coups. Mais elle ne parvenait pas toujours à retenir ses cris quand les cauchemars la hantaient et qu'elle se réveillait ruisselante de sueur. Dans ses rêves, elle voyait les têtes tranchées de sa mère et de son père. Car ils avaient finalement été décapités. Dagmar n'avait pas assisté à leur exécution, mais l'image lui brûlait quand même la rétine.

Il arrivait aussi que les enfants l'assaillent dans ses rêves. D'après la mégère, les policiers avaient trouvé huit nourrissons en défonçant le sol en terre battue de la cave. "Huit pauvres petits enfants", disait-elle en secouant la tête dès qu'elle avait de la visite. Ses amies tournaient leurs regards acérés vers Dagmar. "La gamine devait quand même bien être au courant, affirmaient-elles. Même si elle était petite, elle devait se rendre compte de ce qui se passait dans sa maison."

Dagmar refusa de se laisser faire. Peu importait que cela fût vrai ou non. Mère et père l'avaient aimée, et de toute façon personne n'avait voulu de ces petits enfants sales et braillards. C'était bien pour ça qu'ils s'étaient retrouvés chez mère. Pendant des années elle avait trimé, et pour la remercier de s'être occupée d'enfants non désirés, on l'avait déshonorée, raillée et exécutée. Pareil pour *père. Il avait aidé sa femme à enterrer les enfants, alors on avait estimé qu'il méritait la mort, lui aussi.*

*Elle avait été placée chez la mégère après que les policiers eurent emmené ses parents. Personne d'autre n'avait voulu l'accueillir, ni les membres de la famille ni les amis. Personne ne voulait avoir le moindre rapport avec elle. La Faiseuse d'anges de Fjällbacka — c'est ainsi qu'ils avaient commencé à appeler mère depuis le jour où on avait retrouvé les petits squelettes. Aujourd'hui, on chantait même des chansons sur elle. Sur l'infanticide qui avait noyé les enfants dans un bassin, et sur son mari qui les avait enterrés dans la cave. Dagmar connaissait ces chansons par cœur, les morveux de sa mère d'accueil les lui chantaient à tout bout de champ.*

*Elle pouvait supporter tout cela. Elle était la princesse de mère et père, et elle savait qu'elle avait été désirée et aimée. La seule chose qui la faisait trembler de terreur, c'était le bruit des pas de son père d'accueil la nuit, quand il entrait dans sa chambre. Dans ces moments-là, Dagmar aurait voulu suivre ses parents dans la mort.*

Josef caressa nerveusement du pouce la pierre qu'il tenait à la main. Cette réunion était importante : hors de question de laisser Sebastian la gâcher.

— La voici, dit Sebastian en montrant les dessins qu'il avait posés sur la table de conférence. Notre vision. *A project for peace in our time.*

"Un projet pour la paix de notre temps." Josef soupira mentalement. Il doutait que des fadaises en anglais puissent impressionner les hommes de la commune.

— Ce que mon partenaire essaie de dire, c'est que c'est une formidable occasion pour la commune de Tanum d'agir pour la paix. Une initiative qui vous procurera de la notoriété.

— Oui, la paix sur terre, c'est porteur. Et d'un point de vue économique, l'idée est bonne. À terme, ça augmenterait le tourisme et donnerait du travail aux habitants, et vous savez tous ce que cela signifie, dit Sebastian en levant la main et en frottant ses doigts contre son pouce. Davantage de pépètes dans le coffre-fort de la commune.

— Oui, mais c'est avant tout un projet prestigieux pour la paix, insista Josef.

Il réprima l'envie de donner un coup de pied sur le tibia de Sebastian. Quand il avait accepté son argent, il savait qu'il aurait à supporter ce genre de discours. Mais il n'avait pas eu le choix.

Erling W. Larson hocha la tête. Après le scandale de la rénovation de l'hôtel des Bains à Fjällbacka, il avait connu une petite traversée du désert, mais aujourd'hui il était de retour dans la politique locale. Un projet comme celui-ci pourrait montrer qu'il faisait toujours le poids, et Josef espérait qu'il s'en rendrait compte.

— Ça a l'air intéressant, dit Erling. Pouvez-vous nous donner un peu plus de détails?

Sebastian inspira, s'apprêtant à prendre la parole, mais Josef le devança.

— C'est un morceau d'histoire que nous avons là, dit-il en exhibant la pierre dans sa main. Albert Speer se procurait du granit dans les carrières du Bohuslän pour le compte du III$^e$ Reich. Avec Hitler, il avait le projet grandiose de transformer Berlin en capitale du monde, et le granit devait être acheminé vers l'Allemagne par bateau puis utilisé pour bâtir cette Germania.

Josef se leva et se mit à arpenter la pièce tout en parlant. Dans sa tête, le bruit de bottes des soldats allemands résonna. Le bruit dont ses parents lui avaient parlé tant de fois, avec de l'épouvante dans la voix.

— Puis il y a eu un tournant dans la guerre, poursuivit-il. Germania est restée au stade d'idéal, sur lequel Hitler a pu fantasmer pendant ses derniers jours. Un rêve non réalisé, une vision de monuments et d'édifices grandioses qui auraient été construits au prix de la vie de millions de juifs.

— Quelle horreur, dit Erling avec insouciance.

Josef le regarda, résigné. Ils ne comprenaient pas, personne ne comprenait. Mais il n'avait pas l'intention de leur permettre d'oublier.

— Une grande partie du granit n'a jamais eu le temps d'être expédiée en Allemagne…

— Et c'est ici que nous faisons notre entrée, l'interrompit Sebastian. Nous nous sommes dit qu'à partir de ce granit on pourrait fabriquer de petits objets, des symboles de paix à commercialiser. Avec une bonne gestion, ça devrait rapporter pas mal d'argent.

— Et avec cet argent, nous construirons un musée, dédié à l'histoire juive et au rapport de la Suède avec le judaïsme. Qui évoquerait, par exemple, notre prétendue neutralité pendant la guerre, ajouta Josef.

Il se rassit et Sebastian passa son bras autour de ses épaules en les serrant. Josef dut se faire violence pour ne pas se dégager. Il réussit même à afficher un sourire figé. C'était la même hypocrisie qu'à l'époque de Valö. Ni alors ni maintenant il n'avait quoi que ce soit en commun avec Sebastian ou ses autres soi-disant amis. Quels que soient ses efforts, jamais il n'aurait accès au beau monde qui était le leur. Celui de Sebastian, John, Leon et Percy. Et d'ailleurs, il n'en avait pas envie.

Mais là, il avait besoin de Sebastian. C'était sa seule chance de réaliser le rêve qu'il nourrissait depuis tant d'années : honorer son héritage juif et faire connaître les abus de pouvoir qui avaient été commis et étaient encore commis envers le peuple juif. S'il devait pour cela conclure un pacte avec le diable, il le ferait. Il espérait juste qu'en temps voulu, il parviendrait à se débarrasser de lui.

— Comme vient de le dire mon associé, précisa Sebastian, ce sera un musée prestigieux et des touristes du monde entier s'y rendront en pèlerinage. Ce projet vous rapportera un gros capital estime.

— C'est tentant, dit Erling. Qu'est-ce que tu en penses ?

Il se tourna vers Uno Brorsson, son adjoint à la commune, qui malgré la chaleur portait une chemise à carreaux en flanelle.

— Ça vaut peut-être le coup d'y jeter un coup d'œil, marmonna Uno. Tout dépend de la somme que la commune devra débloquer. Les temps sont difficiles.

Sebastian sourit de toutes ses dents.

— Je suis sûr qu'on trouvera un accord. Le principal, c'est l'enthousiasme et une réelle volonté. J'investis personnellement une grosse somme d'argent.

Oui, mais tu ne leur dis pas à quelles conditions, pensa Josef, les mâchoires crispées. Tout ce qu'il pouvait faire, c'était accepter sans un mot ce qu'on lui donnait et rester concentré sur son objectif. Il se pencha pour serrer la main tendue d'Erling. Maintenant, il n'y avait plus aucun retour possible.

Une petite marque au front, des cicatrices sur le corps et une démarche légèrement claudicante étaient les seules traces visibles de l'accident qu'elle avait subi un an et demi auparavant. L'accident où elle avait perdu l'enfant qu'elle attendait de Dan, et où elle-même avait failli mourir.

Intérieurement, les séquelles étaient plus profondes. Anna se sentait encore cassée.

Elle hésita un instant devant la porte d'entrée. Parfois, c'était compliqué de voir Erica et de constater à quel point tout s'était arrangé pour elle. Sa sœur ne portait aucune trace du drame. Elle n'avait rien perdu, elle. En même temps, la voir lui faisait du bien. Les plaies d'Anna la tourmentaient, la faisaient souffrir, et les moments passés avec Erica apaisaient en quelque sorte sa douleur.

Anna n'avait jamais imaginé que le processus de guérison serait si long, et heureusement. Si elle avait su le temps que ça prendrait, elle n'aurait peut-être jamais osé sortir de l'apathie où elle avait sombré après le terrible accident. Il y avait quelque temps de cela, elle avait dit à Erica qu'elle était comme un de ces vases anciens qu'elle avait vus quand elle travaillait chez le commissaire-priseur. Un vase qu'on avait fait tomber, qui s'était cassé et dont on s'était appliqué à recoller les morceaux. Si de loin il avait l'air intact, toutes les fissures devenaient douloureusement visibles quand on le regardait de près. C'était bien plus qu'une plaisanterie, Anna le comprit quand elle sonna à la porte d'Erica. Elle était réellement cela : un vase cassé.

— Entre ! lança sa sœur à l'intérieur de la maison.

Anna franchit le seuil et se débarrassa de ses chaussures.

— J'arrive dans une minute, je change les jumeaux.

Anna alla dans la cuisine où elle se sentait chez elle. Elle connaissait le moindre recoin de cette maison, qui était celle de son enfance. Plusieurs années auparavant, elle avait été l'objet d'une dispute qui avait presque brisé la relation des deux sœurs, mais c'était une autre époque, un autre monde. Désormais elles pouvaient même en plaisanter et parler de l'"EAL" et de l'"ESL", ce qui signifiait "Époque Avec Lucas" et "Époque Sans Lucas". Anna frissonna. Elle s'était solennellement promis de penser le moins possible à son ex-mari et à ce qu'il avait fait. Il n'était plus de ce monde. De Lucas, il lui restait l'unique trésor qu'il lui ait jamais donné : Emma et Adrian.

— Tu veux un café ?

Erica arriva dans la cuisine avec un jumeau sur chaque bras. Les garçons s'illuminèrent en voyant leur tante et Erica les posa par terre. Ils se précipitèrent tout de suite sur Anna et essayèrent de grimper sur ses genoux.

— Du calme, il y a de la place pour deux, dit Anna en les soulevant l'un après l'autre, puis elle regarda Erica : Un café? Ça dépend de ce que tu as pour l'accompagner.

— Qu'est-ce que tu dirais du gâteau de mamie, à la rhubarbe et à la pâte d'amande?

Erica lui montra un gâteau dans un sac plastique transparent.

— Sérieusement? Alors là, je craque!

Erica en coupa des quartiers qu'elle disposa sur une assiette. Noel se jeta dessus sur-le-champ, mais Anna put le retenir à temps. Elle en prit une part qu'elle partagea entre Noel et Anton. Tout content, Noel enfourna le morceau tout entier dans la bouche, tandis qu'Anton croquait prudemment le sien par petits bouts, un grand sourire aux lèvres.

— Ils sont tellement différents, c'est incroyable, dit Anna, et elle ébouriffa les cheveux des petits blondinets.

— Tiens donc, tu trouves? répondit Erica malicieusement en secouant la tête.

Elle servit le café et posa par réflexe la tasse d'Anna hors d'atteinte des mains des jumeaux.

— Ça va comme ça ou tu veux que j'en prenne un? demanda-t-elle en regardant sa sœur qui essayait de gérer les enfants, le café et le gâteau en même temps.

— Ça va, c'est tellement bon de les voir, dit Anna en humant la tête de Noel. Au fait, où est Maja?

— Scotchée devant la télé. Son nouveau grand amour, c'est Mojje. Là, elle regarde la saison trois, *Mimmi et Mojje aux Antilles*. Je crois que je vais vomir si j'entends encore une fois : "Sur une plage ensoleillée aux Antilles."

— Adrian, lui, est obsédé par les Pokémon en ce moment, ça me rend dingue aussi, dit Anna en sirotant son café avec précaution pour ne pas en renverser sur les deux petits garçons gigotant sur ses genoux. Et Patrik, il est où?

— Au boulot. Il y a eu un incendie sur Valö, sans doute d'origine criminelle.

— Sur Valö ? Chez qui ?

Erica tarda un peu à répondre.

— À la colo, finit-elle par dire sans réussir à dissimuler l'excitation dans sa voix.

— Quelle horreur ! Cet endroit m'a toujours filé la chair de poule. Je veux dire, qu'ils aient tous disparu comme ça…

— Moi aussi. J'ai tenté quelques recherches de temps en temps, je me suis dit qu'en rassemblant assez de matériel, ça pourrait aboutir à un livre. Mais je n'avais rien de vraiment concret comme point de départ. Jusqu'à aujourd'hui.

— Comment ça ?

Anna mordit une grosse bouchée du gâteau à la rhubarbe. Elle aussi avait la recette de mamie, mais elle faisait de la pâtisserie à peu près aussi souvent qu'elle repassait des draps. C'est-à-dire jamais.

— Elle est revenue.

— Qui ?

— Ebba Elvander. Mais elle s'appelle Stark aujourd'hui.

— La petite fille ? demanda Anna en ouvrant de grands yeux.

— Exactement. Elle et son mari ont emménagé à Valö, ils rénovent la maison. Et voilà que quelqu'un a essayé de l'incendier ! Il y a de quoi se poser des questions.

Erica n'essaya même plus de dissimuler son enthousiasme.

— C'est peut-être une simple coïncidence, non ?

— Bien sûr. Mais avoue que c'est étrange, quand même. Ebba revient et subitement il se passe des choses.

— Il se passe *une* chose, fit remarquer Anna.

Elle savait avec quelle facilité Erica se mettait à échafauder des théories. Qu'elle ait écrit plusieurs livres sérieux et minutieusement documentés était un miracle, et une équation qu'Anna n'avait jamais réussi à résoudre.

— Oui, d'accord, *une* chose, concéda Erica avec un petit geste d'impatience. J'ai hâte que Patrik rentre. Je voulais y aller avec lui, mais je n'avais personne pour garder les enfants.

— Mais ça n'aurait pas paru bizarre, que tu accompagnes Patrik là-bas ?

38

Anton et Noel en eurent assez d'être sur les genoux d'Anna. Ils se laissèrent glisser par terre et partirent en trombe vers le salon.

— Mouais. De toute façon, j'ai l'intention d'aller voir Ebba un de ces quatre.

— Je me demande vraiment ce qui est arrivé à cette famille, dit Anna pensivement.

— Mamaaaaaan ! Prends-les !

Maja cria à tue-tête dans le salon et Erica se leva avec un soupir.

— Je savais bien que j'étais assise depuis trop longtemps. C'est comme ça tous les jours. Maja pète un plomb avec ses frangins. Je ne sais pas combien d'interventions d'urgence je fais par jour.

— Mmmm, fit Anna.

Elle ressentit un coup au cœur en regardant Erica partir. Elle aurait tant voulu ne pas être réduite à rester tranquillement assise sur ses fesses.

Fjällbacka montrait le meilleur d'elle-même. De la terrasse devant la cabane de pêcheur où il était installé avec sa femme et ses beaux-parents, John avait une vue imprenable sur toute l'entrée du port. Le temps magnifique avait attiré plus de plaisanciers et de touristes que d'ordinaire, et les bateaux étaient amarrés les uns contre les autres le long des pontons. On entendait de la musique et des éclats de rire, et il observait la scène animée en plissant les yeux.

— C'est dommage que les gens ne puissent plus s'exprimer librement en Suède aujourd'hui, dit John en levant son verre et buvant une gorgée de vin rosé bien frais. Ils parlent de démocratie, affirment que tout le monde doit pouvoir faire entendre sa voix, mais nous, on nous bâillonne. Ça les arrangerait même qu'on n'existe pas. Mais ils oublient que c'est le peuple qui nous a élus. De nombreux Suédois ont ainsi exprimé leur profond mécontentement face à la manière dont la société est gérée. Ces gens-là veulent un changement, et nous le leur avons promis.

Il posa son verre et se remit à décortiquer ses crevettes. Un gros tas de carapaces couvrait déjà son assiette.

— Oui, c'est pénible, dit son beau-père en plongeant sa main dans le plat à crevettes pour en attraper une bonne poignée. Du moment qu'on a une démocratie, on doit écouter le peuple.

— On sait bien que la plupart des immigrés viennent ici juste pour toucher les allocations, glissa sa belle-mère. S'il n'y avait que ceux qui sont prêts à travailler et à contribuer à la société, ça pourrait aller. Mais moi, je n'ai aucune envie de voir l'argent de mes impôts aller dans la poche de ces parasites.

Elle avait déjà commencé à bafouiller un peu.

John soupira. Crétins. Ils ne savaient pas de quoi ils parlaient. Comme la majorité du troupeau d'électeurs, ils schématisaient le problème. Ils n'avaient aucune vue d'ensemble. Ses beaux-parents incarnaient l'ignorance qu'il détestait tant, et lui, il se retrouvait coincé ici avec eux pendant une semaine.

Liv passa une main apaisante sur sa cuisse. Elle savait ce qu'il pensait d'eux et elle était globalement de son avis. Mais Barbro et Kent étaient ses parents, et elle n'y pouvait pas grand-chose.

— Le pire, c'est de voir comment ils se mélangent tous, dit Barbro. Dans notre quartier, il y a une famille qui vient d'emménager, la maman est suédoise et le papa arabe. Vous imaginez la vie qu'elle doit avoir, cette pauvre femme? Vu la façon dont les Arabes traitent leurs épouses… Et les enfants, on va se moquer d'eux, à l'école. Ça va faire des jeunes délinquants et alors là, il sera trop tard pour regretter de ne pas avoir épousé un Suédois.

— Tu as parfaitement raison, renchérit Kent et il essaya de croquer son énorme tartine garnie de crevettes.

— On devrait laisser John tranquille avec la politique, suggéra Liv sur un léger ton de reproche. Il en a assez de traiter de questions d'immigration à longueur de journée, là-bas, à Stockholm. Il a besoin d'un peu de répit.

John la remercia du regard et saisit l'occasion d'admirer sa femme. Elle était parfaite. Des cheveux blonds et soyeux délicatement coiffés en arrière. Des traits purs et des yeux d'un bleu limpide.

— Pardon, mon cœur. On n'a pas réfléchi. Mais on est tellement fiers de tout ce qu'il fait et de la position qu'il occupe. Allez, on va parler d'autre chose. Tiens, ta petite entreprise, par exemple, comment elle va?

Liv commença à raconter avec force détails toutes les difficultés qu'elle avait avec les douanes, qui compliquaient ses affaires. Les livraisons d'articles de décoration qu'elle importait de France et vendait ensuite sur Internet étaient sans cesse retardées. Mais John savait qu'en réalité son intérêt pour le commerce s'était émoussé. Elle s'occupait de plus en plus du parti désormais. Tout le reste paraissait futile en comparaison.

Les mouettes décrivaient maintenant des cercles resserrés au-dessus de la table, et il se leva.

— Je propose qu'on débarrasse. Ces oiseaux commencent à me taper sur les nerfs.

Il prit son assiette, s'approcha du bord de la terrasse et jeta toutes les épluchures de crevettes à la mer. Les mouettes plongèrent aussitôt pour en attraper le plus possible. Le reste serait pour les crabes.

John resta là un instant, respirant profondément et scrutant l'horizon. Comme d'habitude, ses yeux se posèrent sur Valö et, comme d'habitude, la colère gronda en lui. Heureusement ses pensées furent interrompues par une vibration dans la poche droite de son pantalon. Il sortit vivement le téléphone et jeta un œil sur l'écran avant de répondre. C'était le Premier ministre.


— Qu'est-ce que tu en penses, de cette histoire de cartes ?

Patrik tenait la porte le temps que Martin passe. Elle était tellement lourde qu'il dut s'aider de l'épaule. Le commissariat de Tanum avait été construit dans les années 1960, et la première fois qu'il était entré dans ce bâtiment, qui avait tout d'un bunker, il avait immédiatement perçu la morosité ambiante. Désormais il était tellement habitué aux couleurs beige et jaune sale des locaux qu'il s'en contrefichait éperdument.

— Ça paraît étrange. Qui envoie des cartes d'anniversaire anonymes année après année ?

— Pas totalement anonymes. Il y a ce "G".

— Oui, c'est sûr, on est bien avancés avec ça, ironisa Martin, et Patrik rit.

— Qu'est-ce qui vous fait tant rire ? demanda Annika en levant la tête derrière la vitre de l'accueil.

— Oh, rien, dit Martin.

Annika fit pivoter sa chaise et vint à la porte.

— Ça s'est passé comment, là-bas ?

— Il faut attendre un peu et voir ce que Torbjörn trouvera, mais on dirait bien que quelqu'un a essayé de mettre le feu à la baraque.

— Je prépare du café et vous me racontez, dit Annika et elle commença à pousser Martin et Patrik devant elle.

— Tu as appelé Mellberg ? lui demanda Martin quand ils furent dans la cuisine.

— Non, je me suis dit qu'il était trop tôt. Après tout, il est de repos ce week-end. On ne dérange pas le chef quand il est en congé.

— Bien vu, répondit Patrik et il s'assit près de la fenêtre.

— En voilà des manières, faire une pause-café sans me prévenir, dit Gösta qui était apparu à la porte, la mine boudeuse.

— Qu'est-ce que tu fais là ? Tu n'es pas en service. Pourquoi tu ne joues pas au golf ? lança Patrik en lui tirant une chaise.

— Fait trop chaud. J'ai préféré venir taper des rapports, et prendre quelques heures sur le parcours un autre jour quand il fera moins chaud. Aujourd'hui, on pourrait faire cuire des œufs sur le bitume. Vous étiez où ? Annika a parlé d'un incendie criminel.

— Oui, il semblerait que quelqu'un ait fait couler de l'essence ou un truc comme ça sous la porte avant d'allumer.

— Eh ben ! s'exclama Gösta et il prit un biscuit sablé fourré au chocolat dont il enleva l'anneau supérieur. Et où ça ?

— À Valö. Dans l'ancienne colo, dit Martin.

Gösta se figea.

— La colonie de vacances ?

— Oui, c'est assez étrange. Je ne sais pas si tu es au courant, mais la cadette, celle qu'on avait retrouvée toute seule là-bas quand la famille a disparu… Eh bien, elle est revenue et s'est installée dans la maison.

— Oui, j'en ai entendu parler, répondit Gösta, les yeux rivés sur la table.

— Mais j'y pense, tu avais participé à l'enquête à l'époque, toi, dit Patrik, curieux d'en savoir plus.

— Absolument. Ça rajeunit pas… C'est bizarre qu'elle ait eu envie de revenir.

— Elle a mentionné qu'ils ont perdu leur fils, dit Martin.

— Ebba a perdu un enfant ? Quand ça ? Comment ?

— Ils n'ont rien dit de plus, répondit Martin tout en attrapant la brique de lait dans le réfrigérateur.

Patrik plissa le front. Ça ne ressemblait pas à Gösta de s'impliquer autant dans une affaire. Cela dit, chaque policier d'un certain âge avait connu, dans sa carrière, un cas avec un C majuscule. Une affaire impossible à oublier, pour laquelle on espérait toujours trouver une solution ou une réponse avant qu'il soit trop tard.

— Ce cas-là a été assez spécial pour toi, hein ?

— Oui, c'est sûr. Je donnerais n'importe quoi pour savoir ce qui s'est réellement passé ce fameux week-end de Pâques.

— Tu n'es sûrement pas le seul, glissa Annika.

— Et voilà qu'Ebba est de retour. Et que quelqu'un a tenté de faire cramer sa maison, médita Gösta en se frottant le menton.

— Pas seulement la maison, dit Patrik. Celui qui a allumé le feu devait savoir qu'Ebba et son mari dormaient à l'intérieur, il comptait peut-être même là-dessus. Heureusement que Melker s'est réveillé et a pu éteindre le feu.

— Effectivement, c'est une drôle de coïncidence, dit Martin et il sursauta quand Gösta abattit son poing sur la table.

— Mais bien sûr que non, ce n'est pas une coïncidence !

Ses collègues lui lancèrent un regard interrogateur et le silence plana dans la cuisine pendant un moment.

— On devrait peut-être ressortir cette vieille affaire et y jeter un coup d'œil, finit par dire Patrik. Pour être sûrs de ne rien louper.

— Je vais chercher le dossier, proposa Gösta, et son visage maigre de lévrier afghan s'anima de nouveau. Je l'épluche de temps en temps, je sais comment le matériel est classé. Je le connais pratiquement par cœur.

— D'accord. Ensuite on le dépouillera ensemble. Peut-être qu'un regard neuf en tirera quelque chose. Et toi, Annika, tu peux voir ce qu'on a sur Ebba dans nos registres ?

— Tout de suite, dit-elle et elle commença à débarrasser la table.

— On devrait examiner la situation économique des Stark aussi. Et vérifier si la maison sur Valö est assurée, dit Martin en lançant un regard timide vers Gösta.

— Tu veux dire qu'ils auraient pu mettre le feu à la maison eux-mêmes? C'est complètement crétin. Ils étaient à l'intérieur quand le feu a pris, et c'est le mari d'Ebba qui l'a éteint.

— Ça vaut le coup de vérifier quand même. Qui sait, il l'a peut-être allumé avant de changer d'avis? Je m'en occupe.

Gösta ouvrit la bouche comme pour dire quelque chose, puis la referma aussitôt et sortit bruyamment de la cuisine.

Patrik se leva.

— Je crois qu'Erica possède certaines informations aussi.

— Erica? Comment ça se fait? dit Martin en s'arrêtant net.

— Cette affaire l'intéresse depuis pas mal de temps. C'est une histoire dont tout le monde a déjà entendu parler à Fjällbacka. Vu son métier, rien d'étonnant à ce qu'elle s'y soit penchée de plus près.

— Pose-lui la question. Tous les moyens sont bons.

Patrik hocha la tête, mais se sentait quand même un peu hésitant. Il savait d'avance ce qui se passerait s'il laissait Erica prendre part à l'enquête.

— Oui, oui, je vais lui en parler, dit-il en espérant ne pas avoir à le regretter.

La main de Percy trembla légèrement quand il versa deux verres de son meilleur cognac. Il en tendit un à sa femme.

— Je ne comprends pas leur raisonnement, dit Pyttan et elle vida son verre en quelques petites gorgées rapides.

— Grand-père se retournerait dans sa tombe s'il savait.

— Il faut que tu règles ça, Percy, d'une façon ou d'une autre.

Elle lui tendit son verre, et il le remplit de nouveau sans hésitation. Certes, il était encore tôt dans l'après-midi, mais quelque part dans le monde c'était l'heure de l'apéritif. Et un jour comme celui-ci exigeait un alcool fort.

— Moi? Mais que veux-tu que je fasse?

Sa voix partit dans les aigus et il tremblait tant que la moitié du cognac finit en dehors du verre de Pyttan. Elle retira brusquement sa main.

— Qu'est-ce que tu fous, espèce d'idiot!

— Pardon, pardon.

Percy se laissa tomber dans un des grands fauteuils fatigués de la bibliothèque. Il entendit un scratch, comprit que le tissu du siège s'était déchiré et se fendit d'un "merde alors". Puis il se remit debout et donna de furieux coups de pied au fauteuil. Autour de lui, tout s'effondrait littéralement. Le château tombait en ruine, son héritage était parti en fumée depuis longtemps et maintenant ces salauds du fisc lui réclamaient une somme astronomique qu'il n'avait pas.

— Calme-toi, dit Pyttan en s'essuyant les mains avec une serviette. Il y a forcément une solution. Mais je ne comprends pas pourquoi il n'y a plus d'argent.

Percy la foudroya du regard. Il savait que la pauvreté lui faisait peur, mais il éprouva un violent mépris à son égard.

— Pourquoi il n'y a plus d'argent? hurla-t-il. Est-ce que tu sais combien tu dépenses chaque mois? Tu as une idée de ce que ça coûte, les voyages, les dîners, les vêtements, les sacs, les chaussures, les bijoux, et Dieu sait quoi encore?

Ça ne lui ressemblait pas de crier ainsi et Pyttan recula, les yeux braqués sur lui. Il la connaissait suffisamment bien pour savoir qu'elle était en train de peser le pour et le contre : engager la lutte ou le caresser dans le sens du poil. Lorsque les traits de son visage se détendirent subitement, il sut qu'elle avait opté pour la voie caressante.

— Chéri, on va quand même pas se disputer pour des choses aussi futiles que l'argent? roucoula-t-elle, puis elle arrangea sa cravate et remit sa chemise en place dans son pantalon. Là. Ça ressemble plus à mon splendide châtelain.

Elle se glissa tout près de lui et il se sentit céder. Elle portait sa robe Gucci, et comme toujours dans ces cas-là, il avait un mal fou à lui résister.

— Voilà ce qu'on va faire : tu vas appeler le comptable et vérifier les livres avec lui encore une fois. Ça ne peut pas être aussi terrible. Tu vas voir, ça va te rassurer de lui parler.

— C'est avec Sebastian que je dois parler, murmura Percy.

— Sebastian ? dit Pyttan, avec une expression dégoûtée. Tu sais que je n'aime pas que tu le fréquentes. Ça m'oblige à côtoyer cette cruche avec qui il est marié. Ils n'ont tout simplement aucune classe. Il peut posséder tout l'argent du monde, je m'en fous, ça reste un plouc. J'ai entendu dire que la brigade financière l'a eu à l'œil pendant longtemps sans rien trouver contre lui. Mais ce n'est qu'une question de temps, et on ferait mieux de rester à bonne distance de ce type.

— L'argent n'a pas d'odeur, dit Percy.

Il savait ce que le comptable allait dire. Il n'y avait plus d'argent. Tout avait été dilapidé, et pour se tirer de ce mauvais pas et sauver Fygelsta, il avait besoin de capitaux. Sebastian était son seul espoir.


Ils étaient allés à l'hôpital d'Uddevalla, mais tout semblait en ordre. Pas de fumée dans les poumons. Le premier choc était passé, et Ebba avait l'impression de se réveiller d'un rêve étrange.

Elle se rendit compte qu'elle travaillait dans la pénombre et alluma la lampe posée sur le bureau. En été, l'obscurité arrivait à pas de loup, et elle s'épuisait toujours la vue avant de réaliser qu'elle avait besoin de lumière.

L'ange sur lequel elle travaillait était récalcitrant et elle s'acharna à mettre en place la boucle. Melker ne comprenait pas pourquoi elle fabriquait les bijoux à la main au lieu de les faire faire en Thaïlande ou en Chine, particulièrement maintenant qu'elle avait pas mal de commandes *via* la boutique du Net. Mais son travail n'aurait plus le même sens. Elle tenait à faire chaque bijou à la main, à mettre de l'amour dans chaque collier qu'elle envoyait. Tisser son propre chagrin et ses propres souvenirs dans les anges qu'elle fabriquait. Et puis, après avoir passé la journée à peindre, à clouer et à scier, c'était une activité apaisante. Quand elle se levait le matin, chacun de ses muscles était douloureux, alors que le travail sur les bijoux détendait son corps.

— J'ai tout fermé à clé, dit Melker.

Ebba sursauta sur sa chaise. Elle ne l'avait pas entendu arriver.

— Merde, grommela-t-elle quand la boucle qu'elle était sur le point d'insérer lui échappa des mains.

— Tu ne veux pas faire un break ce soir ? demanda Melker avec circonspection, et il vint se placer juste derrière elle.

Elle sentit qu'il hésitait à poser ses mains sur ses épaules. Autrefois, avant ce qui était arrivé à Vincent, il massait souvent son dos et elle adorait ce contact ferme et doux à la fois. Désormais c'était tout juste si elle supportait qu'il la frôle. Et si jamais elle le blessait en se dégageant trop rapidement de ses mains, cela augmenterait encore davantage la distance entre eux.

Ebba essaya encore une fois de mettre en place la boucle et finit par y arriver.

— Tu crois que ça change quelque chose de fermer à clé ? dit-elle sans se retourner. Les portes verrouillées n'ont visiblement pas gêné celui qui voulait nous brûler vifs la nuit dernière.

— Qu'est-ce qu'il faut faire alors ? demanda Melker. Tu pourrais au moins me regarder quand on se parle ! C'est important, là. Quelqu'un a essayé de brûler la maison et on ignore qui et pourquoi. Tu ne trouves pas ça horrible ? Tu n'as pas peur ?

Ebba se tourna lentement vers lui.

— De quoi devrais-je avoir peur ? Le pire est déjà arrivé. Fermé à clé ou pas, ça m'est égal.

— On ne peut pas vivre comme ça.

— Pourquoi pas ? J'ai suivi ta proposition. On a emménagé ici avec ton projet grandiose de rénover cette vieille baraque croulante, pour vivre heureux le restant de nos jours dans notre petit paradis en regardant les clients défiler. Qu'est-ce que tu veux de plus ?

Elle perçut parfaitement à quel point elle était froide et hostile.

— Rien, Ebba. Je ne veux rien.

La voix de Melker était aussi froide que la sienne. Il tourna les talons et quitta la pièce.

## FJÄLLBACKA 1915

*Libre, enfin libre! Elle avait trouvé une place comme bonne dans une ferme à Hamburgsund, et elle serait bientôt débarrassée de sa mère d'accueil et de ses mômes infâmes. Et surtout du père. Ses visites nocturnes s'étaient faites plus fréquentes à mesure qu'elle grandissait et que son corps se développait. Après ses premières règles, elle avait vécu dans la terreur qu'un enfant commence à grandir en elle. Un bébé, c'était la dernière chose qu'elle voulait. Elle n'avait pas l'intention de devenir une de ces filles effarouchées aux yeux rougis par les pleurs qui étaient venues frapper à la porte de sa mère avec un paquet criant dans les bras. Toute petite déjà, elle les avait méprisées, elles, leur faiblesse et leur résignation.*

*Dagmar rassembla ses quelques affaires. Elle n'avait rien gardé de son vrai foyer, et ici on ne lui avait rien donné qu'elle pourrait emporter. Mais elle n'allait pas partir les mains vides. Elle se glissa dans la chambre des parents. Dans une boîte poussée contre le mur sous le lit, la mégère gardait les bijoux qu'elle avait hérités de sa mère. Dagmar se mit à quatre pattes et sortit la boîte. Sa mère d'accueil était partie à Fjällbacka et les enfants jouaient dehors dans la cour, personne ne viendrait la déranger.*

*Ouvrant le couvercle, elle sourit de satisfaction. Il y avait assez d'objets de valeur pour assurer sa survie pendant un certain temps, et elle se réjouit à l'idée que la perte des bijoux ferait de la peine à la mégère.*

*— Qu'est-ce que tu fabriques?*

*La voix de son père d'accueil fit sursauter Dagmar. Elle le croyait dans l'étable Son cœur battit à tout rompre pendant un instant,*

*puis elle sentit un grand calme s'installer en elle. Rien ne se met-*
*trait en travers de son projet.*

*— À ton avis? dit-elle en prenant tous les bijoux de la boîte et*
*en les glissant dans la poche de sa jupe.*

*— Tu es folle? Tu voles les bijoux?*

*Il fit un pas dans sa direction et elle leva la main.*

*— Tout à fait. Et je te conseillerais de ne pas essayer de m'ar-*
*rêter. Sinon, j'irai tout droit chez le commissaire lui raconter ce*
*que tu m'as fait.*

*— Tu n'oserais pas! dit-il en serrant les poings, puis son regard*
*s'éclaircit. D'ailleurs, qui croirait la fille de la Faiseuse d'anges?*

*— Je sais être très persuasive. Et les rumeurs commenceraient*
*à courir dans le pays plus vite que tu ne le crois.*

*Il s'assombrit de nouveau, sembla hésiter. C'était le moment*
*pour elle d'avancer ses pions.*

*— Voici ma proposition. Quand ma chère mère d'accueil va*
*découvrir que les bijoux ont disparu, tu t'appliqueras à la calmer*
*et à lui faire comprendre qu'il vaudrait mieux en rester là. Si tu*
*me promets ça, tu auras une petite récompense en prime avant*
*que je parte.*

*Dagmar s'approcha de son père d'accueil. Lentement, elle posa*
*la main sur son sexe et se mit à le frotter. Les yeux de l'homme*
*devinrent bientôt tout luisants et elle sut qu'elle le tenait en son*
*pouvoir.*

*— Nous sommes d'accord? demanda-t-elle en déboutonnant*
*lentement sa braguette.*

*— Nous sommes d'accord, dit-il.*

*Il posa la main sur son crâne et poussa sa tête vers le bas.*

Le plongeoir sur Badholmen se dressait vers le ciel, toujours aussi majestueux. Erica repoussa de toutes ses forces l'image d'un homme balançant lentement en haut de la structure en bois, une corde autour du cou. Elle n'avait aucune envie de repenser à l'épouvantable drame, et Badholmen fit de son mieux pour distraire son esprit. Le petit îlot en bordure de Fjällbacka était comme un joyau sur l'eau. Son auberge de jeunesse était très fréquentée, pratiquement complète pendant tout l'été, et Erica comprenait très bien pourquoi. La situation et le charme désuet du bâtiment formaient une combinaison irrésistible. Aujourd'hui, néanmoins, elle n'arrivait pas vraiment à profiter du site.

— Tout le monde est là?

Stressée, elle regarda autour d'elle et compta les enfants. Trois petits monstres en gilet de sauvetage orange fluo couraient partout sur le ponton.

— Patrik! Tu peux m'aider un peu? dit-elle et elle attrapa Maja par le col du gilet quand sa fille passa en trombe près du bord.

— Et qui va démarrer le moteur, à ton avis?

Patrik écarta les bras. Son visage était tout rouge.

— Il faut d'abord qu'on arrive à les descendre dans le bateau avant qu'ils tombent à l'eau.

Maja se tortilla comme un ver de terre pour s'échapper, mais Erica avait trouvé une bonne prise autour de la petite boucle du col et ne la lâcha pas. Avec sa main libre, elle saisit Noel qui pourchassait Anton sur ses jambes dodues. Maintenant, il ne restait plus qu'un enfant en vadrouille.

— Tiens, attrape-les.

Elle traîna les petits rebelles vers la *snipa* amarrée au ponton. L'air irrité, Patrik réceptionna Maja et Noel dans le cockpit. Puis Erica se retourna et partit aux trousses d'Anton qui était en route pour le petit pont en pierre entre Badholmen et Fjällbacka.

— Anton! Arrête-toi!

Son ordre ne fut suivi d'aucune réaction, les petites jambes d'Anton tricotaient toujours aussi vaillamment, mais elle le rattrapa vite. Malgré sa résistance et ses hurlements de forcené, Erica le prit résolument dans ses bras.

— Mon Dieu, comment ai-je pu me laisser convaincre par cette fausse bonne idée? dit-elle quand elle confia finalement un Anton sanglotant à Patrik.

Dégoulinante de sueur, elle défit l'amarre et sauta dans le bateau.

— Ça ira mieux une fois qu'on sera en mer, dit Patrik.

Il tourna la clé de contact et, heureusement, le moteur démarra à la première tentative. Il se pencha et défit l'amarre arrière tout en repoussant le bateau voisin de la main. Manœuvrer dans le port n'était pas une mince affaire. Les bateaux étaient serrés les uns contre les autres, et s'ils n'avaient pas été équipés de défenses, ni le leur ni ceux des voisins ne seraient restés intacts.

— Désolée d'avoir été désagréable, dit Erica en s'asseyant sur une des banquettes du cockpit, après avoir obligé les enfants à s'asseoir sur le plancher.

— C'est déjà oublié! lança-t-il et il actionna la barre en souplesse, de manière à positionner le bateau vers la sortie du port.

En ce magnifique dimanche matin, le ciel était bleu et la mer lisse comme un miroir. Les mouettes tournoyaient bruyamment au-dessus du bateau et, en regardant autour d'elle dans le port, Erica vit des gens savourer le petit-déjeuner sur leurs bateaux. Il y en avait probablement beaucoup aussi qui soignaient leur gueule de bois. Les jeunes venus en bateau avaient l'habitude de bien arroser leurs samedis soir. Je suis contente que cette époque soit révolue pour moi, se dit-elle et elle regarda avec davantage de tendresse ses enfants, sagement assis sur le plancher du cockpit.

Elle se leva et alla appuyer sa tête contre l'épaule de Patrik. Il passa son bras autour d'elle et l'embrassa sur la joue.

— Au fait, dit-il subitement. Quand on aura accosté, rappelle-moi que j'ai quelques petits trucs à te demander sur Valö et la colonie de vacances.

— Qu'est-ce que tu veux savoir ?

— On en parlera calmement tout à l'heure, dit-il en l'embrassant à nouveau.

Elle savait qu'il faisait ça pour la taquiner. L'envie d'en savoir plus sur ses intentions la démangeait, mais elle parvint à se maîtriser. Sans rien dire, elle mit sa main en visière et regarda en direction de Valö. Quand ils dépassèrent l'île, elle aperçut la grande maison blanche. Saurait-on jamais ce qui s'y était réellement passé tant d'années auparavant ? Elle détestait les livres et les films qui ne donnaient pas toutes les réponses à la fin, et les meurtres non résolus dont parlaient les journaux l'agaçaient au plus haut point. En fouillant l'affaire de Valö, elle n'avait rien appris qui puisse lui fournir une explication. La vérité était aussi ténébreuse que la maison dissimulée à présent par les arbres.

Martin resta un instant la main levée, puis posa le doigt sur la sonnette. Très vite il entendit des pas et dut refréner une soudaine envie de tourner les talons et de repartir. La porte s'ouvrit et Annika le regarda, toute surprise.

— Tiens, qu'est-ce que tu fais là ? Il s'est passé quelque chose ?

Il se força à sourire. Mais Annika ne se laissait pas facilement berner et c'est en partie pour cela qu'il venait la solliciter. Lorsqu'il avait été nommé au commissariat de Tanum, elle avait été comme une seconde mère pour lui, et c'était avec elle, et personne d'autre, qu'il voulait parler.

— Oui, euh, je… réussit-il à articuler.

— Entre. On s'installe dans la cuisine, on boit un petit café et tu me racontes ce qui se passe.

Martin entra, ôta ses chaussures et la suivit.

— Assieds-toi, dit-elle et elle commença à remplir le filtre à café. Qu'est-ce que tu as fait de Pia et Tuva?

— Elles sont à la maison. J'ai dit à Pia que je sortais faire un tour, il ne faut pas que je traîne. On va à la plage après.

— C'est bien. Leia aussi adore ça. On y est allés l'autre jour et on a eu un mal fou à la sortir de l'eau. C'est un vrai petit animal aquatique. Ils sont partis en balade, Lennart et elle, pour que je puisse faire un peu de rangement.

Les yeux d'Annika brillaient quand elle parlait de sa fille adoptive. Cela ferait bientôt un an qu'ils étaient allés en Chine la chercher, après des problèmes et des reports à n'en plus finir. À présent, toute leur existence tournait autour de Leia.

Martin ne pouvait imaginer de meilleure maman qu'Annika. Tout en elle était chaleur et générosité, et elle le rassurait infiniment. D'ailleurs, en cet instant précis, il n'aurait souhaité qu'une chose : poser sa tête sur son épaule et laisser libre cours aux larmes qui brûlaient derrière ses paupières. Mais il se retint. S'il commençait à pleurer, il ne pourrait plus s'arrêter.

— Je décongèle des petits pains à la cannelle, dit-elle en mettant un sachet de viennoiseries surgelées au micro-ondes. J'en ai préparé hier, j'avais l'intention d'en apporter au commissariat.

— Tu sais quand même que ça ne fait pas partie de tes tâches, de nous fournir en petits pains? dit Martin.

— Je ne suis pas sûre que Mellberg soit de ton avis, figure-toi. Si je regardais mon contrat à la loupe, je suis sûre que je trouverais écrit en tout petit, à la fin : "Doit également fournir le commissariat de Tanum en viennoiseries maison."

— C'est vrai, sans toi et la pâtisserie, Bertil ne survivrait pas!

— Surtout depuis que Rita l'a mis au régime. D'après Paula, ils ne mangent que du pain complet et des légumes ces temps-ci.

— Je serais curieux de voir ça, dit Martin en éclatant de rire.

C'était une sensation agréable, et son ventre se dénoua un peu.

La sonnerie du micro-ondes tinta, Annika disposa les petits pains à la cannelle tout chauds sur une assiette, et posa deux tasses de café bien remplies sur la table.

— Voilà. Dis-moi maintenant ce qui ne va pas. J'ai déjà remarqué l'autre jour qu'il y avait un truc, mais je me suis dit que tu raconterais de toi-même quand tu serais prêt.

— Ce n'est peut-être rien et je ne veux pas t'embêter avec mes soucis, mais…

Agacé, Martin sentit les pleurs l'étrangler.

— Ne dis pas de bêtises, je suis là pour ça. Raconte-moi maintenant.

Martin respira profondément puis se lança.

— Pia est malade, finit-il par dire et il entendit les mots résonner entre les murs de la cuisine.

Il vit Annika blêmir. Elle ne s'était sûrement pas attendue à ça. Il fit tourner la tasse de café entre ses mains puis prit un nouvel élan. Et subitement, tout sortit en vrac :

— Ça faisait un moment déjà qu'elle se sentait fatiguée. En fait, depuis la naissance de Tuva. On s'était dit que c'était assez normal d'être fatiguée après un accouchement. Mais Tuva aura bientôt deux ans, et ce n'est toujours pas passé, ça a même empiré. Et puis, elle s'est rendu compte qu'elle avait des boules sur le cou…

La main d'Annika partit vers sa bouche, comme si elle comprenait où la conversation allait mener.

— Il y a deux semaines, je l'ai accompagnée chez le médecin et j'ai tout de suite compris ce qu'il soupçonnait. Il l'a envoyée directement à l'hôpital d'Uddevalla où ils lui ont fait tout un tas d'examens. Elle a rendez-vous demain au service d'oncologie pour le résultat, mais on sait déjà ce qu'ils vont nous dire.

Les larmes commencèrent à couler et il les essuya d'un geste nerveux. Annika lui tendit une serviette.

— Vas-y, pleure, on se sent mieux après.

— C'est tellement injuste. Elle n'a que trente ans, et Tuva est si petite… J'ai cherché sur Google, et si c'est ce qu'on croit, le pronostic est vraiment mauvais. Elle est tellement courageuse, alors que moi je me dégonfle, je suis une vraie merde, je n'ai même pas la force de lui parler. Je n'arrive pas à la regarder quand elle est avec Tuva, pas même croiser son regard. Je ne vaux rien, je suis totalement inutile!

Les larmes coulaient à flots maintenant, et il posa ses bras sur la table, y appuya la tête et se laissa aller.

Annika passa son bras autour de ses épaules et il sentit sa joue contre la sienne. Sans rien dire, elle se contenta de lui frotter le dos. Au bout d'un moment, il se redressa, se tourna vers elle et se blottit dans ses bras. Elle le berça comme elle berçait probablement Leia quand elle avait un gros chagrin.


Ils avaient eu de la chance de trouver une place au Café Bryggan. La terrasse était pleine, et Leon vit qu'on servait à la chaîne la spécialité de la région, une tartine garnie d'une montagne de crevettes. L'établissement était idéalement situé sur la place Ingrid-Bergman, avec des tables tout au long du ponton jusqu'à l'eau, d'où son nom : "Café Le Ponton."

— Je trouve qu'on devrait l'acheter, cette maison, dit Ia.

Leon se tourna vers sa femme :

— Dix millions, ce n'est pas une petite somme.

— Je n'ai pas dit ça, répondit-elle en réarrangeant la couverture sur les genoux de son mari.

— Arrête avec cette fichue couverture. Je suis déjà en nage.

— Il ne faut pas que tu attrapes froid, tu le sais.

Une serveuse s'était approchée et Ia commanda un verre de vin pour elle et de l'eau minérale pour Leon, qui leva les yeux vers la jeune fille.

— Une grande pression, corrigea-t-il.

Ia lui jeta un regard lourd de reproches, mais il se contenta d'un hochement de tête destiné à la serveuse, confirmant sa commande. Elle réagissait comme tous ceux qu'il croisait, s'efforçant manifestement de ne pas poser les yeux sur ses brûlures. Quand elle fut partie, il regarda la mer.

— L'air ici a exactement la même odeur que dans mes souvenirs, dit-il.

Ses mains couvertes d'affreuses cicatrices reposaient sur ses genoux.

— Je n'aime toujours pas cette idée. Mais j'accepte si nous achetons la maison. Je n'ai pas l'intention d'habiter un taudis et je ne passerai pas tout l'été ici. Quelques semaines chaque année, ça suffira.

— Tu ne trouves pas absurde de mettre dix millions dans l'achat d'une maison qu'on n'utiliserait que quelques semaines par an ?

— Ce sont mes conditions. Sinon tu te retrouveras tout seul ici. Et ce n'est guère possible, n'est-ce pas?

— Non, je sais très bien que je ne peux pas me débrouiller seul. Et s'il m'arrive de l'oublier, tu es toujours là pour me le rappeler.

— Est-ce que tu penses parfois à tous les sacrifices que j'ai faits pour toi? J'ai supporté toutes tes folles équipées sans que tu n'aies une seule seconde songé à ce que je ressens. Et maintenant, tu veux habiter ici. N'es-tu pas déjà un peu trop brûlé pour jouer avec le feu?

La serveuse arriva avec la commande et posa les verres sur la nappe à carreaux bleus et blancs. Leon but quelques gorgées et caressa le verre froid avec son pouce.

— D'accord, c'est toi qui gagnes. Appelle l'agence immobilière et dis-leur qu'on achète la maison. Mais je veux qu'on emménage tout de suite. Je déteste vivre à l'hôtel.

— Entendu, dit Ia sans la moindre joie dans la voix. Je pense que je pourrai supporter quelques semaines par an dans cette maison-là.

— Tu es tellement brave, ma chérie.

Elle lui lança un regard sombre.

— Espérons seulement que tu ne regretteras pas ta décision.

— Beaucoup d'eau a coulé sous les ponts, dit-il calmement.

Au même moment, il entendit quelqu'un inspirer profondément derrière lui.

— Leon?

Il sursauta. Pas besoin de tourner la tête, il avait reconnu la voix. Josef. Après toutes ces années, c'était Josef qui se tenait là.


Paula regarda l'eau scintillante entre les îles et savoura la chaleur. Elle posa une main sur son ventre et sourit en sentant les coups de pied.

— C'est l'heure des glaces! s'exclama Mellberg en se levant, puis il agita un doigt menaçant devant Paula. Tu le sais, que ce n'est pas bien d'exposer le ventre au soleil?

Sidérée, elle le regarda partir vers le kiosque.

— Il se moque de moi ? demanda Paula en se tournant vers sa mère.

— Bertil n'a que de bonnes intentions, dit Rita avec un sourire.

Paula marmonna mais posa quand même un châle sur son ventre. Leo passa en trombe, nu comme un ver, et fut rapidement capturé par Johanna.

— Il a raison, dit-elle. Les UV vont modifier ta pigmentation et te filer un masque de grossesse. Je te conseille de t'en mettre sur le visage aussi.

— Modifier la pigmentation ? dit Paula. Mais je suis déjà bronzée.

Rita lui tendit le flacon d'écran total.

— Quand j'étais enceinte de toi, j'ai eu plein de taches brunes sur le visage, alors ne proteste pas.

Paula obéit, et Johanna aussi enduisit soigneusement sa peau claire.

— Tu as de la chance tout de même, dit-elle. Tu n'as aucun effort à faire pour être bronzée.

— J'aimerais bien quand même que Bertil se calme un peu, dit Paula en faisait couler de la crème dans sa paume. L'autre jour, je l'ai surpris en train de lire mes magazines de grossesse. Et avant-hier il m'a rapporté une boîte d'oméga 3 de la boutique diététique. Il avait lu que c'était bon pour le développement du cerveau du bébé.

— Il est tellement heureux de l'arrivée de cet enfant. Laisse-le faire, dit Rita.

Pour la deuxième fois, elle tartina Leo de crème, de la tête aux pieds. Il avait hérité de la peau constellée de taches de rousseur de Johanna et attrapait facilement des coups de soleil. Paula se demanda distraitement si le bébé aurait son teint ou celui du donneur de sperme anonyme. Pour elle, cela n'avait aucune importance. Leo était leur enfant, à Johanna et elle, et il était très rare qu'elle pense à cette tierce personne ayant participé à sa conception. Il en serait de même pour ce deuxième enfant.

Ses pensées furent interrompues par les cris joyeux de Mellberg.

— Voilà les glaces !

Rita lui lança un regard sévère.

— Tu n'en as pas pris pour toi, j'espère.

— Oh, un tout petit Magnum. J'ai été super-sérieux pendant toute la semaine, sourit-il, et il fit un clin d'œil à sa compagne pour l'amadouer.

— C'est hors de question, dit Rita calmement.

Elle lui prit la glace des mains et alla la jeter au fond d'une poubelle.

Mellberg marmonna dans sa barbe.

— Qu'est-ce que tu as dit?

— Rien. J'ai rien dit, répondit-il en déglutissant.

— Tu te rappelles l'avertissement du docteur? Tu as le profil pour faire un infarctus *et* pour devenir diabétique.

— Un Magnum, c'était pas la fin du monde non plus... Il faut bien vivre un peu, dit-il en distribuant les autres glaces.

— Ma dernière semaine de vacances qui commence, dit Paula en faisant un clin d'œil au soleil et en léchant son Cornetto.

— Je trouve vraiment que tu ne devrais pas retourner au boulot, dit Johanna. Il reste peu de temps maintenant avant l'accouchement. Si tu en parlais à la sage-femme, elle te proposerait sûrement un arrêt de travail. Tu as besoin de repos.

— Eh oh! Je t'ai entendue, hein! dit Mellberg en se grattant le peu de cheveux qu'il avait. N'oublie pas que je suis le patron de Paula. Mais je suis d'accord avec toi. Je trouve aussi qu'elle ne devrait pas travailler.

— On en a déjà parlé. Je vais devenir folle si je dois rester à la maison jusqu'à l'accouchement. En plus, c'est assez calme pour l'instant au commissariat.

— Comment ça, calme?! dit Johanna en ouvrant de grands yeux. C'est la période la plus intense de l'année, avec les types bourrés et tout ce qui s'ensuit.

— Je voulais seulement dire qu'il n'y a pas de grande enquête en cours. La routine d'été, avec les cambriolages et tout ça, je peux la gérer en dormant. Et je n'ai pas besoin de partir en intervention. Je peux m'occuper de la paperasse au commissariat. Alors lâchez-moi un peu. Je suis enceinte, pas malade.

— On verra, on verra, dit Mellberg. Mais tu as entièrement raison sur un point. Pour l'instant, c'est assez calme.


C'était leur anniversaire de mariage et, comme chaque année, Gösta avait apporté des fleurs coupées sur la tombe de sa femme. À part en cette occasion, ses visites au cimetière étaient assez rares, mais cela n'avait rien à voir avec ses sentiments pour Maj-Britt. Ils avaient eu de nombreuses et belles années ensemble et elle lui manquait encore chaque matin quand il ouvrait les yeux. Bien sûr, il s'était habitué à son veuvage, et ses jours étaient tellement structurés que parfois il lui semblait avoir rêvé sa vie dans cette maison avec sa femme. Mais s'il s'y était habitué, sa nouvelle vie ne le satisfaisait pas pour autant.

Il s'accroupit et suivit les sillons sur la pierre tombale qui formaient le nom de leur petit garçon. Il n'existait même pas de photo de lui. Ils pensaient qu'ils auraient bien le temps de le photographier. Quand il était mort, personne n'avait fait de photo, ça ne se faisait pas. Aujourd'hui, les gens voyaient les choses autrement, il s'en rendait bien compte, mais à l'époque il fallait oublier et continuer sa vie.

Essayez d'avoir un autre enfant aussi vite que possible, voilà ce qu'on leur avait conseillé quand ils avaient quitté la maternité en état de choc. Ça ne s'était pas fait. Le seul autre enfant qu'ils avaient eu, c'était la fille. La petiote, comme ils l'appelaient. Peut-être auraient-ils dû faire plus d'efforts pour la garder avec eux, mais leur chagrin était trop grand et ils ne se sentaient pas en mesure de lui donner ce dont elle avait besoin, à long terme.

Maj-Britt avait finalement pris la décision. Avec prudence, il avait quand même insisté pour qu'ils accueillent définitivement la fillette. Le visage triste et la perte déjà gravée dans son cœur, Maj-Britt avait dit : "Elle a besoin d'un frère ou d'une sœur." Et puis la petite avait disparu de leurs vies. Ils n'en avaient jamais reparlé, mais Gösta n'avait jamais pu l'oublier. Si on lui avait donné une pièce chaque fois qu'il pensait à elle, il aurait été un homme riche à présent.

Gösta se releva. Il avait arraché quelques mauvaises herbes qui avaient pris racine et son bouquet était joliment disposé dans le vase. Il entendit très nettement la voix de Maj-Britt : "Enfin Gösta, il ne fallait pas. De si jolies fleurs pour moi, quel gaspillage." Elle n'avait jamais cru qu'elle valait quoi que ce soit, en dehors de la routine du quotidien, et il s'en voulait de ne pas l'avoir plus souvent contredite. Il aurait pu la gâter davantage, lui offrir des fleurs quand elle était là pour les apprécier. Aujourd'hui, il ne pouvait qu'espérer que de là-haut, elle regarderait le beau bouquet et s'en réjouirait.

## FJÄLLBACKA 1919

*Il y avait des invités chez les Sjölin une fois de plus. Ils organisaient souvent des fêtes, et Dagmar les appréciait toutes. Ça lui faisait un supplément de salaire bienvenu, et c'était merveilleux de voir de près tout ce beau monde. Leur vie était tellement fantastique et confortable. Ils mangeaient et buvaient bien et beaucoup, ils dansaient, chantaient et riaient jusqu'à l'aube. Elle aurait voulu avoir une vie comme la leur, mais pour l'instant elle était juste autorisée à passer un petit moment auprès de ces gens riches et heureux et à les servir.*

*Cette fête paraissait particulière. L'ensemble du personnel avait été conduit dès le matin au large de Fjällbacka, sur l'île, et toute la journée le bateau avait fait la navette pour transporter la nourriture, les boissons et les invités.*

*— Dagmar! Va chercher encore du vin dans le cellier! cria Mme Sjölin, l'épouse du docteur, et Dagmar s'exécuta.*

*Elle veillait soigneusement à rester en bons termes avec madame. Si jamais celle-ci se mettait à la surveiller de trop près, elle remarquerait vite les regards et les petits pincements amicaux que son mari distribuait à Dagmar pendant les soirées. Parfois il obtenait même plus que ça, si son épouse s'était excusée pour aller se coucher et que les autres convives étaient trop soûls ou trop accaparés par leurs propres réjouissances pour voir ce qui se passait autour d'eux. Après ce genre de faveur, le docteur lui glissait en général un petit extra avec sa paie.*

*Elle se hâta de descendre dans la cave creusée sous une butte de terre. Elle prit quatre bouteilles de vin qu'elle porta serrées contre sa poitrine et en ressortit rapidement. Subitement, elle heurta quelqu'un de plein fouet et laissa tomber les bouteilles par terre.*

Deux se brisèrent. Au comble du désespoir, Dagmar imagina aussitôt qu'elles seraient sûrement déduites de son salaire. Ses larmes se mirent à couler et elle regarda l'homme devant elle.

— Undskyld, dit-il, mais ce mot danois parut étrange dans sa bouche.

Le désarroi et le désespoir de Dagmar se muèrent en colère.

— Qu'est-ce que vous faites là ? Vous étiez juste devant la porte, en voilà des manières !

— Undskyld. Pardon, répéta-t-il. Ich verstehe nicht.

Dagmar comprit soudain qui était cet homme. Elle avait bousculé l'invité d'honneur de la soirée : le héros de guerre allemand, l'aviateur qui avait fait preuve de tant de courage au combat, mais qui, après la défaite cuisante de l'Allemagne, gagnait son pain comme pilote de ligne. Toute la journée, les rumeurs à son sujet avaient circulé. Il avait apparemment vécu à Copenhague mais un scandale l'avait obligé à rejoindre la Suède.

Dagmar le dévisagea. C'était le plus bel homme qu'elle eut jamais vu. Il n'avait pas l'air aussi soûl que certains des invités et son regard était ferme quand il croisa le sien. Ils restèrent un long moment à s'observer. Dagmar se tint bien droite. Elle était consciente de sa beauté. Maintes fois elle lui avait été confirmée par des hommes qui avaient promené leurs mains sur son corps en susurrant des mots à son oreille. Mais c'était la première fois qu'elle se réjouissait tant de son pouvoir.

Sans la quitter des yeux, le pilote se pencha et ramassa les morceaux de verre, puis il alla les jeter dans un petit bosquet non loin. En revenant, il mit son doigt sur ses lèvres, puis entra dans le cellier pour prendre deux autres bouteilles. Dagmar lui sourit et s'approcha pour s'en saisir. Baissant les yeux sur ses mains, elle vit du sang sur l'index gauche de l'homme.

Elle montra d'un signe qu'elle voulait examiner sa main, et il posa les bouteilles par terre. L'entaille n'était pas très profonde, mais elle saignait quand même abondamment. Le regard planté dans le sien, elle mit le doigt blessé dans sa bouche et aspira tout doucement le sang. Les pupilles de l'aviateur s'élargirent et elle vit la pellicule luisante si familière recouvrir ses yeux. Puis elle s'écarta de lui et prit les bouteilles. En retournant vers les invités, elle sentait son regard brûlant dans son dos.

Patrik avait rassemblé ses collègues pour faire un premier point sur l'affaire. Mellberg, surtout, avait besoin d'être mis au courant de la situation. Il se racla la gorge.

— Tu n'étais pas là ce week-end, Bertil, mais tu as peut-être entendu parler de ce qui s'est passé?

— Non, quoi?

— Samedi, la colonie de vacances de Valö a pris feu. Tout laisse à croire qu'il s'agit d'un acte volontaire.

— Un incendie criminel?

— Ça reste à confirmer. On attend le rapport de Torbjörn, dit Patrik, puis il hésita un peu avant de poursuivre : Mais il y a suffisamment d'indices dans ce sens pour pousser plus loin les investigations.

Patrik se tourna vers Gösta, qui se tenait devant le tableau blanc, un marqueur à la main.

— Gösta est en train d'exhumer le matériel concernant la famille qui a disparu sur Valö. Il… commença Patrik avant d'être interrompu.

— Je sais de quoi tu parles. Personne n'a oublié cette vieille histoire. Mais quel rapport avec l'incendie? demanda Mellberg en se penchant pour caresser Ernst, couché sous sa chaise.

— On n'en sait rien.

Patrik se sentit déjà las. Il fallait toujours discutailler avec Mellberg, qui était théoriquement le chef du commissariat, mais qui dans la pratique déléguait volontiers cette responsabilité à Patrik. À condition de pouvoir s'attribuer toute la gloire.

— Pour commencer, on va mener cette enquête sans tirer de plans sur la comète. Mais c'est quand même étrange qu'une telle chose se produise juste au moment où la fille qui avait été abandonnée sur l'île y revient, trente-cinq ans plus tard.

— Ils ont sûrement mis le feu à la baraque eux-mêmes. Pour toucher le pognon de l'assurance, dit Mellberg.

— Je suis en train d'examiner leur situation économique, annonça Martin qui paraissait inhabituellement abattu, à côté d'Annika. Je devrais avoir des choses à vous montrer demain matin.

— Bien. Vous verrez, d'un coup, tout va s'éclaircir. Ils se sont rendu compte que ça reviendrait beaucoup trop cher de rénover le taudis et que ce serait une meilleure solution de tout faire cramer. Ce genre d'affaires, j'en ai vu défiler un paquet quand j'étais à Göteborg.

— Comme je le disais, donc, on ne va pas se cantonner à une seule explication, dit Patrik. Laissons plutôt Gösta nous rappeler ce dont il se souvient.

Il s'assit et fit signe à Gösta de commencer. La veille, pendant leur tour de bateau dans l'archipel, Erica lui avait raconté des choses fascinantes, et il était impatient d'entendre ce que son collègue avait à dire de cette vieille enquête.

— Vous êtes déjà au courant de pas mal de détails, mais je vais quand même reprendre depuis le début, si vous le voulez bien.

Du regard, Gösta fit le tour de la table et tout le monde acquiesça.

— Le 13 avril 1974, un samedi de Pâques, quelqu'un a appelé le commissariat de Tanum pour demander à la police de se rendre au pensionnat de garçons de Valö. La personne n'a pas donné plus d'explications, elle a raccroché tout de suite. La communication a été prise par l'ancien chef et, d'après lui, il était impossible de déterminer si c'était la voix d'un homme ou d'une femme.

Gösta se tut un instant et parut remonter le temps mentalement.

— Mon collègue Henry Ljung et moi-même avons reçu l'ordre de nous rendre sur place pour voir de quoi il s'agissait.

Nous sommes arrivés sur les lieux en moins d'une demi-heure et une scène très étrange nous attendait. Dans la salle à manger, la table était mise pour un déjeuner de Pâques, le repas avait juste été entamé, et il n'y avait aucune trace de la famille qui habitait là. Il ne restait qu'une petite fille d'environ un an, Ebba, qui trottinait toute seule dans la maison. On aurait dit que le reste de la famille était parti en fumée. Comme s'ils s'étaient levés en plein milieu du repas et avaient disparu, tout simplement.

— Pffuit, dit Mellberg, et Gösta lui lança un regard assassin.

— Où se trouvaient tous les élèves ? demanda Martin.

— La plupart étaient retournés dans leur famille pour les vacances de Pâques. Quelques-uns seulement étaient restés sur Valö, mais nous ne les avons pas trouvés en arrivant. Au bout d'un moment, cinq garçons sont arrivés dans une barque. Ils ont dit qu'ils étaient partis à la pêche pendant deux ou trois heures. Au cours des semaines qui ont suivi, ils ont été interrogés sans répit, mais ils ignoraient ce qui était arrivé à la famille. J'ai personnellement discuté avec eux, et ils ont tous dit la même chose : ils n'étaient pas invités au repas de Pâques. Tout était normal quand ils étaient partis à la pêche.

— Le bateau de la famille était toujours à l'embarcadère ? demanda Patrik.

— Oui, et on a passé toute l'île au peigne fin, mais ils s'étaient véritablement évaporés, répondit Gösta en secouant la tête.

— La famille comptait combien de membres ?

La curiosité de Mellberg semblait s'éveiller soudain, contre son gré probablement, et il se pencha en avant, tout ouïe.

— Deux adultes et quatre enfants. Un des enfants était la petite Ebba, si bien que deux adultes et trois enfants ont disparu, dit Gösta en se tournant pour résumer par écrit sur le tableau. Le père de famille, Rune Elvander, était le directeur du pensionnat. C'était un ancien militaire et son idée était de proposer une école pour garçons aux parents ayant des exigences élevées en matière d'éducation et de discipline. Une formation de premier ordre, des règles strictes qui forgent le caractère et des activités de plein air pour garçons de bonne famille. C'est ainsi que l'école était décrite dans une brochure d'information, si mes souvenirs sont exacts.

— Ça alors, on dirait un truc des années 1920! s'exclama Mellberg.

— Il y a toujours des parents pour regretter le bon vieux temps, et c'est à eux que Rune Elvander s'adressait, dit Gösta. Puis il reprit son récit : La mère d'Ebba s'appelait Inez. Elle avait vingt-trois ans à l'époque de leur disparation, et était donc considérablement plus jeune que son mari, qui avait la cinquantaine. Rune avait aussi trois enfants issus d'un mariage précédent : Claes, dix-neuf ans, Annelie, seize ans, et Johan, neuf. Leur mère, Carla, était morte, et Rune s'était remarié un an ou deux après. Les cinq garçons prétendaient qu'il y avait des problèmes au sein de la famille, mais nous n'avons pas réussi à leur soutirer plus d'informations.

— Combien de jeunes étaient inscrits à l'internat? demanda Martin.

— C'était variable, mais environ une vingtaine. À part Rune, il y avait deux autres professeurs, mais ils étaient en congé à ce moment-là.

— Et ils avaient un alibi, je suppose? demanda Patrik en observant attentivement Gösta.

— Oui. L'un fêtait Pâques dans sa famille à Stockholm. L'autre nous a d'abord paru un peu suspect, parce qu'il louvoyait, mais il a fini par avouer qu'il était en vacances au soleil avec son petit ami, ce qui expliquait ses réticences. Il avait caché son homosexualité, il ne voulait surtout pas que ça se sache à l'école.

— Et les élèves rentrés chez eux pendant les vacances? Vous les avez contactés? demanda Patrik.

— Tous. Et les familles ont certifié qu'ils étaient restés à la maison pendant tout le week-end de Pâques, loin de l'île. Les parents paraissaient par ailleurs très satisfaits de l'influence de l'école sur leurs enfants, et très agacés à l'idée de ne pas pouvoir les y renvoyer. J'ai eu l'impression que, pour la plupart, les avoir à la maison pour les vacances était déjà une corvée.

— Très bien. Et vous n'avez donc trouvé aucune trace matérielle indiquant ce qui a pu arriver à cette famille?

Gösta secoua la tête.

— Évidemment, nous n'avions pas l'équipement et les connaissances d'aujourd'hui. L'examen technique n'était pas du même niveau, mais tout le monde a fait de son mieux, et ça n'a rien donné. Nous avons fait chou blanc. Pourtant j'ai toujours eu le sentiment que nous avions loupé quelque chose, mais quoi… je ne sais pas.

— Qu'est-il arrivé à la petite fille ? demanda Annika, dont le cœur saignait pour tous les enfants en difficulté.

— Elle n'avait absolument personne, si bien qu'Ebba a été placée dans une famille d'accueil à Göteborg. Je crois qu'ils ont fini par l'adopter légalement. – Gösta se tut et regarda ses mains. – J'ose affirmer que nous avons fait du bon boulot. Nous avons examiné toutes les pistes possibles et tenté d'établir un mobile. Nous avons fouillé dans le passé de Rune, mais il n'avait aucun squelette dans le placard. Nous avons fait du porte-à-porte dans tout Fjällbacka, pour savoir si quelqu'un avait remarqué quelque chose d'inhabituel. Bref, même en attaquant l'affaire sous tous les angles imaginables, nous n'avons jamais fait le moindre progrès. Sans preuve, impossible de conclure qu'ils avaient été assassinés ou enlevés, ou s'ils étaient tout simplement partis de leur plein gré.

— Tout à fait fascinant, dit Mellberg en se raclant la gorge. Mais je ne comprends toujours pas pourquoi on devrait fouiller là-dedans. Et compliquer inutilement les choses. Soit cette Ebba et son jules ont mis le feu à la maison eux-mêmes, soit ce sont des jeunes qui ont déconné.

— Ça me paraît un peu excessif pour des ados désœuvrés, dit Patrik. S'ils voulaient brûler quelque chose, ça aurait été plus simple de le faire en ville, plutôt que de se rendre à Valö en bateau. Et, comme on l'a déjà dit, Martin enquête sur une éventuelle fraude à l'assurance. Mais plus j'en entends sur cette vieille affaire, plus mon intuition me dit que l'incendie est lié à la disparition de la famille.

— Toi et ton intuition, souffla Mellberg. Il n'y a rien de concret, rien qui indique le moindre lien. Je sais qu'il t'arrive de viser juste, mais cette fois, tu te fourres le doigt dans l'œil.

Mellberg se leva, manifestement satisfait d'avoir lâché ce qu'il considérait comme une évidence absolue.

Patrik haussa les épaules, imperturbable. Cela faisait belle lurette qu'il avait cessé de prêter attention aux déclarations de son chef, s'il l'avait jamais fait. Il distribua les tâches et mit fin à la réunion.

En quittant la pièce, Martin vint trouver Patrik pour un bref aparté.

— Est-ce que je peux prendre mon après-midi? Je sais que ça tombe un peu mal…

— Oui, bien sûr, si c'est important. Tu vas faire quoi?

Martin sembla hésiter.

— C'est personnel. Je préfère ne pas en parler pour le moment. Si tu veux bien…

Quelque chose dans sa voix convainquit Patrik de ne pas poser davantage de questions, mais il était un peu blessé que Martin ne se confie pas à lui. Ils avaient construit une relation solide au fil des ans et Martin aurait dû se sentir suffisamment en sécurité pour lui faire part de ses soucis.

— Je ne peux vraiment pas, dit Martin comme s'il avait deviné les pensées de Patrik. Mais, donc, c'est OK si je pars après le déjeuner?

— Absolument, pas de problème.

Martin lâcha un faible sourire et se tourna pour partir.

— Je suis là si tu as besoin d'une oreille, tu sais, dit Patrik.

— Je sais.

Martin hésita une seconde puis disparut dans le couloir.


En descendant l'escalier, Anna savait déjà ce qui l'attendait dans la cuisine. Dan, vêtu de sa robe de chambre élimée, plongé dans le journal, une tasse de café à la main.

Dès qu'il l'aperçut à la porte, il s'illumina et se pencha vers elle pour recevoir son baiser du matin.

— Bonjour ma chérie.

— Bonjour, dit Anna en détournant la tête. Je ne me suis pas encore lavé les dents, je ne vais pas t'infliger ça, s'excusa-t-elle, mais le mal était déjà fait.

Dan se leva sans un mot et alla poser sa tasse dans l'évier.

Bon sang, que c'était difficile ! Jamais elle ne parvenait à dire ou à faire ce qu'il fallait. Elle avait envie que les choses rentrent dans l'ordre, qu'elles redeviennent comme avant. Elle voulait retrouver les relations privilégiées d'avant l'accident.

Dan s'occupait de la vaisselle. Elle s'approcha de lui, l'entoura de ses bras et posa sa tête contre son dos. Mais tout ce qu'elle ressentit fut la frustration du corps tendu de Dan, qui l'envahit à son tour et effaça son désir de tendresse. Qui savait si l'occasion se représenterait.

Avec un soupir, elle le lâcha et s'installa à la table.

— Il faut que je me remette à travailler, dit-elle.

Elle prit une tranche de pain et commença à la tartiner. Dan se retourna, s'appuya contre le plan de travail et croisa les bras sur la poitrine.

— Et qu'est-ce que tu as envie de faire ?

— J'aimerais lancer ma propre activité, dit Anna après une hésitation.

— Super-idée ! Tu penses à quoi ? Une boutique ? Je peux voir un peu autour de moi s'il y a quelque chose de disponible.

Un large sourire illumina le visage de Dan et, d'une étrange façon, son excitation en vint à éteindre la sienne. C'était son idée, et elle ne voulait pas la partager. Elle aurait été elle-même incapable d'expliquer pourquoi, mais c'était ainsi.

— Je préfère m'en occuper toute seule, dit-elle et elle entendit le ton acerbe de sa voix.

La mine joyeuse de Dan s'éteignit immédiatement.

— Évidemment, dit-il et il se remit à la vaisselle.

Merde, merde, merde. Anna jura intérieurement et serra fort ses poings.

— J'ai réfléchi à une boutique. Mais je proposerais aussi de la décoration intérieure, j'irais chiner chez les brocanteurs et aux puces.

Elle essaya de ramener Dan à elle en papotant. Mais il était occupé à malmener les verres et les assiettes et ne lui répondit même pas. Son dos était dur, implacable.

Anna reposa sa tartine sur l'assiette. Elle n'avait plus d'appétit.

— Je vais faire un tour.

Elle se leva et monta s'habiller à l'étage. Dan était toujours muet.


— C'est sympa que tu aies pu venir, dit Pyttan.

— Ça me fait plaisir de déjeuner avec vous, de voir comment le beau monde s'en tire, rit Sebastian en tapotant le dos de Percy tellement fort que celui-ci se mit à tousser.

— Tu plaisantes, vous êtes sacrément bien installés, vous aussi.

Percy rit sous cape. Pyttan n'avait jamais dissimulé ce qu'elle pensait de la villa prétentieuse de Sebastian, avec ses deux piscines et son court de tennis. La maison elle-même était certes plus petite que Fygelsta, mais d'un style bien plus clinquant. "Le bon goût ne s'achète pas", disait-elle toujours avec une grimace après leurs visites chez Sebastian en faisant allusion aux cadres dorés et aux énormes lustres de cristal. Il était enclin à lui donner raison.

— Viens t'asseoir, dit-il en guidant Sebastian vers la terrasse, où la table avait été dressée.

À cette époque de l'année, Fygelsta était d'une beauté imbattable. Le magnifique parc s'étendait à perte de vue. Soigneusement entretenu depuis des générations, la dégradation le menaçait à son tour, à l'instar du château. En attendant que Percy ait remis de l'ordre dans ses finances, ils devraient se débrouiller sans jardinier.

Sebastian prit place et se renversa dans sa chaise, lunettes de soleil repoussées sur le front.

— Je te sers du vin ?

Pyttan lui montra une bouteille de chardonnay millésimé. Même si l'idée de demander de l'aide à Sebastian la rebutait, Percy savait qu'elle ferait tout pour lui faciliter les choses maintenant que la décision était prise. Quelles autres options avaient-ils, de toute façon ? Aucune.

Elle remplit le verre de Sebastian, qui attaqua sur-le-champ l'entrée, sans attendre qu'en sa qualité de maîtresse de maison elle l'invite à commencer le repas. Il enfourna une grosse bouchée de crevettes mayonnaise qu'il mâcha, la bouche à moitié ouverte. Percy nota que Pyttan détournait les yeux.

— Vous avez donc un petit problème avec le fisc, c'est ça?

— Oui, un vrai désastre, dit Percy en secouant la tête. Il n'y a plus rien de sacré de nos jours.

— C'est vrai, c'est vrai. Ça vaut plus la peine de travailler dans ce pays.

— Ah, c'était autre chose à l'époque de mon père, répondit Percy et il commença à manger après avoir interrogé Pyttan du regard. On pourrait espérer que tout le travail que nous avons consacré à la gestion d'un tel héritage culturel soit apprécié à sa juste valeur. Notre famille a endossé la lourde responsabilité de préserver un morceau d'histoire suédoise et s'en est tirée avec honneur.

— Oui, mais des vents nouveaux soufflent à présent! dit Sebastian en agitant sa fourchette. Remarque, après les vents socialistes qui avaient bien trop duré, le fait d'avoir maintenant un gouvernement libéral ne semble pas changer grand-chose. Mieux vaut ne pas posséder plus que ton voisin, sinon, tu peux être sûr qu'on te dépouille de tout ce que tu as. Moi aussi, j'y ai goûté. J'ai eu des arriérés d'impôts très lourds à payer cette année, mais juste sur mes avoirs en Suède. Il faut être futé, et placer ses liquidités à l'étranger, là où le fisc ne peut pas toucher à ce qu'on a amassé à la sueur de son front.

— Bien entendu, mais la plus grande partie de mon capital a toujours été bloquée dans le château, précisa Percy.

Il n'était pas bête. Il savait que Sebastian avait bien profité de lui au fil des ans. La plupart du temps, il s'agissait de lui prêter le château pour qu'il organise des chasses avec ses clients et des soirées événementielles, ou pour y amener l'une de ses nombreuses maîtresses. Percy se demandait si la femme de Sebastian soupçonnait quelque chose, mais cela ne le regardait pas. Quant à lui, Pyttan lui tenait la bride et il n'aurait jamais osé se lancer dans des aventures extraconjugales. Mais les gens étaient libres de faire ce qu'ils voulaient de leur mariage.

— L'héritage de ton vieux n'était pas si modeste que ça, hein? demanda Sebastian.

Il tendit ostensiblement son verre vide à Pyttan qui, sans sourciller ni laisser paraître ce qu'elle en pensait, saisit la bouteille et remplit le verre à ras bord.

— Oui, mais tu sais… dit Percy en se tortillant, car il détestait parler d'argent. Il faut des sommes colossales pour entretenir ce domaine, et le coût de la vie ne fait qu'augmenter. Tout est si cher de nos jours.

— Oui, ça coûte un bras, le quotidien, ricana Sebastian.

Il dévisagea ouvertement Pyttan, depuis ses boucles d'oreilles serties de précieux diamants jusqu'aux escarpins Louboutin à talons hauts. Puis il se tourna vers Percy.

— OK, tu as besoin d'aide. Combien ?

— Eh bien…

Percy hésita, mais après un regard à sa femme, il prit son élan. Il fallait qu'il les sorte de ce mauvais pas, sinon elle serait bien capable d'aller voir ailleurs.

— Évidemment, il s'agira d'un prêt à court terme, ajouta-t-il.

Un silence embarrassé s'ensuivit, mais qui ne sembla pas gêner Sebastian. Un petit sourire joua sur ses lèvres.

— J'ai une proposition à te faire, dit-il lentement. Mais je pense qu'on devrait en discuter en privé, entre vieux camarades de classe que nous sommes.

Pyttan était sur le point de protester, mais Percy lui jeta un coup d'œil inhabituellement rude, et elle se tut. Il regarda Sebastian et les mots volèrent silencieusement entre eux.

— Oui, ce serait sans doute mieux, dit-il en courbant la nuque.

Sebastian sourit franchement. Il tendit encore une fois son verre à Pyttan.


Quand le soleil était au zénith, il faisait trop chaud pour grimper sur l'échafaudage, si bien qu'ils travaillaient à l'intérieur de la maison.

— On commence par le sol ? proposa Melker quand ils inspectèrent la salle à manger.

Pour tester, Ebba tira un peu sur un bout de papier peint décollé et tout un pan s'arracha.

— Ce serait peut-être mieux de s'occuper d'abord des murs?

— Je ne suis pas sûr que le plancher soit bien solide, il y a plusieurs lattes complètement pourries. On ferait mieux de s'attaquer à ça en premier, avant d'entamer quoi que ce soit.

Il appuya avec le pied sur une planche, qui faillit céder sous sa chaussure.

— D'accord, va pour le sol, dit Ebba et elle mit ses lunettes de protection. On fait comment?

Elle ne rechignait pas à travailler dur et à trimer autant d'heures que Melker. Mais c'était lui qui avait l'expérience de ce genre de travaux et elle était obligée de se fier à son jugement.

— On va avoir besoin d'une masse et d'un pied-de-biche. Si tu veux bien, je prends la masse et tu te charges du pied-de-biche.

— D'accord, répliqua Ebba en attrapant l'outil que Melker lui tendait.

Puis ils se mirent au travail. Elle sentait l'adrénaline monter en elle et une agréable brûlure dans ses bras quand elle plantait le pied-de-biche dans l'interstice entre les planches et pesait de tout son poids pour les démonter. Tant que son corps était sollicité au maximum, elle ne pensait pas à Vincent. Tant que la sueur coulait et que ses muscles produisaient de l'acide lactique, elle était libérée de son tourment. Elle n'était plus la maman de Vincent. Elle était Ebba qui s'occupait de son héritage, qui démolissait et reconstruisait.

Elle ne pensait pas non plus à l'incendie. Mais en fermant les yeux, elle pouvait à nouveau ressentir la panique, la fumée qui brûlait ses poumons, la chaleur qui lui donnait une petite idée de ce qu'elle sentirait si les flammes atteignaient sa peau. Et elle se rappela l'agréable tentation de l'abandon.

Le regard fixé devant elle, concentrée sur sa tâche, elle mobilisa plus de force que nécessaire pour détacher les clous rouillés des lambourdes. Au bout d'un moment, les questions l'assaillirent malgré tout. Qui leur avait voulu du mal et pourquoi? Encore et encore elle retournait le problème dans sa tête, mais ses réflexions ne la menaient nulle part. Il n'y avait personne. Les seuls à leur vouloir du mal, c'étaient eux-mêmes. Plusieurs fois elle s'était dit que ce serait mieux si elle n'était plus là, si elle était morte, et elle savait que Melker était traversé par des idées semblables le concernant. Dans leur entourage, tout le monde n'avait montré qu'une grande compassion. Rien d'autre. Ni malveillance ni haine, seulement de la compréhension face à ce qu'ils traversaient. En même temps, elle ne pouvait pas ignorer que quelqu'un avait rôdé dehors dans la nuit et les avait condamnés aux flammes. Les pensées continuèrent à tournoyer pêle-mêle et elle s'arrêta pour essuyer la sueur sur son front.

— Putain, quelle chaleur, dit Melker.

Il lança la masse par terre à en faire voler le bois en éclats. Il était torse nu, le tee-shirt accroché à sa ceinture de menuisier.

— Attention à tes yeux!

Ebba étudia son corps éclairé par le soleil qui pénétrait par les fenêtres encrassées. Il était exactement le même qu'à l'époque où ils s'étaient rencontrés. Un corps mince et nerveux qui, malgré tout le travail physique, ne semblait jamais se gonfler de muscles. De son côté, elle avait vu ses formes féminines fondre au cours des six derniers mois. Privée d'appétit, elle avait dû perdre au moins dix kilos – elle ne savait pas précisément, vu qu'elle ne montait jamais sur une balance.

Ils œuvrèrent encore un moment en silence. Une mouche venait sans cesse se jeter contre une vitre et Melker alla ouvrir la fenêtre en grand. Il n'y avait pas un souffle de vent dehors, aucune fraîcheur ne pénétra, mais la mouche put s'envoler et ils furent débarrassés de son susurrement entêté.

En travaillant, la mémoire des lieux se manifestait en permanence à Ebba. L'histoire de la maison était gravée dans ces murs. Elle voyait tous les enfants qui étaient venus ici l'été en colonie de vacances, profiter de l'air frais, se refaire une santé, comme elle l'avait lu dans un vieux numéro de *Fjällbacka-Bladet* qu'elle avait trouvé. La maison avait eu d'autres propriétaires après, son père entre autres, mais bizarrement, elle pensait surtout aux enfants de la colo. Quelle aventure ça devait être, de quitter sa maman et son papa et d'être logé avec d'autres enfants qu'on ne connaissait pas. Des journées ensoleillées et des bains de mer, de la discipline et de l'ordre entrecoupés de jeux et de cris joyeux. Elle imaginait les rires mais aussi les pleurs. L'article de la feuille locale évoquait une plainte pour mauvais traitements. Tout n'avait peut-être pas été si idyllique. Parfois elle se demandait si les cris provenaient uniquement des enfants de la colo ou si de véritables souvenirs venaient s'y mêler. Ces cris avaient quelque chose d'effroyablement familier, mais elle était si petite quand elle habitait ici… Ces souvenirs devaient être ceux de la maison, pas les siens.

— Tu penses qu'on va s'en sortir ? demanda Melker en prenant appui sur la masse.

Ebba était tellement plongée dans sa rêverie qu'elle sursauta au son de sa voix. Il prit le tee-shirt à sa ceinture, s'essuya le visage et la fixa. Afin d'éviter de croiser son regard, elle s'acharna sur une planche qui refusait de céder. La question de Melker concernait d'abord la rénovation, mais Ebba se doutait qu'elle contenait bien plus que ça. Et elle n'avait pas de réponse à lui donner.

Devant son silence, Melker soupira et reprit la masse. Il l'abattit sur le sol à plusieurs reprises, ahanant chaque fois que l'outil heurtait les planches. Un gros trou s'était ouvert devant lui. Il leva la masse pour frapper de nouveau, mais rabaissa lentement son bras.

— Ça alors ! Ebba, viens vite voir ! dit-il.

Ebba tirait toujours sur la planche réfractaire, mais la curiosité prit le dessus.

— Qu'est-ce qu'il y a ?

— Ça ressemble à quoi, à ton avis ?

Elle s'accroupit et regarda dans le trou, puis fronça les sourcils. Là où les planches avaient sauté, on distinguait une grande tache sombre. Du goudron, fut sa première idée. Puis une autre possibilité lui vint à l'esprit.

— On dirait du sang, dit-elle. D'énormes quantités de sang.

## FJÄLLBACKA 1919

*Dagmar n'était pas bête, elle comprenait très bien que ce n'était pas seulement pour ses compétences de serveuse et son beau visage que les riches faisaient appel à elle quand ils organisaient un dîner. Les chuchotements n'étaient jamais très discrets. Les hôtes veillaient toujours à ce que toute la tablée sache qui elle était, et elle reconnaissait désormais parfaitement les regards avides de scandale.*

*"Sa mère... La Faiseuse d'anges... Décapitée..." Les mots volaient dans l'air comme de petites guêpes et les piqûres faisaient mal, mais elle avait appris à sourire coûte que coûte et à faire comme si elle n'entendait rien.*

*Ce festin en plein air n'était pas différent des autres. Sur son passage, les têtes se rapprochaient et hochaient de concert. Effarée, une dame posa sa main sur sa bouche et dévisagea Dagmar sans la moindre retenue quand celle-ci lui servit du vin. Le pilote allemand observait, interloqué, l'attention qu'elle suscitait, et du coin de l'œil elle le vit se pencher vers sa voisine de table. La femme chuchota quelques mots à son oreille et, le cœur battant, Dagmar attendit sa réaction. Le regard de l'Allemand se modifia, puis brilla d'une lueur nouvelle. Il l'étudia calmement un instant avant de sourire et de lever son verre en sa direction. Elle lui rendit son sourire et sentit son cœur s'accélérer.*

*Le niveau sonore autour de la grande table augmentait à mesure que l'heure avançait. La nuit tombait, et même si la soirée d'été était encore tiède, les convives rejoignirent les uns après les autres les salons où ils continuèrent à porter des toasts. Les Sjölin étaient généreux et tout le monde avait beaucoup bu, même le pilote. D'une main tremblante, Dagmar avait plusieurs fois rempli son* verre. *Sa propre réaction l'étonnait. Elle avait rencontré beaucoup d'hommes et certains s'étaient montrés très élégants, sachant exactement quoi lui dire et comment la toucher, mais aucun n'avait suscité cette vibration dans son ventre.*

*La fois suivante, quand elle vint le servir, la main de l'homme frôla la sienne. Personne d'autre ne sembla s'en rendre compte, et Dagmar s'efforça de rester impassible, tout en bombant un peu sa poitrine.*

*— Wie heissen Sie? demanda-t-il en la regardant de ses yeux luisants.*

*Interloquée, Dagmar le dévisagea. Elle ne parlait que le suédois.*

*— Vous vous appelez comment? bafouilla un homme en face du pilote. Il veut savoir comme vous vous appelez, mademoiselle. Répondez-lui, comme ça il vous prendra peut-être un peu sur ses genoux tout à l'heure. Et vous montrera ce que c'est qu'un homme viril...*

*Il rit de sa propre plaisanterie en frappant des mains sur ses grosses cuisses.*

*Dagmar fronça le nez et tourna de nouveau ses yeux vers l'Allemand.*

*— Dagmar, dit-elle. Je m'appelle Dagmar.*

*— Dagmar, répéta-t-il, et avec un geste théâtral il se montra lui-même. Hermann. Ich heisse Hermann.*

*Après un bref silence, il leva la main et toucha la nuque de Dagmar, et elle sentit le duvet sur ses bras se dresser. Il dit de nouveau quelque chose en allemand, et elle regarda le gros en face.*

*— Il se demande comment sont vos cheveux quand ils sont dénoués.*

*L'homme rit fort comme s'il avait dit quelque chose d'infiniment drôle.*

*La main de Dagmar se posa instinctivement sur son chignon. Ses cheveux blonds étaient si épais qu'il était impossible de les discipliner, quelques boucles s'entêtaient toujours à s'échapper de sa coiffure.*

*— Qu'il se le demande. Vous pouvez lui dire ça, répondit-elle et elle s'apprêta à les quitter*

*Le gros lança plusieurs longues phrases en allemand et rigola. L'Allemand resta de marbre. Lui tournant maintenant le dos, elle sentit de nouveau sa main sur sa nuque. D'un mouvement brusque, il retira l'épingle de son chignon, libérant ses cheveux.*

*Lentement, avec raideur, elle se tourna pour lui faire face. Pendant quelques instants, ils s'observèrent, le pilote allemand et elle, accompagnés des éclats de rire du voisin de table. Entre eux, un accord silencieux se forma. Les cheveux toujours dénoués, Dagmar se dirigea vers la maison et le joyeux tintamarre des invités qui troublait le calme de la nuit d'été.*

Patrik était accroupi devant le trou béant. Les planches étaient vieilles et vermoulues, de toute évidence le plancher avait besoin d'être refait. Ce qui se trouvait là en dessous était franchement inattendu. Il sentit une boule désagréable se former dans son ventre.

— Vous avez bien fait de nous appeler tout de suite, dit-il sans quitter le trou des yeux.

— C'est du sang, pas vrai ? demanda Melker en déglutissant. Je ne sais pas à quoi ressemble du vieux sang, ça pourrait aussi être du goudron ou autre chose. Mais vu que…

— Oui, on dirait bien du sang. Est-ce que tu peux appeler les techniciens, Gösta ? Je voudrais qu'ils examinent ça de plus près.

Patrik se leva et fit une grimace en entendant ses articulations craquer. Un petit rappel de son âge, qui se faisait sentir.

Gösta hocha la tête et s'éloigna pour pianoter sur son téléphone mobile.

— Est-ce qu'il peut y avoir… autre chose là-dessous ? demanda Ebba d'une voix tremblante.

Patrik comprit tout de suite à quoi elle faisait allusion.

— Impossible à dire ! Nous allons démonter tout le plancher pour vérifier.

— On avait besoin d'aide pour la rénovation, mais on n'avait pas vraiment imaginé les choses comme ça, dit Melker avec un rire creux auquel personne ne se joignit.

Gösta revint après avoir terminé sa conversation téléphonique.

— Les techniciens ne pourront venir que demain. J'espère que vous vous accommoderez de cette pagaille jusque-là. Il faut tout laisser en l'état, sans rien ranger ni faire le ménage.

— Pourquoi voulez-vous qu'on y touche ? Il n'y a aucune raison, dit Melker.

— C'est vrai, dit Ebba. Je tiens là une occasion inespérée de savoir ce qui est arrivé à ma famille.

— C'est peut-être le bon moment pour en parler un peu, non ? suggéra Patrik.

Il s'éloigna à reculons de la partie défoncée du sol, mais la vision s'était imprimée sur sa rétine. Pour sa part, pas de doute, c'était du sang. Une épaisse couche de sang séché, assombri par les ans. Si ses suppositions se voyaient confirmées, il était vieux de plus de trente ans.

— Venez dans la cuisine, c'est à peu près en ordre, proposa Melker, et Patrik le suivit tandis qu'Ebba restait dans la salle à manger avec Gösta.

— Tu viens ? demanda Melker en se tournant vers elle.

— Allez-y, vous deux. On vous rejoint dans un instant, Ebba et moi, dit Gösta.

Patrik fut sur le point de préciser que c'était avant tout avec Ebba qu'ils avaient besoin de parler. Puis il vit son visage pâle et comprit que Gösta avait raison. Elle avait besoin d'un peu de temps, et ils n'étaient pas pressés.

Dire que la cuisine était en ordre était légèrement exagéré. Des outils et des pinceaux traînaient partout et le plan de travail débordait de vaisselle sale et de restes du petit-déjeuner.

Melker prit place à table.

— Contrairement aux apparences, on est plutôt des maniaques de l'ordre, Ebba et moi. Du moins, on était, corrigea-t-il.

— Les travaux, c'est l'enfer, le rassura Patrik.

Il s'assit après avoir d'abord balayé des miettes de pain de la chaise.

— Le rangement ne nous paraît plus aussi important qu'avant.

Melker regarda par la fenêtre. La vitre était couverte de poussière, comme si on avait posé un voile sur le paysage.

— Qu'est-ce que vous savez du passé d'Ebba? lui demanda Patrik.

Il entendit Gösta et Ebba parler dans la salle à manger, mais malgré ses efforts, il ne put distinguer leurs paroles. Le comportement de Gösta l'intriguait. Même tout à l'heure au commissariat, il n'avait pas reconnu ses réactions. Et après, Gösta s'était fermé comme une huître et n'avait pas dit un mot pendant tout le trajet pour Valö.

— Mes parents et les parents adoptifs d'Ebba étaient amis et son histoire n'a jamais été un secret. J'ai toujours su que sa vraie famille avait disparu, sans laisser de traces. Je ne crois pas qu'il y ait beaucoup plus à savoir.

— L'enquête a piétiné, en effet. Alors que la police avait consacré de gros moyens et beaucoup de temps à essayer de découvrir ce qui s'était passé. C'est vraiment un mystère qu'ils aient pu disparaître, comme ça.

— Ils étaient peut-être là, pendant tout ce temps...

La voix d'Ebba les fit sursauter.

— Je ne pense pas qu'ils soient enterrés là-dessous, dit Gösta depuis la porte. Si quelqu'un avait détérioré le plancher, nous l'aurions remarqué à l'époque. Or, il était parfaitement intact, et il n'y avait aucune trace de sang nulle part. Il a dû couler entre les lattes.

— Je préfère en tout cas être certaine qu'ils ne sont pas là, dit Ebba.

— Les techniciens vont examiner le plancher millimètre par millimètre demain, tu n'as aucune crainte à avoir, répondit Gösta en passant son bras autour d'Ebba.

Patrik ouvrit de grands yeux. Habituellement, quand ils étaient en mission, Gösta n'en faisait pas des tonnes pour se montrer sympathique. Patrik ne se rappelait pas l'avoir jamais vu toucher un être humain et il n'avait pas le tutoiement facile.

— Tu as besoin d'un café bien fort, ajouta-t-il avec une tape amicale sur l'épaule d'Ebba.

Il se chargea de démarrer la cafetière électrique et quand le café commença à couler dans la verseuse, il entreprit de laver quelques tasses dans l'évier.

— Ebba, j'aimerais que vous nous racontiez tout ce que vous savez de la disparition, dit Patrik en lui avançant une chaise.

Elle s'assit et il remarqua combien elle était maigre. Le tee-shirt paraissait trop grand et on voyait nettement ses clavicules sous le tissu.

— Je ne pense pas pouvoir raconter quoi que ce soit que les gens d'ici n'ont pas déjà entendu. Je n'avais qu'un an et quelques mois à l'époque, et je ne me souviens de rien. Mes parents adoptifs ne savent rien non plus, seulement que quelqu'un a appelé la police pour dire qu'il était arrivé quelque chose. Quand vous êtes arrivés ici, ma famille avait disparu, vous n'avez trouvé que moi. C'était le samedi de Pâques. Ils ont disparu le samedi de Pâques.

Ses doigts saisirent le collier dissimulé par le tee-shirt et se mirent à tirer sur le pendentif, tout comme Patrik l'avait vue faire lors de leur première rencontre. Elle n'en parut que plus fragile encore.

— Tiens.

Gösta posa une tasse de café devant Ebba et une pour lui-même avant de prendre place. Patrik ne put retenir un sourire. Le Gösta qu'il connaissait était de retour.

— Tu n'aurais pas pu nous en servir aussi ?

— Je ne suis pas ton larbin, que je sache.

Melker se leva.

— Je m'en occupe.

— Est-il exact que vous vous êtes retrouvée totalement seule quand votre famille a disparu ? Qu'il n'y avait aucun autre proche en vie ? demanda Patrik.

Ebba hocha la tête.

— Oui, ma mère était fille unique et je n'avais pas encore un an quand ma grand-mère est morte. Mon père était beaucoup plus âgé et ses parents étaient morts depuis longtemps. Ma seule famille, ce sont mes parents adoptifs. Je suppose qu'en un certain sens, j'ai eu de la chance. Berit et Sture m'ont toujours traitée comme si j'étais leur propre fille.

— Quelques garçons étaient restés à l'école pendant les vacances de Pâques. Est-ce que vous avez été en contact avec l'un d'eux ?

— Non, je ne vois pas pourquoi ni comment ça aurait pu arriver, dit Ebba, ses yeux parurent immenses sur son mince visage.

— Avant qu'on s'installe ici, on n'avait aucune raison de s'occuper de la maison, dit Melker. Ebba en a hérité le jour où ses parents biologiques ont été déclarés décédés, mais elle a toujours été louée à différentes personnes. C'est sans doute pour ça qu'on a tant de boulot maintenant pour la remettre en état. Personne ne l'a entretenue. Les locataires n'ont fait que rafistoler et parer au plus urgent.

— Je pense que c'était écrit que nous devions venir ici et démolir le plancher, dit Ebba. Tout a un sens.

— Ah bon ? dit Melker. Tu crois vraiment ?

Ebba ne répondit pas et quand Melker les raccompagna, elle resta assise, sans rien dire.

En quittant Valö, Patrik se posait la même question. À quoi bon avoir la confirmation qu'il s'agissait bien de sang sous le plancher ? Le crime était prescrit et ils n'avaient aucune garantie d'obtenir des réponses, pas plus aujourd'hui qu'à l'époque. Alors quel était le sens de cette découverte ? Des pensées confuses agitèrent son esprit tout le temps où il pilota le bateau en direction de Fjällbacka.


Le médecin cessa de parler et tout fut silencieux dans le cabinet. Martin n'entendait plus que les battements de son propre cœur. Il regarda le médecin. Comment pouvait-il avoir l'air si détendu après ce qu'il venait de dire ? Faisait-il ce genre d'annonce plusieurs fois par semaine et, dans ce cas, comment arrivait-il à vivre avec ?

Martin se força à respirer. C'était comme s'il avait oublié comment on fait. Chaque inspiration exigeait un effort de volonté, une instruction claire émise par le cerveau.

— Combien de temps ? réussit-il à articuler.

— Il existe plusieurs protocoles thérapeutiques et la science fait sans cesse d'énormes progrès… répondit le médecin en ouvrant grandes ses mains.

— D'après les statistiques, quel est le pronostic ?

Martin luttait pour garder son calme. Il avait surtout envie de se jeter sur le bureau, d'attraper l'homme par la blouse et de le secouer pour obtenir une réponse.

Pia restait silencieuse et Martin n'avait pas encore eu le courage de croiser son regard. Il avait peur de s'effondrer. Pour l'instant, il pouvait seulement se concentrer sur les faits. Sur un élément tangible, quelque chose sur quoi se positionner.

— C'est difficile à dire, il y a beaucoup de facteurs qui entrent en jeu.

La même mine de regret, les mains qui s'agitent en l'air. Martin détestait déjà ce geste.

— Mais répondez, bon sang! cria-t-il et il tressaillit presque en entendant sa propre voix.

— Nous allons démarrer le traitement immédiatement, et nous allons voir comment Pia y répond. Mais en considérant les métastases et l'agressivité de ce cancer… je dirais entre six mois et un an.

Martin le dévisagea. Avait-il bien entendu? Tuva n'avait pas encore deux ans. Elle ne pouvait pas perdre sa maman, c'était impossible. Une telle chose ne devait pas arriver. Il se mit à trembler. La chaleur dans le petit bureau était oppressante, mais il grelottait au point de claquer des dents. Pia posa une main sur son bras.

— Calme-toi, Martin. Il faut qu'on garde notre calme. Il existe toujours une petite chance qu'ils se trompent, et je ferai n'importe quoi… Elle se tourna vers le médecin : Donnez-moi le traitement le plus lourd que vous ayez. J'ai l'intention de me battre.

— On va vous hospitaliser tout de suite. Rentrez chez vous préparer des affaires, de mon côté, je m'occupe de vous libérer une place.

Martin eut honte. Pia était forte alors qu'il était à deux doigts de craquer. Des images de Tuva tourbillonnaient dans son esprit, depuis l'instant où elle était venue au monde jusqu'au matin même, quand elle était venue chahuter avec eux dans leur lit. Ses cheveux châtains volaient autour de sa tête et ses yeux étaient remplis de rire. Ce rire, allait-il se taire maintenant? Allait-elle déjà perdre, si petite, sa joie de vivre, sa confiance dans la vie?

— On s'en sortira, dit Pia.

Son visage était gris cendre, mais elle montrait une détermination que Martin savait issue d'une volonté obstinée. Elle allait avoir besoin de cette volonté pour livrer le combat le plus important de sa vie.

— On va aller chercher Tuva chez mes parents, dit-elle en se levant. On parlera tranquillement plus tard quand elle sera couchée. Et je prendrai quelques affaires. Combien de temps vais-je rester à l'hôpital ?

Martin se redressa sur ses jambes flageolantes. C'était typiquement Pia, de faire preuve d'un tel sens pratique.

— Faites votre valise pour une absence assez prolongée, dit le médecin après une petite hésitation.

Il les salua et se prépara à recevoir le patient suivant.

Abandonnés dans le couloir, Martin et Pia se donnèrent la main, sans un mot.


— Tu leur donnes du jus de fruits dans le biberon ? Tu n'as pas peur pour leurs dents ?

Ennuyée, Kristina regarda Anton et Noel dans le canapé, chacun buvant son biberon. Erica respira profondément. Sa belle-mère n'était pas méchante et elle avait fait des progrès, mais parfois elle était vraiment fatigante.

— J'ai essayé de leur faire boire de l'eau, mais ils n'en veulent pas. Et il faut bien qu'ils boivent par cette chaleur. Mais, rassure-toi, il y a plus d'eau que de jus.

— Bon, bon, tu fais comme tu veux. En tout cas, je t'aurai prévenue. Moi, je donnais de l'eau à Patrik et à Lotta, et ça leur allait très bien. Ils n'ont pas eu la moindre carie avant d'être adultes, le dentiste m'a toujours félicitée.

Erica se mordit le doigt. Elle était en train de ranger dans la cuisine, hors de vue de Kristina. À petites doses, sa belle-mère était à peu près fréquentable, et elle était formidable avec les enfants, mais ça devenait une véritable épreuve quand elle restait une bonne demi-journée.

— Je crois que je vais lancer une machine, dit Kristina d'une voix assez forte, puis elle continua de parler comme pour elle-même. C'est toujours plus simple quand on range au fur et à mesure, ça évite de se retrouver avec tout ce bazar. Chaque chose à sa place, c'est quand même pas compliqué, et Maja est bien assez grande maintenant pour apprendre à ranger derrière elle. Autrement, ça va devenir une de ces ados gâtées qui ne quittent jamais le nid et s'attendent toujours à être servies comme à l'hôtel. Ma copine Bodil, tu sais, son fils a bientôt quarante ans et malgré ça...

Erica se boucha les oreilles et prit appui contre un des placards de cuisine. Elle tapa doucement sa tête contre le bois et pria pour garder patience. Une tape énergique sur son épaule la fit bondir.

— Qu'est-ce que tu fais? Je te parle mais tu ne réponds pas.

Kristina se tenait à côté d'elle, un panier de linge rempli à ses pieds.

Les index toujours enfoncés dans ses oreilles, Erica chercha une explication à lui donner.

— Je... je rééquilibre les pressions. J'ai eu quelques problèmes avec mes oreilles ces temps-ci, dit-elle en se pinçant le nez et en soufflant fort.

— Mince alors, dit Kristina. Il ne faut pas rigoler avec ça. Tu es sûre que ce n'est pas une otite? Les enfants sont de formidables foyers d'infection quand ils vont à la crèche. J'ai toujours dit que la crèche, ce n'était pas une bonne idée. Moi, je suis restée à la maison pour m'occuper de Patrik et Lotta jusqu'à ce qu'ils entrent au collège. Ils n'ont pas passé un jour dans une crèche ou avec une nounou et ils n'étaient jamais malades. Tu vois, notre médecin m'a félicitée plusieurs fois de leur bonne...

Erica l'interrompit, un peu trop brutalement.

— Ça fait plusieurs semaines qu'ils n'y ont pas mis les pieds, alors je ne pense pas qu'on puisse accuser la crèche.

— Non, non, bien sûr, dit Kristina d'un air offusqué. En tout cas, je t'aurai prévenue. Parce que, bon, on sait bien qui vous appelez quand les enfants sont malades et que vous devez travailler, hein. C'est moi, qui dois venir vous sauver au pied levé.

Elle redressa la tête et s'en alla avec le panier de linge.

Lentement, Erica compta jusqu'à dix. Bien sûr, Kristina les aidait énormément, elle ne pouvait pas le nier. Mais le prix à payer était souvent élevé.

Les parents de Josef avaient tous les deux dépassé la quarantaine lorsqu'on annonça à sa mère une nouvelle hautement improbable : elle était enceinte. Depuis de nombreuses années, ils s'étaient faits à l'idée de ne pas avoir d'enfant et avaient organisé leur vie en conséquence. À la place, ils avaient consacré tout leur temps au petit atelier de couture qu'ils avaient monté à Fjällbacka. L'arrivée de Josef avait tout changé, et si leur joie d'avoir un fils était immense, lui transmettre leur histoire s'était révélé une tâche lourde et pesante.

Avec amour, Josef contempla leur portrait dans le lourd cadre en argent posé sur son bureau. Derrière, il y avait des photos de Rebecca et des enfants. Il avait toujours été le point central de la vie de ses parents, et ils seraient toujours le point central de la sienne. Sa femme et ses enfants devaient s'en accommoder.

— On mange bientôt, annonça Rebecca en entrant doucement dans son cabinet de travail.

— Je n'ai pas très faim. Vous n'avez qu'à manger sans moi, dit-il sans même lever les yeux, ayant des choses bien plus importantes à faire.

— Mais viens quand même, pour une fois que les enfants sont là !

Josef la regarda, tout surpris. D'habitude, elle n'insistait pas. L'irritation monta en lui, mais il se força à respirer profondément. Elle avait raison. Les enfants ne venaient plus très souvent à la maison.

— J'arrive, soupira-t-il.

Il referma son carnet où il avait noté toutes ses pensées autour du projet et de sa réalisation. Il le portait toujours sur lui au cas où une idée nouvelle lui viendrait à l'esprit.

— Merci, dit Rebecca, puis elle tourna les talons et s'en alla.

Josef lui emboîta le pas. Dans la salle à manger, la table était mise et il remarqua qu'elle avait sorti le service du dimanche. Elle avait un certain penchant pour la vanité, et, pour être tout à fait franc, il n'aimait pas qu'elle en fasse plus parce que les enfants étaient là. Mais il choisit de ne rien dire.

— Salut papa, dit Judith en lui faisant la bise.

Daniel se leva et lui donna l'accolade. Un instant son cœur se remplit de fierté et il regretta que son père n'ait pas pu voir ses petits-enfants grandir.

— Passons à table, avant que ça refroidisse, dit-il en prenant place.

Rebecca avait préparé le plat préféré de Judith, du poulet rôti avec de la purée mousseline. Subitement Josef sentit à quel point il était affamé et réalisa qu'il avait oublié de déjeuner. Après avoir murmuré la prière, Rebecca les servit et ils commencèrent à manger en silence. Une fois sa faim calmée, Josef posa ses couverts.

— Ça se passe bien, vos études?

Daniel hocha la tête.

— J'ai réussi tous mes examens du séminaire d'été, avec mention. Maintenant, il faut que je trouve un bon stage pour cet automne.

— Moi, mon boulot d'été me plaît vraiment, glissa Judith, les yeux brillants d'excitation. Tu devrais voir le courage de ces enfants, maman. Ils ont subi des opérations difficiles, des radiothérapies prolongées et tout ce que tu peux imaginer, mais ils tiennent bon et ne se plaignent jamais. Ils sont incroyables.

Josef respira un grand coup. La réussite de ses enfants ne faisait rien pour atténuer l'inquiétude qui l'envahissait en permanence. Il savait qu'ils avaient toujours en eux un peu plus à donner, qu'ils pouvaient monter plus haut. Ils avaient tant de devoirs à remplir, tant de revanches à prendre, et il était obligé de veiller à ce qu'ils fassent leur maximum.

— Et la recherche? Tu as le temps de t'en occuper aussi?

Il braqua ses yeux sur Judith et vit l'enthousiasme lentement s'éteindre dans les siens. Elle aurait voulu qu'il la soutienne, lui dise quelques mots d'encouragement, mais s'il donnait l'impression à ses enfants que ce qu'ils faisaient était suffisant, ils ne feraient plus d'efforts. Et cela ne devait pas arriver.

Il n'attendit même pas la réponse de Judith avant de se tourner vers Daniel.

— La semaine dernière, j'ai parlé avec le responsable de ton cours et il m'a dit que tu as loupé deux jours. Comment ça se fait ?

Du coin de l'œil, il vit que Rebecca le fixait. Elle était déçue, mais tant pis. Plus elle chouchoutait les enfants, plus il devait mobiliser de forces pour les aiguiller sur la bonne voie.

— J'avais une gastro, dit Daniel. Ils n'auraient pas trop apprécié que je me mette à dégobiller dans un sac en plein amphi.

— Tu essaies d'être drôle ?

— Non, c'était une réponse sincère.

— Tu sais que je finis toujours par savoir si tu me mens, dit Josef.

Les couverts étaient encore posés sur son assiette. Il n'avait plus d'appétit. Il détestait ne plus avoir le contrôle sur les enfants comme c'était le cas quand ils vivaient encore à la maison.

— J'avais une gastro, répéta Daniel, en baissant les yeux.

Lui aussi, il semblait avoir perdu l'appétit. Josef se leva d'un bond.

— Il faut que je retourne travailler.

Se réfugiant dans son cabinet de travail, il se dit qu'ils étaient sans doute bien contents d'être débarrassés de lui. À travers la porte fermée, il distingua leurs voix et le cliquetis de la vaisselle. Puis le rire de Judith, fort et libérateur, résonna aussi nettement que si elle avait été assise à côté de lui. Tout à coup, il réalisa que les rires de ses enfants, leur joie, étaient toujours étouffés en sa présence. Judith rit de nouveau, et ce fut comme si on retournait un couteau dans son cœur. Elle ne riait jamais comme ça avec lui, et il se demanda si les choses auraient pu être différentes. En même temps, il ignorait totalement comment il aurait fallu s'y prendre. Il les aimait tant qu'il en souffrait dans tout son corps, mais il ne pouvait pas être le père dont ils rêvaient. Il ne pouvait être que le père que la vie lui avait appris à être, et les aimer à sa manière, en leur transmettant son héritage.


Gösta fixa la lumière scintillante de la télé. Des gens allaient et venaient sur l'écran, c'était un épisode de l'*Inspecteur Barnaby* et quelqu'un allait se faire tuer, forcément. Mais il avait déjà perdu le fil de l'histoire. Ses pensées étaient ailleurs.

Une assiette était posée sur la table devant lui, garnie de deux tartines. Du pain de campagne avec du beurre et du saucisson. En général, il ne mangeait jamais rien d'autre à la maison. C'était trop contraignant et trop triste de se préparer de vrais repas.

Le canapé commençait à se faire vieux, mais il n'avait pas le courage de le mettre au rebut. Il se rappelait la fierté de Maj-Britt quand ils l'avaient acheté. Plus d'une fois, il l'avait surprise en train de passer la main sur le tissu lisse et fleuri comme si elle caressait un chaton. La première année, elle l'autorisait à peine à s'asseoir dessus. Mais la petiote avait le droit d'y sauter et d'y jouer au toboggan. Maj-Britt la tenait par les mains en souriant quand elle sautait de plus en plus haut sur les coussins moelleux.

Aujourd'hui le tissu était terne et élimé, avec des trous par-ci, par-là. Près de l'accoudoir gauche, un ressort dépassait. Peu importe, il s'asseyait toujours dans le coin à droite. C'était son côté, tandis que le côté gauche était celui de Maj-Britt. Le soir, durant cet été-là, la petite était assise entre eux. Elle n'avait jamais vu de télé auparavant, et elle poussait des cris de bonheur dès qu'il se passait quelque chose. Son émission préférée était Tchebourachka et Guéna. Quand elle regardait les aventures de ces deux peluches, elle ne tenait pas en place, l'excitation la faisait bondir sans cesse sur ses fesses.

Plus personne ne sautait sur le canapé depuis longtemps. Après le départ de la petite, c'était comme si une partie de leur joie de vivre avait disparu avec elle. Il y eut de nombreuses soirées silencieuses. Ni l'un ni l'autre n'avait imaginé que le regret puisse faire aussi mal. Ils avaient pensé bien agir et quand ils avaient pris conscience de l'absurdité de leur raisonnement, il était trop tard.

Gösta posa un regard vide sur l'inspecteur Barnaby qui venait de découvrir un énième cadavre. Il mordit dans une tartine. C'était une soirée comme les autres. Qui serait suivie par tant d'autres encore.

# FJÄLLBACKA 1919

*Ils ne pouvaient pas se retrouver dans le dortoir du personnel, si bien que Dagmar attendait un signe de sa part pour aller l'attendre dans sa chambre. Elle l'avait elle-même préparée et avait fait le lit, sans savoir que plus tard elle brûlerait d'envie de se glisser entre ces draps frais.*

*La fête battait encore son plein quand elle vit le signe attendu. Il tanguait sur ses jambes, ses cheveux blonds étaient en désordre et ses yeux luisaient de tout le* punsch\* *qu'il avait bu. Mais il avait l'esprit assez clair encore pour lui glisser discrètement la clé de sa chambre. Le bref contact de sa main fit palpiter son cœur et, sans le regarder, elle glissa la clé dans la poche de son tablier. À cette heure tardive, personne ne remarquerait sa disparition. Hôtes et invités étaient bien trop soûls pour se soucier d'autre chose que de voir leurs verres remplis, et les serveuses ne manquaient pas.*

*Elle jeta quand même un coup d'œil autour d'elle avant d'ouvrir la porte de la plus grande des chambres d'amis et, une fois à l'intérieur, resta le dos appuyé contre la porte, à respirer à pleins poumons. La vue du lit, avec les draps blancs et la couverture soigneusement dépliée, lui donna des frissons. Il pouvait arriver d'un moment à l'autre, et elle se précipita dans la petite salle de bains. Rapidement, elle se lissa les cheveux, retira son tablier de bonne et se lava les aisselles. Puis elle se mordit les lèvres et se pinça les joues pour qu'elles rosissent, comme c'était la mode parmi les citadines.*

---

\* Liqueur suédoise faite d'arak, de sucre, d'eau et de divers parfums, qui se boit tiède, souvent pour accompagner la traditionnelle soupe aux pois.

*En entendant qu'on tournait la poignée, elle se dépêcha de prendre place sur le lit, vêtue seulement de son fond de robe. Elle arrangea ses cheveux sur ses épaules, consciente de leur éclat dans la douce lumière de la nuit d'été qui entrait par la fenêtre.*

*Elle ne fut pas déçue. Il ferma rapidement la porte derrière lui et la contempla un moment avant d'avancer vers le lit. Puis il prit son menton dans sa main et releva son visage. Il se pencha et leurs lèvres se rencontrèrent en un premier baiser. Doucement, presque avec espièglerie, il glissa le bout de sa langue entre les lèvres frémissantes de Dagmar.*

*Elle répondit passionnément à ses baisers. Elle n'avait jamais rien vécu de semblable, il lui semblait que cet homme était envoyé par une puissance divine pour s'unir avec elle et la combler. Un bref instant, sa vue se brouilla et des images de son passé surgirent dans son esprit. Les enfants immergés dans un bassin avec un poids posé dessus jusqu'à ce qu'ils cessent de bouger. Les policiers qui se précipitaient dans la maison et arrêtaient ses parents. Les petits cadavres déterrés dans leur cave. La mégère et le père d'accueil. Les hommes qui ahanaient, couchés sur elle, l'haleine puant l'alcool et la cigarette. Tous ceux qui l'avaient exploitée et bafouée – désormais, ils devraient s'incliner et s'excuser. Quand ils la verraient marcher aux côtés du héros blond, ils regretteraient chaque mot qu'ils avaient chuchoté derrière son dos.*

*Lentement il remonta le fond de robe sur le ventre de Dagmar et elle leva les bras au-dessus de la tête pour l'aider. Tout ce qu'elle désirait, c'était sentir la peau de l'homme contre la sienne. Elle défit l'un après l'autre les boutons de sa chemise et il la retira. Quand tous ses vêtements se retrouvèrent en un tas par terre, il s'allongea sur elle. Plus rien ne les séparait.*

*Quand ils s'unirent, Dagmar ferma les yeux. Elle n'était plus la fille de la Faiseuse d'anges. Elle était une femme que le destin bénissait enfin.*

Il se préparait depuis plusieurs semaines. Obtenir une interview avec John Holm à Stockholm était une gageure mais, à force d'acharnement, Kjell avait réussi à se faire accorder une heure à l'occasion de ses vacances à Fjällbacka, pour un portrait dans *Bohusläningen*.

Il savait que John avait connu son père, Frans Ringholm, l'un des fondateurs de Sveriges Vänner, "Les Amis de la Suède", le parti que John présidait aujourd'hui. Kjell s'était éloigné de son père à cause, entre autres, de ses sympathies nazies. Juste avant sa mort, il avait réussi à amorcer une sorte de réconciliation, mais jamais il ne pourrait comprendre les opinions de son père. Pas plus que celles de Sveriges Vänner et sa récente percée.

Ils s'étaient donné rendez-vous dans la cabane de pêcheur de John. Le trajet en voiture d'Uddevalla à Fjällbacka durait presque une heure, à cause de l'intense circulation d'été. Avec dix minutes de retard, il se gara devant la cabane en espérant que son interview ne serait pas raccourcie d'autant.

— Tu n'auras qu'à faire des photos pendant qu'on parle, après, ça sera peut-être trop tard, dit-il à son collègue en descendant de la voiture.

Il savait qu'il n'y aurait pas de problèmes. Stefan était le photographe le plus expérimenté de *Bohusläningen* et, quelles que soient les circonstances, il faisait son travail et il le faisait bien.

— Bonjour! dit John Holm en venant à leur rencontre.

— Bonjour à vous! répondit Kjell.

Il dut faire un effort pour saisir la main tendue de John. Outre ses opinions malsaines, Kjell considérait qu'il était face à l'un des hommes les plus dangereux de Suède.

John les précéda dans la petite cabane et sortit sur le ponton.

— Je n'ai jamais rencontré votre père. Mais je sais que c'était un homme qui inspirait le respect.

— Oui, quelques années passées derrière les barreaux peuvent avoir cet effet-là.

— J'imagine que ça n'a pas dû être facile pour vous de grandir dans ces conditions, dit John et il s'assit dans le fauteuil de jardin près de la palissade coupe-vent.

Pendant un court instant, Kjell fut pris d'un accès de jalousie. Il trouvait tellement injuste qu'un homme comme John Holm possède un tel paradis, avec vue sur le port et l'archipel. Pour cacher l'aversion que son visage trahissait sûrement, il s'installa en face de John et commença à bidouiller son magnétophone. Que la vie soit injuste n'était pas nouveau, et il savait, par ses recherches, que John était né avec une cuillère en argent dans la bouche.

Le magnétophone se mit en marche. Il semblait fonctionner correctement et Kjell se lança.

— Des membres de votre parti sont désormais élus députés. À votre avis, comment cela a-t-il été possible?

Dans un premier temps, mieux valait se montrer prudent. Il avait une chance inouïe de bénéficier d'une interview en tête à tête avec John. À Stockholm, l'attaché de presse aurait été présent, et sans doute d'autres personnes de son équipe. Ici, il n'y avait qu'eux, et le dirigeant du parti serait sans doute plus détendu puisqu'il était en vacances, en territoire connu.

— Je crois que le peuple suédois a mûri. Nous avons pris conscience du monde qui nous entoure et de son influence. Longtemps nous avons été trop crédules, mais le peuple s'est réveillé et Sveriges Vänner a le privilège d'être la voix de la raison au milieu de cet éveil, dit John avec un sourire.

Kjell comprenait pourquoi l'homme séduisait. Il possédait un charisme et une assurance qui donnaient envie de croire à ses paroles. Mais Kjell était trop aguerri pour succomber à ce genre de charme et il n'aimait pas du tout la manière dont John utilisait le mot "nous" en parlant de lui-même et du peuple suédois. John Holm n'était certainement pas un représentant du peuple. Les Suédois valaient mieux que ça.

Il posa encore quelques questions innocentes : quel effet ça faisait d'entrer au Parlement, quel accueil il avait reçu, quel était son regard sur la vie politique à Stockholm. Pendant tout ce temps, Stefan tournait autour d'eux avec son appareil photo, et Kjell imaginait déjà quels clichés viendraient illustrer son article. John Holm installé sur son propre ponton, la mer scintillant en arrière-plan. Ce serait autre chose que les photos formelles que publiaient habituellement les journaux, où il apparaissait systématiquement en costume-cravate.

Kjell lorgna sa montre. Vingt minutes du temps accordé pour l'interview s'étaient écoulées et l'ambiance était agréable, si ce n'est cordiale. Depuis qu'il avait eu l'accord de John Holm pour cette entrevue, il avait passé plusieurs semaines à lire d'innombrables articles sur lui et à visionner des extraits de débats télévisés. Beaucoup de journalistes faisaient un travail exécrable. Ils se contentaient de gratter la surface, et si contre toute attente ils posaient une question pertinente, ils omettaient toujours de l'accompagner immédiatement d'un corollaire et acceptaient sans broncher la réponse catégorique de John, souvent assortie de statistiques erronées, voire de purs mensonges. Parfois il avait honte d'être journaliste, mais contrairement à beaucoup de ses collègues, il avait bien préparé le terrain.

— Votre budget repose sur les économies faramineuses que ferait, d'après vous, la société si on stoppait l'immigration. Économies que vous chiffrez à soixante-dix-huit milliards de couronnes*. Comment êtes-vous arrivé à ce chiffre ?

John se figea. Une ride entre les sourcils trahit une légère irritation, rapidement remplacée par un sourire affable.

— C'est un calcul qui repose sur des bases solides.

— En êtes-vous vraiment sûr ? Beaucoup de facteurs indiquent au contraire que vos calculs sont erronés. Laissez-moi prendre un exemple : vous soutenez que seulement dix pour cent des immigrants en Suède trouvent un travail.

* Environ huit milliards neuf cents millions d'euros.

— Oui, c'est exact. Le chômage est très élevé parmi les personnes que nous accueillons, ce qui entraîne des coûts énormes pour la société.

— Mais d'après les statistiques que j'ai consultées, soixante-cinq pour cent de tous les immigrés en Suède âgés de vingt à soixante-quatre ans ont un travail.

John ne dit rien. Son cerveau travaillait à plein régime.

— Le chiffre qui m'a été transmis est de dix pour cent, affirma-t-il enfin.

— Mais vous ne pouvez pas me dire comment vous l'avez obtenu ?

— Non.

Kjell commença à jouir de la situation.

— Vos calculs indiquent que la société ferait aussi d'importantes économies en versant moins d'allocations si l'immigration était endiguée. Mais une étude, qui va de 1980 à 1990, montre que les impôts sur le revenu que paient les immigrés dépassent de loin ce que coûte l'immigration à l'État.

— Ça ne me paraît pas très crédible, dit John avec un sourire oblique. Le peuple suédois ne se laisse plus avoir par ce genre d'étude douteuse. Tout le monde sait que les immigrés profitent du système d'allocations.

— J'ai ici une copie de l'étude en question. Je vous la laisse, comme ça vous pourrez la consulter après notre interview.

Kjell sortit une pile de documents qu'il posa devant John. Celui-ci ne se donna même pas la peine d'y jeter un œil.

— J'ai des gens dans mon équipe qui s'occupent de ce genre de choses.

— Eh bien, j'ai l'impression qu'ils devraient regarder ça de plus près, dit Kjell. Parlons maintenant de la rubrique des dépenses. Par exemple, le service militaire généralisé que vous voulez réintroduire, combien va-t-il coûter ? Pourriez-vous détailler les coûts de vos propositions, pour qu'on se fasse une idée plus précise ?

Il glissa un bloc-notes et un stylo devant John, qui les regarda avec répugnance.

— Tous nos chiffres figurent dans le budget. Il n'y a qu'à aller les chercher.

— Vous ne les avez pas en tête ? Les chiffres du budget sont pourtant le noyau même de la politique que vous souhaitez mettre en œuvre.

— Évidemment que je connais tous les chiffres, dit John en repoussant le bloc-notes. Mais je n'ai pas l'intention de faire le chien savant devant vous.

— Bon, alors laissons de côté les chiffres pour l'instant. On aura peut-être l'occasion d'y revenir tout à l'heure.

Kjell farfouilla dans sa serviette et en tira un autre document, une liste qu'il avait imprimée.

— À part une politique d'immigration plus restrictive, vous voulez mettre en place des peines renforcées pour les criminels.

— Oui, c'est un scandale, ce laxisme qui s'est installé en Suède, répondit John en s'étirant. Dans le système que nous proposons, plus personne ne pourra s'en tirer avec une simple tape sur les doigts. Même au sein du parti, nous avons mis la barre haut, surtout que nous sommes tout à fait conscients que par le passé on nous a associés à certains… euh, éléments fâcheux.

"Éléments fâcheux." Eh bien, en voilà une façon de dire les choses, pensa Kjell, mais il choisit délibérément de ne pas faire de commentaire. Il avait l'impression d'être en train de mener John exactement là où il voulait le mener.

— Nous avons éliminé de nos listes parlementaires tous les sujets qui ont un casier judiciaire et nous appliquons la tolérance zéro. Chacun de nos membres doit, par exemple, faire une déclaration de probité, en signalant toute condamnation, même très éloignée dans le temps. Quand on a un passé criminel, on ne peut pas représenter Sveriges Vänner, dit John en se renversant sur sa chaise et en croisant les jambes.

Kjell le laissa profiter de sa belle assurance quelques secondes encore, avant de poser la liste sur la table.

— Mais alors comment se fait-il que vous n'exigiez pas la même chose de ceux qui travaillent au siège du parti ? Pas moins de cinq de vos collaborateurs ont un passé criminel. Je parle là de condamnations pour coups et blessures, menaces, vol à main armée et violences envers des fonctionnaires. Votre attaché de presse, par exemple, a été condamné en 2001 pour avoir attaqué et roué de coups un Éthiopien sur la place du marché à Ludvika.

Kjell poussa la liste pour qu'elle se retrouve juste devant John. Une vive rougeur apparut sur le cou du chef de parti.

— Je ne m'occupe pas des entretiens d'embauche ni des méthodes de travail au siège, je ne peux pas me prononcer sur cette question.

— En tant que plus haut responsable du personnel qui est embauché par le parti, cette question devrait tout de même se retrouver sur votre bureau, à un moment ou à un autre, non ?

— Tout le monde a droit à une seconde chance. Pour la plupart, il s'agit d'infractions de jeunesse.

— Une seconde chance, dites-vous ? Pourquoi vos employés mériteraient-ils une seconde chance, alors qu'on la refuse aux immigrés, qui d'après vous devraient être expulsés du territoire dès leur première condamnation ?

John serra fort les mâchoires et son visage se fit encore plus anguleux.

— Comme je viens de vous le dire, je ne suis pas de près les procédures d'embauche. Mais je me renseignerai sur ce point.

Kjell hésita à l'asticoter davantage, mais l'heure tournait et John pouvait à tout moment en avoir assez et décider d'interrompre l'interview.

— J'ai quelques questions plus personnelles aussi, si vous voulez bien, dit-il en regardant ses notes.

En réalité, il avait tout en tête, mais il savait par expérience que les notes avaient un effet psychologique. Elles inspiraient le respect.

— Vous avez expliqué que votre engagement sur les questions d'immigration a commencé quand vous aviez vingt ans, après avoir été attaqué et maltraité par deux étudiants africains qui suivaient le même cursus que vous à l'université de Göteborg. Vous avez porté plainte, mais l'affaire a été classée, et vous avez été obligé de croiser les coupables tous les jours sur le campus. Ils ont passé le reste de leur cycle à se moquer de vous et, par la même occasion, du peuple suédois. Cette dernière phrase est une citation directe d'une interview que vous avez donnée au *Svenska Dagbladet* ce printemps.

John hocha la tête avec sérieux.

— Oui, c'est un incident qui a laissé des traces indélébiles et qui a formé ma vision du monde. Il montre clairement comment la société fonctionne et comment les Suédois sont relégués dans la catégorie des citoyens de seconde zone tandis que des individus venus d'ailleurs, que nous avons si naïvement accueillis, sont soignés aux petits oignons.

— Intéressant, dit Kjell en inclinant la tête. J'ai épluché cet incident et il y a plusieurs détails qui sont… eh bien, étranges.

— Que voulez-vous dire ?

— Premièrement, il n'existe aucune plainte concernant cet événement dans les registres de la police et, deuxièmement, aucun étudiant africain ne suivait la même formation que vous. Il n'y avait d'ailleurs aucun étudiant africain à l'université à l'époque où vous faisiez vos études.

Kjell vit la pomme d'Adam de John monter et descendre.

— J'en garde un souvenir très net. Vous vous trompez.

— Ne serait-il pas plus exact de dire que vous tenez vos opinions de votre milieu familial ? On m'a indiqué que votre père avait de fortes sympathies pour les nazis.

— Je ne me prononce pas sur les éventuelles opinions de mon père.

Un rapide coup d'œil sur l'heure et Kjell constata qu'il ne lui restait que cinq minutes. La frustration vint se mêler à la satisfaction. L'interview n'avait pas donné de résultat concret, mais avoir su déstabiliser John était particulièrement jouissif. Et il n'avait pas l'intention d'en rester là. Cette interview n'était qu'un début. Il allait creuser sans relâche jusqu'à ce qu'il trouve un élément capable de stopper l'ascension de John Holm. D'autres interviews seraient nécessaires, il valait donc mieux arrondir les angles avec une question plus anecdotique, située hors de la sphère politique. Il lui sourit.

— Je crois que vous étiez élève à l'internat de Valö à l'époque de la disparition de toute une famille. C'est incroyable, que cette histoire n'ait jamais été résolue.

John lui jeta un bref regard et se leva vivement.

— L'interview est terminée, et j'ai pas mal de choses urgentes à régler. Je pense que vous trouverez la sortie tout seuls.

La réaction de John frappa l'instinct journalistique de Kjell. Cet homme était mal à l'aise, il cachait quelque chose, et Kjell bouillait d'impatience de retourner à la rédaction pour commencer à fureter.

— Où est Martin?

Patrik regarda ses collègues réunis dans la cuisine du commissariat.

— Il est malade, répondit Annika évasivement. Mais j'ai ici son rapport sur l'état des finances et des assurances des Stark.

Patrik la dévisagea mais ne fit pas de commentaire. Quand Annika ne voulait pas raconter ce qu'elle savait, seule la torture pouvait avoir raison de son silence.

— Et moi, j'ai le vieux dossier de l'enquête, dit Gösta en montrant quelques gros classeurs sur la table.

— Ça a été vite fait, s'étonna Mellberg. D'habitude il faut des semaines pour obtenir un dossier des archives.

Gösta se tut un long moment avant de dire :

— Il était chez moi.

— Tu gardes des documents archivés chez toi? Malheureux, tu as perdu la boule?

Mellberg bondit de sa chaise et Ernst, couché sur ses pieds, se redressa et tendit l'oreille. Il poussa deux, trois aboiements puis, constatant que tout paraissait calme, il se recoucha.

— J'ai continué à éplucher cette vieille affaire de temps en temps et tous ces allers-retours aux archives, ça me faisait perdre du temps. J'ai fini par garder le dossier à la maison, et tant mieux finalement, sinon on ne l'aurait pas sous la main à l'heure qu'il est.

— Quelle inconscience! Non mais je rêve… poursuivit Mellberg, et Patrik comprit qu'il était temps d'intervenir.

— Assieds-toi, Bertil. L'essentiel, c'est qu'on ait accès au dossier. On verra plus tard pour les questions disciplinaires.

Mellberg marmonna dans sa barbe avant de s'incliner, à contrecœur.

— Est-ce que les techniciens se sont mis au boulot?

Patrik acquiesça de la tête.

— Ils sont en train de démonter le plancher et de faire des prélèvements. Torbjörn a promis de nous contacter dès qu'il aurait du nouveau.

— Est-ce que quelqu'un peut m'expliquer pourquoi nous devons consacrer du temps et des moyens à un éventuel crime qui est déjà prescrit? protesta Mellberg.

— Aurais-tu oublié que quelqu'un a essayé de réduire la maison en cendres? dit Gösta avec un regard hargneux.

— Non, je ne l'ai pas oublié. Mais je me demande toujours pourquoi ceci devrait forcément être lié à cela, répliqua Mellberg en articulant exagérément pour énerver Gösta.

Patrik soupira de nouveau. On aurait dit deux gamins.

— C'est toi qui décides, Bertil, mais je pense que ce serait une erreur de ne pas examiner de plus près la découverte faite chez les Stark hier.

— Ouais, peut-être, mais ce n'est pas toi qui devras répondre quand la direction demandera pourquoi on gaspille nos maigres moyens sur un cas qui a largement dépassé la date limite de consommation.

— Si elle est liée à l'incendie criminel, comme Hedström le pense, la disparition devient forcément intéressante, dit Gösta d'une voix pressante.

Mellberg garda le silence un moment.

— Bon, disons qu'on va y consacrer quelques heures. Allez-y! Patrik respira.

— Très bien. On va commencer par jeter un œil sur ce que Martin a trouvé.

Annika mit ses lunettes et observa le rapport.

— Martin n'a rien découvert d'anormal. Les Stark n'ont pas souscrit d'assurance exagérément avantageuse pour la maison, plutôt le contraire, ils ne toucheraient pas grand-chose si un incendie la détruisait. En ce qui concerne leur situation économique, ils ont pas mal d'argent à la banque, provenant de la vente de leur maison à Göteborg. On peut supposer que cet argent est une réserve pour la rénovation et les dépenses du quotidien, jusqu'à ce qu'ils aient démarré leur activité. Et puis, Ebba a une entreprise en son nom propre, qui s'appelle Mon Ange. Elle fabrique apparemment des bijoux en argent en forme d'anges qu'elle vend sur le Net. Rien de vraiment lucratif.

— OK. On ne va pas totalement lâcher cette piste, mais pour l'instant rien n'indique une fraude à l'assurance. Revenons maintenant sur la découverte d'hier, dit Patrik en se tournant vers Gösta. S'il te plaît, raconte-nous ce que vous avez vu à l'époque, quand vous avez examiné la maison après la disparition.

— Bien sûr. Je peux même vous montrer des photos.

Gösta ouvrit l'une des chemises et en sortit un paquet de photos jaunies qu'il fit passer à la ronde. Patrik fut impressionné. Malgré leur ancienneté, c'étaient des clichés tout à fait corrects d'une scène de crime.

— Dans la salle à manger, il n'y avait aucune trace de quoi que ce soit, dit Gösta. Le repas était entamé, mais on n'a pas trouvé de signe de lutte. Rien de cassé, un sol parfaitement propre. Vous pouvez vérifier par vous-mêmes.

Patrik suivit son conseil et étudia minutieusement les photos. Gösta avait raison. On aurait dit que la famille s'était simplement levée de table au beau milieu du repas. Il frissonna. Cette table garnie, les assiettes avec les plats à moitié consommés et les chaises méticuleusement rangées étaient lugubres. Au centre de la table trônait un grand vase avec un bouquet de jonquilles. Il ne manquait que les convives. Leur récente découverte sous le plancher ajoutait aux images une dimension encore plus sinistre. Il comprenait mieux maintenant pourquoi Erica avait consacré tant d'heures à cogiter sur la disparition mystérieuse de la famille Elvander.

— Si c'est bien du sang, pourra-t-on établir techniquement qu'il s'agit ou non de celui des Elvander ? demanda Annika.

Patrik secoua lentement la tête.

— Ce n'est pas tout à fait mon domaine, mais je doute. Je crois que le sang est trop vieux pour qu'on puisse pratiquer ce genre d'analyse. Au mieux, on pourra nous confirmer que c'est bien du sang humain. De toute façon, nous n'avons rien pour comparer.

— Ebba est là, fit remarquer Gösta. Si le sang provient de Rune ou d'Inez, on pourra peut-être obtenir un profil d'ADN à comparer avec celui d'Ebba.

— Oui, peut-être. Cela dit, il me semble que le sang se dégrade très vite. Alors, après tant d'années… Mais indépendamment du résultat de l'analyse du sang, nous devons découvrir ce qui s'est passé ce samedi de Pâques. Il faut remonter le temps, dit Patrik en posant les photographies sur la table. Lire toutes les auditions des personnes qui avaient un lien avec l'internat, et ensuite les entendre à nouveau. S'il est confirmé que c'est bien du sang humain, nous partirons du principe qu'un crime a été commis dans la pièce.

Il regarda Gösta qui hocha faiblement la tête.

— Oui, tu as raison. Il faut remonter le temps…

Exposer autant de photos dans une chambre d'hôtel avait quelque chose d'étrange, mais personne n'osait lui faire la moindre remarque. C'était un des avantages de cette suite. Les riches étaient toujours censés être un peu excentriques. Et de toute façon, étant donné son apparence physique, il pouvait agir à sa guise sans se soucier de ce qu'on pensait de lui.

Ses photographies représentaient beaucoup pour lui. Il les emportait partout où il allait et c'était un des rares domaines où Ia n'avait pas son mot à dire. Pour le reste, il était sous sa coupe, bien sûr. Mais celui qu'il avait été un jour et ce qu'il avait accompli, elle ne pouvait pas le lui enlever.

Leon avança le fauteuil roulant jusqu'à la commode où les cadres étaient alignés. Il ferma les yeux et s'autorisa une brève seconde à se transporter mentalement dans les lieux où les clichés avaient été pris. Il imaginait le vent du désert qui lui brûlait les joues, puis un froid extrême lui dévorant les doigts et les orteils. Il avait adoré la douleur. *No pain, no gain*, ça avait toujours été son credo. Fait ironique, aujourd'hui il vivait avec la douleur chaque jour, chaque seconde. Sans que cela ne lui rapporte rien.

Le visage qui lui souriait sur les photos était très beau. Il reflétait force et virilité. Un esprit intrépide, un désir de sentir l'adrénaline fuser dans le corps.

Il tendit sa main gauche, qui contrairement à la droite était intacte, et saisit sa photo préférée. Elle avait été prise en haut du mont Everest. L'ascension avait été rude et plusieurs membres de l'expédition avaient abandonné au cours des différentes étapes. Certains même avant d'avoir commencé. Ce genre de faiblesse lui était incompréhensible. Abandonner n'était jamais une option pour lui. Beaucoup avaient secoué la tête quand il avait voulu atteindre le sommet sans oxygène. Il n'y arriverait jamais, affirmaient ceux qui s'y connaissaient. Le guide de l'expédition l'avait supplié d'utiliser la bouteille d'oxygène, mais Leon savait l'exploit possible. Reinhold Messner et Peter Habeler l'avaient réalisé en 1978. À eux aussi, on leur avait dit que c'était impossible à l'époque : même les sherpas népalais n'avaient jamais osé tenter l'aventure. Mais ils y étaient parvenus, donc il y parviendrait aussi. Et il avait atteint le sommet de l'Everest dès la première tentative – sans oxygène. Sur la photo, il affichait un grand sourire, le drapeau suédois à la main et les drapeaux de prière multicolores suspendus derrière lui. À cet instant-là, il se trouvait au-dessus du monde entier. Il avait l'air fort. Heureux.

Leon reposa doucement la photo et en prit une autre. Paris-Dakar. Catégorie moto évidemment. Il était toujours dépité de ne pas avoir gagné. Il avait dû se contenter d'une place parmi les dix meilleurs. En fait, sa performance était excellente, il le savait, mais pour lui, et depuis toujours, seule la première place avait de la valeur. Il devait se tenir sur le haut du podium, quelle que soit l'épreuve. Dans une sorte de caresse, il passa le pouce sur le verre et refréna un sourire. Quand il souriait, la peau se tendait désagréablement sur un côté de son visage et il détestait cette sensation.

Ia avait eu si peur. Un des participants s'était tué dès le début de la course et elle l'avait supplié d'interrompre la compétition. Mais l'accident n'avait fait qu'accroître sa motivation. C'était le danger qui le stimulait, la certitude que la vie pouvait lui être ôtée à tout moment. Le danger lui permettait d'apprécier davantage les bonnes choses de la vie. Le champagne était encore meilleur, les femmes lui semblaient plus belles, les draps en soie plus doux contre sa peau. Sa fortune devenait plus précieuse s'il la remettait sans cesse en jeu. Ia, en revanche, redoutait de tout perdre. Elle détestait le voir se moquer de la mort et miser gros dans les casinos de Monte-Carlo, de Saint-Tropez et de Cannes. Quand la chance l'abandonnait, elle ne comprenait pas son excitation à l'idée de se remettre à la table de jeu le lendemain pour tout regagner. Elle en avait des insomnies, se tournant encore et encore dans le lit pendant qu'il dégustait calmement un cigare sur le balcon.

Au fond, il avait aimé son inquiétude. Il savait qu'elle adorait la vie qu'il était en mesure de lui offrir. Non seulement elle l'adorait, mais elle en avait besoin, et l'exigeait. Quand la bille s'arrêtait dans le mauvais trou et qu'il voyait sa mine déconfite, ses pertes s'en trouvaient délicieusement pimentées. De même lorsqu'elle se mordait la joue pour ne pas crier quand le noir sortait alors qu'il avait tout misé sur le rouge.

Leon entendit le bruit d'une clé dans la serrure. Lentement, il reposa la photo sur la commode. L'homme sur la moto lui souriait jusqu'aux oreilles.

# FJÄLLBACKA 1919

C'était un réveil merveilleux et Dagmar s'étira comme un chat. Tout allait changer maintenant. Enfin elle avait rencontré quelqu'un qui ferait taire les commères semeuses de ragots qui riaient dans son dos. La fille de la Faiseuse d'anges et le héros de l'aviation. Le sujet fournirait une autre matière à leur caquetage, mais cela ne la toucherait plus, car ils allaient partir ensemble. Elle ne savait pas où, et cela n'avait aucune importance.

Cette nuit, il l'avait caressée comme aucun autre homme ne l'avait fait auparavant. Il avait chuchoté des mots tendres à son oreille, des mots qu'elle ne comprenait pas mais que son cœur interprétait comme des promesses d'avenir commun. Son haleine brûlante avait répandu le désir dans tous les membres de son corps et elle s'était livrée sans retenue.

Dagmar s'assit lentement sur le bord du lit et, entièrement nue, alla ouvrir grande la fenêtre. Le soleil venait de se lever et les oiseaux chantaient. Elle se demanda où était Hermann. Peut-être était-il allé leur chercher un petit-déjeuner?

Dans la salle de bains, elle fit une minutieuse toilette matinale. Elle n'avait pas envie de débarrasser son corps de l'odeur d'Hermann, mais elle voulait sentir comme la plus belle des roses quand il reviendrait. Et il serait bientôt de retour à ses côtés. Pendant toute une vie, elle allait pouvoir se laisser imprégner par son parfum enivrant.

Quand elle eut terminé, elle se remit au lit pour l'attendre, mais il tarda à réapparaître. Un frémissement d'impatience monta en elle. Le soleil avait grimpé plus haut dans le ciel et le chant des oiseaux commença à la déranger. Où était-il passé? Ne comprenait-il pas qu'elle était là, à l'attendre?

Elle finit par se lever, s'habilla et quitta la chambre, la tête haute. Pourquoi aurait-elle peur d'être vue ? Les intentions d'Hermann seraient bientôt claires aux yeux de tous.

La maison était calme et silencieuse. Les gens cuvaient et ils dormiraient sûrement encore plusieurs heures. En général, les invités ne se réveillaient jamais avant onze heures. Elle entendit du bruit dans la cuisine. Le personnel était debout tôt pour préparer les petits-déjeuners. Les fêtards avaient un appétit d'ogre lorsqu'ils émergeaient enfin et il fallait que les œufs et le café soient prêts. Elle jeta un coup d'œil dans la cuisine. Non, Hermann n'y était pas. L'une des bonnes la reconnut et fronça les sourcils, mais Dagmar se contenta de la toiser puis referma la porte.

Après avoir cherché dans toute la maison, elle descendit vers la plage. Peut-être était-il allé faire une petite trempette de bon matin ? Hermann était un vrai athlète, il était sûrement descendu au ponton faire quelques brasses rafraîchissantes.

Elle marcha plus vite, elle courut presque en direction de la mer, ses pieds volant au-dessus de l'herbe. Arrivée sur le ponton, elle le chercha dans l'eau, un petit sourire aux lèvres, qui s'éteignit bientôt. Il n'était pas là non plus. Elle regarda autour d'elle encore une fois, mais il n'y avait pas de vêtements sur l'embarcadère. L'un des garçons qui travaillaient pour le docteur et sa femme s'approcha d'elle.

— Je peux vous aider, mademoiselle ? dit-il en plissant les yeux vers le soleil.

Quand il fut plus près, il rit :

— Ah, mais c'est toi Dagmar ! Qu'est-ce que tu fais ici à cette heure ? J'ai entendu dire que tu n'as pas dormi avec les employés cette nuit, que tu t'es amusée ailleurs.

— Tais-toi, Edvin, dit-elle. Je cherche l'aviateur allemand. Tu l'as vu ?

Edvin glissa ses mains dans ses poches.

— L'aviateur ? Alors c'est avec lui que t'étais ? demanda-t-il, toujours avec le même rire moqueur. Est-ce qu'il savait qu'il couchait avec la fille d'une criminelle ? Ça les émoustille peut-être, les étrangers...

— Arrête tout de suite ! Réponds à ma question. L'as-tu vu ce matin ?

*Edvin resta silencieux pendant un long moment. Il se contenta de l'examiner de la tête aux pieds.*

*— On devrait se voir de temps en temps, toi et moi, finit-il par déclarer, et il fit un pas dans sa direction. On n'a jamais vraiment eu l'occasion de faire connaissance.*

*Elle lui jeta un regard méchant. Comme elle détestait ces mâles immondes, sans raffinement ni expérience! Ils n'avaient aucun droit de poser leurs mains sales sur sa peau. Elle valait mieux que ça. Elle méritait une bonne vie, ses parents le lui avaient dit.*

*— Alors? dit-elle. Tu as entendu ma question?*

*Il cracha par terre, la regarda droit dans les yeux et ne put dissimuler sa satisfaction en disant :*

*— Il est parti.*

*— Qu'est-ce que tu veux dire? Parti où?*

*— Il a reçu un télégramme tôt ce matin pour une mission. Ils sont venus le chercher en bateau il y a deux heures.*

*Dagmar chercha son souffle. Elle eut envie de donner un coup de poing à Edvin, en pleine face.*

*— Tu mens!*

*— Tu n'es pas obligée de me croire, dit-il en se retournant. En tout cas, il n'est plus là.*

*Elle regarda la mer, dans la direction où Hermann avait disparu, et jura qu'elle le retrouverait. Il serait à elle, quel que soit le temps que ça prendrait. Car tel était son destin.*

Erica se sentait un peu coupable, même si elle n'avait pas véritablement menti à Patrik. Elle avait seulement omis de lui dire la vérité. La veille au soir, elle comptait vraiment lui parler de son projet, mais l'occasion ne s'était pas présentée, et il était d'une humeur plutôt étrange. Elle lui avait demandé s'il s'était passé quelque chose au boulot, mais il était resté évasif et la soirée s'était déroulée en silence, devant la télé. Elle verrait plus tard comment lui expliquer sa petite excursion.

Erica mit les gaz et vira sur bâbord. Elle eut une pensée reconnaissante pour son père qui avait insisté pour apprendre à ses filles à manœuvrer la *snipa*. Savoir piloter un bateau était le devoir de chacun habitant le littoral, prétendait-il. Et, en toute honnêteté, elle était plus douée que Patrik pour les accostages, même si elle le laissait s'en occuper, pour la paix du ménage. L'ego des hommes était tellement fragile.

De la main, elle salua un des bateaux du Sauvetage en mer qui rentrait à Fjällbacka. Il semblait venir de Valö et elle se demanda ce qu'ils avaient bien pu y faire. Mais l'instant d'après, elle avait déjà abandonné ses réflexions pour se concentrer sur l'accostage et laisser le bateau glisser avec élégance devant l'embarcadère. Elle se surprit à être nerveuse. Après avoir consacré tant de temps à cette histoire, rencontrer en chair et en os l'un des protagonistes serait sans doute un peu étrange. Elle prit son sac à main et sauta à terre.

Il y avait longtemps qu'elle n'était pas venue à Valö, et comme tant d'autres habitants de Fjällbacka, elle associait l'île aux camps de vacances et aux excursions scolaires. Au milieu des bois, elle sentit presque à nouveau l'odeur de saucisses grillées au feu de bois et de pain cramé au bout d'un bâton.

En s'approchant de la maison, elle s'arrêta, frappée de surprise. Une activité fébrile régnait autour de la bâtisse, et sur l'escalier un personnage familier gesticulait des deux bras. Elle se remit en route et accéléra le pas, courant presque.

— Salut Torbjörn ! lança-t-elle en agitant la main et elle finit par capter son attention. Qu'est-ce que tu fais là ?

— Erica ? dit-il tout étonné. Je pourrais te retourner la question. Patrik sait que tu es là ?

— Mouais, peut-être pas. Mais dis-moi quand même ce que tu fabriques.

Torbjörn prit le temps de réfléchir avant de répondre :

— Les propriétaires ont fait une découverte dans la maison hier pendant leurs travaux de rénovation.

— Une découverte ? Ils ont trouvé les gens qui avaient disparu ? Où ils sont ?

— Je regrette, mais je ne peux pas en dire davantage, dit Torbjörn en secouant la tête.

— Je peux aller jeter un coup d'œil ? demanda Erica et elle posa un pied sur l'escalier.

— Oh non, personne n'a le droit d'entrer. On est en plein boulot, hors de question d'avoir un tas de curieux dans nos pattes, sourit-il. Si tu cherches le couple qui habite là, ils sont à l'arrière de la maison.

— Merci, dit Erica en reculant, et elle eut du mal à cacher sa déception.

Elle longea la maison et, en tournant au coin, elle aperçut un couple à peu près du même âge qu'elle. Ils fixaient la maison d'un air crispé. Ils ne se parlaient pas.

Erica hésita un instant. Dans son excitation et sa curiosité, elle avait oublié d'inventer une explication plausible à sa venue. Mais son hésitation ne dura que quelques secondes. Poser des questions indiscrètes et fouiller dans les secrets et les tragédies des gens faisait partie de son travail. Cela faisait bien longtemps qu'elle avait surmonté ses scrupules, d'autant qu'en général les gens aimaient les récits qu'elle tirait de leurs malheurs. Et puis, c'était toujours plus facile quand les faits dataient, comme c'était le cas ici. Les plaies étaient guéries et les drames s'étaient transformés en histoire ancienne.

— Bonjour! lança-t-elle.

Ils tournèrent leurs visages vers elle, puis la femme la reconnut et sourit.

— Tu es Erica Falck! J'ai lu tous tes livres, je les adore, dit-elle avant de se taire brusquement, comme si elle avait honte de cet accès de familiarité.

— Et toi, tu es Ebba je suppose. Merci pour les compliments.

Erica serra la main d'Ebba. Elle parut frêle dans la sienne, mais les callosités aux paumes témoignaient du rude travail de rénovation de la maison.

Toujours un peu intimidée, Ebba présenta son mari, puis se rassit. Elle attendait manifestement qu'Erica s'installe aussi.

— Quel timing parfait!

— Comment ça?

— Eh bien, j'imagine que tu veux écrire sur la disparition? Si c'est le cas, tu as vraiment choisi le bon jour pour débarquer.

— Ah oui, je viens d'apprendre que vous avez fait une découverte dans la maison.

— C'est arrivé quand on a défoncé le plancher de la salle à manger, dit Melker. On ne sait pas trop ce que c'est, mais ça ressemblait à du sang. La police est venue voir et ils ont décidé de faire des prélèvements. C'est pour ça qu'il y a tous ces gens ici.

Erica commença à comprendre pourquoi Patrik était si embarrassé la veille quand elle s'était montrée curieuse. Il pensait peut-être que la famille avait été tuée dans la salle à manger, puis qu'on avait transporté les corps ailleurs. Elle brûlait d'envie de demander s'ils avaient trouvé autre chose, mais elle se maîtrisa.

— Ça doit être terrible pour vous. Je ne peux pas nier que cette affaire m'a toujours intéressée, mais toi, Ebba, ça te touche personnellement.

Ebba secoua la tête.

— J'étais tellement petite que je n'ai gardé aucun souvenir de ma famille. Je ne peux pas pleurer des gens dont je ne me souviens pas. Ce n'est pas comme pour…

Elle s'arrêta net et son regard se perdit dans le vide.

— Tu as déjà dû rencontrer mon mari, Patrik Hedström, c'est un des policiers. Il est venu vous voir samedi dernier aussi. Il y a eu un incident assez odieux, je crois?

— On peut dire ça comme ça, oui. C'était vraiment horrible, et je n'arrive pas à comprendre qui peut en avoir après nous, dit Melker en ouvrant grandes les mains.

— Patrik pense que c'est lié aux événements de 1974, dit Erica, incapable de se retenir.

Elle jura intérieurement. Patrik serait évidemment furieux si elle révélait des faits qui pouvaient influencer l'enquête.

— Pourquoi ce serait lié? C'était il y a si longtemps.

Ebba fixa la maison. De là où ils étaient, ils ne voyaient rien de ce que s'y passait, mais ils entendaient le bois du plancher éclater sous les coups de masse.

— Si tu veux bien, Ebba, j'aimerais te poser quelques questions sur la disparition, dit Erica.

— Bien sûr. Je l'ai dit à ton mari, je ne pense pas pouvoir être d'une grande aide, mais vas-y, pose tes questions.

— Est-ce que je peux enregistrer notre conversation? demanda Erica tout en sortant un magnétophone de son sac.

Ebba haussa les épaules, après avoir interrogé Melker du regard.

— Oui, ça m'est égal.

Quand la bande magnétique commença à tourner, Erica sentit l'attente lui chatouiller le ventre. Elle ne s'était jamais résolue à aller voir Ebba à Göteborg, même si elle l'avait envisagé plus d'une fois. À présent, elle la voyait en chair et en os, et elle allait peut-être obtenir des informations qui feraient progresser ses recherches.

— Est-ce que tu as conservé quelque chose de tes parents? Un objet d'ici qu'on t'aurait donné?

— Non, rien. Mes parents adoptifs m'ont raconté que je n'avais qu'un petit sac avec des vêtements quand je suis arrivée chez eux. Je ne crois même pas que c'étaient mes habits d'ici. D'après maman, une personne au bon cœur m'avait confectionné toute une garde-robe, elle y avait même brodé mes initiales. J'ai toujours ces habits. Maman les a gardés au cas où j'aurais une fille un jour.

— Pas de lettres, pas de photos ?

— Non. Rien.

— Il n'y avait pas de membres de la famille plus éloignés qui auraient pu mettre de côté ce genre d'objets ?

— Personne. Si j'ai bien compris, tous mes grands-parents étaient morts, et mes parents n'avaient ni frère ni sœur. Si de lointains parents existent, ils n'ont jamais donné signe de vie. Et personne ne m'a réclamée.

Ses paroles avaient un ton terriblement triste et Erica la regarda avec beaucoup de compassion. Mais Ebba sourit.

— Je ne suis quand même pas à plaindre. J'ai un père et une mère qui m'aiment, et un frère et une sœur adorables. Je n'ai manqué de rien.

— Peu de gens peuvent en dire autant, sourit Erica en retour.

Cette femme frêle en face d'elle lui plaisait de plus en plus.

— Sais-tu autre chose sur tes parents biologiques ?

— Non, je suppose que ça ne m'a pas intéressée de creuser la question. Bien sûr, je me suis parfois demandé ce qui s'était passé, mais bizarrement je n'ai pas eu envie de les mêler à ma vie. J'ai peut-être eu peur de décevoir mes parents adoptifs, qu'ils pensent ne pas avoir été à la hauteur si je commençais à m'intéresser à mes parents biologiques.

— Tu crois que cet intérêt pour tes racines pourrait s'éveiller si vous aviez des enfants ? demanda Erica.

Elle avançait avec précaution. Elle ne savait presque rien d'Ebba et de Melker, et c'était peut-être une question sensible.

— On a eu un fils, dit Ebba.

Erica recula comme si elle avait pris une gifle. Elle ne s'attendait pas à une telle réponse. Elle aurait voulu continuer à poser des questions, mais le langage corporel d'Ebba montrait clairement qu'elle n'avait pas l'intention d'en parler.

— Le fait qu'on soit venus s'installer ici peut sans doute être interprété comme une manière pour Ebba de chercher ses racines, précisa Melker.

Il se tortilla, mal à l'aise, et Erica nota que le couple s'éloignait l'un de l'autre sur le banc, apparemment inconsciemment, comme s'ils ne supportaient pas la proximité physique. L'ambiance devint pesante et Erica eut tout à coup l'impression d'être importune, et spectatrice d'un problème d'ordre totalement privé.

— J'ai fait des recherches sur l'histoire de ta famille et j'ai déniché pas mal de renseignements. Dis-moi si ça t'intéresse. J'ai tout le dossier à la maison.

— C'est gentil, répondit Ebba.

Elle ne parut pas très enthousiaste. Toute énergie l'avait quittée et Erica comprit qu'il était inutile de prolonger l'entretien. Elle se leva.

— Merci de m'avoir laissée discuter avec vous. Je vous tiendrai au courant de la suite, et n'hésitez pas à me contacter quand vous voulez.

Elle nota son numéro de téléphone et son adresse mail sur un bloc-notes, arracha la feuille et la leur donna. Puis elle arrêta le magnétophone et le glissa dans son sac.

— Tu sais où nous trouver. Jour et nuit, on ne fait que ça, travailler sur la maison, dit Melker.

— Vous allez tout faire vous-mêmes ?

— Oui, c'est ce qu'on s'est dit. En tout cas, dans la mesure du possible.

— Est-ce que tu sais s'il y a quelqu'un dans le coin qui s'y connaît en décoration ? glissa Ebba. On n'est pas très doués pour ça, Melker et moi.

Erica était sur le point de répondre que ce n'était pas vraiment son domaine quand elle eut une idée.

— Je connais quelqu'un d'excellent qui pourrait vous aider. Laissez-moi me renseigner.

Elle prit congé et alla retrouver Torbjörn, en train d'instruire deux de ses collaborateurs.

— Ça se passe comment pour vous ? cria Erica pour couvrir le bruit d'une tronçonneuse.

— Ce ne sont pas tes affaires ! lui cria Torbjörn en retour. Mais je vais faire un rapport au téléphone à ton mari, tu pourras le questionner ce soir.

Erica rit et agita la main en signe d'au revoir. En descendant vers l'embarcadère, elle retrouva son sérieux. Toutes les affaires de la famille Elvander, où étaient-elles passées ? Pourquoi Ebba et Melker avaient-ils un comportement si bizarre l'un envers l'autre ? Qu'était-il arrivé à leur fils ? Et surtout : disaient-ils la vérité quand ils prétendaient ne pas savoir qui avait essayé de les faire périr dans les flammes ? Même si l'entretien avec Ebba n'avait pas donné autant qu'elle avait espéré, les pensées tourbillonnaient dans sa tête quand elle démarra le moteur de la *snipa* pour rentrer à la maison.

Gösta marmonnait tout seul. En réalité, il ne prenait pas mal la critique de Mellberg, mais c'était vraiment mesquin de pinailler sur le fait qu'il avait emporté le dossier de l'enquête chez lui. Ce qui comptait, c'était le résultat, non ? Les documents datant d'avant l'informatisation du commissariat étaient difficiles à retrouver… Grâce à lui, ils s'étaient évité des heures de fouille dans les classeurs des archives.

Il posa du papier et un stylo sur la table et ouvrit la première chemise. Combien d'heures de sa vie avait-il déjà consacrées à l'énigme de la disparition sur l'île de Valö ? Combien de fois avait-il examiné les photographies, parcouru les protocoles d'auditions et le rapport d'examen du lieu du crime ? À présent, il devait agir avec méthode. Patrik lui avait donné pour mission d'établir l'ordre dans lequel ils allaient entendre les personnes figurant dans l'enquête initiale. Auditionner tout le monde en même temps était impossible et mieux valait s'assurer de commencer par le bon bout.

Gösta s'installa confortablement et commença à lire les rapports d'interrogatoire, sans grand intérêt. Les ayant déjà lus de nombreuses fois, il savait qu'ils ne contenaient rien de concret, il fallait donc se concentrer sur les moindres nuances et lire entre les lignes. Mais il avait du mal à fixer son attention. Ses pensées s'échappaient sans cesse vers la petite fille devenue adulte. L'avoir revue, et posséder à présent une image à confronter à celle qu'avait façonnée son imagination… tout cela le mettait dans un état étrange.

Inquiet, il se tortillait sur sa chaise. Cela faisait des années qu'il ne mettait aucune ardeur au travail, et même s'il ressentait aujourd'hui de l'enthousiasme pour sa tâche, c'était comme si son cerveau refusait d'obéir aux instructions. Il reposa les rapports et examina lentement les photographies. Il y avait des photos des garçons qui étaient restés à l'internat pendant les vacances. Gösta ferma les yeux et pensa à ce samedi de Pâques ensoleillé mais un peu frais de 1974. Avec son collègue Henry Ljung, aujourd'hui décédé, il était monté vers la grande maison blanche. Tout était si calme, d'une immobilité presque lugubre – mais cette impression pouvait très bien n'être qu'une construction mentale. Pourtant, il se rappelait avoir frissonné en montant le sentier. Henry et lui s'étaient regardés, incertains de ce qu'ils allaient trouver après l'étrange appel téléphonique au commissariat. Le patron de l'époque avait détaché deux hommes pour aller vérifier. "C'est probablement des mômes de l'internat qui veulent nous faire une blague", avait-il dit, tout en assurant ses arrières si, contre toute attente, il s'agissait d'autre chose que d'un canular monté par une bande de fils à papa désœuvrés. Ils avaient eu quelques ennuis avec les élèves au début du semestre d'automne, mais après un coup de fil du patron à Rune Elvander, cela avait cessé. Gösta ignorait totalement comment le directeur de l'école s'y était pris, mais le fait est : ça avait été efficace. Jusqu'à ce jour.

Devant la porte d'entrée, Henry et lui avaient marqué un arrêt. Pas un bruit ne leur parvenait de la maison. Puis un cri d'enfant fort et aigu avait troublé la quiétude et les avait tirés de leur paralysie temporaire. Ils avaient frappé à la porte et étaient entrés dans la foulée. "Bonjour", avait lancé Gösta, et aujourd'hui encore, assis devant son bureau au commissariat, il se demandait comment il pouvait se souvenir si nettement de chaque détail. Personne n'avait répondu, mais le cri d'enfant s'était fait plus strident. Ils s'étaient précipités en direction du hurlement et s'étaient arrêtés net sur le seuil de la salle à manger. Une petite fille sachant à peine marcher trottinait toute seule dans la pièce en hurlant à vous fendre le cœur. Instinctivement, Gösta s'était précipité vers elle et l'avait prise dans ses bras.

— Où sont les autres? dit alors Henry en regardant autour de lui. Ohé? appela-t-il en retournant dans le vestibule.

Pas de réponse.

— Je vais vérifier à l'étage, gueula-t-il, et Gösta hocha la tête, tout en s'appliquant à calmer l'enfant.

Il n'avait encore jamais tenu un petit enfant dans ses bras et ne savait pas très bien quoi faire pour qu'elle cesse de pleurer. Maladroitement, il la berça, lui caressa le dos en fredonnant une mélodie indéfinissable. À sa grande surprise, sa technique improvisée fonctionna. Les pleurs de la petite fille se transformèrent en brefs sanglots et il sentit sa cage thoracique se soulever et s'abaisser quand elle appuya la tête contre son épaule. Gösta continua à bercer et fredonner, tandis que des sensations dont il ne connaissait même pas le nom l'envahissaient de la tête aux pieds.

Henry revint dans la salle à manger.

— Il n'y a personne là-haut non plus.

— Où sont-ils passés? Comment peuvent-ils laisser une pitchounette comme ça toute seule? N'importe quoi aurait pu arriver.

— Et qui nous a appelés, bon sang? fulmina Henry. Puis il ôta sa casquette et se gratta la tête. Tu crois qu'ils ont pu partir se balader sur l'île?

— Au milieu du déjeuner? Ce serait vraiment bizarre, répondit Gösta en regardant avec scepticisme la table et le repas tout juste entamé.

— Oui, c'est sûr, dit Henry en remettant sa casquette. Et toi, qu'est-ce que tu fais ici toute seule, mignonnette que tu es? babilla-t-il en s'approchant de la fillette dans les bras de son collègue.

Elle se remit immédiatement à pleurer et serra le cou de Gösta tellement fort qu'il eut du mal à respirer.

— Laisse-la, dit-il en reculant d'un pas.

Une chaude sensation de satisfaction se répandit dans sa poitrine, et il se demanda si c'était ça qu'il aurait ressenti si leur fils avait vécu. Il écarta tout de suite cette pensée. Il avait décidé une fois pour toutes de ne pas imaginer ce qui aurait pu être.

— Tu as remarqué si le bateau était là? demanda-t-il après un moment quand les pleurs de l'enfant se furent un peu calmés.

Henry plissa le front.

— Il y avait un bateau à l'embarcadère, mais ils en ont deux, non? Il me semble qu'ils ont acheté la *snipa* de Sten-Ivar cet automne. Le bateau que j'ai vu amarré au ponton, c'est celui en résine. Ils ne seraient quand même pas partis faire un tour en bateau sans emmener l'enfant ? Même des citadins dans leur genre ne peuvent pas être fous à ce point-là.

— Inez est d'ici, le corrigea Gösta d'un air absent. Sa famille est de Fjällbacka depuis plusieurs générations.

— En tout cas, c'est bizarre. On va emmener la petite, ils finiront bien par se manifester, soupira Henry et il se retourna pour partir.

— La table est mise pour six personnes, pas plus, fit remarquer Gösta.

— Ben oui, c'est les vacances de Pâques, je suppose qu'il ne reste que la famille sur l'île.

— Tu penses qu'on peut vraiment repartir comme ça, en laissant tout en plan ?

La situation était pour le moins étrange et Gösta était troublé de ne pas avoir de protocole à suivre. Il réfléchit un instant.

— On va embarquer la petite, tu as raison. Si personne n'a donné de signe de vie d'ici demain matin, on reviendra. S'ils ne sont pas de retour, il faudra partir du principe qu'il s'est passé quelque chose. Et, dans ce cas, ceci est une scène de crime.

Doutant toujours d'agir comme il le fallait, ils quittèrent la maison en refermant la porte derrière eux. Une fois arrivés à l'embarcadère, ils virent un bateau s'approcher du rivage.

— Regarde, c'est la vieille *snipa* de Sten-Ivar, dit Henry en la montrant du doigt.

— Il y a du monde à bord. C'est peut-être eux.

— Dans ce cas, j'ai deux mots à leur dire. Laisser la gamine comme ça, franchement ! Ça me donne envie de leur filer une bonne raclée.

À grandes enjambées, Henry partit vers l'embarcadère. Gösta courait moins vite que son collègue de peur de tomber avec la fillette dans ses bras. Le bateau accosta et un garçon d'une quinzaine d'années en descendit. Ses cheveux étaient tout noirs et il avait l'air furieux.

— Qu'est-ce que vous faites avec Ebba ? siffla-t-il.

— Et toi, qui es-tu ? dit Henry quand le garçon vint se planter devant lui, les mains sur les hanches.

Quatre autres adolescents sautèrent à quai et vinrent rejoindre Henry et Gösta, qui était finalement arrivé, lui aussi.

— Où sont Inez et Rune? demanda le garçon aux cheveux noirs.

Les autres se tenaient en silence derrière lui, sans oser s'avancer. Il n'y avait aucun doute : c'était lui, le leader.

— C'est ce que nous nous demandons aussi, dit Gösta. Nous sommes de la police, on nous a avertis par téléphone qu'il s'était passé quelque chose ici, et en arrivant, nous avons trouvé la fillette toute seule dans la maison.

Le garçon le dévisagea, stupéfait.

— Il n'y avait qu'Ebba?

C'est donc ça, son nom, pensa Gösta. Ebba. La petite fille dont le cœur battait si vite contre le sien.

— Vous êtes les internes de Rune? demanda Henry avec autorité, mais le garçon ne se laissa pas effrayer.

Il regarda calmement le policier et répondit sur un ton poli :

— Nous sommes élèves dans cette école. Nous sommes restés ici pendant les vacances.

— Et là, d'où venez-vous? voulut savoir Gösta, le front plissé.

— On est partis en bateau, tôt ce matin. On n'était pas invités au repas de famille. Alors on est allés à la pêche, pour se "forger le caractère".

— Vous en avez pris beaucoup, des poissons?

Le ton d'Henry montrait clairement qu'il ne croyait pas à ces déclarations.

— On a rempli une auge entière, dit l'adolescent en montrant le bateau.

Gösta regarda dans la même direction et il vit la ligne qui traînait attachée à l'arrière du bateau.

— Il faut que vous veniez au poste avec nous jusqu'à ce que nous ayons tiré au clair ce qui s'est passé, dit Henry et il les précéda vers son propre bateau.

— Est-ce qu'on peut se débarbouiller d'abord? On est tout sales et on pue le poisson, demanda l'un des autres garçons, l'air effrayé.

— On fait ce que disent les policiers, le rabroua le leader. On vous suit, pas de problème. Excusez-nous si nous avons été désagréables. Simplement, ça nous a perturbés de voir des étrangers avec Ebba. Je m'appelle Leon Kreutz.

Il tendit la main à Gösta. Henry était déjà monté à bord et les attendait. Ebba toujours serrée dans ses bras, Gösta suivit les garçons dans le bateau. Il jeta un dernier coup d'œil vers la maison. Où diable pouvait donc se trouver la famille ? Que s'était-il passé ?

Gösta frissonna sur sa chaise et réintégra le présent. Ses souvenirs étaient tellement vivants qu'il avait presque senti la chaleur de la fillette tout contre lui. Il redressa le dos et tira une photo du tas. Elle avait été prise au commissariat ce samedi de Pâques, on y voyait les cinq garçons : Leon Kreutz, Sebastian Månsson, John Holm, Percy von Bahrn et Josef Meyer. Ils avaient les cheveux en désordre, des vêtements sales et une mine renfrognée. Tous sauf Leon, qui souriait joyeusement à l'appareil photo. Il avait l'air plus âgé que ses seize ans. Gösta réalisa à cet instant, en regardant la vieille photo, que c'était un très beau jeune homme. À l'époque, cela ne l'avait pas frappé. Il feuilleta les documents de l'enquête. Leon Kreutz. Qu'avait-il bien pu faire de sa vie ? Gösta nota le nom dans son carnet. Des cinq garçons, Leon était celui qui avait laissé le plus de traces dans son esprit. Peut-être était-ce la bonne personne par qui commencer les auditions.

# FJÄLLBACKA 1920

*Le bébé criait sans interruption, jour et nuit, et même en se bouchant les oreilles et en hurlant elle-même à tue-tête, Dagmar n'arrivait pas à couvrir ses cris. Elle entendait toujours les braillements du nourrisson et les voisins qui tapaient contre le mur.*

*Ce n'était pas censé tourner ainsi. Elle pouvait encore sentir ses mains sur son corps, le regard qu'il posait sur elle, allongée là, toute nue, dans le lit avec lui. Elle était persuadée qu'il avait ressenti la même chose qu'elle. Il avait dû y avoir un imprévu. Jamais il ne l'aurait abandonnée à la pauvreté et au déshonneur de son plein gré. Il avait peut-être été obligé de retourner en Allemagne ? Ils avaient sûrement besoin de lui là-bas. C'était un héros fidèle au devoir, qui était rentré dès que sa patrie l'avait appelé, même s'il avait eu le cœur brisé d'abandonner Dagmar.*

*Avant même de comprendre qu'elle était enceinte, elle l'avait cherché de toutes les manières possibles. Elle avait écrit plusieurs lettres à la délégation allemande à Stockholm, elle avait demandé partout autour d'elle si quelqu'un connaissait le héros de guerre Hermann Göring et savait ce qu'il était devenu. S'il apprenait qu'elle avait mis au monde son enfant, il reviendrait sûrement. Quelles que soient ses responsabilités en Allemagne, il quitterait tout pour venir les sauver, elle et Laura. Il ne la laisserait jamais vivre dans une telle misère, parmi des êtres abjects qui la méprisaient et refusaient de croire qu'il était le père de Laura. Ils tomberaient des nues le jour où Hermann se tiendrait devant sa porte, magnifique dans son uniforme de pilote, les bras ouverts, sa splendide voiture garée dans la rue.*

La petite fille criait de plus en plus fort dans son berceau et Dagmar sentit l'exaspération monter en elle. Jamais un seul instant de répit. La môme le faisait exprès, ça se voyait dans son regard. Si petite qu'elle fût, elle affichait le même mépris pour Dagmar que tout le monde. Dagmar les haïssait, tous autant qu'ils étaient. Qu'ils brûlent en enfer, toutes les commères et tous les paillards qui, bravant les ricanements, venaient chez elle le soir et payaient une pièce bien trop modeste pour avoir le droit de s'enfoncer en elle. Quand ils étaient allongés sur son corps, à grogner et à s'agiter, ils la trouvaient bien à leur goût.

Dagmar rejeta la couverture et alla dans la petite cuisine. Il y avait de la vaisselle sale posée partout et une odeur légèrement rance se dégageait des vieux restes de nourriture. Elle ouvrit la porte du garde-manger. Il était vide, à part une bouteille d'alcool rectifié allongé d'eau que le pharmacien lui avait donnée en guise de paiement. Elle l'attrapa et retourna au lit. Le bébé continuait de crier et le voisin tapa encore une fois contre le mur, mais Dagmar s'en fichait. Elle retira le bouchon, essuya avec la manche de sa chemise de nuit quelques miettes de pain autour du goulot et approcha la bouteille de sa bouche. Si elle en buvait suffisamment, les bruits qui l'entouraient disparaîtraient.

Plein d'espoir, Josef ouvrit la porte du cabinet de travail de Sebastian. Sur le bureau étaient posés les plans du terrain où, avec un peu de chance, le musée se dresserait dans un avenir pas trop lointain.

— Félicitations! s'exclama Sebastian en venant à sa rencontre. La commune a accepté de soutenir le projet!

Il lui tapa assez brutalement dans le dos.

— Tant mieux, répondit Josef. On peut démarrer quand?

En réalité, il n'avait jamais douté. Comment auraient-ils pu refuser une telle opportunité?

— Tout doux, tout doux! J'ai l'impression que tu ne réalises pas le boulot qui nous attend. Il faut d'abord qu'on lance la fabrication des symboles de paix, qu'on planifie le chantier, qu'on évalue les coûts et surtout, surtout, il faut qu'on fasse entrer un tas de flouze.

— Mais la veuve Grünewald nous a cédé le terrain gratuitement et on a reçu plusieurs donations. Vu que c'est toi, le maître d'œuvre, tu dois bien pouvoir décider quand le chantier commence?

— Ce n'est pas parce que mon entreprise construit que c'est gratuit, rit Sebastian. J'ai des salaires à payer et des fournitures à acheter. Il va coûter pas mal d'argent, ce musée, dit-il en frappant les plans du doigt. Je dois sous-traiter, et ces gens-là ne font rien par pure bonté. Contrairement à moi.

Josef soupira et s'assit. Les justifications de Sebastian le laissaient pour le moins sceptique.

— On va commencer par le granit, reprit Sebastian et il monta d'un coup sec ses pieds sur le bureau. On m'a apporté des premiers jets assez sympas de symboles de paix possibles. Ensuite, on prépare un bon marketing qui tient la route, on emballe tout ça joliment, et on commence à vendre la camelote, rigola-t-il tout en observant l'expression dépitée de Josef.

— Ne ris pas. Pour toi, tout n'est qu'une question d'argent. Tu ne comprends pas la symbolique de ce projet ? À l'origine, ce granit était destiné au III^e Reich, et il va devenir un témoignage de la défaite des nazis et de la victoire des Alliés. Nous allons le transformer et créer ça, dit-il en tapotant les plans, emporté par une telle colère qu'il en tremblait presque.

Le rictus de Sebastian se fit encore plus large. Il écarta les mains.

— Personne ne t'oblige à travailler avec moi. Je peux rompre notre accord sur-le-champ, comme ça, tu seras libre d'aller voir ailleurs.

L'idée était tentante, et un instant Josef envisagea de faire exactement ce que proposait Sebastian. Puis il s'affaissa sur sa chaise. Il fallait mener cette entreprise à bien. Jusque-là, il avait dilapidé sa vie, sans rien créer qui pourrait honorer le souvenir de ses parents.

— Tu sais très bien que tu es le seul à qui je peux m'adresser, finit-il par dire.

— Et on reste soudés, dit Sebastian en laissant tomber ses pieds du bureau pour se pencher en avant. On se connaît depuis longtemps. On est comme des frères, et tu sais comment je suis. Ça compte pour moi, d'aider un frère.

— Oui, on est soudés, reprit Josef en scrutant Sebastian. Tu es au courant que Leon est de retour ?

— J'en ai entendu parler. Tu te rends compte, on va le revoir par ici. Et Ia. J'aurais jamais cru voir le jour.

— Il paraît qu'ils ont acheté la maison qui était à vendre au-dessus du Brandparken.

— Pourquoi pas ? Ils ont les moyens. Leon a peut-être envie d'investir, lui aussi. Tu ne lui as pas posé la question ?

Josef secoua vivement la tête. Tout sauf s'acoquiner avec Leon.

— Tiens, à propos, j'ai croisé Percy hier, dit Sebastian, laconique.

— Comment il s'en sort? demanda Josef, content de changer de sujet. Il a toujours son château?

— Oui, et il peut s'estimer heureux que Fygelsta soit un majorat. S'il avait été obligé de partager l'héritage avec son frère et sa sœur, il serait fauché depuis longtemps. Apparemment, les fonds sont quand même au plus bas, c'est pour ça qu'il m'a contacté. Pour une aide "temporaire", comme il dit, expliqua Sebastian en dessinant des guillemets dans l'air. Le fisc est à ses trousses, et il peut toujours courir pour charmer l'administration avec des titres de noblesse et un nom à particule.

— Tu vas l'aider aussi?

— Fais pas cette tronche. Je ne sais pas encore. Mais je viens de te le dire : je suis toujours prêt à aider un frère, et Percy est mon frère, tout autant que toi, pas vrai?

— Oui, dit Josef.

Il regarda la mer de l'autre côté de la fenêtre. Ils étaient indéniablement frères, unis par une noirceur sans fond. Il tourna les yeux vers les plans. La noirceur serait repoussée à l'aide de la lumière. Il le ferait pour son père, et pour lui-même.


— Qu'est-ce qu'il a, Martin?

Patrik se tenait devant la porte du bureau d'Annika. Il ne put s'empêcher de poser la question. Quelque chose clochait, et ça l'inquiétait.

Annika se tourna vers lui et croisa les mains sur ses genoux.

— Je ne peux rien dire. Quand Martin sera prêt, il te le fera savoir.

Patrik soupira, la tête bourdonnante de pensées, puis s'assit sur la chaise des visiteurs, près de la porte.

— Et cette affaire, qu'est-ce que tu en penses?

— À mon avis, tu as raison, répondit Annika, manifestement soulagée que Patrik décide de changer de sujet. L'incendie et la disparition sont liés, d'une façon ou d'une autre. Cette découverte de sang sous le plancher indique peut-être que quelqu'un a eu peur de ce qu'Ebba et son mari trouveraient en continuant la rénovation de leur maison.

— Ma chère et tendre épouse s'intéresse à cette disparition depuis longtemps.

— Et maintenant tu crains qu'elle n'aille fourrer son joli nez partout.

— Oui, on peut le dire comme ça… Qui sait, cette fois, elle aura peut-être le bon sens de ne pas s'en mêler.

Voyant le sourire sceptique d'Annika, Patrik comprit qu'il n'y croyait pas non plus.

— Je suis sûre qu'elle dispose déjà de quelques données intéressantes sur la toile de fond, vu son talent pour la recherche. À condition qu'elle réussisse à modérer ses investigations, cela pourra t'être utile, dit Annika.

— Sans doute, sauf qu'elle ignore le sens de ce mot, "modérer".

— C'est vrai, mais c'est une grande fille et elle sait se montrer prudente. Par quel bout as-tu l'intention de commencer, d'ailleurs?

— Aucune idée. Il faut qu'on entende tous les témoins de l'époque. Gösta est en train de nous sortir les coordonnées des profs et des élèves. Le plus important, c'est évidemment de parler avec les cinq garçons présents sur l'île ce samedi-là. J'ai demandé à Gösta d'établir une liste de priorités et de déterminer avec qui commencer. Puis je me suis dit que tu pourrais vérifier leur passé, à partir de ce que Gösta trouvera. Je n'ai pas une confiance absolue dans ses capacités administratives, et je crois que j'aurais mieux fait de te charger de ça aussi. Mais Gösta connaît bien l'affaire.

— Il a l'air vraiment très impliqué. Pour une fois… dit Annika. Et je pense savoir pourquoi. J'ai entendu dire que sa femme et lui avaient recueilli la petite fille chez eux pendant quelque temps.

— Ebba a vécu chez Gösta?!

— C'est ce qu'on dit, en tout cas.

— Ça explique pourquoi il se comportait si bizarrement là-bas, sur l'île.

Patrik se remémora la façon dont Gösta avait regardé Ebba. La façon dont il l'avait touchée, plein de sollicitude.

— Sa femme et lui avaient dû s'attacher à la petite.

Le regard d'Annika se dirigea vers la grande photo encadrée de Leia sur son bureau.

— Oui, c'est évident, dit Patrik.

Il y avait tant de choses qu'il ignorait, tant de choses à découvrir sur ce qui s'était passé sur Valö. Tout à coup, la tâche lui parut écrasante. Était-il réellement possible de résoudre cette vieille affaire après tant d'années ? Y avait-il urgence ?

— Est-ce que tu crois que celui qui a voulu incendier la maison va recommencer ? demanda Annika, comme si elle avait lu dans ses pensées.

Patrik réfléchit à sa question, puis il hocha la tête.

— Je ne sais pas. Peut-être. On ne peut pas se permettre de prendre de risques. Le mieux serait de découvrir au plus vite ce qui s'est passé ce samedi de Pâques. Et d'arrêter la personne qui a voulu du mal à Ebba et Melker avant qu'elle frappe à nouveau.


Toute nue, Anna se regardait dans le miroir, les larmes brûlant derrière ses paupières. Elle ne se reconnaissait pas. Lentement, elle leva la main et la passa sur ses cheveux. Après l'accident, ils avaient repoussé plus sombres et plus drus, et ils n'avaient pas encore atteint leur longueur d'avant. Une visite chez le coiffeur pourrait sans doute améliorer son apparence, mais elle ne se sentait pas vraiment motivée. Son corps n'allait pas changer parce qu'elle changerait de coiffure.

D'une main tremblante, elle suivit les cicatrices qui couraient sur son corps, dessinant une carte aléatoire. Elles avaient un peu pâli mais ne disparaîtraient jamais entièrement. Découragée, elle pinça un bourrelet de graisse à la taille. Elle qui avait toujours été mince sans faire le moindre effort et qui avait pu affirmer en toute sincérité qu'elle était fière de son corps, elle regardait maintenant ses rondeurs avec dégoût. Ses blessures l'avaient empêchée de faire de l'exercice, et elle n'avait prêté aucune attention à son alimentation. Anna leva les yeux vers son visage, dans le miroir, mais n'eut pas le courage de croiser son propre regard. Avec l'aide des enfants et de Dan, elle avait lutté pour revenir à la vie, pour sortir d'une obscurité plus sombre que tout ce qu'elle avait déjà pu traverser, même pendant les années noires avec Lucas. La question était de savoir si ça en valait la peine. Elle n'avait pas encore la réponse.

La sonnerie de la porte d'entrée la fit sursauter. Elle était seule à la maison, il fallait donc qu'elle aille ouvrir. Après un dernier regard sur son corps nu, elle enfila à la va-vite sa tenue de détente qui formait un tas par terre et se précipita au rez-de-chaussée. À la vue d'Erica attendant sur le seuil, elle ressentit un grand soulagement.

— Salut, qu'est-ce que tu fabriques ? dit Erica.

— Rien. Entre. Et les enfants, qu'est-ce que tu en as fait ?

— Ils sont à la maison. Kristina les garde, j'avais un peu à faire. Et je me suis dit que j'allais passer te voir avant de la libérer.

— Bonne idée, dit Anna et elle alla leur préparer quelque chose à grignoter.

Elle eut une vision de sa silhouette dans la glace, des bourrelets de graisse blanchâtre, mais la repoussa aussitôt et sortit quelques macarons au chocolat du réfrigérateur.

— Pouah, je ne devrais plus manger de ces trucs-là, dit Erica avec une grimace. Je me suis vue en bikini ce week-end, c'était pas joli joli.

— Pfff, tu es très belle, toi, dit Anna sans parvenir à dissimuler son amertume, car Erica n'avait vraiment pas de quoi se plaindre.

Elle leur prépara une carafe de sirop et Erica suivit sa sœur sur la terrasse.

— Ils sont super, ces meubles de jardin. Ils sont neufs ? demanda Erica en passant la main sur le bois peint en blanc.

— Oui, on les a trouvés chez Paulsson, tu sais, près de l'ancienne épicerie d'Eva.

— Tu as vraiment le coup d'œil pour dénicher exactement ce qu'il faut, dit Erica, tout à fait certaine qu'Anna allait aimer son idée.

— Merci. Mais raconte-moi, tu arrives d'où ?

— Je suis allée à l'ancienne colo.

Erica raconta les grandes lignes de sa visite sur Valö.

— C'est vraiment incroyable! Ils ont donc trouvé du sang mais pas de corps? Ça confirme bien qu'il s'est passé quelque chose.

— Oui, on dirait.

Erica tendit la main et prit un macaron. Elle s'apprêta à le couper en deux pour n'en prendre qu'une moitié, mais elle reposa le couteau et croqua un gros morceau de biscuit.

— Ouvre la bouche et souris, dit Anna, et pendant un instant elle sentit un souffle chaud d'enfance traverser son corps.

Erica comprit tout de suite à quoi elle pensait et afficha un très large sourire, les dents recouvertes de crème au chocolat.

— Vise-moi ça aussi, dit-elle ensuite.

Elle prit deux pailles sur le plateau, les enfonça dans ses narines tout en louchant et en continuant à sourire de toutes ses dents marron.

Anna ne put s'empêcher de pouffer. Elle se rappelait combien elle avait adoré voir sa grande sœur faire l'imbécile quand elles étaient petites. En général, Erica se montrait plutôt très adulte et sérieuse, plus comme une petite maman qu'une grande sœur.

— Je parie que tu ne sais plus boire avec le nez, dit Erica.

— Bien sûr que si, répliqua Anna, vexée.

Elle glissa une paille dans chaque narine, se pencha en avant, enfonça les pailles dans son verre et aspira avec le nez. Quand le sirop arriva dans les narines, elle se mit à tousser et à éternuer frénétiquement, et Erica explosa de rire.

— Qu'est-ce que vous fabriquez, toutes les deux?

Dan surgit soudain sur la terrasse et, en voyant sa mine, elles s'esclaffèrent. Se montrant mutuellement du doigt, elles essayèrent de parler, mais elles riaient tant qu'elles étaient incapables de prononcer le moindre mot.

— Je crois que je ferais mieux de ne pas débarquer chez moi à l'improviste, dit Dan en secouant la tête, et il fit demi-tour pour rentrer dans la maison.

Elles finirent par se calmer et Anna sentit que la boule dure dans son ventre s'était un peu détendue. Sa relation avec sa sœur avait connu des hauts et des bas au fil des ans, mais personne ne savait l'atteindre dans les replis de son âme comme Erica. Elle seule était capable de la faire littéralement sortir de ses gonds, mais aussi de l'apaiser dans les pires moments. Elles étaient indissociables pour l'éternité, liées par un lien invisible. Assise là, en face de sa sœur qui essuyait des larmes de rire, Anna réalisa à quel point elle avait besoin d'elle.

— Maintenant qu'il t'a vue dans cet état-là, ne compte pas trop sur des avances ce soir, dit Erica.

— Ça ne fera pas une grande différence, souffla Anna. Mais changeons de sujet. Je trouve ça limite incestueux de parler de ma vie sexuelle quand mon compagnon a aussi été le compagnon de ma sœur…

— Je rêve, c'était il y a cent ans ! Pour tout te dire, je ne me rappelle même pas de lui à poil.

Anna se boucha ostensiblement les oreilles et Erica secoua la tête en riant.

— D'accord, c'est promis, on parle d'autre chose.

Anna ôta les doigts de ses oreilles.

— Parle-moi de Valö. La fille, elle est comment ? C'était quoi son nom, déjà ? Emma ?

— Ebba. Elle y habite avec son mari. Melker. Ils vont rénover la maison et ouvrir des chambres d'hôte.

— Tu crois que ça peut marcher ? La saison touristique n'est pas très longue.

— Aucune idée, mais j'ai l'impression qu'ils ne font pas ça pour l'argent. Leur projet a un autre but.

— Bon, ce n'est peut-être pas une mauvaise idée après tout. L'endroit a du potentiel.

— Oui. Et c'est là que tu entres en scène, dit Erica d'une voix enthousiaste en pointant un doigt sur sa sœur.

— Moi ? s'étonna Anna. Comment ça ?

— Rien de précis pour l'instant, mais ça pourrait le devenir. J'ai eu l'idée du siècle !

— Toujours aussi modeste, renifla Anna, mais sa curiosité était déjà en éveil.

— En fait, c'est Ebba et Melker qui ont abordé le sujet. Ils s'en sortent bien niveau rénovation et travaux manuels, mais ils auraient besoin d'aide pour trouver le bon style, la bonne ambiance. Et toi, tu as exactement ce qu'il leur faut : tu t'y connais en décoration, tu t'y connais en brocante, tu as bon goût. Tu es tout simplement parfaite !

Erica chercha son souffle et but une gorgée de sirop.

Anna avait du mal à en croire ses oreilles. C'était l'occasion rêvée de vérifier ses talents de décoratrice d'intérieur! Ça pourrait être son premier boulot de consultante! Elle sentit un sourire naître sur ses lèvres.

— Tu leur en as parlé? Tu penses qu'ils voudraient engager quelqu'un? Ils en ont les moyens? Quel style ils veulent, d'après toi? Pas besoin de trucs chers. Ce serait plus sympa d'écumer les ventes aux enchères à la campagne, trouver de beaux meubles et des accessoires bon marché. Là-bas, sur l'île, je verrais bien un style romantique un peu à l'ancienne... Je sais où on trouve de jolis tissus et je...

Erica leva une main.

— Stop, calme-toi! La réponse est non, je n'ai pas parlé de toi. J'ai simplement dit que je connaissais quelqu'un susceptible de les aider. Je n'ai aucune idée de leur budget, mais appelle-les et vois avec eux. Et s'ils sont intéressés, on y retourne ensemble.

Anna observa Erica de plus près.

— En fait, tu cherches seulement un prétexte pour retourner farfouiller là-bas.

— Il y a de ça... mais je trouve aussi que ce serait super que tu les rencontres. Tu pourrais vraiment faire un boulot formidable.

— D'autant que l'idée d'ouvrir un atelier m'a trotté dans la tête.

— Mais alors, feu! Je te donne leur numéro, tu les appelles illico.

Un sentiment nouveau s'empara d'Anna. Qu'on aurait tout à fait pu décrire comme de l'enthousiasme. Pour la première fois depuis très longtemps, elle éprouvait un véritable enthousiasme.

— D'accord, donne, avant que je change d'avis, dit-elle et elle sortit son téléphone portable.


L'interview continuait de le tracasser. C'était tellement frustrant de devoir tenir sa langue, de ne pas s'exprimer clairement. Le journaliste qu'il avait rencontré ce matin était un idiot. Les gens en général étaient des idiots. Ils ne voyaient pas la réalité telle qu'elle était. Et il était de son devoir de leur ouvrir les yeux.

— Tu crois que ça va nuire au parti ? demanda John en faisant tourner son verre de vin entre ses mains.

— Non, je ne pense pas. Ce n'est pas un journal national, répondit sa femme en haussant les épaules.

Elle ramena ses cheveux derrière les oreilles et chaussa ses lunettes pour attaquer la lecture de l'épaisse pile de documents posée devant elle.

— Il suffit de pas grand-chose pour qu'une interview se propage, objecta John. Ils nous ont à l'œil. Des vrais rapaces, qui cherchent le moindre motif pour attaquer.

Liv le regarda par-dessus ses lunettes de lecture.

— Ne me dis pas que tu es étonné ? Tu sais très bien qui domine les médias dans ce pays.

— Tu prêches un convaincu, répondit John.

— Aux prochaines élections, ce sera différent. Les gens auront enfin compris dans quel état est notre société, sourit Liv avec conviction, et elle continua à feuilleter ses papiers.

— J'aimerais avoir ta foi en l'humanité. Parfois je me demande si les gens vont finir par comprendre. Les Suédois ne sont-ils pas devenus trop bêtes et paresseux, trop mélangés et dégénérés pour voir que la vermine prolifère partout ? Est-ce qu'il reste même assez de sang pur dans les veines suédoises pour que notre travail ait un sens ?

Liv cessa de lire. Ses yeux lancèrent des flammes quand elle les posa sur son mari.

— Écoute-moi bien, John. Depuis que nous nous sommes rencontrés, tu as toujours eu le même objectif. Tu as toujours su quel était ton destin. Si personne ne t'écoute – eh bien, parle plus fort ! Si quelqu'un te remet en question – argumente mieux ! Nous siégeons enfin au Parlement et c'est le peuple, ce peuple dont tu doutes, qui a voulu qu'il en soit ainsi. Alors, si un journaliste minable remet en cause le calcul de notre budget, on s'en fout ! Nous sommes certains d'avoir raison, c'est tout ce qui compte.

John la regarda en souriant.

— Là, tu parles exactement comme quand j'ai fait ta connaissance à l'Organisation de jeunesse. Mais je dois dire que je te préfère avec des cheveux.

Il alla l'embrasser. À part l'humeur si prompte à s'enflammer et la rhétorique provocatrice, rien chez sa femme, si réservée et toujours impeccablement vêtue, ne rappelait la skinhead en treillis dont il était tombé amoureux. Mais il l'aimait encore davantage aujourd'hui.

— Ce n'est qu'un article dans un journal local, dit Liv en serrant la main qu'il avait laissée sur son épaule.

— Oui, tu as sans doute raison.

Pourtant, il restait inquiet. Il fallait absolument qu'il mette en œuvre ce qui lui tenait tant à cœur. La vermine devait être exterminée, et c'était lui qui avait reçu cette mission. Il aurait simplement voulu avoir plus de temps devant lui.


Le carrelage mural de la salle de bains était délicieusement froid contre son front. Ebba ferma les yeux et se laissa envahir par la fraîcheur.

— Tu ne viens pas te coucher ?

Elle entendit la voix de Melker dans la chambre mais ne répondit pas. Elle n'avait pas envie d'aller au lit. Chaque fois qu'elle s'allongeait à côté de Melker, elle avait l'impression de trahir Vincent. Le premier mois, elle était même incapable de rester dans la même maison que lui. Elle avait du mal à le regarder, et quand elle croisait son propre regard dans une glace, elle détournait le visage. Autour d'elle, tout n'était que culpabilité.

Ses parents l'avaient prise en charge et s'étaient occupés d'elle comme si elle était un petit bébé. Ils lui avaient parlé, l'avaient suppliée, affirmant que Melker et elle avaient besoin l'un de l'autre. Elle avait fini par les croire ou alors elle avait abandonné, parce que c'était plus simple.

Lentement et à contrecœur, elle s'était rapprochée de lui. Elle était revenue à la maison. Les premières semaines, ils avaient vécu en silence, craignant ce qui arriverait s'ils se parlaient et prononçaient des mots que plus tard ils regretteraient. Puis ils s'étaient autorisé des banalités : "Passe-moi le beurre." "Tu t'es occupée de la lessive?"

Des paroles inoffensives et anodines qui ne pouvaient véhiculer aucune accusation. Avec le temps, leurs phrases se firent plus longues et les sujets de conversation sans risques plus nombreux. Ils avaient commencé à parler de Valö. C'est Melker le premier qui avait proposé de vivre ici. Mais elle avait vu dans ce projet, elle aussi, la possibilité de quitter tout ce qui leur rappelait leur ancienne vie. Une vie qui n'avait pas été parfaite, mais heureuse.

Assise là, les yeux fermés, le front appuyé contre les carreaux de faïence, elle se mit pour la première fois à douter de leur choix. La maison de Göteborg était vendue, celle où Vincent avait vécu toute sa courte vie. Celle où ils avaient changé ses couches, l'avaient bercé la nuit en arpentant les pièces de long en large, là où il avait appris à ramper à quatre pattes, à marcher et à parler. Elle n'était plus à eux, et Ebba se demanda s'ils avaient pris une vraie décision ou juste fui leurs souvenirs.

Désormais, ils étaient coincés ici. Dans une maison où ils n'étaient peut-être même pas en sécurité, et où le plancher de la salle à manger était défoncé parce qu'il était probable que sa famille y avait été massacrée. Cela la touchait plus qu'elle ne voulait le reconnaître. Durant sa jeunesse, elle n'avait pas beaucoup réfléchi à ses origines. Mais elle ne pouvait plus repousser le passé. En découvrant cette grosse tache bizarre sous les planches, elle avait compris, dans une terrible fulgurance, qu'il n'y avait plus de mystère. C'était pour de vrai. Ses parents étaient probablement morts à cet endroit précis, et bizarrement cela lui paraissait plus réel que le fait qu'on ait peut-être essayé de les tuer, Melker et elle. Comment vivre avec cette réalité, quelle attitude adopter, elle n'en savait rien. Mais elle n'avait nulle part ailleurs où aller.

— Ebba?

Sa voix lui indiqua qu'il n'allait pas tarder à sortir du lit et partir à sa recherche. Elle leva la tête et lança en direction de la porte :

— J'arrive!

Elle se lava minutieusement les dents tout en s'examinant dans la glace. Ce soir, elle n'évita pas ses yeux. Elle fixa la femme au regard éteint, la mère sans enfant. Puis elle cracha dans le lavabo et s'essuya la bouche avec la serviette.

— Tu en as mis du temps.

Melker tenait un livre ouvert devant lui, mais elle nota qu'il lisait la même page que la veille au soir.

Elle ne répondit pas, souleva simplement la couverture et se glissa dans le lit. Melker posa le livre sur la table de chevet et éteignit la liseuse. Lorsqu'ils avaient emménagé ici, ils avaient installé des stores à enrouleur qui occultaient totalement la douce luminosité de la nuit d'été.

Ebba resta complètement immobile, les yeux grands ouverts. Elle sentit la main de Melker qui cherchait la sienne. Elle fit comme si elle ne se rendait pas compte de ses tâtonnements, mais il ne retira pas sa main comme d'habitude, et poursuivit sa progression jusqu'à sa cuisse, puis s'insinua sous le tee-shirt et caressa son ventre. Ebba sentit la nausée monter dans sa gorge tandis que la main déterminée montait et frôlait ses seins. Les mêmes seins qui avaient nourri Vincent, les mêmes mamelons que ses petites lèvres goulues avaient tétés.

Le goût de bile remplit sa bouche. Elle bondit hors du lit, se précipita dans la salle de bains et eut juste le temps de soulever l'abattant des toilettes avant de vomir tripes et boyaux. Quand la nausée cessa, elle s'effondra par terre, épuisée. Dans la chambre, Melker pleurait.

## FJÄLLBACKA 1925

*Dagmar regarda le journal posé sur le sol. Laura tirait sur sa manche en répétant sa litanie de "maman, maman", mais Dagmar ne lui prêta aucune attention. Elle en avait tellement marre d'entendre cette voix exigeante et pleurnicharde, et ce mot répété si souvent qu'elle en devenait folle. Lentement, elle se pencha et ramassa le journal. L'après-midi était assez avancé et son regard était trouble, mais il n'y avait aucun doute. Noir sur blanc, c'était écrit : "Le célèbre aviateur Göring revient en Suède."*

*— Maman, maman !*

*Laura tirait de plus en plus impatiemment sur sa manche et elle fit un mouvement du bras tellement brusque que la petite fille tomba du banc et se mit à pleurer.*

*— Tais-toi ! la rudoya Dagmar.*

*Elle avait horreur de ces pleurs forcés. La gamine ne manquait de rien. Elle avait un toit sur la tête, des vêtements sur le corps et de quoi manger, même si parfois la chère était maigre.*

*Dagmar fixa de nouveau l'article et parvint à le déchiffrer. Son cœur se mit à cogner dans sa poitrine. Il était de retour, il était en Suède et maintenant il allait venir la chercher. Puis son regard s'accrocha à une ligne plus bas : "Göring s'installe en Suède avec Carin, son épouse suédoise." La bouche de Dagmar devint toute sèche. Il s'était marié avec quelqu'un d'autre ! Il l'avait trahie ! La rage monta en elle, amplifiée par les cris de Laura qui lui vrillaient la tête. Les gens qui passaient leur jetaient de drôles de regards.*

*— Maintenant tu te tais ! siffla-t-elle et elle envoya une gifle magistrale à sa fille.*

Laura se tut, posa la main sur sa joue enflammée et la dévisagea, les yeux écarquillés. Puis elle se remit à hurler de plus belle, et Dagmar sentit le désespoir la déchirer. Elle se jeta sur le journal et relut la phrase, encore et encore. Carin Göring. Le nom fusa dans sa tête. L'article ne précisait pas depuis combien de temps ils étaient mariés, mais comme elle était suédoise, ils s'étaient probablement rencontrés en Suède. Elle avait dû piéger Hermann d'une façon ou d'une autre, pour qu'il soit obligé de se marier avec elle. Ça devait être sa faute à elle, Carin Göring, si Hermann n'était pas revenu chercher Dagmar, et s'il n'était pas auprès d'elle et de leur fille, en famille.

Elle hocha la tête, froissa le journal et tendit la main vers la bouteille posée à côté d'elle, sur le banc. Il ne restait qu'un petit fond, ce qui la déconcerta un peu, car ce matin la bouteille était pleine. Mais elle but sans y prêter plus d'attention et sentit l'agréable brûlure de l'alcool béni dans sa gorge.

La môme avait cessé de hululer. Elle restait assise par terre en sanglotant, les bras autour de ses jambes pliées. Comme d'habitude, elle devait être en train de se lamenter sur son sort, à cinq ans elle était déjà pleine de ressource. De toute façon, Dagmar savait désormais ce qu'il fallait faire. Les choses pouvaient encore s'arranger. Bientôt, Hermann vivrait avec elles, et il saurait certainement s'y prendre avec Laura. La gamine avait juste besoin d'un père qui la mène à la baguette. Dagmar avait beau la corriger à la moindre occasion, elle ne semblait jamais comprendre la leçon.

Dagmar sourit, assise sur le banc du Brandparken. Elle venait de découvrir la racine du mal, et maintenant tout allait s'arranger pour elle et Laura.

La voiture de Gösta s'engagea dans l'allée d'accès et Erica laissa échapper un soupir de soulagement. Elle avait eu très peur que Patrik ne le croise en partant travailler.

Elle ouvrit la porte avant que Gösta ait le temps d'appuyer sur la sonnette. Derrière elle, les enfants chahutaient tellement qu'il devait avoir l'impression de franchir le mur du son.

— Désolée pour le boucan. Un de ces quatre, ça ne sera plus possible de travailler dans cette maison.

Elle se retourna pour houspiller Noel qui pourchassait un Anton en pleurs.

— Pas de problème. J'ai l'habitude des coups de gueule de Mellberg, dit Gösta et il s'accroupit. Salut les mioches. Vous êtes de vraies petites terreurs, j'ai l'impression.

Anton et Noel s'arrêtèrent net, soudain intimidés, mais Maja s'avança courageusement.

— Bonjour, vieux monsieur. Moi, je m'appelle Maja.

— Enfin Maja! En voilà des façons de parler! dit Erica avec un regard sévère sur sa fille.

— Ça ne fait rien, rit Gösta en se relevant. La vérité sort de la bouche des enfants, et je suis effectivement un vieux monsieur. Pas vrai, Maja?

Maja fit oui de la tête, jeta un regard triomphal à sa mère et s'en alla. Les jumeaux n'avaient toujours pas osé s'approcher. Ils reculèrent lentement en direction du salon sans quitter Gösta des yeux.

— Ces deux-là ne se laissent pas charmer aussi facilement, dit-il en suivant Erica dans la cuisine.

— Anton a toujours été timide. Noel en revanche est assez entreprenant en général, mais on dirait que lui aussi, il traverse une période où il se méfie des étrangers.

— Plutôt raisonnable comme attitude, je trouve, répliqua Gösta.

Il s'assit devant la table et regarda autour de lui.

— Tu es vraiment sûre que Patrik ne va pas revenir?

— Ça fait un petit moment qu'il est parti au commissariat, il doit y être à l'heure qu'il est.

— Tout ça ne me paraît pas une très bonne idée, dit Gösta en dessinant du bout des doigts sur la nappe.

— C'est une idée brillantissime. Mais il vaut mieux ne pas y mêler Patrik pour l'instant. Il n'apprécie pas toujours que je l'aide.

— Et il n'a pas tort. Tu t'es quand même mise dans le pétrin plus d'une fois.

— Oui, mais ça s'est toujours bien terminé!

Erica refusait de se laisser abattre. Elle avait eu cette idée de génie la veille, et quand elle avait appelé Gösta pour lui en parler, il avait accepté de venir – même si elle avait dû déployer toute sa force de persuasion pour le convaincre d'agir à l'insu de Patrik.

— On a quelque chose en commun, toi et moi, dit-elle en s'asseyant en face de lui. On a tous les deux très envie de savoir ce qui s'est passé à Valö ce fameux samedi de Pâques.

— C'est vrai, mais la police y travaille en ce moment même.

— Et c'est tant mieux. Mais tu sais très bien à quel point on peut devenir inefficace quand on est obligé de suivre les règles à la lettre, comme vous. Moi, je peux travailler librement, d'une tout autre manière.

Gösta restait sceptique.

— C'est peut-être vrai, mais si Patrik l'apprend, on va passer un sale quart d'heure. Je ne sais pas si j'ai vraiment envie de…

— C'est précisément pour ça que Patrik n'en saura rien! le coupa Erica. Toi, tu me fournis discrètement tout ce qui touche à l'enquête, et moi, je te confie ce que je réussis à dénicher. Dès que je trouve la moindre information, je te la transmets. Tu la signales à Patrik et tu deviens un héros. Et moi, je pourrai tout utiliser dans un livre plus tard. Tout le monde est gagnant, Patrik le premier ! Il a envie de résoudre cette affaire et d'arrêter l'incendiaire. Il ne posera pas de questions, il acceptera avec gratitude tout ce qui lui sera soumis. Surtout qu'avec Martin en arrêt maladie et Paula en congé, j'imagine que vous n'êtes pas assez nombreux au commissariat en ce moment. Alors, une personne supplémentaire sur l'enquête, ce n'est pas si mal, non ?

Gösta se détendit un peu, et Erica imagina qu'il s'était laissé séduire par l'idée de devenir un héros.

— Vu comme ça… Mais Patrik risque quand même de se douter de quelque chose…

— Mais non. Il sait que tu es très impliqué dans cette affaire, il n'y verra que du feu.

Dans le salon, on aurait dit qu'une émeute venait d'éclater. Erica se leva pour sévir. Après un petit sermon adressé à Noel, pour qu'il laisse Anton tranquille, et un DVD de *Fifi Brindacier* glissé dans le lecteur, le calme revint et elle put regagner la cuisine.

— Alors, par où on commence ? Vous avez eu des nouvelles, pour le sang ?

— Non, pas encore, répondit Gösta en secouant la tête. Mais Torbjörn et son équipe sont toujours sur place, pour trouver des pistes. Il espère que le rapport tombera dans la journée, pour confirmer qu'il s'agit de sang humain. Tout ce qu'on a pour l'instant, c'est un rapport préliminaire sur l'incendie, Patrik l'a reçu juste avant que je quitte le commissariat, hier soir.

— Vous avez commencé à auditionner les gens ?

Erica était tellement excitée qu'elle avait du mal à rester assise. Elle n'avait pas l'intention de baisser les bras tant qu'elle n'aurait pas fait tout son possible pour contribuer à résoudre ce mystère. Que cette histoire puisse aussi devenir un livre formidable était évidemment un plus.

— Hier j'ai dressé une liste des gens avec qui nous devons avoir un entretien, et dans quel ordre, et puis j'ai cherché leurs coordonnées. Mais ce n'est pas évident, après tout ce temps, de localiser toutes les personnes citées, puis il faut espérer que leurs souvenirs ne soient pas trop flous. On verra ce que ça va donner.

— Tu crois que les garçons peuvent y être mêlés ? demanda Erica.

Il comprit tout de suite de quels garçons elle parlait.

— Bien sûr, l'idée m'a effleuré, mais je ne sais pas. On les a interrogés plusieurs fois et leurs récits concordaient. D'ailleurs, on n'a pas trouvé de traces indiquant que…

— Tu veux dire que vous n'avez trouvé aucune trace matérielle ? l'interrompit Erica.

— C'est ça, rien de concret. On a découvert Ebba seule dans la maison, mon collègue et moi. Après, on est redescendus vers le ponton. Les garçons sont arrivés à ce moment-là en bateau : de toute évidence, ils revenaient de la pêche.

— Vous avez examiné le bateau ? Les corps auraient pu être jetés à la mer.

— Il a été minutieusement fouillé, mais il n'y avait aucune trace de sang ni rien provenant d'un corps, ce qui aurait obligatoirement été le cas s'ils avaient transporté cinq cadavres. Je me demande même s'ils auraient pu porter les corps jusqu'au bateau. Ils n'étaient pas spécialement costauds. Et puis, les cadavres, en général, ils remontent à la surface et sont rejetés sur la grève tôt ou tard. Sauf si les garçons les avaient soigneusement lestés. Et pour ça, il faut tout un arsenal qu'on ne trouve pas en un clin d'œil.

— Vous avez interrogé les autres élèves de l'école aussi ?

— Oui, mais certains parents nous ont mis des bâtons dans les roues. J'imagine qu'ils s'estimaient au-dessus de tout ça ou qu'ils craignaient le scandale.

— Et vous avez appris quelque chose d'intéressant ?

— Non, les fadaises habituelles, renifla Gösta. Les parents trouvaient cette histoire épouvantable, mais leur fils n'avait rien à dire sur la vie à l'école. À les écouter, tout était parfait. Rune était parfait, les profs étaient parfaits et il n'y avait aucun conflit, aucun problème. Quant aux élèves, ils répétaient pour la plupart ce qu'avaient dit leurs parents.

— Et les profs ?

— Bien entendu, on les a interrogés, tous les deux. Au début, on a soupçonné l'un d'eux, Ove Linder. Puis il s'est avéré qu'il avait un alibi, dit Gösta et il marqua une petite pause avant de poursuivre. C'est simple, on n'a pas trouvé de suspect. On n'a même pas pu prouver qu'il y avait eu un crime. Mais…

Erica posa ses bras sur la table et se pencha en avant.

— Mais quoi?

— Je ne sais pas… Ton mari fait souvent référence à son intuition, et on le taquine pour ça, mais je dois reconnaître que mon intuition à l'époque me disait qu'il y avait bien plus à trouver. On a réellement essayé, mais on a fait chou blanc.

— Alors on va réessayer. Beaucoup de choses ont changé depuis 1974.

— D'après mon expérience, les choses ne changent jamais. Cette catégorie d'individus, ceux qui se donnent de grands airs, sait très bien se protéger.

— On va quand même réessayer, insista Erica patiemment. Tu termines la liste avec le nom des élèves et des profs, et tu me la donnes. Comme ça, on pourra travailler sur deux fronts.

— Pourvu que…

— Patrik ne le saura pas. Et tout ce que je découvre, je te le transmets. C'est notre accord, non?

— Oui, oui, c'est notre accord, répondit Gösta, mais son mince visage eut l'air tourmenté.

— D'ailleurs, hier je suis allée y faire un tour pour discuter un peu avec Ebba et son mari.

Gösta la regarda attentivement.

— Elle allait comment? Ça l'a beaucoup affectée, ce qui s'est passé? Elle…

— Du calme, du calme, une question à la fois, rit Erica, puis elle redevint sérieuse. Elle se contenait, je dirais. Mais elle maîtrisait la situation. Ils prétendent ignorer totalement qui a pu mettre le feu à leur maison, mais je ne sais pas s'ils disent la vérité.

— Je trouve qu'ils devraient quitter l'île, dit Gösta, et son regard se fit noir d'inquiétude. En tout cas provisoirement, le temps de l'enquête. Le lieu n'est pas sûr, ils auraient pu y passer.

— Ils ne semblent pas être de ceux qui renoncent aussi facilement.

— Oui, c'est vrai qu'elle est têtue, renchérit-il avec une fierté manifeste.

Erica le regarda, un peu troublée, mais ne posa pas de questions. Elle savait à quel point elle aussi pouvait s'impliquer parfois dans les histoires dont elle s'inspirait pour ses livres. Il en était sans doute de même pour les policiers, qui croisaient le destin de tant de personnes tout au long de leur carrière.

— Il y a un truc qui m'a un peu gênée lors de ma rencontre avec Ebba. Un truc qui m'a paru étrange, dit Erica.

— Quoi donc?

Un hurlement dans le salon la fit bondir. Elle s'y précipita pour voir qui s'était fait mal, et ne put reprendre le fil de leur conversation que quelques minutes plus tard.

— Où on en était? Oui, je trouve bizarre qu'Ebba ne possède aucun objet ayant appartenu à sa famille. La maison n'était pas uniquement une pension, c'était aussi leur foyer. Il y avait forcément des objets personnels. Je pensais qu'ils avaient été remis à Ebba, mais elle ignore totalement ce qu'ils sont devenus.

— Tu as raison. Je vais vérifier si c'est consigné quelque part. Mais j'en ai pas le souvenir.

— Je me suis dit que ça vaudrait le coup d'examiner leurs affaires d'un œil neuf.

— Ce n'est pas bête comme idée. Je vais voir ce que je peux trouver, dit Gösta en regardant sa montre. Mince alors, je n'ai pas vu le temps passer. Hedström doit se demander où je suis.

Erica posa sa main sur le bras de Gösta pour le rassurer.

— Tu trouveras une bonne excuse. Dis que tu ne t'es pas réveillé ou un truc dans ce genre. Il ne se doutera de rien, je te le promets.

— Facile à dire, marmonna-t-il en allant enfiler ses chaussures.

— N'oublie pas notre accord. J'ai besoin des coordonnées de tous les protagonistes, et puis tu essaies de voir pour les affaires des Elvander.

Erica s'approcha et donna une petite accolade spontanée à Gösta. Il y répondit avec une certaine rigidité.

— Allez, il faut que je file maintenant. Je te promets de m'y mettre dès que je peux.

— Tu es un roc, dit Erica avec un clin d'œil.

— Pfff. Retourne avec tes petits, toi. Je te tiens au courant.

Erica ferma la porte derrière lui et fit exactement ce que Gösta lui avait dit. Elle s'assit sur le canapé et pendant que les trois enfants lui grimpaient dessus pour avoir la meilleure place sur ses genoux, elle suivit distraitement les aventures de Fifi sur l'écran.

Tout était calme et silencieux au commissariat. Mellberg avait abandonné son bureau pour la cuisine, une fois n'est pas coutume. Ernst, qui ne s'éloignait jamais très loin de son maître, s'était installé sous la table dans l'attente impatiente de la pause-café.

— Quel abruti alors, celui-là! cracha Mellberg.

Il montra le journal posé devant lui. *Bohusläningen* avait accordé une large place à l'interview de John Holm.

— Je ne comprends pas comment les électeurs peuvent faire entrer des gens comme ça au Parlement. Je suppose que c'est l'envers de la démocratie, dit Patrik en s'asseyant en face de Mellberg. En plus, il faut qu'on le voie. Apparemment, c'est un des garçons qui étaient restés à Valö cette semaine-là.

— Alors on ferait mieux de se magner le popotin. Selon l'article, il est dans le coin juste pour la semaine, ensuite il retourne chez lui à Stockholm.

— Oui, j'ai lu ça. Je pensais aller le voir avec Gösta dans la matinée, dit Patrik en se retournant pour regarder dans le couloir. Où il est d'ailleurs? Annika? Tu as des nouvelles de Gösta?

— Aucune. Il ne s'est peut-être pas réveillé à temps? cria Annika depuis l'accueil.

— Dans ce cas, je vais t'accompagner à sa place, dit Mellberg et il reposa son journal.

— Non, non, ce n'est pas nécessaire. Je peux attendre. Je suis sûr qu'il ne va pas tarder. Tu as certainement bien plus important à faire.

Patrik sentit la panique monter tout doucement. Une audition avec Mellberg à ses côtés ne pourrait se terminer qu'en catastrophe.

— Sornettes! Tu seras content de m'avoir quand tu rencontreras ce crétin. Bon, on y va alors?

Mellberg avait l'air déterminé. Il claqua des doigts plusieurs fois et Patrik chercha fébrilement un argument qui le ferait renoncer à son projet.

— On devrait peut-être appeler avant pour fixer un rendez-vous?

Mellberg renifla.

— Des types comme lui, il faut les prendre... comment ça s'appelle – il claqua de nouveau des doigts – "en garde".

— *Off-guard*, corrigea Patrik. On dit *off-guard*. Ça veut dire "au dépourvu".

Quelques minutes plus tard, ils étaient installés dans la voiture et filaient en direction de Fjällbacka. Mellberg sifflotait tranquillement. Il avait insisté pour conduire, mais Patrik avait ses limites.

— Ces gens-là sont tellement bornés, dit Mellberg en hochant la tête, satisfait de son affirmation. Ils raisonnent tout petit, sans le moindre respect pour les autres cultures ni pour la diversité des peuples.

L'envie démangeait Patrik de lui rappeler combien il avait été borné lui-même auparavant. Certains discours qu'il tenait alors auraient sans problème trouvé leur place chez Sveriges Vänner. Pour la défense de Mellberg, il fallait avouer qu'il s'était débarrassé de tous ses préjugés à l'instant même où il était tombé amoureux de Rita.

— C'est bien là?

Patrik s'engagea sur la petite aire de gravier devant une des cabanes de pêcheur rouges. Ils s'étaient mis d'accord pour miser sur la présence de John ici, plutôt que dans sa résidence secondaire à Mörhult.

— En tout cas, on dirait qu'il y a quelqu'un sur le ponton, constata Mellberg en tendant le cou pour regarder par-dessus la palissade.

Le gravier crissa sous leurs pieds quand ils avancèrent vers le portillon. Patrik hésita à frapper, ça paraissait ridicule, et il l'ouvrit tout bonnement.

Il reconnut immédiatement John Holm. Le photographe de *Bohusläningen* avait bien capté son visage, à la limite du cliché du Suédois typique, et avait même réussi à rendre menaçante l'image de cet homme au large sourire. En venant à leur rencontre, il affichait le même grand sourire, mais ses yeux bleus étaient interrogateurs.

— Bonjour, je suis Patrik Hedström de la police de Tanum, dit Patrik, puis il présenta Mellberg.

— La police ? Il s'est passé quelque chose ?

Le regard de l'homme se fit plus attentif.

— Ça dépend de comment on voit les choses. Il s'agit d'un événement qui s'est produit il y a très longtemps, mais qui est malheureusement à nouveau d'actualité.

— Valö, dit John.

Il fut impossible d'interpréter l'expression de ses yeux.

— Oui, c'est ça, dit Mellberg sur un ton agressif. Il s'agit de Valö.

Patrik respira profondément pour conserver son calme.

— Est-ce qu'on pourrait s'asseoir ?

— Bien sûr, dit John, faites comme chez vous. Le soleil tape assez fort ici sur le ponton. Moi, j'aime bien, mais si vous trouvez qu'il fait trop chaud, je peux ouvrir le parasol.

— Merci, ça ira.

Patrik fit un geste de la main pour décliner l'offre. Il tenait à en terminer au plus vite avant que Mellberg ait le temps de faire des dégâts.

— Vous étiez en train de lire *Bohusläningen*, nota Mellberg qui avait vu le journal ouvert sur la table.

John haussa les épaules.

— C'est tellement pénible, ces journalistes qui font mal leur boulot. Celui-là me cite de travers, m'interprète de travers, et tout son article n'est qu'un ramassis d'insinuations.

— Moi, je le trouve très bien écrit, affirma Mellberg.

Tout rouge déjà, il tira sur le col de sa chemise.

— Disons que le journal a manifestement choisi son camp. Il faut savoir supporter ce genre d'attaque quand on se lance en politique.

— Ce qu'il remet en question, ce sont des points essentiels de votre programme. Ces idioties, par exemple, comme quoi un immigré qui commet un crime devrait être expulsé même s'il a une carte de séjour. Comment voulez-vous faire un truc pareil? Quelqu'un qui vit en Suède depuis des années et qui s'est bien intégré, il faudrait le renvoyer dans son pays d'origine seulement parce qu'il a piqué un vélo? s'indigna Mellberg en levant la voix et en projetant des postillons tout autour de lui.

Patrik était comme paralysé. C'était comme regarder un accident de voiture sur le point de se produire. Même s'il était d'accord avec tout ce que disait Mellberg, ce n'était pas du tout le moment de parler politique.

Impassible, John regarda Mellberg.

— Ça, c'est une question que nos adversaires ont choisi de mal interpréter. Je pourrais l'expliquer plus en détail, mais je suppose que ce n'est pas pour ça que vous êtes venus.

— Non, nous sommes là pour parler de ce qui s'est passé sur Valö en 1974. N'est-ce pas, Bertil? ajouta Patrik rapidement.

Il darda ses yeux sur Mellberg qui finit par hocher la tête après quelques secondes de silence obstiné.

— La rumeur court qu'il s'est passé quelque chose là-bas, dit John. Vous avez retrouvé la famille disparue?

— Pas tout à fait, répondit Patrik évasivement. Mais quelqu'un a essayé de mettre le feu à la maison. S'il avait réussi, la fille et son mari auraient probablement péri dans les flammes.

John se redressa un peu sur sa chaise.

— La fille?

— Oui, Ebba Elvander, dit Patrik. Ou Ebba Stark, comme elle s'appelle aujourd'hui. Elle et son mari ont récupéré la maison et ils vont la remettre à neuf.

— Il doit y avoir de quoi faire. J'ai cru comprendre qu'elle est en assez mauvais état.

John dirigea son regard sur Valö qui s'étendait en face d'eux, de l'autre côté de l'eau scintillante.

— Vous n'y êtes jamais retourné depuis tout ce temps?

— Non, pas depuis qu'ils ont fermé l'internat.

— Pourquoi?

— Je suppose que l'occasion ne s'est pas présentée, dit John en écartant les mains.

— Que pensez-vous qu'il ait pu arriver à cette famille?

— Ce que je pense vaut sans doute ce que pense n'importe qui, mais il se trouve que je n'en ai pas la moindre idée.

— Pourtant, vous êtes un peu plus impliqué que la plupart des gens, protesta Patrik. Vous habitiez avec eux, et vous étiez là quand ils ont disparu.

— Pas tout à fait : j'étais parti pêcher avec quelques autres élèves. Nous avons eu un choc à notre retour, en voyant les deux policiers. Leon est complètement sorti de ses gonds. Il a cru que c'étaient des étrangers qui voulaient enlever Ebba.

— Pas de théories donc ? Vous avez pourtant dû y penser pendant toutes ces années ? demanda Mellberg qui paraissait très sceptique.

John ne lui prêta aucune attention et se tourna vers Patrik.

— Je voudrais préciser que nous ne vivions pas avec la famille. Nous fréquentions l'école, mais il y avait une frontière très stricte entre nous, les élèves, et la famille Elvander. Nous n'étions par exemple pas invités au déjeuner pascal. Rune nous tenait très scrupuleusement à distance et dirigeait son école comme un camp militaire. Ce qui explique que nos parents l'aimaient aussi sincèrement que nous le haïssions.

— Vous étiez soudés, entre élèves, ou il y avait des conflits ?

— Il y avait bien quelques disputes. Le contraire aurait été bizarre, dans une école fréquentée exclusivement par des garçons en pleine puberté. Mais jamais rien de grave.

— Et les professeurs ? Que pensaient-ils du directeur ?

— C'étaient des lâches, ils avaient tellement peur de lui qu'ils ne pensaient sans doute pas grand-chose. Ils ne risquaient en tout cas jamais la moindre remarque en notre présence.

— Les enfants de Rune avaient à peu près votre âge. Vous vous fréquentiez ?

John fit non de la tête.

— Rune ne l'aurait jamais toléré. Nous avions juste quelques contacts avec son fils aîné. C'était une sorte d'assistant au sein de l'école. Une vraie pourriture.

— J'ai l'impression que vous avez une opinion bien arrêtée sur certains membres de la famille. Je me trompe ?

— Je les détestais, comme tous les autres garçons de l'école. Mais pas suffisamment pour les tuer, si c'est ce que vous insinuez. Je suppose que ça fait partie du jeu à cet âge-là, de se méfier de l'autorité.

— Et les autres enfants?

— Ils restaient entre eux. Ils n'osaient probablement pas faire autrement. Pareil pour Inez. Elle s'occupait toute seule du ménage, de la lessive et de la cuisine. Annelie, la fille de Rune, donnait un petit coup de main aussi. Mais nous n'avions pas le droit de les fréquenter, et il y avait peut-être une bonne raison à cela. Beaucoup d'élèves étaient des vauriens, des privilégiés gâtés depuis leur plus jeune âge. D'où leur présence dans cette école, je suppose. Les parents avaient dû se rendre compte un peu tard que leurs mômes étaient paresseux et incapables, et ils essayaient d'y remédier en les envoyant chez Rune.

— Vos parents ne devaient pas être spécialement démunis, eux non plus?

— Ils avaient de l'argent, dit John en appuyant sur "avaient".

Puis il serra les lèvres pour montrer qu'il n'avait pas l'intention d'en dire plus. Patrik n'insista pas, mais décida d'examiner plus tard les antécédents familiaux de John.

— Comment elle va? dit John subitement.

Il fallut une seconde ou deux à Patrik pour comprendre de qui il parlait.

— Ebba? Elle a l'air d'aller bien. Comme je viens de le dire, elle va restaurer la maison.

John tourna de nouveau les yeux vers Valö et Patrik se demanda quelles pensées l'agitaient à cet instant. Il aurait aimé être capable de les lire…

— Eh bien, merci de nous avoir consacré un peu de temps, dit-il en se levant.

Pour l'heure, ils n'iraient pas beaucoup plus loin, mais cette conversation avait éveillé sa curiosité sur la vie quotidienne à l'internat.

— C'est ça, merci. Vous devez être très pris, bien sûr, dit Mellberg. Au fait, vous avez le bonjour de ma compagne. Elle est originaire du Chili, elle est arrivée en Suède dans les années 1970 comme réfugiée politique.

Patrik tira Mellberg par le bras pour qu'il débarrasse le plancher. Dans un sourire figé, John referma le portillon derrière eux.

Gösta essaya d'entrer au commissariat en catimini, mais sans grand succès.

— Tu as oublié de te réveiller? Ça ne te ressemble pas, dit Annika.

— Le réveil n'a pas sonné. Où ils sont, tous?

Il n'osa pas croiser son regard. Annika avait le don de percer les gens à jour et il n'aimait pas lui mentir.

Le couloir était plongé dans le silence, Annika semblait seule au poste, à part Ernst qui arriva paisiblement dans le couloir en entendant la voix de Gösta.

— Patrik et Mellberg sont allés discuter avec John Holm, mais Ernst et moi, on surveille le fortin, pas vrai, mon bonhomme? dit-elle en grattant le gros chien derrière les oreilles. Patrik se demandait où tu étais. Tu devrais améliorer un peu ton histoire de réveil qui n'a pas sonné, dit-elle en l'observant. Raconte-moi donc ce que tu as fait comme bêtise, je pourrais peut-être t'aider à ne pas te faire choper.

— Et puis quoi encore? dit Gösta mais il s'avouait déjà vaincu. On prend un café et je te raconte.

Il se dirigea vers la cuisine, Annika sur ses talons.

— Alors? dit-elle quand ils eurent pris place.

À contrecœur, Gösta lui dévoila son accord avec Erica, et Annika rit aux éclats.

— Te voilà dans de beaux draps, Gösta. Tu sais bien comment elle est, Erica, hein? Si on lui donne le petit doigt, elle prend la main entière. Patrik va être fou furieux s'il l'apprend.

— Oui, je sais…

Gösta se tortilla. Elle avait raison, évidemment, mais cette affaire lui tenait trop à cœur. Et il savait fort bien pourquoi, il n'était pas bête. C'était pour elle qu'il le faisait, le bout de chou qu'ils avaient abandonné, Maj-Britt et lui.

Annika avait cessé de rire.

— C'est important pour toi, on dirait.

— Oui, très. Et Erica peut s'avérer utile. Elle est douée. Je sais que Patrik n'approuverait pas que je la mêle à l'affaire, mais creuser dans le passé, c'est son boulot, et il faut bien avouer qu'en ce moment on a besoin de tout ce qu'elle pourra trouver.

Annika garda le silence un instant, puis respira profondément.

— D'accord. Je ne dirai rien à Patrik. À une condition.

— Laquelle?

— Que tu me tiennes informée de ce que vous découvrez, Erica et toi, et que je puisse vous aider s'il le faut. Moi aussi, je suis assez douée pour dégoter des renseignements.

Gösta la regarda, tout surpris. Il ne s'attendait pas à une telle réaction.

— OK, on fait comme ça. Mais tu l'as dit toi-même : on ne va pas rigoler quand Patrik découvrira le pot aux roses.

— Chaque chose en son temps. Vous en êtes où, là? Qu'est-ce que je peux faire?

Soulagé, Gösta lui fit part de la conversation qu'il avait eue avec Erica le matin même.

— Il faut trouver les coordonnées récentes de tous les élèves et des profs de l'école. Sur la vieille liste que j'ai, il n'y a presque plus rien qui colle. Mais elle peut nous servir de point de départ. Certains noms de famille sortent de l'ordinaire, il y a peut-être des gens à leur ancienne adresse qui savent ce qu'ils sont devenus.

Annika haussa les sourcils, l'air surpris.

— On n'a pas leur numéro de Sécu?

Il la fixa, décontenancé. Quel crétin! Il se sentit si bête qu'il ne trouva plus ses mots.

— Comment dois-je interpréter ton expression? Les numéros y figurent? Tant mieux. Alors je vais pouvoir mettre à jour ta liste pour cet après-midi, ou au plus tard demain. Ça ira comme délai?

Elle lui adressa un doux sourire et, bon prince, Gösta s'inclina devant elle.

— C'est parfait. Pour ma part, j'avais pensé aller voir Leon Kreutz avec Patrik.

— Pourquoi lui?

— Aucune raison particulière. C'est juste celui dont je me souviens le mieux. J'avais eu l'impression que c'était le leader du groupe. Et je viens d'apprendre que sa femme et lui ont acheté la grande villa blanche sur la montagne, tu sais, à Fjällbacka.

— Celle avec la vue magnifique ? Qui valait dix millions* ? dit Annika.

Les maisons avec vue sur la mer fascinaient toujours la population résidante et tout le monde suivait soigneusement les prix demandés et les prix obtenus. Mais dix millions, ça faisait réagir même les plus blasés.

— Ils peuvent se l'offrir, si j'ai bien compris.

Gösta se rappela l'adolescent aux yeux sombres et son beau visage. À l'époque déjà, il rayonnait d'une sorte d'opulence, et d'autre chose encore, de plus difficile à déterminer. Si Gösta avait dû y mettre un mot, il aurait évoqué une sorte d'assurance innée.

— Allez, au boulot, dit Annika en rangeant sa tasse dans le lave-vaisselle avec un regard sévère à Gösta qui l'imita aussitôt. J'avais complètement oublié que tu avais un rendez-vous chez le dentiste ce matin, ajouta-t-elle.

— Le dentiste ? Mais je n'ai pas... commença Gösta, puis il sourit. Oui, c'est ça. Je t'avais prévenue hier que j'avais rencard chez le dentiste. Et tu vois : aucune carie !

Il montra sa bouche et fit un clin d'œil à Annika.

— Ne va pas gâcher un bon mensonge avec trop de détails.

Pour rire, elle agita son index devant le nez de Gösta, puis partit rejoindre son ordinateur.

* Environ un million cent cinquante mille euros.

## STOCKHOLM 1925

*Elles avaient failli se faire débarquer du train. Le contrôleur lui avait pris sa bouteille en prétendant qu'elle était trop soûle pour voyager. Ce qui était parfaitement faux. Elle avait juste besoin d'un petit remontant de temps en temps pour supporter la vie, ce n'était quand même pas difficile à comprendre. Elle était obligée de demander l'aumône et de se charger des corvées humiliantes qu'on daignait lui proposer "à cause de la petite", et la plupart du temps elle devait malgré cela se résoudre à accueillir dans sa chambre des cochons lubriques, haletants et hypocrites.*

*C'était aussi à cause de la petite que le contrôleur s'était montré clément et leur avait permis de rester dans le train jusqu'à Stockholm. Et heureusement, car s'il les avait fait descendre à mi-chemin, Dagmar n'aurait pas su comment rentrer. Elle avait dû économiser pendant deux mois pour se payer un aller simple pour la capitale, et elle n'avait plus un kopeck en poche. Mais ce n'était pas grave. Il fallait juste qu'elles arrivent à Stockholm et qu'elle puisse parler à Hermann. Après ça, elles n'auraient plus jamais de souci à se faire pour l'argent. Il s'occuperait d'elles. Quand il la verrait et qu'il se rendrait compte de tout ce qu'elle avait enduré, il quitterait immédiatement cette sournoise qu'il avait épousée.*

*Dagmar s'arrêta devant la vitrine d'un magasin et regarda son reflet. Oui, elle avait un peu vieilli depuis ce jour-là. Ses cheveux n'étaient plus aussi épais et, à la réflexion, ça devait faire quelque temps qu'elle ne les avait pas lavés. Et la robe, qu'elle avait volée sur une corde à linge avant de partir, pendait comme un sac à patates sur son corps maigre. Quand l'argent s'épuisait, elle choisissait l'alcool plutôt que la nourriture, mais ça aussi, ça*

*allait changer maintenant. Elle retrouverait rapidement son phy-*
*sique d'hier, et Hermann éprouverait une tendre pitié quand il*
*comprendrait combien la vie avait été dure avec elle depuis qu'il*
*l'avait abandonnée.*

*Elle prit la main de Laura et se remit à marcher. Sa fille frei-*
*nait tant que Dagmar fut obligée de la traîner derrière elle. On*
*aurait dit une tortue, tellement elle était lente, cette môme!*

*— Mais bouge-toi donc! siffla-t-elle.*

*Elle fut obligée de demander son chemin plusieurs fois, mais elles*
*arrivèrent finalement devant le bon portail. Dénicher son adresse*
*avait été un jeu d'enfant. Son nom figurait dans l'annuaire télé-*
*phonique. 23, Odengatan. L'immeuble était aussi grand et impo-*
*sant qu'elle se l'était imaginé. Elle tira sur la porte d'entrée, mais*
*elle était verrouillée et elle plissa le front, mécontente. Un mon-*
*sieur arriva et ouvrit la porte avec sa clé.*

*— Vous allez chez qui?*

*Elle redressa fièrement la nuque.*

*— Chez les Göring.*

*— Ah oui, oui, ils ont certainement besoin d'aide, dit-il et il*
*les fit entrer.*

*Un instant Dagmar se demanda ce qu'il voulait dire, puis elle*
*haussa les épaules. Ça n'avait aucune importance. Elles étaient*
*presque arrivées maintenant. Elle regarda le panneau dans le hall*
*d'entrée, repéra l'étage et, avec Laura à la traîne, elle monta l'esca-*
*lier. D'une main tremblante, elle appuya sur la sonnette. Bientôt ils*
*allaient être réunis. Hermann, elle et Laura. La fille d'Hermann.*

Cramponnée au gouvernail du bateau de Dan, Anna se dit que cela avait été étonnamment facile. Elle avait appelé Melker qui lui avait proposé de venir à Valö dès qu'elle aurait un moment, et depuis elle n'avait pu penser à rien d'autre. Toute la famille avait remarqué l'agréable changement d'humeur, et la veille au soir, une ambiance porteuse d'espoir avait plané sur la maison.

En réalité, elle avait dû se faire un peu violence. C'étaient ses premiers pas vers une nouvelle indépendance. Pendant toute sa vie, elle avait été tributaire des autres. Enfant, elle s'était appuyée sur Erica. Ensuite elle avait été dépendante de Lucas, ce qui avait mené à la catastrophe dont elle et les enfants portaient encore les stigmates. Puis Dan. Dan si chaud, si rassurant, qui les avait pris sous son aile, elle et ses enfants meurtris. Ça avait été tellement bon de pouvoir être petite encore une fois et d'avoir confiance en quelqu'un d'autre pour tout arranger.

Mais l'accident lui avait appris que même Dan ne savait pas tout réparer. À vrai dire, c'était sans doute cette certitude qui l'avait le plus affectée. La perte de leur premier enfant commun avait été un drame inconcevable, mais la sensation de solitude et de vulnérabilité s'était révélée presque pire.

Si elle voulait que leur couple dure, elle devait apprendre à se débrouiller toute seule. Même si elle accusait un certain retard dans ce domaine, elle savait qu'au fond, elle en était capable. Cette mission de décoration intérieure était un bon début. Il ne lui restait maintenant qu'à vérifier son talent et sa capacité à se vendre.

Le cœur cognant très fort dans sa poitrine, elle frappa à la porte d'entrée. Elle entendit des pas s'approcher, puis un homme ouvrit et l'interrogea du regard. Il avait à peu près son âge, portait des vêtements de menuisier et une paire de lunettes de protection remontée sur le front. Il était tellement beau qu'un instant, Anna fut toute décontenancée.

— Bonjour, réussit-elle ensuite à articuler. Je suis Anna. On s'est parlé au téléphone hier.

— Mais bien sûr! Anna! Désolé, je ne voulais pas être impoli. Mais quand je bosse, je suis tellement pris par ce que je fais que j'oublie tout. Entre, Anna, dans notre foutoir.

Il recula pour lui laisser le passage. Anna regarda autour d'elle. Foutoir, c'était indéniablement le mot adéquat pour décrire le désordre qui régnait ici. En même temps, le potentiel lui sauta immédiatement aux yeux. Elle avait toujours eu cette faculté, comme si elle portait des lunettes magiques qui lui permettaient à tout instant de percevoir le résultat final.

Melker suivit son regard.

— Comme tu peux le constater, il nous reste encore pas mal de boulot.

Elle s'apprêtait à lui répondre quand une femme blonde et mince descendit l'escalier.

— Bonjour, je suis Ebba.

Elle s'essuya les mains sur un chiffon. Elle avait des taches de peinture blanche partout, sur les mains et les vêtements, même son visage et ses cheveux en étaient constellés. Une forte odeur de térébenthine fit monter des larmes aux yeux d'Anna.

— Désolée, je ne vais pas pouvoir te serrer la main, ajouta Ebba en montrant les siennes.

— Ce n'est pas grave, tu es en plein boulot, tu as d'autres chats à fouetter. Moi, je m'inquiéterais plutôt pour… eh bien, pour… ce qui vous arrive.

— Erica t'en a parlé? dit Ebba, plus comme une constatation que comme une question.

— J'ai entendu parler de l'incendie et du reste, répondit Anna.

Trouver du sang sous le plancher de sa maison était si absurde qu'elle n'arrivait même pas à prononcer les mots.

— On essaie de continuer de bosser quand même, dit Melker. Ça nous coûterait trop cher d'interrompre les travaux.

D'une autre pièce résonnaient des voix et le bruit de planches volant en éclats.

— Les techniciens sont encore là, dit Ebba. Ils sont en train de défoncer tout le plancher de la salle à manger.

— Vous êtes sûrs que vous êtes en sécurité ici?

Anna savait qu'elle était un peu indiscrète, mais ce couple avait quelque chose qui éveillait en elle des instincts de protection.

— On y est bien, dit Melker d'une voix éteinte.

Il tendit le bras pour le passer autour des épaules d'Ebba, mais elle fit un rapide pas de côté, comme si elle avait prévu ce geste, et le bras de Melker retomba le long de son corps.

— Vous avez besoin d'un peu d'aide, c'est ça? dit Anna pour détourner la conversation.

L'ambiance était tellement tendue qu'elle avait du mal à respirer. Melker parut soulagé de pouvoir changer de sujet.

— Voilà. Comme je te l'ai dit hier au téléphone, on ne sait pas trop comment continuer une fois que la rénovation de base sera terminée. On n'y connaît rien, en décoration intérieure.

— Je vous admire vraiment. Ce n'est pas un petit projet que vous lancez là. Mais le résultat va être super, j'en suis sûre. Je verrais bien un style à l'ancienne, campagnard, avec des meubles blancs patinés, des couleurs pâles, des roses romantiques, des tissus en lin, des accessoires en argent du pauvre, des petits objets épars pour attirer le regard, dit Anna, la tête remplie d'images. Je ne parle pas d'antiquités coûteuses, plutôt un mélange de brocante et de copies d'anciens qu'on peut patiner et vieillir nous-mêmes. Tout ce qu'il faut, c'est un peu de paille d'acier et un bon produit, et puis…

Melker rit et son visage s'adoucit. Anna se rendit compte qu'elle l'aimait bien.

— On dirait que tu sais ce que tu veux. Vas-y, continue, je crois que ça commence à nous plaire, à tous les deux.

— Oui, c'est exactement comme ça que je me l'étais imaginé, mais sans pouvoir le réaliser, dit Ebba en plissant le front. Le problème, c'est qu'on n'a pratiquement aucun budget. Tu as sans doute l'habitude de travailler sans regarder à la dépense et d'être bien rémunérée…

Anna l'interrompit.

— Je connais les conditions. Melker me les a expliquées hier. En fait, vous seriez mes premiers clients… Et si vous êtes satisfaits de mon travail, vous me servirez de référents. Je suis sûre qu'on trouvera un terrain d'entente pour une rémunération dans vos moyens. Pour ce qui est de la décoration, l'idée générale est de donner une impression de meubles provenant d'un héritage et d'objets chinés aux puces. Dépenser le moins d'argent possible, c'est très bien, je prends ça comme un défi.

Anna les regarda, pleine d'espoir. Elle avait très envie d'obtenir ce travail, et ce qu'elle venait de dire à Ebba et Melker était l'absolue vérité. Avoir les mains libres pour transformer la vieille colo en une perle de l'archipel serait un projet formidable, qui pourrait ensuite lui amener des clients dans sa propre boutique.

— Moi aussi, j'ai une petite entreprise, je comprends exactement ce que tu veux dire. Le bouche à oreille est hyper-important, dit Ebba en la regardant presque timidement.

— Et quelle est ton activité ?

— Des bijoux. Je fabrique des colliers en argent, décorés d'anges principalement.

— Sympa ! Comment tu as eu cette idée ?

Le visage d'Ebba se figea, et elle se détourna. Melker, l'air embarrassé, se hâta de rompre le silence qui suivit.

— On ne sait pas trop quand on aura fini la rénovation. L'enquête de police et les dégâts de l'incendie dans l'entrée ont chamboulé notre agenda, si bien qu'on ne peut pas te donner de date précise pour démarrer.

— Ça ne fait rien, je m'adapterai à votre rythme, dit Anna, sans pouvoir chasser de son esprit la réaction d'Ebba. Si ça vous convient, on peut évoquer dès maintenant les couleurs et quelques grandes lignes. Comme ça je pourrais faire des esquisses et peut-être aller jeter un œil à quelques ventes aux enchères de la région.

— Génial, dit Melker. Notre idée est d'être prêts à ouvrir pour Pâques l'année prochaine, et de tourner à plein régime en été.

— Alors, on a tout notre temps. Je peux faire un tour et prendre quelques notes avant de repartir ?

— Évidemment. Fais comme chez toi dans tout ce bordel, dit Melker avant d'ajouter : Mais je pense que tu ferais mieux d'éviter la salle à manger.

— Bien sûr, pas de problème. J'y jetterai un coup d'œil la prochaine fois.

Ebba et Melker reprirent leurs activités et la laissèrent déambuler à sa guise. Elle prit consciencieusement des notes et sentit l'excitation pétiller dans son ventre. Cette mission s'annonçait bien. Elle représentait peut-être le début de sa nouvelle vie.

La main de Percy trembla au moment de signer les documents. Il respira à fond pour maîtriser son agitation, et son avocat, maître Buhrman, sembla préoccupé :

— Tu es sûr de ce que tu fais, Percy ? Ton père n'aurait pas été d'accord.

— Papa est mort ! siffla-t-il pour murmurer presque aussitôt une excuse avant de poursuivre : Ça peut paraître drastique comme mesure, mais c'est soit ça, soit la mise en vente du château.

— Et un emprunt bancaire ? tenta l'avocat.

Il avait été l'avocat de son père auparavant et Percy se demandait souvent quel âge Buhrman pouvait bien avoir. Après toutes les heures passées au golf à Majorque où il possédait une maison, il s'était presque momifié, et aurait mérité sa place dans un musée.

— J'ai discuté avec la banque, qu'est-ce que vous croyez ?

Encore une fois, il avait élevé la voix et dut se forcer à revenir à un ton plus calme. L'avocat lui parlait souvent comme s'il était encore un gamin. Il semblait oublier qu'aujourd'hui, le comte, c'était Percy.

— Ils m'ont fait savoir d'une manière on ne peut plus claire qu'ils ne souhaitent plus m'aider.

Buhrman eut l'air déconcerté.

— Mais nous avons toujours eu d'excellentes relations avec Svenska Banken. Ton père et le vieux directeur avaient fait l'internat de Lundsberg* ensemble. Tu es sûr d'avoir parlé avec la bonne personne? Veux-tu que je passe quelques coups de fil pour voir si…

— Cela fait belle lurette que le vieux directeur a quitté la banque, le coupa Percy, n'ayant plus la patience d'être poli avec le vieillard. D'ailleurs, ça fait belle lurette qu'il a quitté ce bas monde aussi. Les temps ont changé. Dans les banques, il n'y a plus que des courtiers et des blancs-becs tout juste sortis des écoles de commerce qui manquent cruellement de savoir-vivre. Aujourd'hui Svenska Banken est dirigée par des gens qui ôtent leurs chaussures en entrant, ils préfèrent le confort à l'élégance, vous ne comprenez pas ça, maître Buhrman?

Il signa rageusement le dernier document et le poussa vers le vieil homme, qui eut l'air perplexe.

— Eh bien, moi je trouve ça étrange, dit-il en secouant la tête. Qu'est-ce que ça va être la prochaine fois? Ils vont faire disparaître le majorat et laisser de vieux domaines se partager n'importe comment? Tiens, à propos : ne pourrais-tu pas voir avec ta sœur et ton frère? Mary a fait un bon mariage et Charles gagne pas mal d'argent avec ses restaurants, si j'ai bien compris. Ils pourraient peut-être t'aider? Après tout, vous êtes de la même famille.

Percy le dévisagea, ahuri. Le vieux avait complètement perdu la boule. Avait-il oublié toutes les années de querelles et de litiges qui avaient suivi la mort de leur père quinze ans plus tôt? Le frère et la sœur de Percy avaient eu la folle audace d'essayer de contester le droit d'aînesse par lequel il héritait du domaine dans son ensemble. Heureusement, la loi était claire et nette. Fygelsta lui revenait, à lui et à lui seul. Il était de bon ton de partager, dans la mesure du possible, avec ses frères et sœurs éventuels, mais après cette tentative obstinée de lui dérober ce que la loi et la coutume lui attribuaient, il ne s'était pas senti spécialement généreux. Ils n'avaient donc hérité de rien, et avaient même été obligés de régler ses frais de justice. Comme le disait Buhrman, ils n'étaient pas à plaindre, et cette

---

* Lycée privé fondé en 1896 pour former l'élite du pays dans un esprit strictement protestant et spartiate.

certitude suffisait à le rasséréner quand la mauvaise conscience venait le tarauder. Quoi qu'il en soit, il n'obtiendrait évidemment rien en allant leur demander l'aumône.

— C'est la seule issue, dit-il en hochant la tête vers les documents. J'ai de la chance d'avoir de bons amis qui se mobilisent, et je rembourserai le prêt dès que ce petit malentendu avec le fisc aura été réglé.

— Oui, bon, tu fais ce que tu veux, mais tu risques gros, sache-le.

— Je fais confiance à Sebastian, dit Percy.

Il aurait aimé se sentir aussi sûr qu'il le prétendait.

Kjell balança si violemment le téléphone sur son bureau que le contrecoup se répercuta dans son bras. La douleur ne fit qu'augmenter sa colère et il jura en se massant le coude.

— Merde! s'écria-t-il tout en serrant les poings pour s'empêcher d'attraper n'importe quel objet sur son bureau et l'envoyer valdinguer contre le mur.

— Qu'est-ce qu'il se passe?

Rolf, son ami et collègue, pointa la tête dans l'embrasure de la porte.

— À ton avis? répliqua Kjell en passant la main dans sa chevelure châtain où scintillaient déjà quelques reflets argentés.

— Beata? dit Rolf en entrant dans le bureau.

— Évidemment! Tu sais qu'elle s'était subitement mis en tête de ne pas me donner les enfants ce week-end alors que c'est mon tour. Et là, elle vient de m'appeler pour gueuler qu'il est hors de question qu'ils viennent avec moi aux Baléares. Apparemment, une semaine entière, ça leur ferait trop.

— Mais elle a passé deux semaines aux Canaries avec eux en juin, non? Et je suppose qu'elle ne t'a pas demandé ton avis? Alors pourquoi est-ce qu'ils ne pourraient pas partir une semaine avec leur père?

— Parce que ce sont "ses" enfants. C'est ce qu'elle dit tout le temps. "Mes" enfants. Apparemment, elle se contente de me les prêter.

Kjell s'obligea à respirer calmement. Beata s'appliquait à lui pourrir l'existence plutôt qu'à veiller au bien des enfants, et ça le mettait hors de lui.

— Mais vous avez la garde partagée, non ? dit Rolf. Théoriquement, tu devrais avoir tes enfants bien plus souvent.

— Oui, je sais. En même temps, je veux qu'ils aient une seule maison où ils se sentent chez eux. À condition qu'on ne vienne pas me mettre des bâtons dans les roues chaque fois que c'est mon tour de m'en occuper. Une semaine de vacances avec eux, c'est trop demander ? Je suis leur père, quand même ! J'ai autant le droit d'être avec eux que Beata.

— Ils vont grandir, Kjell. Ils comprendront petit à petit. De ton côté, essaie d'être un homme et un père encore meilleur. Ils ont besoin de calme et de sérénité. Si tu leur donnes ça chez toi, tu verras, ça s'arrangera. Mais merde, n'abandonne pas, continue de lutter pour ton droit de les voir.

— Je ne lâcherai rien, dit Kjell entre les dents.

— C'est bien, répliqua Rolf et il agita le journal du jour. Il est formidable, ton article. Tu lui as vraiment cloué le bec à plusieurs reprises. Je crois que c'est la première interview de lui que je lis où il est réellement remis en question, et son parti avec.

Il prit place sur une des chaises des visiteurs.

— Oui, j'ai du mal à comprendre ce que fabriquent les journalistes, tous autant qu'ils sont, dit Kjell en secouant la tête. Il y a des vides manifestes dans le discours de Sveriges Vänner. Ça ne devrait pas être si difficile que ça de les dénoncer.

— J'espère que tu auras le maximum de lecteurs, dit Rolf avec un doigt sur la page ouverte du journal. Montrer la vraie face de ces gens, c'est ça, l'urgence

— Le pire, c'est qu'elle fonctionne, leur propagande à deux balles. Ils enfilent leur costume du dimanche, mettent ostensiblement à la porte quelques membres qui se sont distingués par leur mauvais comportement, évoquent des coupes budgétaires et des rationalisations, et les gens marchent. Mais derrière tout ça, ce sont les mêmes vieux nazis qui se dissimulent. Et quand ils font le salut nazi et agitent des drapeaux avec la croix gammée, c'est à l'abri des regards. Après, ils passent à la télé et se lamentent d'être victimes d'attaques injustes.

— Tu enfonces des portes ouvertes. On est du même côté, je te rappelle, rit Rolf en levant les deux mains devant lui.

— Je pense que ça cache quelque chose, dit Kjell en se massant la racine du nez.

— Quoi donc? Qu'est-ce qui cache quelque chose?

— John. Il est trop accommodant, trop lisse. Tout est trop parfait. Il n'essaie même pas de maquiller son passé chez les skinheads, non, il préfère faire son *mea culpa* en chialant dans les émissions blabla du matin. Du coup, ce n'est pas un scoop pour les électeurs. Non, il faut que je creuse davantage son passé. Il n'a pas pu se débarrasser de tout.

— Tu as peut-être raison, mais ça ne va pas être facile. John Holm a fait beaucoup d'efforts pour construire sa belle façade, dit Rolf en posant le journal.

— En tout cas je vais… commença Kjell avant d'être interrompu par la sonnerie du téléphone. Si c'est Beata, je…

Il hésita une seconde, puis rugit un "oui?" dans le combiné. En entendant la voix au bout du fil, il changea immédiatement de ton. Rolf l'observa avec un sourire amusé.

— Tiens, salut Erica… Non, non, pas de problème… Bien sûr… Qu'est-ce que tu dis? T'es sérieuse?

Il leva les yeux vers Rolf, un grand sourire aux lèvres. Après quelques minutes, il raccrocha. Il avait pris quelques notes rapides pendant la conversation, et jeta le stylo sur le bureau, se renversa dans la chaise, croisa ses mains derrière sa nuque.

— Ça commence à bouger.

— Quoi? C'était qui?

— C'était Erica Falck. Apparemment je ne suis pas le seul à m'intéresser à John Holm. Elle m'a félicité pour l'article et m'a demandé si je n'avais pas des documents sur son passé à lui transmettre.

— Pourquoi elle s'intéresse à lui? demanda Rolf, avant d'écarquiller les yeux : Parce qu'il était à Valö? Erica va écrire sur la disparition?

— Oui, c'est ce que j'ai cru comprendre. Mais ce n'est pas tout. Accroche-toi, tu ne vas pas y croire.

— Merde, Kjell! Accouche!

Kjell rigola. Il adorait ce qu'il venait d'apprendre et savait que Rolf y prendrait le même plaisir.

## STOCKHOLM 1925

*La femme qui ouvrit la porte n'était pas comme Dagmar l'avait imaginée. Elle n'était ni belle ni séductrice, mais fatiguée et usée. De plus, elle paraissait plus âgée qu'Hermann et toute sa personne reflétait une sorte d'insignifiance.*

*Dagmar ne sut quoi dire. Elle s'était peut-être trompée d'appartement. Mais c'était écrit Göring sur la porte, et elle se dit que cette femme devait être la gouvernante. Elle saisit plus fermement la main de Laura.*

*— Je cherche Hermann.*

*— Hermann n'est pas là, répondit la femme en l'examinant de la tête aux pieds.*

*— Alors je vais attendre qu'il rentre.*

*Laura s'était cachée derrière Dagmar, et la femme lui sourit gentiment avant de dire :*

*— Je suis Mme Göring. Je peux vous aider ?*

*Alors c'était bel et bien la femme qu'elle haïssait et qui avait occupé ses pensées depuis qu'elle avait lu son nom dans le journal. Stupéfaite, Dagmar contempla Carin Göring : des chaussures solides et pratiques, une jupe de bonne confection qui arrivait aux chevilles, un chemisier méticuleusement boutonné jusqu'au cou et des cheveux relevés en chignon. Ses yeux étaient cernés de fines ridules et elle était d'une pâleur maladive. Subitement, tout devint clair. Évidemment, cette femme avait dupé son Hermann. Une vieille peau comme elle n'aurait jamais pu avoir un homme comme lui sans user de bien vilains tours.*

*— Certainement. Il faut qu'on parle, toutes les deux.*

*Elle attrapa Laura par le bras et entra résolument dans l'appartement.*

*Carin Göring se poussa un peu, sans rien faire pour l'en empêcher. Elle hocha simplement la tête et demanda :*

*— Je vous débarrasse de votre manteau ?*

*Dagmar la regarda avec méfiance, et se dirigea vers la première pièce donnant dans le vestibule, sans attendre d'y être invitée. Elle y pénétra puis s'arrêta net. Le grand salon était aussi beau qu'elle l'avait imaginé – spacieux, avec de grandes fenêtres, de hauts plafonds et un parquet ciré –, mais il était pratiquement vide.*

*— Pourquoi ils n'ont pas de meubles, maman ? demanda Laura en ouvrant de grands yeux autour d'elle.*

*Dagmar se tourna vers Carin.*

*— C'est vrai, pourquoi vous n'avez pas de meubles ? Pourquoi Hermann vit-il comme ça ?*

*Carin plissa le front un instant, comme pour signaler qu'elle trouvait la question déplacée, puis elle répondit aimablement :*

*— Nous avons connu quelques difficultés dernièrement. Mais dites-moi maintenant qui vous êtes.*

*Irritée, Dagmar regarda Mme Göring sans prêter attention à sa question.*

*— Des difficultés ? Mais Hermann est riche. Il ne peut pas vivre comme ça.*

*— M'avez-vous entendue ? Si vous ne me dites pas qui vous êtes et ce que vous faites ici, je vais bientôt être obligée d'appeler la police. Par égard pour la petite, je préférerais éviter ça.*

*Carin fit un signe de la tête en direction de Laura qui se cacha de nouveau derrière sa mère. Dagmar l'attrapa et la poussa devant Carin.*

*— Voici la fille que j'ai eue avec Hermann. À partir de maintenant, c'est avec nous qu'il va vivre. Vous l'avez eu suffisamment longtemps et il ne veut plus de vous. Vous comprenez ?*

*Il y eut des tiraillements sur le visage de Carin Göring, mais elle conserva son calme tout en étudiant Dagmar et Laura en silence pendant une bonne minute.*

*— J'ignore totalement de quoi vous parlez. Hermann est mon mari, je suis Mme Göring.*

*— C'est moi qu'il aime. Je suis son grand amour, dit Dagmar en*

*tapant le parquet du pied, ivre de colère. Laura est sa fille, mais tu l'as pris avant que j'aie eu le temps de le lui dire. S'il l'avait su, il ne t'aurait jamais épousée, quoi que tu aies pu faire pour l'y obliger.*

*— Vous feriez mieux de partir maintenant avant que j'appelle la police.*

*La voix de Carin était toujours maîtrisée, mais Dagmar vit la peur dans ses yeux.*

*— Où est Hermann? insista-t-elle.*

*— Sortez! dit Carin en montrant la porte.*

*D'un air décidé, elle se dirigea vers le téléphone, le bras toujours tendu. Le crépitement de ses chaussures résonna dans l'appartement vide.*

*Dagmar se calma un peu et réfléchit. Mme Göring ne lui dirait jamais où se trouvait son mari, mais au moins savait-elle désormais la vérité. Cette idée suffit à la satisfaire. À présent, il fallait simplement trouver Hermann. Même si elle était obligée de dormir devant sa porte, elle attendrait qu'il revienne. Ensuite ils seraient unis pour l'éternité. En tenant le col de Laura d'une prise ferme, elle l'entraîna vers la porte d'entrée. Avant de la refermer derrière elle, elle lança à Carin Göring un dernier regard triomphant.*

— Merci Anna, c'est vraiment gentil.

Erica claqua une bise à sa sœur et partit rejoindre sa voiture après un rapide salut aux enfants. Elle ressentit une pointe de mauvaise conscience à l'idée de les laisser de nouveau, mais à en juger par les cris joyeux qu'ils avaient poussés quand tante Anna était arrivée, son départ ne les traumatisait pas trop.

Elle se dirigea vers Hamburgsund, la tête remplie de questions. Ses recherches sur ce qui était arrivé à la famille Elvander piétinaient, et elle se sentait frustrée. Elle n'avait rencontré que des impasses et n'était pas plus en mesure d'expliquer la disparition que la police. Cependant, elle n'abandonnait pas. Cette famille était fascinante, et plus elle fouillait les archives, plus son histoire l'intéressait. Les femmes de la famille d'Ebba, en particulier, qui semblaient toutes subir la même malédiction.

Puis Erica écarta toutes ces réflexions concernant le passé. Grâce à Gösta, elle avait enfin une piste. Il avait mentionné un nom, sur lequel elle s'était renseignée, et elle était en route pour rencontrer une personne qui détenait peut-être des informations cruciales. Les enquêtes sur des affaires anciennes ressemblaient souvent à un puzzle gigantesque dont certaines pièces importantes manquaient. Son expérience lui avait appris que si on faisait fi des morceaux perdus et qu'on réunissait ceux qu'on avait sous la main, le motif apparaissait en général assez nettement. Pour cette affaire, sa théorie ne fonctionnait pas encore, mais elle espérait ajouter bientôt de nouveaux éléments et percevoir une image. Sinon, tout son travail resterait vain.

Elle s'arrêta à la station-service d'Hansson pour demander son chemin. Elle savait à peu près quelle route prendre, mais autant éviter de se perdre inutilement. Elle trouva Magnus derrière le comptoir, qui était le copropriétaire de la station avec sa femme Anna. Mis à part Frank et Anette, son frère et sa belle-sœur, qui tenaient le kiosque à hot-dogs sur la place du village, personne n'en savait plus sur les habitants d'Hamburgsund et ses environs.

Il lui jeta un regard un peu bizarre, mais lui détailla l'itinéraire sur un bout de papier sans faire de commentaires. Elle poursuivit son trajet avec un œil sur la route et l'autre sur le papier et finit par arriver. Elle réalisa à cet instant seulement qu'il n'y aurait peut-être personne à la maison. Par un temps aussi beau, la plupart des gens qui ne travaillaient pas se baladaient dans l'archipel ou étaient à la plage. Quoi qu'il en soit, maintenant qu'elle était là, elle pouvait tout aussi bien sonner à la porte. Elle entendit de la musique à l'intérieur et reprit espoir.

En attendant qu'on vienne lui ouvrir, elle fredonna *Non, je ne regrette rien* avec Édith Piaf. Elle ne connaissait que le refrain, en français yaourt, mais fut entraînée par la musique au point de ne pas remarquer qu'on venait de lui ouvrir la porte.

— Ah, une admiratrice de Piaf! dit un petit homme vêtu d'un peignoir de soie pourpre aux ornements dorés, exhibant un visage artistiquement maquillé.

Erica ne put dissimuler sa surprise. L'homme sourit.

— Alors, mon cœur? Tu as quelque chose à vendre ou c'est autre chose qui t'amène? Si tu es vendeuse, sache que j'ai déjà tout ce qu'il me faut, sinon tu es la bienvenue pour me tenir compagnie sur la terrasse. Je suis tout seul, Walter craint le soleil. Et il n'y a rien de plus triste que de boire un bon rosé tout seul.

— Euh, oui… je suis là dans un but précis, balbutia Erica.

— Alors c'est réglé!

L'homme frappa des deux mains, tout content, et fit un pas en arrière pour la laisser entrer.

Erica observa le vestibule. Partout il y avait des dorures, des fanfreluches et du velours. L'adjectif "pompeux" était encore loin du compte pour décrire les lieux.

— Moi, j'ai décoré le rez-de-chaussée, et c'est Walter qui a fait l'étage à son idée. Si on veut qu'un mariage dure long-temps, il faut accepter les compromis. Ça fait bientôt quinze ans que nous sommes mariés, et avant ça on a vécu dix ans dans le péché, dit l'homme, puis il se tourna vers l'escalier et cria : Chéri, on a de la visite! Viens prendre un verre avec nous au soleil au lieu de bouder tout seul là-haut!

Il traversa majestueusement le vestibule, avec un geste en direction de l'étage.

— Tu devrais voir comment c'est au premier. On dirait un hôpital. Complètement aseptisé. Walter dit que c'est épuré. Il adore le style nordique, et il faut bien dire que c'est plutôt facile à obtenir. Il suffit de tout peindre en blanc, d'installer ces hor-ribles meubles Ikea plaqués bouleau et le tour est joué : vous avez un intérieur. Pas très cosy certes, mais facile.

Il contourna un énorme fauteuil recouvert de brocart rouge et se dirigea vers la porte ouverte. Sur la table de la terrasse trônaient une bouteille de rosé dans un seau à glace et deux verres, dont un à moitié plein.

— Je te sers un verre?

Il avait déjà sorti la bouteille du seau à glace. Le peignoir voletait autour de ses minces guiboles blanches.

— J'aurais bien aimé, mais je conduis, dit Erica.

Elle aurait effectivement bien aimé boire un verre de vin sur cette magnifique terrasse avec vue sur la mer et l'île d'Ham-burgö.

— Quel dommage! Même pas un petit fond? Allez, laisse-toi tenter.

Il agita doucement la bouteille et Erica ne put s'empêcher de rire.

— Je n'ose pas, même si j'en ai bien envie. Mon mari est policier.

— Oh, alors il doit être beau! J'ai toujours adoré les hommes en uniforme.

— Moi aussi, dit Erica en prenant place dans un des tran-sats.

L'homme se retourna et baissa un peu le volume du lec-teur CD. Avec un grand sourire, il servit un verre d'eau à Erica.

— Bien. Qu'est-ce qui peut pousser une si jolie fille à me rendre visite?

— Je m'appelle Erica Falck, je suis écrivain. En ce moment, je fais des recherches pour un nouveau livre. Vous êtes bien Ove Linder? Vous étiez professeur à l'internat pour garçons que dirigeait Rune Elvander au début des années 1970?

Le sourire de l'homme s'éteignit.

— Ove. Ça fait un bail…

— Je me suis trompée d'adresse? demanda Erica en craignant d'avoir mal interprété les indications pourtant précises de Magnus.

— Du tout, simplement cela fait longtemps que je ne suis plus Ove Linder, répondit-il en faisant tourner le verre entre ses mains. Je n'ai pas procédé à un changement de nom officiel, mais aujourd'hui on m'appelle Liza. Personne ne dit Ove, à part Walter quand il est en colère contre moi. Liza, c'est pour Liza Minelli, évidemment, même si je n'en suis qu'une pâle copie.

Il inclina la tête, semblant attendre les protestations d'Erica.

— Cesse de mendier des compliments, Liza.

Erica tourna la tête. Elle supposa que la personne qui se dessinait dans l'ouverture de la porte était Walter, le mari.

— Tiens, te voilà. Viens donc faire la connaissance d'Erica.

Walter vint se placer derrière son mari et posa tendrement une main sur ses épaules, que Liza serra à son tour, de sa main libre. Erica se surprit à espérer que Patrik et elle seraient aussi tendres l'un envers l'autre quand ils auraient passé vingt-cinq ans ensemble.

— Qu'est-ce qui nous vaut votre visite? demanda Walter en prenant place à leurs côtés.

Contrairement à son partenaire, il avait un physique parfaitement passe-partout : taille et constitution moyennes, front dégarni et vêtements discrets. Erica se fit la remarque qu'il aurait été impossible de se souvenir de lui lors d'une confrontation de témoins. Mais ses yeux rayonnaient d'intelligence et de gentillesse, et d'une étrange façon ce couple mal assorti semblait parfaitement harmonieux.

Erica se racla la gorge.

— J'essaie d'en apprendre plus sur l'ancien internat de Valö. Vous y étiez professeur, si j'ai bien compris?

— Oui, quelle horreur! soupira Liza. Une période affreuse. Je n'avais pas encore fait mon coming out et, à cette époque, les pédés n'étaient pas autant acceptés qu'aujourd'hui. Et Rune Elvander était bourré de préjugés qu'il aimait bien semer autour de lui. Avant de vivre pleinement tel que je suis, j'ai lutté dur pour ne pas sortir du cadre. Je n'ai jamais eu le gabarit d'un bûcheron, mais je faisais tout pour me donner l'air hétérosexuel et soi-disant normal. J'ai passé toute mon adolescence à m'y entraîner.

Il baissa les yeux et Walter le consola d'une caresse sur le bras.

— Je pense avoir réussi à duper Rune. Par contre, j'ai dû encaisser pas mal de piques de la part des élèves. L'école était pleine de vauriens qui prenaient plaisir à chercher vos points faibles. J'y suis resté un peu plus de six mois, je n'aurais pas tenu davantage. En fait, j'avais l'intention de ne pas revenir après les vacances de Pâques, mais on m'a épargné la corvée de donner ma démission.

— Quelle a été votre réaction? Vous avez une explication à ce qui est arrivé? demanda Erica.

— C'était épouvantable, bien sûr, quelle que soit mon opinion sur la famille. Et je pars du principe qu'il leur est arrivé malheur.

— Mais vous ignorez totalement quoi?

— Oui, le mystère est aussi total pour moi que pour les autres, dit Liza en secouant la tête.

— Quelle était l'ambiance à l'école? Il y avait des conflits?

— C'est le moins qu'on puisse dire. C'était une véritable cocotte-minute.

— Comment ça?

Erica sentit son pouls s'accélérer. Pour la première fois, elle avait l'occasion d'apprendre ce qui s'était déroulé dans les coulisses. Pourquoi n'avait-elle pas pensé à aller voir les enseignants plus tôt?

— D'après le prof que je remplaçais, les élèves étaient à couteaux tirés depuis le début. C'étaient des garçons habitués à obtenir ce qu'ils voulaient, tout en subissant une pression terrible de la part des parents. Ça ne pouvait se terminer qu'en combat de coqs. Quand je suis arrivé, Rune avait fait tournoyer le fouet et ils avaient réintégré les rangs, mais je pouvais sentir les tensions sous la surface.

— Quelle était leur relation avec Rune?

— Ils le haïssaient. Il faut dire que c'était un sadique psychopathe, répondit Liza d'une voix parfaitement neutre.

— C'est une terrible image, que vous donnez de Rune Elvander.

Erica regretta de ne pas avoir emporté son magnétophone. Elle allait devoir tenter de se souvenir au mieux de la conversation.

Liza fut pris d'un frisson comme s'il avait fait froid soudain.

— Rune Elvander est sans conteste la personne la plus désagréable qu'il m'ait été donné de croiser. Et, crois-moi, quand on vit comme nous, on a affaire à pas mal de types détestables, dit-il avec un regard en coin pour son mari.

— Et sa relation avec sa famille?

— Ça dépend probablement de la personne à qui tu poses la question. Inez ne semblait pas mener une vie folichonne, la question est de savoir pourquoi elle s'était mariée avec lui. Elle était jeune, mignonne. Je me suis dit que c'était sa mère qui l'avait obligée à le faire. La mégère est morte peu après mon arrivée à l'école, cette vieille pie était tellement méchante que ça a dû être un soulagement pour Inez.

— Et les enfants de Rune? poursuivit Erica. Quel regard avaient-ils sur leur père et leur belle-mère? Ça n'a pas dû être complètement indolore pour Inez d'entrer dans la famille. J'ai cru comprendre qu'elle n'était pas beaucoup plus âgée que le fils aîné de Rune.

— Lui, c'était un très vilain garçon, son père tout craché.

— Qui ça? Le fils aîné?

— Oui, Claes.

S'ensuivit un long silence et Erica attendit patiemment.

— C'est de lui que je me souviens le plus nettement. J'ai la chair de poule rien qu'à y penser. En fait, je ne peux même pas dire pourquoi. Il était toujours poli envers moi, mais quelque chose dans son physique me disait que je ferais mieux de ne jamais m'exposer devant lui.

— Il s'entendait bien avec son père ?

— C'est difficile à dire. Ils se tournaient autour comme des planètes. Sans que leurs trajectoires se croisent jamais, dit Liza avec un rire gêné. À m'entendre, on dirait une mordue de *new age* ou un mauvais poète…

— Pas du tout, continuez, dit Erica en se penchant en avant. Je comprends ce que vous voulez dire. Il n'y avait donc jamais de conflits entre Rune et Claes ?

— Non, ils maintenaient une sorte de distance. Claes semblait obéir au moindre signe de Rune, mais je pense que personne n'a jamais su ce qu'il pensait réellement de son père. Ils avaient en tout cas une chose en commun : ils adoraient Carla – l'épouse défunte de Rune et la mère de Claes – et semblaient tous les deux détester Inez. Pour ce qui est de Claes, c'est compréhensible, elle prenait la place de sa mère disparue, mais Rune après tout, il l'avait épousée.

— Rune maltraitait Inez, c'est ça ?

— Ah ça, difficile de parler d'une relation d'amour, entre eux. Il lui gueulait des ordres à tout bout de champ, comme si elle était sa subordonnée, et pas sa femme. Claes de son côté était ouvertement méchant et insolent envers sa belle-mère. Il ne montrait pas beaucoup de tendresse pour Ebba non plus. Annelie, sa sœur, n'avait rien à lui envier, d'ailleurs.

— Et Rune, que pensait-il du comportement de ses enfants ? Il les encourageait ?

Erica but une gorgée d'eau. Il faisait chaud sur la terrasse, même sous l'énorme parasol.

— Aux yeux de Rune, ils n'avaient aucun défaut. Certes, il prenait son ton militaire même envers eux, mais c'était le seul à avoir le droit de les engueuler. Il sortait littéralement de ses gonds si quelqu'un s'avisait de se plaindre d'eux. Je sais qu'Inez a essayé deux ou trois fois, mais elle a vite cessé. Non, le seul qui était gentil avec elle dans cette famille, c'était le benjamin de Rune, Johan. Un garçon généreux et mignon, qui se réfugiait auprès d'elle. Je me demande souvent ce qu'est devenue la petite Ebba, dit Liza, et son visage s'assombrit.

— Elle est de retour à Valö. Avec son mari, ils sont en train de retaper la maison. Et avant-hier…

Erica se mordit la lèvre. Elle ne savait pas si elle devait en dévoiler plus, mais en même temps, Liza s'était montré tellement ouvert... Elle respira un bon coup.

— Avant-hier, ils ont trouvé du sang en défonçant le parquet de la salle à manger.

Liza et Walter la dévisagèrent. Au loin, on distinguait un bruit de bateaux et des éclats de voix, mais sur la terrasse, on aurait entendu une mouche voler. Walter finit par rompre le silence :

— Tu as toujours dit qu'ils étaient vraisemblablement morts.

— Oui, c'était le plus probable, confirma Liza. Surtout...

— Surtout quoi ?

— Pfft, c'est complètement idiot, dit-il en agitant la main. Je n'en ai même pas parlé à l'époque.

— Rien n'est jamais insignifiant ou idiot. Racontez-moi.

— En fait, ce n'était sans doute rien, mais j'ai senti que quelque chose était en train de déraper. Et j'ai entendu... Non, c'est trop bête.

— Continuez, l'encouragea Erica et elle résista à l'envie de se pencher par-dessus la table et de le secouer pour le faire parler.

Liza but une grande gorgée de rosé, puis regarda Erica droit dans les yeux.

— J'entendais des bruits la nuit.

— Des bruits ?

— Oui. Des pas, des portes qu'on ouvrait, une voix lointaine. Mais quand je me levais pour vérifier, il n'y avait jamais personne.

— Comme des fantômes ? demanda Erica.

— Je ne crois pas aux fantômes, dit Liza avec un grand sérieux. Tout ce que je peux dire, c'est que j'entendais des bruits et que j'ai eu la sensation que quelque chose de terrible allait se produire. Si bien que je n'ai pas été surpris en apprenant la disparition.

— Tu as toujours eu un sixième sens, dit Walter.

— Oh là là, je dis n'importe quoi, s'excusa Liza. J'ai complètement plombé l'ambiance. Erica va nous prendre pour des rabat-joie.

Ses yeux scintillaient de nouveau et il afficha un large sourire.

— Pas du tout, dit Erica. Merci beaucoup de m'avoir accueillie et de m'avoir parlé. Vous m'avez fourni beaucoup de matière à réflexion, mais il est temps pour moi de partir maintenant.

— Passe le bonjour à la petite Ebba, dit Liza.

— Je n'y manquerai pas.

Quand elle se leva, ils amorcèrent un mouvement comme pour la raccompagner, mais elle les devança.

— Ne bougez pas. Je trouverai le chemin.

Alors qu'elle passait devant l'océan de dorures, de fanfreluches et de coussins de velours, elle entendit derrière elle Édith Piaf chanter son hymne à l'amour.

— Tu étais où ce matin, bordel, dit Patrik en entrant dans le bureau de Gösta. J'aurais voulu que tu m'accompagnes chez John Holm.

Gösta leva les yeux.

— Annika ne t'avait pas prévenu ? J'étais chez le dentiste.

— Chez le dentiste ? répéta Patrik en le scrutant de près. Pas de caries, j'espère ?

— Non. Pas de caries.

— Ça avance, la liste ?

Patrik leva le menton vers le tas de documents posé devant Gösta.

— Oui, j'ai trouvé les adresses de la plupart des élèves.

— Tu as fait vite.

— Les numéros de Sécu, dit Gösta et il montra le vieux registre, avant de tendre un feuillet à Patrik. Il suffit de faire un peu travailler ses méninges, tu sais. Et toi, comment ça s'est passé chez le patron des fachos ?

— Il ruerait dans les brancards s'il t'entendait l'appeler comme ça, répondit Patrik tout en parcourant la liste.

— C'est pourtant bien ce qu'il est. Ils ont cessé de se raser le crâne, mais ce sont les mêmes types. Mellberg a su se tenir ?

— D'après toi ? rigola Patrik en posant la liste sur ses genoux. Disons que la police de Tanum ne s'est pas présentée sous son meilleur jour.

— Mais vous avez obtenu des infos, au moins ?

Patrik secoua la tête.

— Pas grand-chose. John Holm n'avait rien à nous apprendre sur la disparition. Il ne se serait rien passé à l'école qui pourrait l'expliquer. Tout juste les tensions qu'on peut imaginer entre une bande d'ados et un directeur sévère. Rien de plus.

— Tu as eu des nouvelles de Torbjörn ?

— Non. Il a promis de ne pas traîner, mais comme on n'a pas de cadavre frais à lui montrer, je pense qu'on n'a pas la priorité. D'autant qu'il y a prescription, s'il s'avérait que la famille a été assassinée.

— Mais les résultats de l'analyse sanguine pourraient nous fournir des indices super-utiles à l'enquête ! Tu as oublié que quelqu'un a voulu faire cramer la maison alors qu'Ebba et Melker étaient dedans ? Dis donc, c'est pourtant bien toi qui soutenais que l'incendie devait être lié à la disparition ! Est-ce que tu as pensé à Ebba ? Elle a bien le droit de savoir ce qui est arrivé à sa famille, non ?

Patrik leva les mains pour se défendre.

— Je sais, je sais. Mais pour l'instant je n'ai rien trouvé de pertinent dans l'enquête de l'époque et ça me paraît assez mal barré.

— Et dans le rapport de Torbjörn sur l'incendie, il n'y a rien d'exploitable ?

— Non. C'était de l'essence ordinaire, enflammée avec une allumette ordinaire. Rien de plus précis.

— Alors il va falloir tirer sur un autre fil, dit Gösta en se retournant et en hochant la tête en direction d'une photo épinglée sur le mur. Ces gars-là n'ont pas tout dit, c'est sûr. On ferait mieux de se concentrer sur eux.

Patrik se leva et alla examiner la photo des cinq adolescents.

— Tu as sans doute raison. Tiens, Leon Kreutz est le premier sur ta liste, tu penses qu'il faut commencer par lui ? On y va tout de suite ?

— Désolé, mais je ne sais pas où il est exactement. Son portable est coupé, et à leur hôtel on m'a dit qu'ils étaient partis, sa femme et lui. Ils sont probablement en train de s'installer dans leur nouvelle maison. On devrait attendre demain, il sera plus détendu, on pourra parler tranquillement.

— OK. Alors on tente notre chance avec Sebastian Måns-son et Josef Meyer? Ils habitent toujours ici.

— Parfait. Laisse-moi juste rassembler deux trois trucs.

— Il faut aussi qu'on se penche sur ce fameux "G".

— "G"?

— Oui, la personne qui envoie une carte d'anniversaire à Ebba chaque année.

— Tu crois vraiment que c'est une piste intéressante?

— On ne sait jamais. Comme tu viens de le dire : il faut tirer sur de nouveaux fils.

— Oui, mais quand on tire trop de fils à la fois, on finit par faire des nœuds, marmonna Gösta. Moi, je pense que c'est du boulot inutile.

— Pas du tout, dit Patrik en lui donnant une petite tape sur l'épaule. Je propose que…

Son portable se mit à sonner et il regarda l'écran.

— Excuse-moi, il faut que je réponde, dit-il en laissant Gösta assis à son bureau.

Quand il revint quelques minutes plus tard, son visage était triomphant.

— On vient peut-être d'obtenir l'indice qui nous manquait. C'était Torbjörn. Ils n'ont pas trouvé plus de sang sous le parquet de la salle à manger, mais ce qu'ils ont découvert est bien mieux.

— C'est quoi?

— Fichée sous la plinthe, il y avait une balle. Autrement dit, un coup de feu a été tiré dans la pièce où la famille se trouvait avant de disparaître.

Patrik et Gösta échangèrent un regard grave. L'instant d'avant, ils s'étaient sentis complètement résignés, mais le coup de fil de Torbjörn venait de relancer l'enquête.


Elle avait pensé rentrer directement pour relayer Anna, mais la curiosité prit le dessus et elle poursuivit sa route à travers Fjällbacka, direction Mörhult. Elle hésita à prendre à gauche devant le minigolf pour descendre vers les cabanes de pêcheur, se disant qu'elle les trouverait plutôt dans leur résidence secondaire maintenant que l'après-midi tirait sur sa fin.

La porte était maintenue ouverte par un sabot aux motifs floraux et elle pointa sa tête dans le vestibule.

— Il y a quelqu'un ? appela-t-elle.

Elle entendit du bruit dans la maison et John Holm surgit aussitôt, un torchon à la main.

— Pardon, je vous dérange peut-être en pleine préparation du repas ?

Il regarda ses mains.

— Non, pas du tout. Je viens simplement de me laver les mains. Je peux vous aider ?

— Je m'appelle Erica Falck et je suis en train de travailler sur un livre…

— Ah, c'est vous, la célèbre écrivaine de Fjällbacka ? Entrez, entrez, je vous offre un café, dit-il avec un sourire chaleureux. En quoi est-ce que je peux vous être utile ?

Ils prirent place à la table de la cuisine.

— J'ai l'intention d'écrire un livre sur ce qui s'est passé à Valö.

Elle eut l'impression d'apercevoir une lueur d'inquiétude dans ses yeux bleus, mais qui disparut tellement vite qu'elle l'avait peut-être rêvée.

— C'est fou comme tout le monde se met subitement à s'intéresser à Valö. Si j'ai bien compris les ragots du coin, c'est votre mari que j'ai vu aujourd'hui.

— Oui, je suis mariée à un policier. Patrik Hedström.

— Il y avait un autre personnage avec lui qui était assez… intéressant.

Pas besoin d'être un génie pour comprendre de qui il parlait.

— Je pense que vous avez eu l'honneur de rencontrer Bertil Mellberg. L'homme, le mythe, la légende…

John rit. Erica sentit qu'elle était sensible à son charme, et cela l'agaça. Elle détestait tout ce que lui et son parti représentaient, mais à le voir ainsi chez lui, il paraissait plutôt sympathique et inoffensif. Attirant.

— J'ai déjà rencontré des gens de son calibre. Votre mari, en revanche, m'a semblé plus sérieux et compétent.

— Je ne suis pas objective, évidemment, mais c'est un bon policier. Il creuse jusqu'à ce qu'il trouve. Exactement comme moi.

— Vous deux réunis, ça doit être de la dynamite, sourit John en exhibant deux superbes fossettes sur ses joues.

— Peut-être. Mais parfois on tombe dans une impasse. Ça fait quelques années que je fais des recherches sur cette affaire, par intermittence, et là, je m'y remets.

— Vous allez donc en faire un livre?

De nouveau, le petit éclat d'inquiétude apparut dans les yeux de John.

— Oui, c'est l'idée. Vous accepteriez que je vous pose quelques questions? demanda Erica en sortant un bloc-notes et un stylo.

John eut un instant d'hésitation.

— Pas de problème, finit-il par dire. Mais, comme je l'ai déjà expliqué à votre mari et son collègue, je ne pense pas vous être très utile.

— J'ai cru comprendre qu'il y avait des conflits au sein de la famille Elvander?

— Des conflits?

— Oui, il paraît que les enfants de Rune n'aimaient pas leur belle-mère?

— Nous, les élèves, on n'était pas concernés par leurs problèmes familiaux.

— Mais l'école était toute petite. Vous avez forcément dû remarquer quelle était l'ambiance dans la famille.

— Ça ne nous intéressait pas. On préférait éviter tout contact avec eux. C'était déjà assez compliqué d'avoir Rune sur le dos.

John eut l'air de regretter d'avoir accepté cet entretien. Il remonta les épaules et se tortilla sur sa chaise, ce qui motiva encore davantage Erica. De toute évidence, il était mal à l'aise.

— Et Annelie? Une jeune fille de seize ans et une bande d'adolescents… Ça fonctionnait comment?

John eut une moue de mépris.

— Annelie nous courait après à un point inimaginable, mais ce n'était pas réciproque. Certaines filles, il vaut mieux s'en tenir à l'écart, et Annelie en faisait partie. Et puis, Rune nous aurait tués si on avait osé ne serait-ce que frôler sa fille.

— Qu'est-ce que vous entendez par là, qu'il faut se tenir à l'écart de certaines filles?

— Elle nous collait et faisait ses petites manières, elle aurait bien aimé nous piéger. Une fois, elle a pris un bain de soleil seins nus juste devant notre fenêtre! Mais Leon a été le seul à la mater. C'était déjà une tête brûlée à l'époque.

— Que s'est-il passé? Son père n'a jamais découvert son manège?

Erica se sentit aspirée dans un autre monde.

— En général, Claes la protégeait. Cette fois-là, il l'a vue et il l'a chassée si brutalement que j'ai cru qu'il allait lui casser le bras.

— Est-ce qu'elle en pinçait particulièrement pour l'un d'entre vous?

— À votre avis? dit John avant de se rendre compte qu'Erica ne comprenait pas du tout à qui il faisait allusion. Pour Leon, évidemment. C'était le mec parfait. Sa famille était riche au-delà de toute mesure, il était beau comme un dieu et tellement sûr de lui : impossible de rivaliser avec lui.

— Mais elle ne l'intéressait pas?

— Comme je vous l'ai dit, Annelie était une fille à vous compliquer la vie et Leon était trop futé pour s'acoquiner avec elle.

Un téléphone se mit à sonner dans le salon et John se leva aussitôt.

— Vous m'excusez un instant?

Il quitta la cuisine sans attendre sa réponse, et elle l'entendit parler à voix basse. Apparemment il n'y avait personne d'autre dans la maison, et Erica profita de son absence pour examiner la pièce. Un tas de documents sur une des chaises attira son attention. Elle jeta un regard par-dessus son épaule, puis se mit à les feuilleter. C'étaient des documents parlementaires et des comptes rendus de réunions. Soudain elle se figea. Entre les feuillets, il y avait un mot écrit à la main, rempli de gribouillis difficiles à déchiffrer. Comme John terminait sa conversation téléphonique dans le salon, elle retira vivement le bout de papier de la pile pour le glisser dans son sac. Quand il revint dans la cuisine, elle lui adressa un sourire innocent.

— Tout va bien?

Il hocha la tête et se rassit.

— C'est l'inconvénient de mon métier. On n'est jamais libre, même pendant les vacances.

Erica marmonna une sorte d'acquiescement. Elle ne tenait pas à se lancer dans une discussion autour du travail politique de John. Ses opinions transparaîtraient et le risque était grand qu'ils entrent en conflit et qu'elle n'apprenne rien de plus. Elle reprit son stylo.

— Quelle était l'attitude d'Inez envers les élèves?

— Inez? demanda John en évitant son regard. On ne la voyait pas beaucoup. Elle était occupée du matin au soir à gérer la maison et sa petite fille.

— Vous aviez quand même forcément une sorte de relation avec elle. Je connais bien la maison, elle n'est pas vraiment immense, vous étiez obligés de vous croiser assez souvent.

— On la croisait, bien sûr. Mais elle était taciturne, et assez soumise. Elle ne s'occupait pas de nous et on ne s'occupait pas d'elle.

— Son mari non plus ne s'occupait apparemment pas beaucoup d'elle.

— Non. C'est incompréhensible qu'un homme comme lui ait réussi à faire quatre enfants. Pour rigoler, à l'époque, on imaginait des conceptions virginales, dit John avec un sourire en coin.

— Que pensiez-vous des deux professeurs?

— Des originaux, tous les deux. Bons profs, sans doute, mais Per-Arne était un ancien militaire, encore plus rigide que Rune, si tant est que ce soit possible.

— Et l'autre?

— Ove, eh bien… il avait quelque chose de pas très catholique. Pédé refoulé, c'était notre théorie. Je me demande s'il a jamais fait son coming out.

Erica sentit le rire monter. Elle revit Liza en peignoir de soie avec ses faux cils.

— Allez savoir! sourit-elle.

John la regarda, déconcerté, mais elle n'y prêta aucune attention. Ce n'était pas son rôle d'informer John de la vie de Liza, d'autant plus qu'elle connaissait la position de Sveriges Vänner sur les homosexuels.

— Vous n'avez donc pas de souvenirs d'eux particuliers?

— Non. Il y avait des frontières très nettes entre les élèves, les professeurs et la famille. Chacun devait rester à sa place. Les groupes étaient bien séparés.

Un peu comme dans votre politique, pensa Erica, et elle dut se mordre la langue pour ne rien dire. Sentant que John s'impatientait, elle posa une dernière question :

— Une personne avec qui j'ai parlé a évoqué la présence de bruits bizarres dans la maison la nuit. Ça vous rappelle quelque chose ?

John tressaillit.

— Qui a dit ça ?

— Peu importe.

— Balivernes ! dit John en se levant d'un bond.

— Ça ne vous dit rien, alors ?

— Rien du tout. Et maintenant, vous m'excuserez, mais j'ai quelques coups de fil à passer.

Erica comprit qu'elle n'irait pas plus loin, en tout cas pour le moment.

— Je vous remercie de m'avoir accordé votre temps, dit-elle en rangeant ses affaires.

— De rien, ce fut un plaisir.

Il eut beau user de nouveau de son charme, il la mit presque à la porte.


Ia remonta le slip et le pantalon de Leon et l'aida à passer des toilettes au fauteuil roulant.

— Allez, arrête avec ces grimaces.

— Je ne comprends pas pourquoi on ne peut pas avoir une aide-soignante pour ça, dit Leon.

— Je tiens à m'occuper de toi moi-même.

— Ton cœur déborde de bonté, ironisa Leon. Tu vas finir par t'esquinter le dos. On a besoin de quelqu'un pour t'assister.

— C'est sympa de te faire du souci pour mon dos, mais je suis forte et je ne veux pas que quelqu'un d'autre vienne ici et... eh bien, s'immisce entre nous. Il y a toi et moi. Jusqu'à ce que la mort nous sépare.

Ia caressa le côté intact de son visage, mais il détourna la tête et elle retira sa main.

Il partit sur son fauteuil roulant, et elle alla s'installer au salon. La maison était vendue avec ses meubles, et ils y avaient enfin eu accès, après que la banque monégasque eut validé l'énorme retrait d'argent. Ils avaient payé toute la somme comptant. Devant la fenêtre, Fjällbacka s'étendait et Ia savourait plus qu'elle ne l'aurait cru la vue magnifique. Leon rouspétait dans la cuisine. Rien ici n'était adapté aux handicapés, il avait du mal à atteindre les objets et se cognait sans arrêt aux coins des meubles.

— J'arrive, cria-t-elle.

Elle ne se leva cependant pas tout de suite. Ça ne lui ferait pas de mal d'attendre un peu. Pour qu'il ne prenne pas son aide comme une évidence. De la même façon qu'il avait pris son amour comme une évidence.

Ia regarda ses mains. Elles portaient autant de cicatrices que celles de Leon. En société, elle portait toujours des gants pour dissimuler sa peau, mais à la maison elle aimait afficher les blessures qu'elle s'était faites en le tirant de la voiture en feu. De la gratitude – c'est tout ce qu'elle demandait. Elle avait abandonné tout espoir d'amour. Elle ne savait même pas si Leon était en état d'aimer. Autrefois, elle l'avait cru, oui. Il y avait très longtemps, rien ne comptait plus que son amour. Quand s'était-il transformé en haine? Elle l'ignorait. Pendant de très nombreuses années, elle avait analysé ses propres faiblesses, s'était efforcée de corriger ce qu'il critiquait, avait tout fait pour lui donner ce qu'il semblait désirer. Pourtant, il avait continué à la tourmenter, comme s'il voulait sciemment la blesser. Montagnes, océans, déserts, femmes : tout passait avant elle. Et Ia avait dû encaisser l'insupportable attente de son retour à la maison.

Elle porta sa main à son visage. Il était lisse, sans expression. Tout à coup, la douleur postopératoire lui revint. Il n'avait jamais été là pour tenir sa main quand elle sortait de l'anesthésie. Jamais là quand elle revenait à la maison. La cicatrisation avait été si terriblement lente. Aujourd'hui, elle ne reconnaissait pas son propre reflet dans la glace. C'était le visage d'une étrangère. Mais elle n'avait plus d'efforts à faire. Il n'y avait plus de montagnes à gravir pour Leon, plus de déserts à traverser, plus de femmes pour qui la quitter. Il était à elle, rien qu'à elle.

Melker s'étira avec une grimace. Son corps était douloureux après le travail sans fin. Il avait presque oublié comment c'était, de n'avoir mal nulle part. Il savait qu'il en était de même pour Ebba. Souvent, quand elle se croyait hors de sa vue, elle se massait les épaules et les muscles, et faisait autant de grimaces que lui.

Mais la douleur dans leur cœur était bien pire. Ils vivaient avec elle jour et nuit, et le manque était tellement grand qu'il n'en voyait ni le début ni la fin. Ce n'était pas seulement Vincent qui manquait à Melker, c'était aussi Ebba. Et au manque, se mêlaient la colère et la culpabilité dont il n'arrivait pas à se libérer. Ce qui n'arrangeait rien.

Assis sur le perron, un mug de thé à la main, il regardait la mer en direction de Fjällbacka. C'était le moment de la journée où la vue était la plus belle, à la lumière dorée du soleil couchant. Bizarrement, il avait toujours su qu'ils reviendraient ici. Il faisait confiance à Ebba quand elle affirmait avoir eu une belle enfance, mais il avait deviné qu'elle portait en elle une interrogation qui aurait un jour besoin de réponses. S'il le lui avait dit à l'époque, avant que tout s'écroule, elle l'aurait sûrement nié. Mais Melker n'avait jamais douté qu'un jour, ils viendraient ici, là où tout avait commencé.

Quand les circonstances les avaient poussés à fuir vers une vie où Vincent n'avait jamais existé, il avait repris espoir. Il avait cru qu'ils allaient découvrir ainsi le chemin qui les mènerait l'un vers l'autre, laissant la colère et la culpabilité derrière eux. Mais Ebba repoussait toutes ses tentatives d'approche. De quel droit faisait-elle ça ? Elle n'avait pas le monopole de la douleur et du deuil. Lui aussi, il souffrait, et il aurait mérité qu'elle fasse des efforts.

Melker serra plus fort la tasse tout en fixant l'horizon. Il eut une vision de Vincent. Son fils lui ressemblait tellement, c'en était incroyable. Ils en avaient ri, dès sa naissance. Nouveau-né enveloppé d'une couverture dans son berceau, Vincent était une petite caricature de Melker. Cette ressemblance n'avait fait que croître et Vincent adulait son père. Vers l'âge de trois ans, il le suivait comme un petit chien et c'était toujours papa qu'il appelait en premier. Ebba s'en était plainte quelquefois, prétendant que Vincent se montrait bien ingrat, alors qu'elle l'avait porté pendant neuf mois et qu'elle avait subi un accouchement douloureux. Mais c'était pour plaisanter. En réalité, elle se réjouissait de voir Vincent et Melker si proches l'un de l'autre et se contentait amplement de n'être que le numéro deux.

Les larmes lui piquèrent les yeux et il les essuya du dos de la main. Il n'avait plus la force de pleurer, ça ne servait à rien. Tout ce qu'il voulait, c'est qu'Ebba lui revienne. Jamais il n'abandonnerait. Il insisterait jusqu'à ce qu'elle admette qu'ils avaient besoin l'un de l'autre.

Melker se leva et retourna dans la maison. Il monta à l'étage, l'oreille tendue pour deviner où elle était. En fait, il le savait déjà. Comme toujours quand ils ne retapaient pas la maison, elle était à sa table de travail, plongée dans la fabrication d'un collier qu'un client avait commandé. Il entra dans la pièce et se plaça derrière elle.

— Tu as une nouvelle commande?

Elle sursauta.

— Oui, se contenta-t-elle de dire, concentrée sur sa tâche.

— C'est qui?

La voir aussi indifférente à sa présence fit monter la colère en lui, et il dut se maîtriser pour ne pas exploser.

— Elle s'appelle Linda. Son fils est décédé de la mort subite du nourrisson. Il avait quatre mois. C'était son premier enfant.

— Ah… dit-il en détournant le regard.

Il ne comprenait pas où elle trouvait le courage d'écouter tous ces récits, le deuil de tous ces parents inconnus. Sa propre peine ne lui suffisait-elle pas? Il savait qu'elle portait un collier d'ange. C'était le premier bijou qu'elle avait fabriqué, et elle ne le quittait pas. Le nom de Vincent était gravé au dos. À certains moments, il avait envie de le lui arracher, il pensait qu'elle ne méritait pas de porter le nom de leur fils autour du cou. Mais parfois aussi, tout ce qu'il voulait, c'était qu'elle garde Vincent près de son cœur. Pourquoi était-ce si difficile? Que se passerait-il s'il lâchait prise, s'il se réconciliait avec ce qui était arrivé et reconnaissait qu'ils en partageaient la faute?

Melker posa le mug sur une étagère et fit un pas vers Ebba. Il hésita d'abord, puis posa ses mains sur ses épaules. Elle se figea. Doucement, il commença à la masser, et la sentit aussi tendue que lui. Elle ne dit rien, les yeux figés droit devant elle. Les mains qui avaient travaillé à façonner l'ange en argent reposaient sur la table et on n'entendait plus que leur respiration. Il reprit espoir. Il la touchait, il sentait son corps sous ses mains, peut-être existait-il un espoir.

Alors Ebba se leva subitement. Sans un mot, elle quitta la pièce, et les mains de Melker restèrent suspendues dans le vide. Il s'attarda un moment dans la pièce, observa la table de travail encombré d'objets. Puis, comme mus par une puissance extérieure, ses bras décrivirent un large mouvement circulaire et envoyèrent tout par terre, avec un grand fracas. Dans le silence qui suivit, il réalisa qu'il n'y avait qu'une issue. Il allait devoir miser gros.

## STOCKHOLM 1925

— Maman, j'ai froid.

Laura geignit, toute malheureuse, mais Dagmar l'ignora. Elles attendraient ici le retour d'Hermann. Tôt ou tard, il finirait bien par arriver. Il serait tellement content de la découvrir là. Elle avait hâte de voir la lumière s'allumer dans ses yeux, de voir le désir et l'amour qui seraient encore plus forts après toutes ces années d'attente.

— Maman...

Laura claquait des dents.

— Tais-toi! la rabroua Dagmar.

Pourquoi fallait-il toujours que cette gamine gâche tout? Ne voulait-elle donc pas qu'elles soient heureuses? Elle n'arrivait plus à maîtriser la rage en elle et leva la main pour frapper sa fille.

— Je ne ferais pas ça si j'étais vous.

Une main solide avait saisi son poignet et Dagmar se retourna, alarmée. Un monsieur se tenait là, bien habillé, en manteau et pantalon sombres, et coiffé d'un chapeau. Elle rejeta la tête en arrière et le défia du regard.

— Ma façon d'éduquer mon enfant ne vous regarde pas, monsieur.

— Si vous la frappez, je vous frapperai de la même façon. Comme ça, vous verrez ce que ça fait, dit-il d'une voix calme qui ne souffrait aucune contradiction.

Dagmar hésita un instant à lui dire ce qu'elle pensait des gens qui se mêlaient des affaires des autres, mais elle comprit qu'elle n'y gagnerait rien.

— Je vous présente mes excuses, dit-elle. Ma fille a été insupportable toute la journée. Ce n'est pas facile d'être mère et parfois...

*Elle haussa les épaules comme pour se disculper et fixa le sol afin de cacher la fureur dans ses yeux.*

*Lentement, il desserra sa main et fit un pas en arrière.*

*— Que faites-vous ici, devant mon immeuble ?*

*— On attend mon papa, dit Laura en suppliant l'homme du regard.*

*Elle n'était pas habituée à ce qu'on ose contrarier sa mère.*

*— Ah bon, et il habite ici, ton papa ?*

*— On attend le capitaine Göring, dit Dagmar et elle tira Laura contre elle.*

*— Eh bien, vous allez attendre longtemps alors.*

*L'homme les examinait avec curiosité. Dagmar sentit son cœur cogner fort dans sa poitrine. Était-il arrivé quelque chose à Hermann ? Pourquoi cette malheureuse ne lui avait-elle rien dit tout à l'heure ?*

*— Que voulez-vous dire ?*

*— Ils sont venus le chercher en ambulance. Et il avait une camisole de force.*

*— Pardon ?*

*— Il est actuellement interné à l'hôpital psychiatrique de Lång-bro.*

*L'homme au beau manteau s'approcha de la porte, visiblement pressé de mettre un terme à la conversation. Elle lui saisit le bras, mais il se dégagea d'un air dégoûté.*

*— Je vous en prie, monsieur, dites-moi où se trouve cet hôpital !*

*L'aversion se dessinait franchement sur son visage ; il ouvrit la porte et entra dans l'immeuble sans répondre. Une fois la lourde porte refermée sur lui, Dagmar s'effondra. Qu'allait-elle faire maintenant ?*

*Laura pleurait à fendre l'âme, elle secouait sa mère et essaya de la remettre debout, mais Dagmar la repoussa. Pourquoi la môme ne la laissait-elle pas tranquille ? Elle ne lui servirait à rien si elle ne pouvait pas obtenir Hermann. Laura n'était pas son enfant à elle. Elle était leur enfant*

Patrik déboula dans le commissariat, mais s'arrêta net devant la réception. Annika était plongée dans son travail, les yeux vissés à l'ordinateur, et ne lui accorda un regard qu'au bout d'un long moment. Quand elle vit que c'était Patrik, elle sourit, puis reprit sa tâche.

— Martin est toujours malade? lui demanda-t-il.

— Oui.

Annika fixait toujours son écran. Patrik l'observa, surpris, puis tourna les talons. Il ne lui restait qu'une solution.

— Je m'absente un instant, annonça-t-il avant de ressortir et il eut le temps de voir la bouche d'Annika s'ouvrir, mais n'entendit pas ce qu'elle disait.

Un coup d'œil à l'heure. Pas tout à fait neuf heures du matin. C'était un peu tôt pour aller sonner chez les gens, mais il était tellement inquiet maintenant qu'il se moquait de les réveiller.

Il ne lui fallut que quelques minutes en voiture pour arriver chez Martin. Devant la porte de l'appartement, il eut une petite hésitation. Et s'il n'y avait rien qui clochait? Martin était peut-être au lit, mal fichu, et il le dérangerait inutilement. Il pourrait même carrément se fâcher, s'il avait l'impression que Patrik le surveillait. Mais son intuition lui disait tout autre chose. Martin aurait donné de ses nouvelles, s'il était malade. Patrik appuya sur la sonnette.

Il attendit un long moment, puis envisagea de sonner une deuxième fois, mais il savait que le carillon avait retenti dans tout l'appartement, qui n'était pas immense. Finalement, il entendit des pas s'approcher.

Quand la porte s'ouvrit, Patrik fut effaré. Martin avait effectivement l'air malade : pas rasé, cheveux en bataille, une faible odeur de sueur émanant de lui. Mais c'était surtout son regard éteint qui le rendait méconnaissable.

— Ah, c'est toi, dit-il.

— Je peux entrer ?

Martin haussa les épaules, se retourna et repartit lentement dans l'appartement.

— Pia est déjà au boulot ? demanda Patrik.

— Non.

Martin s'était arrêté dans le salon, devant la porte du balcon, et resta là, à regarder par la vitre. Patrik fronça les sourcils.

— Tu es malade ?

— J'ai appelé pour avertir. Annika ne te l'a pas dit ? lança Martin sur un ton revêche avant de se retourner. Tu veux peut-être un certificat médical ? C'est pour ça que tu es venu ? Tu voulais vérifier que je ne raconte pas de salades, que je suis pas à la plage en train de bronzer ?

Habituellement, Martin était l'homme le plus calme et débonnaire que Patrik connaisse. Il ne l'avait jamais entendu débiter ce genre d'impertinences, et il sentit son inquiétude grandir. De toute évidence, ça n'allait vraiment pas.

— Viens, on va s'asseoir, dit-il en montrant la cuisine.

La crise de colère de Martin retomba aussi vite qu'elle s'était enflammée, et son regard s'éteignit. Il hocha mollement la tête et suivit Patrik. Ils s'assirent autour de la table et Patrik scruta son ami et collègue, très préoccupé.

— Qu'est-ce qu'il se passe ?

Le silence qui suivit dura une bonne minute.

— Pia va mourir, dit finalement Martin, le regard rivé sur la table.

C'étaient des mots inconcevables et Patrik refusa de croire ce qu'il avait entendu.

— Qu'est-ce que tu veux dire ?

— Ils ont commencé le traitement avant-hier. Apparemment, elle a de la chance d'avoir été prise en charge aussi vite.

— Quel traitement ? Qu'est-ce qu'elle a ?

Patrik secoua la tête. Il avait croisé Pia et Martin le week-end dernier, tout semblait normal.

— Sauf miracle, les médecins disent que dans six mois, ce sera fini.

— Six mois de traitement?

Lentement, Martin leva la tête et planta son regard dans le sien. La douleur béante que Patrik y lut était presque insoutenable.

— Six mois à vivre. Ensuite, Tuva n'aura plus de maman.

— Comment… C'est… Quand est-ce que vous…?

Patrik entendit son propre bafouillage, mais ne put rien articuler de plus sensé. Il n'obtint pas de réponse non plus. Martin s'effondra sur la table, pleurant amèrement. Patrik se leva et passa ses bras autour de lui. Ils restèrent un long moment ainsi, jusqu'à ce que les pleurs de Martin se calment et que son corps se détende.

— Où est Tuva? demanda Patrik, serrant toujours Martin dans ses bras.

— Chez la mère de Pia. Je n'y arrive pas… juste là, c'est trop.

Il se remit à pleurer, des larmes qui roulaient doucement désormais sur ses joues. Patrik passa sa main sur son dos.

— Vas-y, laisse-toi aller.

C'était un cliché et il se sentit un peu ridicule, mais quoi dire dans une telle situation? Y avait-il un mot plus efficace qu'un autre? Ce qu'il disait n'avait sans doute pas la moindre importance, Martin n'entendait peut-être même pas ses paroles.

— Tu as mangé?

Martin renifla un coup, s'essuya le nez avec la manche de son peignoir et secoua la tête.

— Je n'ai pas faim.

— Je m'en fiche. Il faut que tu manges.

Patrik alla inspecter le réfrigérateur. Il était assez bien garni, mais ce n'était pas la peine de préparer un repas chaud. Juste du beurre et du fromage, quelques tranches de pain sorties du congélateur, qu'il fit griller pour préparer deux tartines. De toute évidence, Martin ne mangerait pas davantage. Il s'en fit une pour lui-même, ça passait toujours mieux quand on n'était pas seul à manger.

— Raconte-moi tout maintenant, dit-il une fois que Martin eut repris des couleurs.

D'une voix saccadée, Martin lui expliqua tout ce qu'il savait sur le cancer de Pia, et le choc qu'ils avaient subi. Du jour au lendemain, on leur avait appris qu'elle devait être hospitalisée pour un traitement lourd qui se révélerait sûrement inutile.

— Elle rentre quand?

— La semaine prochaine, je crois. Je ne sais pas trop, je n'ai pas…

La main de Martin tremblait quand il prit la seconde tartine, et son regard était rempli de honte.

— Tu n'as pas posé la question aux médecins? Tu es allé la voir au moins, depuis qu'elle est hospitalisée?

Patrik fit de son mieux pour ne pas avoir l'air de le blâmer. C'était la dernière chose dont Martin avait besoin en ce moment et, d'une étrange façon, il comprenait sa réaction. Il avait vu suffisamment de gens en état de choc pour reconnaître le regard vide et les gestes raides.

— Je prépare du thé, dit-il avant que Martin ait eu le temps de répondre. Ou tu préfères du café?

— Du café, s'il te plaît.

Il n'arrêtait pas de mâcher et semblait avoir du mal à avaler. Patrik remplit un verre d'eau qu'il lui tendit.

— Fais descendre avec ça. Tu auras du café dans une minute.

— Je ne suis pas allé la voir, dit Martin.

— C'est normal. Tu es en état de choc.

— Je la laisse tomber. Quand elle a le plus besoin de moi, je la laisse tomber. Et Tuva. J'avais hâte de l'amener chez sa grand-mère. Comme si ce n'était pas difficile pour elle aussi. Pia est sa fille, dit Martin et il sembla sur le point de se remettre à pleurer, mais il respira un bon coup et poursuivit : Je ne comprends pas où elle puise sa force. Elle m'a appelé plusieurs fois, elle s'inquiète pour moi. C'est le monde à l'envers! C'est elle qui est en chimio, on lui fait de la radiothérapie et je ne sais quoi encore. Je suis sûr qu'elle est terrorisée. Et pourtant, elle s'inquiète pour moi.

— Ce n'est pas si étrange que ça, dit Patrik. Bon, écoute-moi. Va prendre une douche et te raser, et quand tu auras fini, le café sera prêt.

— Non, je… commença Martin, mais Patrik leva une main.

— Soit tu vas prendre une douche et faire ta toilette comme un grand, soit c'est moi qui t'y traîne et te savonne. J'aimerais autant l'éviter, tu t'en doutes.

Martin ne put s'empêcher de rire.

— T'avise pas de t'approcher de moi avec un savon entre les mains. J'y vais.

— Bien, dit Patrik et il se retourna pour chercher les mugs dans le placard.

Martin se leva et s'enferma dans la salle de bains. Dix minutes plus tard, c'est un autre homme qui entra dans la cuisine.

— Ah, là je te reconnais, dit Patrik en servant le café brûlant.

— Je me sens un peu mieux aussi. Merci !

Il avait toujours une mine de papier mâché, mais ses yeux verts avaient repris de l'éclat. Ses cheveux roux étaient humides et pointaient dans tous les sens. On aurait dit Poil de Carotte qui aurait pris un coup de vieux.

— J'ai une proposition à te faire, dit Patrik qui avait réfléchi pendant que Martin se douchait. Il faut que tu consacres tout ton temps à soutenir Pia. Et tu vas avoir besoin de t'occuper de Tuva. Tu vas donc prendre tes vacances à partir de maintenant, et on verra ensuite comment ça évolue, et s'il faut les prolonger.

— Il ne me reste que trois semaines à prendre.

— On s'arrangera le moment venu. Ne pense pas à ça maintenant.

Martin le regarda d'un air vide, puis fit oui de la tête. Une image surgit dans l'esprit de Patrik, celle d'Erica le jour de l'accident de voiture. Il aurait pu être à la place de Martin. Il avait été à deux doigts de tout perdre.


Elle avait passé la nuit à réfléchir. Après le départ de Patrik au commissariat, elle s'était installée dans la véranda pour essayer de rassembler ses idées pendant que les enfants s'occupaient tout seuls un petit moment. Elle adorait la vue sur l'archipel de Fjällbacka, et elle s'estimait infiniment chanceuse d'avoir pu sauver la maison familiale où Anna et elle avaient grandi, pour permettre à ses enfants d'y grandir à leur tour.

Ce n'était pas une maison facile à entretenir. Le vent et l'eau de mer détérioraient sérieusement le bois et il fallait sans arrêt réparer, remettre en état.

Désormais, ce n'était plus un problème du point de vue financier. Après de nombreuses années de dur labeur, elle gagnait désormais bien sa vie avec ses livres. Elle n'avait pas réellement changé ses habitudes, mais c'était une sécurité de ne pas avoir à s'inquiéter pour le budget du ménage si la chaudière rendait l'âme ou s'il fallait ravaler la façade.

La plupart des gens ne bénéficiaient pas d'une telle sécurité, elle le savait très bien. Quand les fins de mois étaient constamment difficiles et qu'il n'y avait soudain plus de boulot, on était vite tenté de trouver un bouc émissaire. Voilà ce qui expliquait sûrement en partie le succès de Sveriges Vänner. Depuis sa rencontre avec John Holm, elle n'avait cessé de penser à lui et à ce qu'il représentait. Elle avait espéré rencontrer un homme antipathique qui prônerait ouvertement ses opinions. Au lieu de cela, elle s'était trouvée face à quelqu'un de beaucoup plus dangereux. Une personne éloquente qui savait donner des réponses simples d'une manière qui inspirait confiance. Qui savait aider les électeurs à identifier le coupable, puis promettre de le faire disparaître du paysage.

Erica eut un frisson. Elle était persuadée que John Holm cachait quelque chose, peut-être en relation avec les incidents sur Valö, peut-être pas. C'était la première chose à découvrir, et elle savait à qui s'adresser.

— Les enfants, on va faire un tour en voiture! lança-t-elle en direction du salon.

Elle remporta un franc succès. Ils adoraient tous les trois la voiture.

— Je passe d'abord un coup de fil. Mets tes chaussures en attendant, Maja, et après j'arrive pour aider Anton et Noel.

— Je peux le faire, dit Maja.

Elle prit ses frères par la main et les entraîna dans le vestibule. Erica sourit. Maja ressemblait de plus en plus à une petite maman remplaçante.

Un quart d'heure plus tard, ils roulaient sur la route d'Uddevalla. Elle avait prévenu Kjell de sa venue pour éviter un trajet inutile aux enfants. Elle avait d'abord envisagé de tout lui expliquer au téléphone, avant de réaliser qu'il devait absolument voir le bout de papier de ses propres yeux.

Après avoir chanté des comptines à tue-tête tout le long du trajet, ce fut d'une voix rauque qu'Erica s'annonça à la réception du journal. Kjell ne tarda pas à venir les accueillir.

— Ah, tu es venue avec toute la smala ? dit-il en voyant les trois enfants qui le regardaient timidement.

Quand il la serra dans ses bras, sa barbe lui piqua la joue. Erica sourit. Elle était contente de le voir. Ils avaient fait connaissance quelques années auparavant au cours d'une enquête criminelle qui avait révélé que sa mère défunte, Elsy, et le père de Kjell s'étaient connus et fréquentés pendant la Seconde Guerre mondiale. Elle et Patrik l'aimaient beaucoup, et ils avaient énormément de respect pour le journaliste qu'il était.

— Panne de baby-sitter.

— Ça ne fait rien. C'est sympa de vous voir, dit Kjell gentiment. Je crois que j'ai quelques jouets dans un panier, comme ça vous aurez de quoi vous occuper pendant que je parle avec votre maman.

— Des jouets ? Ils sont où ?

La timidité s'était déjà envolée et Maja se mit immédiatement en route derrière Kjell pour le panier promis.

— Le voici, mais en réalité c'est surtout du papier et des crayons de couleur, dit Kjell en renversant tout le contenu par terre.

— Je ne peux pas garantir qu'il n'y aura pas de taches sur le tapis, dit Erica. Ils ne sont pas encore très forts pour s'en tenir au papier.

— Tu crois vraiment qu'on remarquera quelques taches de plus ou de moins ? dit Kjell en s'installant derrière son bureau.

Après un rapide regard sur le tapis d'une propreté douteuse, Erica lui donna raison. Elle prit place dans le fauteuil des visiteurs.

— J'ai rencontré John Holm hier.

Kjell prit un air interrogateur.

— Et quelle a été ton impression ?

— L'homme est charmant. Donc extrêmement dangereux.

— C'est une bonne analyse. Dans sa jeunesse, John faisait partie d'un des pires groupes de skinheads. C'est là qu'il a rencontré sa femme, d'ailleurs.

— J'ai un peu de mal à l'imaginer le crâne rasé, dit Erica en se retournant pour jeter un coup d'œil sur les enfants, sages comme des images.

— Oui, il a bien travaillé son look. Mais, d'après mon expérience, ces mecs-là ne changent jamais d'opinion. Ils deviennent juste plus futés avec le temps et apprennent à bien se conduire en société.

— Est-ce qu'il a un casier ?

— Non, il n'a jamais été chopé pour quoi que ce soit, même si ça a failli plus d'une fois dans sa jeunesse. Mais je ne crois pas un seul instant que John ait changé sa position depuis les années où il participait aux défilés de Charles XII*. En revanche, j'ose affirmer que c'est à cent pour cent grâce à lui que le parti s'est retrouvé sur les bancs du Parlement.

— En faisant quoi ?

— Son premier trait de génie a été d'exploiter la rupture entre les différents groupes nationaux-socialistes après l'incendie d'une école à Uppsala.

— Quand trois fachos ont été condamnés ? demanda Erica en se remémorant les gros titres des journaux quelques années auparavant.

— Exactement. Cela a entraîné la scission entre les formations, mais aussi l'intérêt des médias qui se sont subitement réveillés, et de la police qui les a eus à l'œil. C'est à ce moment que John s'est manifesté. Il a rassemblé les cerveaux les plus intelligents des différents collectifs et leur a proposé de travailler ensemble, faisant ainsi de Sveriges Vänner le premier parti d'extrême droite. Ensuite, il a consacré de nombreuses années à trier et à éliminer des membres, en tout cas en surface, et a martelé le principal message du parti : que sa politique est celle

* Vers la fin des années 1980, des éléments néonazis s'étaient approprié les traditionnels défilés à Lund pour commémorer la mort de Charles XII, provoquant au fil des ans des heurts violents avec les contre-manifestants de l'extrême gauche.

du peuple. Ils se sont positionnés comme le parti des travailleurs, la voix de l'homme modeste.

— Mais ça doit être difficile de maintenir la cohérence d'un tel parti ? Je suppose qu'il y a pas mal de jusqu'au-boutistes ?

— Oui, beaucoup ont déserté. Ils trouvent que l'attitude de John est trop molle et qu'il a trahi les vieux idéaux. Apparemment, une règle tacite impose de ne pas parler ouvertement de la politique d'immigration. Les opinions sont trop diverses, ça pourrait faire éclater le parti. On y trouve de tout, depuis ceux qui pensent qu'il faut mettre l'ensemble des immigrés dans le premier avion et les renvoyer dans leur pays, jusqu'à ceux qui veulent imposer des contraintes plus dures aux nouveaux arrivants.

— John fait partie de quelle catégorie ? demanda Erica, tout en se retournant pour faire taire les jumeaux qui commençaient à se disputer.

— Officiellement, à cette dernière, mais officieusement… Je le tournerais ainsi : je ne serais pas étonné d'apprendre qu'il a un uniforme nazi dans sa penderie.

— Comment s'est-il retrouvé dans ces mouvances ?

— Depuis ton coup de fil d'hier, je me suis plongé encore un peu plus dans son passé. Je savais déjà que John avait grandi dans une famille aisée. Son père avait fondé une firme d'import-export dans les années 1940, et après la guerre il a consolidé l'entreprise. Les affaires étaient florissantes, mais en 1976…

Kjell fit une pause et Erica se redressa sur son fauteuil.

— Quoi ?

— Il y a eu un scandale dans le beau monde de Stockholm. Greta, la mère de John, a quitté Otto, son père, pour un Libanais avec qui son mari était en affaires. Il s'est aussi avéré qu'Ibrahim Jaber – c'était son nom – avait escroqué Otto de la plus grande partie de sa fortune. Ruiné et abandonné, Otto s'est tiré une balle dans la tête, assis à son bureau, en juillet 1976.

— Et ensuite, que s'est-il passé ?

— La tragédie ne s'est pas arrêtée avec la mort d'Otto. Jaber avait déjà une femme et des enfants. Il n'avait jamais eu l'intention d'épouser Greta, et après avoir mis la main sur l'argent, il l'a quittée. Quelques mois plus tard, on retrouve pour la première fois le nom de John dans les contextes néonazis.

— Et la haine a persisté, constata Erica.

Elle prit son sac à main, en sortit le bout de papier et le donna à Kjell.

— Voilà ce que j'ai trouvé chez John hier. Je ne sais pas comment il faut l'interpréter, mais c'est peut-être un truc intéressant.

Kjell éclata de rire.

— Peux-tu préciser ce "j'ai trouvé"?

— On dirait Patrik, sourit Erica. Il était posé en évidence sur un tas de papiers. C'est sûrement un simple gribouillis qui ne manquera à personne.

— Fais voir, dit Kjell en faisant descendre sur son nez ses lunettes remontées sur le front. "Gimle", lut-il à voix haute en fronçant les sourcils.

— Tu sais ce que ça veut dire? demanda Erica. Je n'ai jamais entendu ce mot. Ce serait une abréviation?

Kjell secoua la tête.

— Gimle, c'est ce qui vient après Ragnarök, la fin du monde, dans la mythologie nordique. Une sorte de ciel ou de paradis. C'est une notion connue, utilisée chez les néonazis. C'est aussi le nom d'une association culturelle, qui soutient qu'elle n'est liée à aucun parti politique, mais ça, je demande à voir. En tout cas, ils ont le vent en poupe chez Sveriges Vänner et chez les Danois, Dansk Folkeparti.

— Ils font quoi?

— Ils œuvrent – selon leurs propres dires – à recréer le sentiment patriotique, ainsi qu'une identité commune. Ils s'intéressent aux vieilles traditions suédoises, les danses folkloriques, la poésie ancienne, les vieux monuments et des trucs comme ça, ce qui se marie bien avec la position de Sveriges Vänner concernant la sauvegarde des traditions suédoises.

— Gimle pourrait donc faire allusion à cette association?

— Je n'en sais rien. Ça peut faire allusion à n'importe quoi. Et difficile aussi de savoir ce que ces chiffres signifient. 1920211851612114. Ensuite je lis 5 08 1400.

Erica haussa les épaules.

— Moi, en tout cas, je n'en ai aucune idée. C'est peut-être juste du gribouillage. On dirait un truc noté à la hâte.

— Peut-être, dit Kjell et il agita le bout de papier. Je peux le garder ?

— Oui, bien sûr. Je vais le prendre en photo avec mon portable. On sait jamais, je pourrais avoir un trait de génie et craquer le code.

— Pas bête.

Kjell poussa le papier vers elle. Elle en fit une photo, puis se mit à genoux sur le tapis et commença à ramasser les crayons.

— Tu as une idée de ce que tu vas en faire ? demanda-t-elle.

— Non, pas encore. Mais je pense à quelques archives où je pourrais pêcher des informations.

— Tu es donc sûr que ce n'est pas simplement du gribouillage ?

— Je ne suis sûr de rien, mais ça vaut le coup d'essayer.

— Appelle-moi si tu apprends quelque chose, je ferai de même de mon côté, dit Erica en poussant les enfants vers la porte.

— Pas de problème, lui répondit Kjell qui soulevait déjà le combiné du téléphone.


C'était typique. Si, lui, il arrivait en retard, ça faisait toute une histoire, mais Patrik pouvait être absent la moitié de la matinée sans que personne ne moufte. Erica l'avait appelé la veille au soir pour lui raconter ses visites chez Ove Linder et chez John Holm, et Gösta avait maintenant hâte d'aller chez Leon Kreutz avec Patrik. Il soupira face aux injustices de la vie et retourna à sa liste de témoins.

La seconde d'après, le téléphone sonna et il se jeta sur le combiné.

— Oui, allô, ici Flygare.

— Gösta, dit Annika. J'ai Torbjörn en ligne. Le résultat de la première analyse de sang est arrivé. Il cherche Patrik, mais tu peux peut-être t'en occuper ?

— Bien sûr.

Gösta écouta attentivement et nota toutes les informations, même s'il savait que Torbjörn faxerait ensuite une copie de son rapport. Les comptes rendus étaient souvent formulés de façon complexe, ils étaient plus faciles à comprendre dans la version orale de Torbjörn.

Au moment précis où il raccrochait, on frappa à sa porte ouverte.

— Annika m'a dit que Torbjörn vient d'appeler. Qu'est-ce qu'il a dit?

La voix de Patrik était tout excitée, mais son regard semblait triste.

— Il est arrivé quelque chose? demanda Gösta sans répondre à la question.

Patrik s'assit lourdement.

— Je suis allé voir Martin.

— Comment il va?

— Il sera en congé pendant un certain temps. Trois semaines pour commencer. Ensuite, on verra.

— Mais pourquoi?

Gösta sentit l'inquiétude l'envahir. Même s'il le taquinait volontiers, ce brave garçon, il aimait bien Martin Molin. On ne pouvait que l'aimer.

Quand Patrik lui raconta ce qu'il savait de l'état de Pia, Gösta déglutit plusieurs fois. Pauvre Martin. Et leur petite, si jeune, qui allait perdre sa maman. Il déglutit encore, se détourna et cilla frénétiquement. Il ne pouvait quand même pas pleurer au boulot.

— On va continuer à bosser sans lui, termina Patrik. Et Torbjörn, qu'est-ce qu'il a dit alors?

Gösta s'essuya discrètement les yeux et se racla la gorge avant de se tourner vers Patrik, ses notes à la main.

— Le labo central a confirmé qu'il s'agit de sang humain. Mais il est tellement vieux qu'ils n'ont pas réussi à en tirer d'ADN à comparer avec celui d'Ebba, et ils ne savent pas s'il provient d'un seul individu ou de plusieurs.

— Très bien. C'est à peu près ce que je m'étais dit. Et la balle?

— Torbjörn a pu la faire partir hier chez un spécialiste des armes. Il a fait une analyse rapide, et malheureusement elle ne correspond à aucune autre balle de crimes non résolus.

— Mince, j'y croyais un peu. Mais bon, l'espoir fait vivre, dit Patrik.

— Bien sûr. Toujours est-il qu'elle a un diamètre de neuf millimètres.

— Neuf millimètres, tu dis? Ça ne restreint pas l'éventail d'armes possibles, constata Patrik en s'affaissant sur sa chaise.

— Non, mais Torbjörn dit qu'elle présente des rayures très nettes. Le mec va l'examiner plus minutieusement et tenter de déterminer de quel type d'arme elle provient. Comme ça, si on trouve l'arme, on pourra comparer.

— Ne reste que ce léger détail : trouver l'arme, dit Patrik, puis il regarda Gösta, l'air pensif. Vous avez examiné la maison et ses environs vraiment très minutieusement?

— Tu veux dire en 1974?

Patrik acquiesça de la tête.

— On a fait ce qu'on a pu. On était limités en personnel, mais on a passé l'île au peigne fin. S'il y avait eu un pistolet balancé quelque part, on l'aurait découvert.

— Il est probablement au fond de la mer, dit Patrik.

— Sans doute. J'ai commencé à joindre les élèves qui fréquentaient l'école, mais ça n'a rien donné pour l'instant. La plupart sont partis en vacances, j'imagine.

— En tout cas, c'est bien que tu aies pu t'y mettre, dit Patrik en se passant la main dans les cheveux. Note ceux qui te paraissent spécialement intéressants, et on verra si on peut les rencontrer.

— Tu sais, ils sont éparpillés dans toute la Suède. On va se taper des trajets à n'en plus finir si on veut leur parler entre quatre yeux.

— On avisera plus tard, quand on saura combien ils sont, dit Patrik en se levant. C'est d'accord alors, on va chez Leon Kreutz après le déjeuner? Heureusement, on l'a sous la main, lui.

— Oui, ça me va. J'espère que ce sera plus intéressant que les auditions d'hier. Josef Meyer s'est montré tout aussi hermétique qu'à l'époque.

— C'est vrai, il a fallu lui tirer les vers du nez. Et l'autre là, Sebastian, il te glisse comme une anguille entre les mains.

Patrik regagna son bureau et Gösta s'apprêtait à composer un nouveau numéro de téléphone de la liste. Pour une raison qu'il ignorait, il détestait parler dans un combiné et si ça n'avait pas été pour Ebba, il aurait tout fait pour se défiler. Il était bien content qu'Erica se charge de quelques-uns des appels.

— Gösta ? Tu peux venir ?

Patrik l'appelait dans le couloir où il se tenait avec Melker Stark. Melker semblait crispé et serrait dans sa main un sac plastique contenant une carte postale.

— Melker a quelque chose à nous montrer, dit Patrik.

— Je l'ai tout de suite glissée dans un plastique, précisa Melker. Mais je l'ai touchée avant, j'ai peut-être détruit des indices.

— C'est une très bonne initiative, le rassura Patrik.

Gösta regarda la carte à travers le plastique, une carte postale standard avec un mignon chaton au recto. Il la retourna et lut les quelques lignes.

— Merde alors ! s'écria-t-il.

— On dirait que "G" commence à se montrer tel qu'il est, dit Patrik. Il s'agit clairement d'une menace de mort.

## HÔPITAL DE LÅNGBRO 1925

C'était forcément une erreur, ou alors c'était à cause de cette horrible femme. Mais Dagmar pourrait l'aider. Quoi qu'il ait pu se passer, ça s'arrangerait dès qu'ils seraient réunis.

Elle avait laissé sa fille dans un salon de thé en ville, où elle ne courait aucun danger. Si on lui posait des questions en la voyant toute seule, elle dirait que sa mère était aux toilettes.

Après avoir demandé son chemin à quelques personnes dans la rue, elle était finalement tombée sur une femme qui lui avait décrit exactement comment se rendre à l'hôpital de Långbro. À présent, le souci était comment y entrer. Dagmar analysa le bâtiment. Devant l'entrée principale, il y avait beaucoup de personnel, elle serait vite découverte. Elle avait envisagé de se présenter comme Mme Göring, mais si Carin était déjà venue, son coup de bluff serait immédiatement démasqué, et elle gâcherait toute chance d'y pénétrer.

Avec précaution, pour ne pas être vue des fenêtres, elle se faufila à l'arrière du bâtiment. Elle y trouva une porte qui devait être l'entrée du personnel. Elle resta là un bon moment, à guetter, elle vit des femmes de tous âges entrer et sortir, vêtues de leur tenue d'infirmière empesée. Certaines remplissaient un chariot de linge sale qui était placé à droite de la porte, et soudain Dagmar eut une idée. Elle s'en approcha, toujours sur ses gardes et en surveillant la porte au cas où quelqu'un sortirait. Mais la porte restait fermée. Elle fouilla rapidement le contenu du chariot. Il y avait surtout des draps et des nappes, mais la chance lui sourit. Tout au fond, elle trouva une tenue identique à celle des infirmières. D'un geste vif, elle l'attrapa et se faufila derrière un buisson pour se changer.

Quand elle eut fini, elle s'étira et repoussa minutieusement ses cheveux sous le petit bonnet. L'habit était un peu sale sur le bord inférieur, mais restait mettable. Il fallait juste espérer que les infirmières ne se connaissaient pas toutes, et ne remarqueraient pas tout de suite qu'elle n'était pas des leurs.

Dagmar ouvrit la porte et découvrit ce qui était apparemment un vestiaire pour le personnel. Il était vide, et elle s'engagea dans le couloir, en regardant furtivement à droite et à gauche. Elle se tenait près du mur et passa devant une enfilade de portes fermées. Les noms des malades n'étaient indiqués nulle part et elle réalisa qu'elle ne retrouverait jamais Hermann. Le désespoir la gagna et elle mit sa main sur sa bouche pour étouffer un gémissement. Il était trop tôt pour abandonner.

Deux jeunes infirmières s'approchèrent dans le couloir. Elles chuchotaient, mais en arrivant près d'elles, Dagmar perçut ce qu'elles disaient. Elle dressa l'oreille. Göring? Elles avaient dit Göring! Elle ralentit, essaya de saisir leurs propos. L'une des deux portait un plateau et semblait se plaindre à l'autre.

— La dernière fois que je suis entrée dans sa chambre, il m'a balancé toute la nourriture à la figure, dit-elle en secouant vivement la tête.

— C'est pour ça que la surveillante a décidé qu'à partir de maintenant, on doit être deux pour entrer dans sa chambre, dit l'autre d'une voix tremblotante, elle aussi.

Elles s'arrêtèrent devant une porte, visiblement confuses. Dagmar comprit que le moment était arrivé. C'était maintenant qu'il fallait agir! Elle se racla la gorge et dit d'une voix autoritaire :

— On m'a dit de m'occuper de Göring, pour que vous n'ayez plus à le faire.

— Ah bon? dit la fille un peu perplexe, mais le soulagement se lisait sur son visage et elle tendit le plateau à Dagmar.

— Je sais comment m'y prendre avec les gens comme lui. Allez donc vous rendre utiles ailleurs, je m'en charge. Mais ouvrez-moi d'abord la porte.

— Merci, dirent les filles avec une petite révérence.

L'une d'elles sortit un grand trousseau de clés et, d'une main sûre, en glissa une dans la serrure. Elle tint la porte ouverte et, dès que Dagmar fut entrée dans la chambre, les deux femmes disparurent rapidement, contentes d'avoir échappé à une tâche pénible.

Dagmar sentit son cœur battre fort. Il était là, son Hermann, allongé sur une simple couchette, lui tournant le dos.

— Tout va s'arranger, Hermann, dit-elle et elle posa vivement le plateau par terre. Je suis là maintenant.

Il ne bougeait pas. Elle contempla son dos et frissonna d'aise d'être enfin tout près de lui.

— Hermann, dit-elle en touchant son épaule avec sa main.

Il eut un mouvement de recul, puis se retourna et s'assit sur le bord de la couchette.

— Qu'est-ce que vous voulez? hurla-t-il.

Dagmar battit en retraite. C'était Hermann, cet homme? Le beau pilote qui avait fait vibrer son corps entier? L'homme droit et large d'épaules dont les cheveux dorés brillaient au soleil? Non, ça n'était pas possible!

— Donne-moi mes médicaments, salope! J'en ai besoin! Tu ne sais pas qui je suis? Je suis Hermann Göring et j'ai besoin de mes médicaments.

Il parlait suédois avec un fort accent allemand, avec des pauses comme s'il cherchait ses mots.

La gorge de Dagmar se noua. L'homme qui hurlait comme un fou devant elle était énorme, avec une peau maladivement pâle. Ses cheveux étaient rares et comme collés sur le crâne. La sueur coulait sur son visage.

Dagmar respira profondément. Il fallait qu'elle s'assure de ne pas s'être trompée de chambre.

— Hermann. C'est moi, Dagmar.

Elle resta à une certaine distance de lui, parée à une éventuelle attaque. Ses veines battaient sur son front, et une vive rougeur montait du cou, envahissant peu à peu son visage blême.

— Dagmar? Je m'en fous de savoir comment tu t'appelles, vous êtes toutes des putes de toute façon. Je veux mes médicaments. Ce sont les juifs qui m'ont enfermé ici, et je dois sortir. Hitler a besoin de moi. Donne-moi mes médicaments!

Il continua de crier et de projeter des postillons sur Dagmar. Effarée, elle réessaya:

— Tu ne te souviens pas de moi ? Nous nous sommes rencontrés à une fête chez le Dr Sjölin. À Fjällbacka.

La crise s'arrêta net. Il plissa le front et la fixa, déconcerté.

— Fjällbacka ?

— Oui, à la fête chez le Dr Sjölin, répéta-t-elle. Nous avons passé la nuit ensemble.

Le regard de l'homme s'éclaircit et elle comprit que le souvenir lui était revenu. Enfin ! Maintenant, tout allait s'arranger. Elle allait tout régler et Hermann redeviendrait son bel aviateur.

— Tu es la serveuse, dit-il en essuyant la sueur de son front.

— Je m'appelle Dagmar.

Une petite inquiétude pointa dans son ventre. Pourquoi ne s'était-il pas déjà précipité pour la prendre dans ses bras, comme il l'avait fait tant de fois dans ses rêves ?

Subitement, il se mit à rire, et son gros ventre s'agita en cadence.

— Dagmar. C'est ça.

Il rit encore et Dagmar serra les poings.

— Nous avons une fille. Laura.

— Une fille ? dit-il en plissant les paupières. Ce n'est pas la première fois que j'entends ça. On ne peut jamais en être sûr. Surtout quand c'est avec une serveuse.

Il prononça ces derniers mots d'une voix méprisante et Dagmar sentit la rage monter en elle. Dans cette chambre blanche et aseptisée, sans aucune fenêtre pour faire entrer un peu de lumière naturelle, tous ses rêves, tous ses espoirs furent brisés. Toutes ses certitudes sur sa propre vie n'étaient que mensonges, les années d'attente et de désir où elle avait supporté cette môme, la fille d'Hermann, ses pleurs et ses exigences, tout avait été vain. Elle se jeta sur lui en courbant ses doigts comme des griffes. Des sons gutturaux s'échappèrent de sa gorge. Tout ce qu'elle voulait, c'était lui rendre le mal qu'il lui avait fait. Ses doigts s'enfoncèrent dans la peau de son visage et l'écorchèrent, et de très loin elle l'entendit crier en allemand. Quelqu'un ouvrit la porte et elle sentit des bras la tirailler et l'arracher de l'homme qu'elle avait si longtemps aimé.

Puis tout devint noir.

C'est son père qui lui avait appris l'art des bonnes affaires. Lars-Åke "Face au Vent" Månsson avait été une légende et Sebastian l'avait admiré pendant toute sa jeunesse. Il avait reçu ce surnom parce que n'importe quel business lui réussissait et qu'il tirait toujours son épingle du jeu, même dans les pires situations. "Lars-Åke peut cracher face au vent sans se prendre la moindre goutte de salive", disait-on.

Face au Vent prétendait qu'il était en réalité très simple d'amener les gens là où on voulait. Le principe de base était le même qu'en boxe : on identifiait le point faible de l'adversaire, puis on l'attaquait non-stop jusqu'à pouvoir lever le bras en geste de victoire. Ou, comme dans son cas, jusqu'à rafler la mise. Sa méthode ne le rendait ni populaire ni honorable, mais, comme il disait si souvent : "Le respect ne nourrit pas l'homme affamé."

C'était devenu la devise de Sebastian. Il savait très bien que beaucoup de gens le détestaient, que plus encore le craignaient, mais assis là au bord de la piscine, une bière fraîche à la main, c'était le cadet de ses soucis. Avoir des amis ne l'intéressait pas. Les amis, ça signifiait faire des compromis et céder du pouvoir.

— Papa? Je pensais aller à Strömstad avec les copains, mais je suis à sec.

Vêtu seulement de son maillot de bain, Jon arriva nonchalamment et le supplia du regard.

Sebastian mit sa main en visière et contempla son fils de vingt ans. Parfois Elisabeth se plaignait qu'il gâtait trop Jon et sa sœur Jossan, mais il anéantissait ses reproches avec un sourire.

Une éducation stricte avec des règles et des principes, c'était pour les gens ordinaires, pas pour eux. Les mômes devaient apprendre ce que la vie avait à offrir, et qu'on pouvait se servir à volonté. En temps voulu, il ferait entrer Jon dans l'entreprise et lui enseignerait tout ce qu'il avait lui-même appris de Face au Vent, mais pour l'instant, le garçon devait profiter de la vie.

— T'as qu'à prendre ma carte Gold. Mon portefeuille est dans l'entrée.

— Sympa. Merci, papa! lança Jon et il se précipita dans la maison comme s'il avait peur que Sebastian ne change d'avis.

Quand son fils avait emprunté sa carte durant la semaine de tennis à Båstad, la note s'était élevée à soixante-dix mille couronnes\*. Mais c'était de l'argent de poche dans ce contexte, surtout si ça aidait Jon à conserver sa position parmi les copains qu'il s'était faits à Lundsberg. La rumeur de la fortune de son père lui avait rapidement procuré des amis prédestinés à devenir des hommes influents.

C'était évidemment Face au Vent qui avait appris à Sebastian l'importance d'un bon réseau. Les contacts étaient bien plus précieux que les amis, et Face au Vent l'avait envoyé à l'internat à Valö dès qu'il avait appris le nom de certains élèves. La seule ombre au tableau, c'était le garçon juif, comme il l'appelait. Sa famille n'avait ni argent ni position sociale, et sa présence écornait l'image prestigieuse de l'école. Chaque fois que Sebastian pensait à cette époque lointaine et étrange, il réalisait que Josef avait néanmoins été son camarade préféré. Josef avait été un élément moteur, il possédait une forme d'exaltation qu'il reconnaissait en lui-même.

Maintenant que le projet fou de son ancien camarade les avait réunis, il devait admettre qu'il admirait sa détermination. L'homme était vraiment prêt à tout pour atteindre son objectif. Que leurs objectifs soient totalement opposés n'avait aucune importance. Le réveil serait brutal pour Josef, mais il devait bien savoir, au fond de lui, qu'il n'y aurait pas d'issue heureuse. Josef était tout à fait conscient qu'il devait se plier à la volonté de Sebastian. Tout le monde s'inclinait devant lui.

\* Environ huit mille euros.

Les événements des derniers jours étaient indéniablement intéressants. Les rumeurs couraient qu'on avait retrouvé quelque chose là-bas sur l'île. De toute façon, les gens avaient commencé à jaser dès le retour d'Ebba. Tout ce qui venait raviver la vieille histoire était accueilli à bras ouverts. Et voilà que la police y fourrait son nez.

Sebastian appuya sa bouteille de bière contre sa poitrine pour se rafraîchir, l'air absorbé. Il se demanda ce que les autres en pensaient, et s'ils avaient reçu, eux aussi, la visite de la police. Il entendit le moteur de la Porsche qui démarrait dans l'allée. Le morveux avait donc aussi piqué ses clés de voiture, à côté du portefeuille. Il sourit. Son fils avait de l'étoffe. Face au Vent aurait été fier de lui.

Depuis son expédition à Valö la veille, elle réfléchissait à différentes idées de décoration, et ce matin elle avait presque bondi hors du lit. Dan avait ri de son excitation, et on pouvait voir dans ses yeux combien il se réjouissait pour elle.

Elle devait attendre encore un peu avant de démarrer réellement le projet, mais Anna bouillonnait d'impatience. Quelque chose là-bas l'attirait follement, peut-être parce que Melker s'était montré si ouvert et enthousiaste devant ses propositions. Elle avait vu une sorte d'admiration dans son regard, et pour la première fois depuis longtemps, elle avait eu l'impression d'être une personne intéressante et compétente. Elle l'avait rappelé pour demander si elle pouvait venir prendre des mesures et faire quelques photos, et il avait répondu qu'elle était la bienvenue.

Anna regrettait presque son absence. Elle était en train de mesurer la distance entre les fenêtres dans la chambre d'Ebba et Melker au premier étage. L'atmosphère était différente quand il n'était pas là. Elle jeta un coup d'œil à Ebba, qui passait une couche de peinture sur le chambranle de la porte.

— Tu ne te sens pas seule ici?

— Ben non, c'est plutôt agréable, un peu de tranquillité.

Elle semblait répondre à contrecœur, mais le silence dans la pièce était si lourd qu'Anna se sentit obligée d'ajouter quelque chose.

— Tu as établi des contacts avec quelqu'un de ta famille? Je veux dire, ta famille biologique?

Elle faillit s'en mordre la langue. La question pouvait être mal comprise et aggraver la réserve d'Ebba.

— Il n'y a plus personne.

— Mais tu n'as pas fait des recherches? Tu n'es pas curieuse de savoir qui étaient réellement tes parents?

— Jusqu'à ces derniers temps, non, dit Ebba en arrêtant de peindre, le pinceau en l'air. Mais depuis que je suis ici, j'ai commencé à me poser des questions, bien sûr.

— Erica a rassemblé pas mal d'informations.

— Oui, elle m'a dit ça. Je pensais aller chez elle un de ces jours, pour y jeter un coup d'œil, mais je ne me suis pas encore décidée. Je me sens tellement bien ici. Comme si j'avais pris racine sur l'île.

— J'ai croisé Melker tout à l'heure. Il partait pour Fjällbacka.

— Oui, il fait la navette pour les courses et le courrier, ce genre de trucs. Je devrais me secouer un peu aussi, mais…

Anna faillit parler de l'enfant qu'Ebba et Melker avaient perdu, si elle devait en croire les rumeurs. Mais elle n'en eut pas le courage. Son propre deuil était encore trop douloureux pour pouvoir évoquer une telle perte avec quiconque. En même temps, elle se posait des questions. Elle n'avait vu aucune trace d'enfant dans la maison. Pas de photos, pas d'objets indiquant qu'ils avaient un jour été parents. Seulement un signe dans leurs yeux qu'Anna reconnaissait. Elle le croisait tous les jours, dans la glace.

— Erica m'a dit qu'elle allait chercher à savoir où sont passées leurs affaires. Il y avait forcément des objets personnels, dit-elle en prenant des mesures au sol.

— Oui, je suis de son avis, c'est un peu étrange que tout ait disparu. Ils avaient forcément tout un tas de trucs, comme tout le monde. J'aimerais bien trouver des objets de mon enfance. Des vêtements, des jouets. Le genre de choses que moi-même j'ai gardées de…

Elle s'arrêta net et se remit à peindre, et les chuintements du va-et-vient de son pinceau remplirent de nouveau la pièce. Régulièrement, elle se penchait en avant et le trempait dans un pot où il ne restait presque plus de peinture.

Quand la voix de Melker résonna au rez-de-chaussée, elle se figea.

— Ebba?

— Je suis en haut!

— Je descends à la cave, tu as besoin de quelque chose?

Ebba s'avança sur le palier pour répondre :

— Un pot de peinture blanche, si tu veux bien. Anna est là, avec moi.

— J'ai vu son bateau, cria Melker en retour. Je vais chercher ta peinture, tu peux préparer du café?

— D'accord, dit Ebba et elle se tourna vers Anna. Ça te dit, une petite pause?

— Oui, avec plaisir, répondit Anna en repliant son mètre de menuisier.

— Tu peux continuer encore un peu si tu veux. Je t'appelle quand le café est prêt?

— Merci, oui, ça m'arrange.

Anna déplia de nouveau le mètre et prit d'autres mesures qu'elle nota scrupuleusement sur son plan. Ça faciliterait énormément le travail par la suite.

Elle se concentrait sur sa tâche tout en entendant Ebba s'affairer dans la cuisine. Un café serait effectivement bienvenu. De préférence dehors, à l'ombre. La chaleur à l'intérieur était presque insupportable, son débardeur lui collait littéralement à la peau.

Soudain, une détonation retentit, suivie d'un cri perçant. Le bruit fit sursauter Anna, et le mètre tomba de ses mains. Il y eut une seconde détonation et, sans réfléchir, elle se précipita vers l'escalier et le dévala si vite qu'elle faillit glisser sur les marches usées.

— Ebba? cria-t-elle en courant vers la cuisine.

À la porte, elle s'arrêta net. La vitre qui donnait sur l'arrière de la maison avait volé en éclats et le sol était jonché de verre brisé. Il y en avait dans toute la cuisine. Par terre, devant la cuisinière, Ebba était accroupie, se tenant la tête entre les mains. Elle ne criait plus, mais sa respiration était saccadée.

En se précipitant à ses côtés, Anna sentit le verre se briser sous ses chaussures. Elle passa ses bras autour d'Ebba tout en essayant de voir si elle était blessée, mais il n'y avait pas de sang. Elle jeta un rapide coup d'œil dans la cuisine pour essayer de découvrir ce qui s'était passé. Son regard s'arrêta sur le mur du fond et elle dut inspirer profondément. On y voyait nettement deux impacts de balle.

Melker arriva en trombe de la cave. Son regard passa d'Ebba à la fenêtre et l'instant d'après il était agenouillé près de sa femme.

— Ebba ? Putain, c'était quoi, ce truc ? Qu'est-ce qu'il s'est passé ? s'écria-t-il en prenant sa femme dans ses bras et en la berçant. Elle est blessée ? Dis-moi qu'elle n'est pas blessée !

— Je ne pense pas, mais on dirait que quelqu'un lui a tiré dessus.

Le cœur d'Anna partit au galop, elle se dit tout à coup qu'ils étaient sans doute en danger. Le tireur était peut-être encore à l'affût dehors.

— Il faut qu'on se mette à l'abri, dit-elle avec un geste vers la fenêtre.

Melker comprit immédiatement ce qu'elle voulait dire.

— Ne te mets pas debout, Ebba. Il faut rester à l'écart de la fenêtre, dit-il en articulant distinctement comme s'il parlait à un enfant.

Ebba hocha la tête et suivit ses instructions. Penchés en avant, ils coururent se réfugier dans le vestibule. Affolée, Anna fixa la porte d'entrée. Le tireur pouvait très bien entrer par là et leur tirer dessus à bout portant. Melker vit son regard, et se jeta sur la porte pour la verrouiller.

— Y a-t-il d'autres moyens d'entrer ? demanda-t-elle, et elle sentit son cœur qui s'emballait de plus belle.

— Une porte dans la cave, mais elle est fermée à clé.

— Et la fenêtre de la cuisine ? Elle est complètement cassée maintenant.

— Elle est trop haute, dit-il, mais il n'était pas aussi calme que sa voix le laissait croire.

— J'appelle la police.

Anna prit son sac à main, qu'elle avait posé sur une petite étagère dans l'entrée. De ses mains tremblantes, elle sortit son téléphone portable. En attendant qu'on lui réponde, elle regarda Melker et Ebba. Ils étaient assis sur la première marche de l'escalier, Melker enlaçant sa femme, et Ebba la tête appuyée contre la poitrine de son mari.

— Tiens, vous voilà. Mais où étiez-vous ?

Erica sursauta en entendant la voix à l'intérieur de sa maison.

— Kristina ?

Elle dévisagea sa belle-mère qui sortait de la cuisine, un chiffon à la main.

— Je me suis permis d'entrer. J'avais toujours la clé depuis votre voyage en Grèce, quand vous m'aviez chargée d'arroser les fleurs. Heureusement d'ailleurs, sinon j'aurais fait le voyage depuis Tanumshede pour rien, dit-elle joyeusement, puis elle retourna dans la cuisine.

C'est ça, pensa Erica, tu aurais aussi pu appeler avant de venir. Elle déchaussa les enfants et prit quelques profondes inspirations avant d'aller dans la cuisine.

— J'ai eu envie de passer vous donner un coup de main. Je vois bien que vous ne vous en sortez pas. De mon temps, jamais on n'aurait vécu comme ça… On ne sait jamais, quelqu'un peut débarquer à l'improviste, et recevoir de la visite dans un tel bazar, ce serait vraiment honteux.

Kristina frotta énergiquement le plan de travail.

— Effectivement, on ne sait jamais, si le roi décidait de venir boire un café.

Kristina se retourna, le visage déformé par la surprise.

— Le roi ? Pourquoi veux-tu que le roi vienne ici ?

Erica serra si fort les dents qu'elle en eut mal aux mâchoires, mais elle ne dit rien. Ça valait mieux, en règle générale.

— Vous étiez où ? demanda de nouveau Kristina en s'attaquant à la table munie de son éponge.

— À Uddevalla.

— Tu veux dire que tu as mis les enfants dans la voiture pour faire l'aller-retour à Uddevalla ? Pauvres petits chéris. Pourquoi tu ne m'as pas appelée ? Je serais venue les garder. Bon, j'aurais été obligée d'annuler mon café avec Görel ce matin, mais qu'est-ce qu'on ne ferait pas pour ses enfants et ses petits-enfants ?

C'est mon destin. Tu comprendras quand tu auras mon âge et que tes enfants seront grands.

Elle fit une pause pour concentrer ses efforts sur une tache de marmelade séchée.

— Mais un jour, je ne pourrai plus vous aider, et ça peut arriver très vite. J'ai plus de soixante-dix ans maintenant, Dieu seul sait combien de temps je vais encore tenir.

Erica hocha la tête et s'efforça d'afficher un sourire de gratitude.

— Ils ont mangé au moins?

Erica se figea. Elle avait oublié de faire manger les enfants. Ils devaient être affamés, mais elle n'allait certainement pas l'avouer devant sa belle-mère.

— On a pris un hot-dog en route. Mais je suis sûre qu'ils seraient ravis de déjeuner.

D'un pas décidé, elle alla explorer le réfrigérateur. Elle comprit que le plus rapide, ce serait du fromage blanc avec des céréales, et elle posa les laitages sur la table et sortit un paquet de Frosties du garde-manger.

Kristina laissa échapper un soupir navré.

— De mon temps, jamais on n'aurait imaginé servir autre chose aux enfants qu'un vrai plat cuisiné maison. Je n'ai jamais donné à Patrik et Lotta tous ces produits industriels, et ils se portent comme des charmes. La base d'une bonne santé, c'est l'alimentation, je l'ai toujours dit, mais plus personne n'écoute la sagesse des anciens aujourd'hui. Vous, les jeunes, vous savez tout mieux que nous, et vous allez tellement vite.

Elle dut s'arrêter pour reprendre son souffle, et Maja choisit pile ce moment pour débouler dans la cuisine.

— Maman, j'ai super-faim et Noel et Anton aussi. C'est tout vide là-dedans, dit-elle en frottant son petit bidon tout rond.

— Mais vous avez mangé des hot-dogs tout à l'heure dans la voiture, dit Kristina en caressant la joue de sa petite-fille.

Maja secoua la tête à en faire voler ses cheveux blonds.

— Mais non, on a pas mangé de hot-dogs. On a eu que le petit-déjeuner et j'ai faim. Super-faim!

Erica braqua les yeux sur sa petite traîtresse et sentit le regard désapprobateur de sa belle-mère dans sa nuque.

— Je peux leur faire des crêpes, dit Kristina, et Maja bondit de bonheur.

— Les crêpes de mamie! Je veux les crêpes de mamie!

— Merci, dit Erica en rangeant le fromage blanc dans le frigo. Dans ce cas, j'en profite pour monter me changer. Et j'ai un truc à vérifier pour le boulot aussi.

Kristina lui tournait le dos, elle sortait les ingrédients pour la pâte à crêpes, et la poêle chauffait déjà sur la cuisinière.

— Oui, vas-y. Moi, je vais leur remplir le ventre, à ces pauvres petits.

En comptant lentement jusqu'à dix, Erica monta au premier étage. En fait, elle n'avait absolument rien à vérifier, elle avait juste besoin de respirer un peu. La mère de Patrik avait de bonnes intentions, mais elle savait aussi exactement sur quels boutons appuyer pour pousser Erica à bout. Bizarrement, Patrik réagissait toujours mollement, et ça l'agaçait encore plus. Chaque fois qu'elle essayait de lui parler de sa mère, de ce qu'elle avait dit ou fait, il se contentait de répondre : "Pfft, ne t'en fais pas. Maman y va un peu fort des fois, laisse-la faire."

C'était sans doute toujours comme ça entre mères et fils. Un jour, elle deviendrait peut-être une belle-mère tout aussi difficile à gérer pour les épouses de Noel et Anton. Mais, au fond d'elle-même, elle ne l'imaginait pas une seconde. Elle serait la meilleure belle-mère du monde, celle à qui les épouses aimeraient se confier comme à une copine. Ses belles-filles auraient envie que Patrik et Erica les accompagnent en vacances, et elle les aiderait avec les enfants, et si elles avaient trop de boulot, elle viendrait leur donner un coup de main pour le ménage et la cuisine. Elle aurait probablement la clé de leur maison et…

Erica arrêta là ses projections. Être une belle-mère parfaite, ce n'était peut-être pas si simple, après tout.

Dans sa chambre, elle se changea et enfila un short en jean et un tee-shirt blanc, son préféré. Elle aimait à croire qu'il la rendait plus mince. Ces dernières années, elle avait un peu fait le yo-yo côté poids, mais auparavant, elle s'était toujours habillée en taille trente-huit. Depuis plusieurs années, depuis la naissance de Maja en fait, elle était obligée de prendre du quarante-deux. Comment en était-elle arrivée là? Patrik ne s'en sortait pas mieux. Prétendre qu'il était athlétique quand ils s'étaient rencontrés serait un peu excessif, mais son ventre était parfaitement plat. Depuis, il s'était bien arrondi, et elle devait reconnaître que les hommes avec de la brioche n'étaient pas très attirants. Du coup, elle se demanda s'il pensait la même chose d'elle. Elle aussi, elle s'était éloignée du modèle d'origine…

Elle jeta un dernier regard dans le miroir en pied, puis tressaillit soudain et se retourna. Quelque chose avait changé. Elle observa la pièce et tenta de se rappeler comment était la chambre le matin même. Difficile d'en avoir une image nette, pourtant elle aurait juré que quelque chose était différent. Est-ce que Kristina était montée ici? Probablement pas, sinon elle aurait fait le lit et le ménage, alors que les draps et les oreillers étaient en désordre, et le couvre-lit comme d'habitude en vrac au pied du lit. Erica examina la chambre encore une fois, puis haussa les épaules. Elle se faisait sans doute des idées.

Elle gagna son bureau et s'installa devant l'ordinateur. Quand l'écran de démarrage s'afficha, elle le fixa, éberluée. Quelqu'un avait essayé d'utiliser son PC, mais avait buté sur le mot de passe. Après trois tentatives ratées, la machine lui posait maintenant sa question de sécurité : "Quel est le nom de ton premier animal de compagnie?"

Avec un fourmillement de malaise, elle balaya la pièce du regard. Oui, quelqu'un y était réellement entré. À première vue, le chaos sur son bureau semblait totalement dû au hasard, mais elle savait exactement où se trouvait chaque chose et elle voyait clairement que quelqu'un y avait farfouillé. Pourquoi? Avait-on cherché un objet en particulier, et dans ce cas, lequel? Elle consacra un long moment à essayer de déterminer ce qui manquait, mais apparemment tout était là.

— Erica?

Kristina l'appelait au rez-de-chaussée et, envahie d'une sensation de malaise, Erica alla voir ce qu'elle voulait.

— Oui?

Elle se pencha par-dessus le garde-corps. Kristina se tenait dans le vestibule, l'œil réprobateur.

— Il faut que tu penses à bien refermer la porte de la véranda. Ça aurait pu mal se terminer. Heureusement que je l'ai vu par la fenêtre, Noel. Il était déjà dehors, en train de se précipiter dans la rue. Je l'ai rattrapé de justesse, mais c'est vraiment pas bien de laisser des portes ouvertes quand on a des enfants en bas âge. Ils ont le don de se sauver plus vite qu'on ne l'imagine, tu sais.

Erica eut froid dans le dos. Elle se rappelait très nettement que la porte de la véranda était fermée lorsqu'elle était partie. Après un instant d'hésitation, elle prit le téléphone et composa le numéro de Patrik. Puis elle entendit la sonnerie dans la cuisine, où son portable trônait négligemment sur le plan de travail. Elle raccrocha.

Paula se leva du canapé en poussant un gémissement. Le déjeuner était prêt et même si l'idée de nourriture lui donnait des nausées, elle savait qu'il fallait manger. En temps normal, elle adorait la cuisine de sa mère, mais la grossesse lui avait fait perdre l'appétit. S'il n'avait tenu qu'à elle, elle se serait nourrie de crackers et de crème glacée.

— Tiens, voilà l'hippopotame! s'exclama Mellberg en lui avançant une chaise.

Elle ne se donna pas la peine de répondre à sa plaisanterie, qu'elle avait déjà entendue un nombre incalculable de fois.

— Qu'est-ce qu'on mange?

— Ragoût de viande. Qui a mijoté dans la marmite de fonte, pour que tu ne manques pas de fer, dit Rita et elle servit une énorme portion sur une assiette qu'elle posa devant Paula.

— Merci, c'est sympa de pouvoir manger chez vous. Je n'ai plus aucune envie de faire la cuisine. Surtout quand Johanna travaille.

— Mais ça va de soi, ma chérie, dit Rita avec un sourire.

Paula prit une profonde inspiration avant de se forcer à enfourner la première bouchée. La nourriture ne fit que grandir dans sa bouche, mais elle continua de mâcher avec entêtement. Le bébé avait besoin de s'alimenter.

— Comment ça se passe au boulot? demanda-t-elle ensuite à Bertil. Vous vous en sortez, avec l'affaire de Valö?

Mellberg engloutit son assiette avant de lui répondre.

— Ben oui, ça suit son chemin. Je me démène comme un beau diable, mais ça paie, on a des résultats.

— Vous en êtes où alors ? demanda Paula.

Elle savait très bien que Bertil ne pourrait vraisemblablement pas répondre à cette question, bien qu'il soit le chef du commissariat.

— Eh bien… dit-il, l'air confondu. Pour ainsi dire, on n'a pas encore vraiment fait la synthèse de ce qu'on a.

Son portable se mit à sonner, il salua l'interruption et se leva pour prendre l'appel.

— Oui, Mellberg… Salut Annika… Et où il est, ce putain de Hedström ? Et Gösta ?… Comment ça, tu n'arrives pas à les joindre ?… Valö ? Oui, alors je m'en occupe… Je m'en occupe, je te dis !

Il raccrocha en marmonnant, puis fila dans le vestibule.

— Tu vas où ? Tu n'as pas débarrassé ton assiette ! cria Rita.

— Intervention policière de la plus haute importance. Coups de feu sur Valö. Je n'ai pas le temps de m'occuper de travaux ménagers.

Paula se sentit ravivée et fut instantanément sur pied.

— Attends, Bertil ! Qu'est-ce que t'as dit ? On a tiré sur quelqu'un à Valö ?

— Je n'ai pas encore de détails, mais, comme je l'ai précisé à Annika, je prends l'affaire en main personnellement, et j'y vais de ce pas.

— Je viens avec toi !

Paula s'assit en soufflant sur un tabouret pour enfiler ses chaussures.

— Hors de question. D'ailleurs, tu es en congé.

Rita arriva à sa rescousse de la cuisine.

— Tu es complètement folle ! cria-t-elle si fort qu'il était miraculeux que Leo, qui faisait sa sieste dans leur chambre, ne se soit pas mis à hurler à son tour. Tu ne peux pas partir pour des trucs pareils dans ton état.

— Merci, fais donc entendre raison à ta fille, dit Mellberg en posant une main sur la poignée de la porte pour filer.

— Tu ne vas nulle part sans moi. Sinon, je ferai du stop jusqu'à Fjällbacka et j'irai à Valö par mes propres moyens.

Paula était absolument décidée. Elle en avait marre de se tenir tranquille, marre de l'inaction. Sa mère fulminait encore, mais elle balaya ses objections.

— Tu parles d'un cadeau, d'être entouré de toutes ces bonnes femmes, grommela Mellberg.

Vaincu, il alla s'installer dans la voiture et, quand Paula eut enfin descendu l'escalier, il avait déjà démarré le moteur et allumé la clim.

— Promets-moi d'y aller mollo, et de rester à l'écart s'il y a du grabuge.

— Je te le promets, répondit Paula en s'asseyant sur le siège passager.

Pour la première fois depuis des mois, elle se sentit elle-même, et non l'équivalent d'une couveuse. Pendant que Mellberg appelait Victor Bogesjö du Sauvetage en mer pour se faire conduire à Valö, elle se demanda ce qu'ils allaient y trouver.

## FJÄLLBACKA 1929

*L'école était un calvaire. Chaque matin, Laura essayait de repousser le plus possible le moment de s'y rendre. Pendant les récréations, les injures et les surnoms moqueurs pleuvaient sur elle, et tout ça, c'était la faute de sa mère. Tout Fjällbacka savait qui était Dagmar : une folle et une ivrogne. Parfois Laura l'apercevait en rentrant de l'école, errant sur la place, hurlant après les gens et délirant sur Göring. Laura ne s'arrêtait jamais. Elle faisait semblant de ne pas la voir et passait son chemin.*

*Sa mère était rarement à la maison. Elle rentrait tard le soir quand Laura était déjà couchée, elle dormait le matin quand Laura partait à l'école, et à son retour, Dagmar traînait déjà dehors. Lorsque Laura rentrait de l'école, elle commençait toujours par ranger la maison. C'est seulement quand elle avait fait disparaître toute trace de sa mère qu'elle pouvait se sentir rassurée. Elle ramassait les vêtements par terre, et lorsque le tas était suffisamment grand, elle faisait la lessive. Elle nettoyait la cuisine, rangeait le beurre laissé sur la table et vérifiait que le pain soit encore mangeable, vu que sa mère ne s'était pas donné la peine de le remettre dans la boîte à pain. Puis elle faisait la poussière et mettait de l'ordre. Quand tout était à sa place, que toutes les surfaces étaient rutilantes, elle pouvait enfin jouer avec sa maison de poupée. C'était ce qu'elle possédait de plus cher au monde. La gentille voisine était venue frapper à la porte un jour, quand sa mère n'était pas là, et lui en avait fait cadeau.*

*Cela arrivait parfois, que les gens soient gentils et viennent lui apporter des choses : de la nourriture, des vêtements et des jouets.*

*Mais la plupart se contentaient de la dévisager et de la montrer du doigt, et depuis ce jour à Stockholm où sa mère l'avait laissée toute seule, Laura avait appris à ne pas demander de l'aide. La police était venue la chercher, et elle était arrivée au paradis. Pendant deux jours, elle avait été logée dans une famille où la maman et le papa avaient des yeux gentils. Bien qu'elle n'eût que cinq ans à l'époque, elle se souvenait encore très bien de ces deux journées. La maman avait préparé le plus grand tas de crêpes que Laura eût jamais vu et lui avait dit d'en manger autant qu'elle voulait. Elle s'en était tant rempli le ventre qu'elle pensait qu'elle n'aurait plus jamais faim de sa vie. D'une commode, la dame lui avait sorti des robes fleuries qui n'étaient ni sales ni déchirées, des robes magnifiques. Elle s'était sentie comme une princesse. Deux soirs de suite, on l'avait mise au lit en lui faisant un baiser sur le front et elle s'était endormie entre des draps propres dans un lit moelleux. La maman aux yeux gentils sentait tellement bon… Pas l'alcool et la crasse moisie comme sa mère. Leur appartement aussi était joli, avec des figurines partout et des tapisseries sur les murs. Dès le premier jour, Laura les avait suppliés de la garder avec eux, mais la maman n'avait pas répondu, et l'avait seulement serrée fort dans ses bras douillets.*

*Très vite, elle fut de retour à la maison avec sa mère, comme si rien ne s'était passé. Et Dagmar était plus hargneuse que jamais. Laura prit tellement de fessées qu'elle pouvait à peine s'asseoir et elle décida de ne jamais rêver de la gentille maman. Personne n'allait la sauver et ça ne servait à rien de lutter. Quoi qu'il arrive, elle se retrouverait chez sa mère, dans l'appartement sombre et exigu. Mais quand elle serait grande, elle aurait un joli intérieur, avec des petits chats en porcelaine sur des napperons faits au crochet et des tapisseries brodées dans toutes les pièces.*

*Elle s'agenouilla devant la maison de poupée. Le ménage était fait, tout était propre, elle avait plié et rangé le linge. Ensuite, elle avait mangé une tartine qu'elle s'était préparée elle-même. Maintenant, elle pouvait enfin s'autoriser à entrer dans un monde meilleur, pendant un petit moment. Elle soupesa la poupée maman dans sa main. Elle était si légère, si belle. Sa robe était blanche, avec de la dentelle et un haut col, et ses cheveux ramassés en chignon. Laura adorait la poupée maman. Du bout de l'index,* elle caressa son visage. Elle avait l'air gentil, exactement comme la maman qui sentait bon.

Doucement, elle plaça la poupée dans le canapé du salon. C'était sa pièce préférée. Tout y était parfait. Il y avait même un minuscule lustre de cristal au plafond. Laura pouvait examiner les petits prismes pendant des heures et s'émerveiller qu'on sache fabriquer des petits objets aussi beaux. Elle plissa les yeux et observa la pièce d'un œil critique. Était-elle vraiment parfaite ou pouvait-elle encore être améliorée? Pour voir, elle déplaça la table un peu sur la gauche. Puis les chaises, l'une après l'autre, et il lui fallut un moment pour bien les aligner autour de la table. Ce fut assez réussi, mais du coup elle était obligée de déplacer le canapé aussi, pour éviter ce vide étrange et dérangeant au milieu du salon. Elle prit la poupée maman dans une main et le canapé dans l'autre. Elle replaça le canapé et chercha dans la maison les deux petites poupées enfants. Elles avaient le droit de participer maintenant, si elles étaient sages. Dans le salon, interdiction de faire du bruit et de courir partout. Il fallait rester calme et ne pas bouger. On le lui avait bien appris.

Les poupées enfants trouvèrent place à côté de la poupée maman. En inclinant la tête, Laura pouvait presque voir la poupée maman sourire. Elle était si parfaite, si belle. Quand Laura serait grande, elle serait exactement comme elle.

Patrik arriva hors d'haleine devant la porte d'entrée. La maison était joliment située sur une hauteur face à la mer et il s'était garé en contrebas sur le parking du Brandparken pour monter à pied. Ça l'énervait de constater qu'il soufflait comme une locomotive après avoir grimpé le chemin sinueux, alors que Gösta ne paraissait pas spécialement affecté.

— Bonjour, il y a quelqu'un ? lança-t-il par la porte ouverte.

Il était assez fréquent que les gens laissent les portes et les fenêtres ouvertes en été, et au lieu de frapper ou de sonner, on devait appeler.

Une femme surgit, en chapeau et lunettes de soleil, vêtue d'une sorte de tunique bariolée qui volait au vent. Malgré la chaleur, elle portait des gants.

— Oui ? dit-elle, l'air pressée de repartir.

— Nous sommes de la police de Tanum. Nous aimerions voir Leon Kreutz.

— C'est mon mari. Je m'appelle Ia Kreutz, dit-elle en leur tendant la main pour les saluer, mais sans retirer ses gants. Nous sommes en train de déjeuner.

De toute évidence, elle insinuait qu'ils dérangeaient, et Patrik et Gösta échangèrent un regard. Si Leon était aussi distant que sa femme, leur entreprise relèverait du défi. Ils la suivirent sur la terrasse, où un homme en fauteuil roulant était à table.

— Nous avons de la visite. La police.

L'homme hocha la tête en les regardant, sans aucune surprise dans les yeux.

— Asseyez-vous. On est en train de manger, juste une petite salade composée. Ma femme préfère les plats légers, dit Leon avec un sourire en coin.

— Mon mari aurait préféré sauter le déjeuner et se contenter d'une cigarette, dit Ia en se rasseyant et en étalant une serviette sur ses genoux. Ça vous dérange si je finis mon repas?

Patrik l'incita d'un geste à continuer de grignoter sa salade pendant qu'ils parlaient avec Leon.

— Je suppose que vous êtes là pour parler de Valö?

Leon avait interrompu son repas et posa ses mains sur ses genoux. Une guêpe qui avait atterri sur un bout de poulet dans son assiette put se repaître tranquillement.

— Vous supposez bien.

— Mais que se passe-t-il en fait? On entend courir de folles rumeurs.

— Nous avons fait certaines découvertes, dit Patrik, sur la réserve. Vous venez de vous installer à Fjällbacka?

Il examina le visage de Leon. Un côté était lisse, sans aucune trace de lésions, l'autre plein de cicatrices, et le coin de sa bouche était figé en une courbe vers le haut qui découvrait ses dents.

— On a acheté cette maison il y a quelques jours, on a emménagé hier, répondit Leon.

— Qu'est-ce qui vous a donné envie de revenir après tant d'années? demanda Gösta.

— L'âge peut-être… le désir de retourner aux sources.

Leon tourna la tête et regarda la mer. Seul le côté intact de son visage se présenta alors à Patrik, et il lui parut alors atrocement évident que Leon avait été un très bel homme.

— Moi, j'aurais préféré rester dans notre maison sur la Côte d'Azur, dit Ia.

Elle et son mari échangèrent un regard difficile à interpréter.

— En général, elle obtient ce qu'elle veut, sourit Leon de son étrange sourire. Mais cette fois, je suis resté ferme. L'endroit me manquait.

— Votre famille possédait une maison de vacances ici, c'est ça? dit Gösta.

— Oui, une villégiature comme on disait. Une maison sur Kalvö. Malheureusement, papa l'a vendue. Ne me demandez pas pourquoi. Il avait ses lubies, je suppose qu'en vieillissant il était devenu un peu excentrique.

— On dit que vous avez eu un accident de voiture, avança Patrik.

— C'est exact. Si Ia ne m'avait pas sauvé, je serais mort aujourd'hui. Pas vrai, chérie ?

Ia fit un tel bruit avec ses couverts que Patrik sursauta. Elle fixa Leon sans répondre. Puis son regard s'adoucit.

— C'est vrai, mon chéri. Sans moi, tu serais mort aujourd'hui.

— Oui, et tu ne me laisses pas l'oublier une seule seconde.

— Vous êtes mariés depuis combien de temps ? demanda Patrik.

— Ça doit faire près de trente ans. J'ai rencontré Ia dans une réception à Monaco. C'était la plus belle fille de la soirée. Difficile à approcher, j'ai dû déployer tous mes talents de séducteur.

— Vu la réputation que tu trimballais, normal que je me sois méfiée.

Leur petite prise de bec semblait être un exercice bien rodé, mais elle leur permit apparemment de se détendre, et Patrik crut même voir un sourire sur les lèvres d'Ia. Il se demanda comment elle était sans les énormes lunettes de soleil. Sa peau était tirée sur les mâchoires et ses lèvres étaient si anormalement pulpeuses qu'il se dit que les yeux ne feraient que compléter l'image d'une personne qui avait payé cher pour améliorer son physique.

Patrik se tourna vers Leon de nouveau.

— Si nous sommes venus discuter avec vous, c'est parce que nous avons fait une découverte sur Valö. Tout indique que la famille Elvander a été assassinée.

— Cela ne m'étonne pas, dit Leon après un court silence. Je n'ai jamais compris comment une famille entière pouvait tout simplement disparaître.

Ia toussa. Son visage était tout pâle.

— Je vous prie de m'excuser. Je sens que je n'ai pas grand-chose à vous apporter. Je pense que je vais migrer à l'intérieur pour finir mon repas, comme ça vous serez plus tranquilles.

— Pas de problème. Nous sommes là surtout pour parler avec Leon.

Patrik poussa ses jambes pour laisser le passage à Ia qui s'en alla dans un nuage de parfum douceâtre, son assiette à la main.

Leon plissa les yeux vers Gösta.

— J'ai l'impression de vous reconnaître. C'est vous qui étiez venu à Valö à l'époque, non ? Vous nous aviez emmenés au poste, il me semble.

— C'est bien moi.

— Vous étiez sympa, je me rappelle. Votre collègue, par contre, il était plus rude. Il travaille toujours dans la police ?

— Henry est parti travailler à Göteborg au début des années 1980. Je l'avais perdu de vue, et j'ai appris qu'il était mort il y a quelque temps, répondit Gösta en se penchant en avant. Vous aviez tout d'un meneur, vous, si mes souvenirs sont bons.

— Je n'en sais rien. Mais c'est vrai que j'ai toujours réussi à capter l'attention des gens quand je parle.

— Les autres garçons semblaient vous admirer.

— Vous avez raison, dit Leon en hochant lentement la tête. Quelle drôle de bande, quand même, rit-il. Il n'y a guère que dans un internat pour garçons qu'on peut trouver un mélange aussi disparate.

— En réalité, vous aviez pas mal de choses en commun, je crois. Vous étiez tous des fils de familles fortunées, fit remarquer Gösta.

— Pas Josef. Il était là uniquement à cause des terribles ambitions de ses parents. Ils lui avaient quasiment fait un lavage de cerveau. L'héritage judaïque impliquait un devoir, comme s'il devait accomplir des prouesses pour compenser tout ce qu'ils avaient perdu pendant la guerre.

— Ce n'est pas une petite mission à confier à un adolescent, observa Patrik.

— Non, et il la prenait très au sérieux. D'ailleurs, il fait apparemment encore tout son possible pour répondre à leurs attentes. Vous avez entendu parler du musée juif ?

— J'ai lu quelque chose là-dessus dans le journal, répondit Gösta.

— Pourquoi veut-il construire ça ici ? demanda Patrik.

— Cette région a de nombreux liens avec la guerre. À part l'histoire juive, le musée est aussi censé faire la lumière sur le rôle de la Suède pendant la Seconde Guerre mondiale.

Patrik pensa à une enquête qu'ils avaient menée quelques années auparavant qui venait donner raison à Leon. Le département du Bohuslän était situé tout près de la Norvège occupée par les Allemands pendant la guerre, et au printemps 1945, les bus blancs avaient conduit d'anciens internés des camps de concentration jusqu'à la ville d'Uddevalla toute proche. À l'époque, les sympathies des habitants ici allaient évidemment aux uns comme aux autres. La neutralité de la Suède était une notion qu'on avait développée plus tard.

— Comment êtes-vous au courant des projets de Josef? demanda Patrik.

— On l'a croisé au Café Bryggan l'autre jour, répondit Leon en buvant une gorgée d'eau.

— Vous avez gardé contact avec les autres garçons restés sur l'île?

Leon reposa son verre après avoir bu encore quelques larges rasades. Un peu d'eau coula sur son menton qu'il essuya avec le dos de la main.

— Non, pourquoi l'aurait-on fait? On a été dispersés après la disparition des Elvander. Mon père m'a envoyé dans une école en France, il était du genre surprotecteur. Je suppose que les autres aussi ont été placés dans différents internats, ailleurs. Je vous l'ai dit, on n'avait pas grand-chose en commun, et on ne s'est pas revus pendant toutes ces années. Quoique, je ne peux parler que pour moi. D'après Josef, Sebastian est en affaires avec lui, et avec Percy aussi.

— Mais pas avec vous?

— Dieu m'en garde! Je préférerais plonger parmi des requins blancs. Ce qui est d'ailleurs déjà chose faite.

— Pourquoi ne feriez-vous jamais d'affaires avec Sebastian? demanda Patrik.

Il croyait néanmoins déjà connaître la réponse. Sebastian Månsson avait très mauvaise réputation dans la région et leur entrevue de la veille n'avait pas amélioré l'image que Patrik avait de lui.

— S'il n'a pas changé, il pourrait vendre sa propre mère en cas de besoin.

— Et les autres ? Pourquoi s'associent-ils avec lui dans ce cas ? Ils ignorent sa réputation ?

— Je n'en ai aucune idée. Il faudrait leur demander directement.

— Est-ce que vous avez une théorie personnelle sur ce qui a pu arriver à la famille Elvander ? demanda Gösta.

Patrik jeta un coup d'œil vers le salon. Ia avait fini de manger et son assiette traînait sur la table. Apparemment, elle avait quitté la pièce.

— Non, dit Leon en secouant la tête. Il va de soi que j'y ai pensé, pendant toutes ces années, mais je ne vois vraiment pas qui aurait pu vouloir les tuer. Sûrement des cambrioleurs ou des illuminés. Comme Charles Manson et sa bande.

— Si c'est le cas, on peut dire qu'ils ont eu une sacrée chance d'arriver juste au moment où vous étiez partis pêcher, constata Gösta sèchement.

Patrik chercha à attirer son attention. Il s'agissait là d'un simple entretien préliminaire, pas d'un interrogatoire. Ils n'avaient rien à gagner à se mettre Leon sur le dos.

— Je n'ai aucune autre explication, dit Leon avec un geste de la main. Peut-être le passé de Rune qui l'aurait rattrapé ? Quelqu'un surveillait peut-être la maison pour passer à l'acte au bon moment ? C'étaient les vacances de Pâques, on n'était que cinq et on avait mis les bouts. Le reste de l'année, il y avait beaucoup plus d'élèves sur l'île.

— Personne au sein de l'école ne leur voulait du mal ? Vous n'avez rien remarqué de louche avant leur disparition ? Des bruits suspects la nuit, par exemple, demanda Gösta, et Patrik lui jeta un regard interrogateur.

— Non, pas que je me rappelle, dit Leon en fronçant les sourcils. Tout était comme d'habitude.

— Pouvez-vous nous parler un peu des Elvander ?

— Rune gouvernait sa famille d'une main de fer, ou en tout cas c'est ce qu'il croyait. En même temps, il était étrangement aveugle aux manquements de ses enfants. Surtout des deux plus âgés. Claes et Annelie.

— Vous voulez dire que Rune fermait les yeux sur certains de leurs comportements ? Lesquels ? On dirait que vous pensez à quelque chose en particulier.

Le regard de Leon se fit vide.

— Non, ils étaient insupportables comme le sont les ados en général. Claes aimait s'en prendre aux élèves fragiles quand Rune avait le dos tourné. Et Annelie... Si elle avait été plus âgée, on aurait pu dire qu'elle courait après les hommes.

— Et la femme de Rune, Inez, comment décririez-vous son quotidien ?

— Pas facile, je crois. Il s'attendait à ce qu'elle gère toute la maison et qu'elle s'occupe d'Ebba, et Claes et Annelie lui faisaient sans arrêt des crasses. Du linge qui avait occupé Inez une bonne partie de la journée pouvait subitement tomber du fil où il séchait, un ragoût qu'elle avait passé des heures à mijoter cramait parce que quelqu'un avait rallumé la cuisinière par mégarde. Ce genre de choses arrivaient tout le temps, mais Inez ne bronchait pas. Elle savait probablement que ça ne l'avancerait à rien d'aller se plaindre auprès de Rune.

— Vous auriez pu l'aider, non ? dit Gösta.

— Malheureusement, toutes ces choses se produisaient sans témoins. On n'avait pas de doute sur le coupable, mais pas non plus de preuves à montrer à Rune, dit Leon en posant un regard interrogateur sur Patrik. Vous me posez des questions sur les tensions au sein de cette famille, mais en quoi est-ce que ça peut vous aider ?

Patrik réfléchit à sa réponse. En vérité, il ne savait pas trop, mais quelque chose lui disait que la clé de l'énigme résidait dans les relations entre les personnes qui s'étaient trouvées là. Il ne croyait pas une seule seconde à la théorie de la bande de cambrioleurs sanguinaires. Qu'est-ce qu'il y avait à voler là-bas ?

— Comment se fait-il que vous cinq précisément soyez restés sur l'île pour les vacances de Pâques ? demanda-t-il sans répondre à la question de Leon.

— Percy, John et moi, on était restés parce que nos parents étaient en voyage. Pour Sebastian, c'était plus une sorte de punition. Il avait encore fait des bêtises et s'était fait prendre. Quant au pauvre Josef, il avait des cours de rattrapage. Aux yeux de ses parents, les vacances étaient une perte de temps, et ils s'étaient mis d'accord avec Rune pour des leçons particulières moyennant finances.

— Il y avait probablement matière à conflit entre vous cinq aussi.

— Comment ça? dit Leon en croisant le regard de Patrik.

La réponse vint de Gösta :

— Quatre d'entre vous étaient des enfants de nantis habitués à obtenir tout ce qu'ils voulaient. J'imagine que ça a dû créer pas mal de concurrence. Josef, d'un autre côté, venait d'un milieu très différent, juif qui plus est. Tout le monde connaît les thèses que John soutient aujourd'hui.

— John n'était pas comme ça à l'époque, rétorqua Leon. Je sais que son père n'aimait pas l'idée qu'il se retrouve dans la même école qu'un garçon juif, mais, ironie de l'histoire, ce sont ces deux-là qui étaient les plus proches.

Patrik hocha la tête. Qu'est-ce qui avait bien pu amener John à changer de position? Les opinions de son père avaient-elles fini par déteindre sur lui une fois devenu adulte? Ou bien y avait-il une autre explication?

— Et les autres? Comment les décririez-vous?

Leon parut considérer un moment la question. Puis il s'étira un peu et lança en direction du salon :

— Ia? Tu es là? Tu ne veux pas nous préparer du café?

Il se laissa retomber dans le fauteuil roulant avant de reprendre :

— Percy est un membre de la noblesse suédoise jusqu'au bout des doigts. À l'époque, il était gâté et arrogant, mais ce n'était pas un méchant. On lui avait seulement seriné qu'il valait plus que le commun des mortels, et il aimait bien raconter toutes les batailles que ses ancêtres avaient livrées. C'était d'autant plus ridicule qu'il était lui-même hyper-trouillard. Sebastian, lui, était déjà toujours à l'affût d'une bonne affaire. Il menait même une activité assez lucrative là-bas sur l'île. Personne ne savait vraiment comment il s'y prenait... Je pense qu'il payait des pêcheurs pour lui livrer la marchandise qu'il nous vendait ensuite à prix d'or. Du chocolat, des cigarettes, du Coca, des magazines pornos et à quelques occasions de l'alcool, mais il a arrêté quand Rune a failli découvrir son business.

Ia arriva avec un plateau chargé de tasses qu'elle posa sur la table. Elle ne semblait pas à l'aise dans le rôle d'épouse au service de son mari.

— J'espère que le café sera buvable. Je n'y comprends rien à ces machines.

— Je suis sûr que ça ira, dit Leon. Ia n'est pas habituée à vivre dans des conditions aussi spartiates. Chez nous à Monaco, on a du personnel qui nous prépare le café... Vous comprenez, ça lui fait un sacré changement.

Peut-être se faisait-il des idées, mais Patrik avait l'impression de déceler une pointe de malveillance dans la voix de Leon. Ça ne dura que l'espace d'une seconde, puis il redevint leur hôte accueillant.

— Pour ma part, j'ai appris à vivre une vie simple pendant les étés sur Kalvö. En ville, nous avions tout le confort possible. Mais sur l'île, dit-il en regardant la mer, papa se débarrassait de son costume et se baladait en short et débardeur. On pêchait, on cueillait des fraises sauvages et on se baignait dans la mer. Du luxe simple.

Il s'interrompit quand Ia apporta le café.

— Depuis cette époque-là, on ne peut pas spécialement dire que vous avez vécu dans la simplicité, fit remarquer Gösta.

— Bien vu, dit Leon. Non, la simplicité, ça n'était pas mon truc. J'étais plus attiré par l'aventure que par la quiétude.

— Qu'est-ce qu'on cherche dans ces cas-là, exactement ? Le grand frisson ? demanda Patrik.

— C'est un peu réducteur, dit comme ça, mais on peut parler de frissons, oui. Sans doute un peu comme les flashes que ressent un toxicomane, même si je n'ai jamais souillé mon corps avec des drogues... Et c'est sûr qu'on devient accro. Une fois qu'on a commencé, on ne peut plus s'arrêter. On passe des nuits blanches à se demander : Est-ce que je peux grimper encore plus haut ? Est-ce que je peux plonger encore plus profond ? Est-ce que je peux rouler encore plus vite ? Toutes sortes de questions qui exigent des réponses.

— Mais c'est fini tout ça maintenant, constata Gösta.

Patrik se demanda pourquoi il n'avait pas envoyé Gösta suivre un cours de technique d'interrogatoire depuis longtemps, avec Mellberg. Mais Leon ne parut pas s'offusquer de la maladresse de Gösta.

— Eh oui, c'est bien fini maintenant.

— Comment s'est produit votre accident?

— Oh, un simple accident de la route. Ia conduisait et, comme vous le savez sans doute, les routes monégasques sont étroites, sinueuses et escarpées par endroits. Une voiture est arrivée en face, Ia a voulu l'éviter et nous avons atterri dans le fossé. La voiture a pris feu. – Son ton n'était plus aussi nonchalant et il regardait droit devant lui, comme s'il revivait la scène. – Vous savez que c'est très rare que les voitures prennent feu? Rien à voir avec les films, où elles explosent dès qu'elles entrent en collision. On a joué de malchance. Ia s'en est relativement bien sortie, mais mes jambes étaient coincées et je n'arrivais pas à me dégager. Je pouvais sentir mes mains, mes jambes et mes vêtements brûler. Puis le visage. Ensuite, j'ai perdu connaissance, mais Ia a réussi à me sortir de la voiture. C'est comme ça qu'elle a été brûlée aux mains. Pour le reste, elle s'en est tirée avec quelques coupures et deux côtes cassées, ce qui tient du miracle. Elle m'a sauvé la vie.

— Ça fait combien de temps? demanda Patrik.

— Neuf ans.

— Il n'y a aucune possibilité de… commença Gösta en désignant le fauteuil roulant d'un mouvement de la tête.

— Non. Je suis paralysé à partir de la taille, je dois m'estimer heureux de pouvoir respirer par mes propres moyens, soupira-t-il. Je fatigue très vite, c'est un effet secondaire, et j'ai pris l'habitude de faire une sieste à cette heure de la journée. Puis-je vous être encore utile? Sinon, je dois faire fi de la politesse et vous demander de partir.

Patrik et Gösta se consultèrent du regard, puis Patrik se leva.

— Non, rien de plus pour le moment, mais nous serons peut-être amenés à nous revoir.

— Vous serez les bienvenus, dit Leon en les raccompagnant dans son fauteuil.

Ia arriva dans l'escalier et tendit élégamment une main pour leur dire au revoir.

Juste au moment de franchir la porte, Gösta s'arrêta et se tourna vers Ia, qui semblait très pressée de se débarrasser d'eux.

— Ce serait bien si nous pouvions avoir l'adresse et le numéro de téléphone de votre maison sur la Côte d'Azur.

— Des fois qu'on voudrait mettre les voiles ? sourit Ia.

Gösta haussa les épaules et Ia s'approcha du petit meuble de l'entrée où elle nota leurs coordonnées sur un bloc-notes. Elle arracha le bout de papier d'un mouvement brusque et le tendit à Gösta, qui le glissa dans sa poche sans commentaires.

Une fois dans la voiture, Gösta essaya de parler de leur entrevue avec Leon, mais Patrik écoutait à peine. Il était trop occupé à chercher son téléphone.

— J'ai dû laisser mon portable à la maison, finit-il par dire. Tu me prêtes le tien ?

— Désolé. En général tu as toujours le tien avec toi, alors je ne l'ai pas pris.

Patrik envisagea de consacrer quelques minutes à apprendre à Gösta pourquoi il est si important pour un policier d'avoir toujours son téléphone avec lui, mais le moment lui sembla particulièrement mal choisi. Il tourna la clé de contact.

— Il faut que je le récupère. On fera un saut chez moi avant de retourner au poste.

Le détour par Sälvik se passa en silence. Patrik n'arrivait pas à se défaire de la sensation qu'ils avaient loupé un élément important au cours de l'entretien avec Leon. Il ignorait si cela concernait ce qui avait été dit ou ce qui n'avait pas été dit, mais il y avait une fausse note quelque part.

Kjell se réjouissait du déjeuner à venir. Carina était de l'équipe du soir aujourd'hui et elle l'avait appelé pour lui proposer de déjeuner avec elle à la maison. Difficile de trouver le temps de se voir, quand l'un faisait les trois-huit et que l'autre avait des horaires de bureau ordinaires. Si elle travaillait tard plusieurs soirs de suite, ils pouvaient passer des jours sans se croiser. Mais Kjell était fier d'elle. C'était une battante qui bossait dur, et pendant les années de leur séparation, elle avait subvenu à ses besoins et à ceux de leur fils sans une plainte. Après coup, il avait compris qu'elle avait eu des problèmes d'alcool, mais elle s'en était sortie toute seule. Bizarrement, c'était Frans, le père de Kjell, qui lui en avait donné la force. Une des rares bonnes choses qu'il ait faites, pensa Kjell avec un mélange d'amertume et d'amour réticent.

Beata, en revanche, préférait ne pas travailler du tout. Quand il vivait avec elle, tout tournait autour de l'argent. Elle se plaignait que Kjell ne montait pas dans la hiérarchie pour atteindre un salaire de chef, alors qu'elle-même ne levait pas le petit doigt pour contribuer à leur bien-être financier. "Je m'occupe de la maison", disait-elle.

Il se gara dans l'allée de sa maison et s'appliqua à respirer calmement. L'aversion continuait à l'envahir chaque fois qu'il pensait à son ex-femme, une aversion qui s'expliquait en grande partie par le profond mépris qu'il éprouvait pour lui-même. Comment avait-il pu gaspiller plusieurs années de sa vie pour une telle femme? Bien entendu, il ne regrettait pas les enfants, mais il regrettait de s'être laissé séduire. Elle était si jeune et adorable à l'époque, ça avait flatté son orgueil de quadra.

Il descendit de la voiture et chassa Beata de ses pensées. Pas question qu'elle gâche son déjeuner avec Carina.

— Salut mon amour, dit-elle à son arrivée. Assieds-toi, tout est prêt. J'ai fait des galettes de pommes de terre.

Elle posa une assiette devant lui sur la table, qu'il huma. Il adorait les galettes de pommes de terre.

— Comment ça va au boulot? demanda-t-elle en s'installant en face de lui.

Il l'enveloppa d'un tendre regard. Carina avait bien vieilli. Les fines rides autour de ses yeux lui allaient à ravir, et elle avait un joli teint après toutes les heures consacrées à son passe-temps favori : le jardinage.

— Ça stagne un peu. Je creuse une info que j'ai apprise sur John Holm, mais je ne sais pas trop comment m'y prendre.

Il enfourna une bouchée de galette. Elle était aussi délicieuse qu'elle en avait l'air.

— Il n'y a personne à qui tu peux demander de l'aide?

Kjell était sur le point de balayer sa suggestion quand il réalisa qu'elle n'avait pas tort. Cette affaire lui tenait tant à cœur qu'il était prêt à ravaler sa fierté. Tout ce qu'il avait déjà appris sur John Holm l'avait convaincu qu'il y avait là quelque chose d'important qu'il fallait exposer au grand jour. Alors, peu lui importait au bout du compte que le scoop lui revienne ou non. Il se trouvait désormais dans une situation totalement inédite pour lui : il avait flairé une affaire qui le dépassait.

Il se releva vivement.

— Je suis désolé, mais je dois absolument faire un truc.

— Là, tout de suite? dit Carina en jetant un regard déconfit sur son assiette à moitié pleine.

— Oui, excuse-moi. Je sais que tu as cuisiné et tout, et moi aussi je me réjouissais de te voir enfin un peu, mais je…

Elle avait l'air tellement déçu qu'il faillit se rasseoir. Il l'avait déjà déçue bien souvent et aurait préféré ne pas recommencer. Mais le visage de Carina se radoucit et elle sourit.

— Va, va faire ce que tu dois faire. Si tu abandonnes une galette de pommes de terre, c'est que la sécurité de la nation doit être en jeu.

— Oui, c'est à peu près ça, rit Kjell et il se pencha pour l'embrasser.

De retour à la rédaction, il réfléchit à la meilleure façon de présenter les choses. Il lui faudrait probablement plus qu'intuition et gribouillage sur un bloc-notes pour captiver l'attention d'un des plus éminents journalistes politiques de Suède. Il se gratta la barbe, et trouva. Le sang dont Erica avait parlé. Aucun journal n'avait encore évoqué la découverte faite sur Valö. Il avait pratiquement terminé son article et avait évidemment pensé en réserver l'exclusivité à *Bohusläningen*, mais d'un autre côté, les rumeurs devaient déjà aller bon train. Les autres journaux auraient très bientôt vent de l'histoire, ce n'était donc pas très grave s'il refilait l'information à quelqu'un d'autre. *Bohusläningen*, avec sa connaissance de la région, serait en mesure de faire des articles de fond bien plus fouillés que les grands journaux nationaux, même si le scoop en lui-même lui passait sous le nez.

Il resta quelques secondes le téléphone à la main, rassembla ses idées et nota quelques mots-clés sur un bout de papier. Il valait mieux être parfaitement préparé pour appeler Sven Niklasson, reporter politique à *Expressen*, et lui demander de l'aider à enquêter sur John Holm. Et sur Gimle.

Paula descendit précautionneusement du bateau. Mellberg lui avait fait la morale pendant tout le trajet, d'abord dans la voiture puis à bord d'une des vedettes du Sauvetage en mer. Mais sa réprimande manquait de conviction. Il la connaissait parfaitement et savait qu'il ne parviendrait jamais à la faire changer d'avis.

— Fais gaffe. Ta mère me tuerait si tu tombais à l'eau.

Il la tenait fermement par la main gauche tandis que Victor avait attrapé la droite.

— Appelle-moi s'il faut vous ramener aussi, dit Victor, et Mellberg acquiesça.

— Mais pourquoi as-tu tant insisté pour venir ? dit Mellberg alors qu'ils montaient vers la maison. Le tireur est peut-être toujours dans les parages. C'est dangereux, et pas seulement pour ta propre vie.

— Ça fait presque une heure qu'Annika a appelé. Le tireur est loin maintenant. Et je suis sûre qu'Annika a déjà prévenu Patrik et Gösta et qu'ils ne vont pas tarder à arriver.

— Oui, mais…

Il ne termina pas sa phrase. Ils étaient arrivés devant la maison, et il cria par la porte d'entrée :

— Il y a quelqu'un ? C'est la police !

Un homme blond, la tête ravagée, vint à leur rencontre, et Paula se dit que ça devait être Melker Stark. À bord du *Min-Louis*, elle avait fini par amadouer Mellberg pour qu'il la mette au courant de l'affaire.

— On est là, dans la chambre ! On a pensé que c'était le lieu le plus… sûr.

Il jeta un regard par-dessus son épaule, vers l'escalier, où deux autres personnes apparurent.

Paula tressaillit en reconnaissant l'une d'elles.

— Anna! Qu'est-ce que tu fais là?

— J'étais venue prendre les mesures des pièces. On m'a confié la décoration intérieure de la maison, dit Anna, un peu pâle mais apparemment indemne.

— Personne n'est blessé?

— Non, par miracle.

— Tout est calme depuis?

Paula regarda autour d'elle. Même si elle pensait que le tireur avait disparu depuis belle lurette, pas question de prendre de risque. Elle épia attentivement le moindre bruit.

— Oui, on n'a plus rien entendu. Vous voulez voir l'endroit où ça s'est passé?

Anna prenait les choses en main, tandis que Melker et Ebba se tenaient en retrait. Melker avait passé un bras autour de sa femme, qui regardait droit devant elle, bras croisés sur la poitrine.

— Oui, bien sûr, dit Mellberg.

— C'est ici, dit Anna en s'arrêtant devant la cuisine. Vous voyez, les coups de feu ont été tirés par la fenêtre.

Paula contempla les dégâts. Il y avait des éclats de verre un peu partout, mais surtout devant la fenêtre brisée.

— Quelqu'un était ici au moment des coups de feu?

— Ebba se trouvait dans la cuisine, précisa Anna.

Elle donna un petit coup de coude à Ebba, qui parcourut lentement des yeux la cuisine, comme si elle la voyait pour la première fois.

— Et vous êtes sûrs qu'il y a eu plusieurs tirs?

— J'ai d'abord entendu une détonation, expliqua-t-elle. Ça a fait un bruit pas croyable. Je n'ai pas compris ce qui se passait. Puis il y en a eu une autre.

— Deux coups donc, dit Mellberg en entrant dans la pièce.

— Je pense qu'on devrait éviter d'y marcher, dit Paula.

Elle aurait aimé que Patrik soit là. Elle n'était pas certaine de pouvoir stopper Mellberg et ses bourdes.

— Ne t'inquiète pas. J'ai examiné plus de scènes de crime que tu ne le feras jamais dans ta carrière, je sais ce qu'on a le droit de faire ou pas.

Il marcha sur un gros éclat de verre qui se brisa sous son poids. Paula prit une profonde inspiration.

— Je pense malgré tout qu'on devrait laisser une scène de crime vierge à Torbjörn et son équipe.

Mellberg ne lui prêta aucune attention et s'approcha des impacts de balle sur le mur du fond.

— Ah les coquines! Les voilà! Vous avez des sacs plastique?

— Dans le troisième tiroir du haut, dit Ebba distraitement.

Mellberg ouvrit le tiroir et sortit un rouleau de sachets de congélation. Il en détacha un et enfila une paire de gants en caoutchouc qui était posée sur le robinet. Puis il retourna devant le mur.

— Voyons voir. Elles ne sont pas enfoncées bien profond, ça va être facile de les extraire. Il n'aura pas beaucoup de boulot ici, ce brave Torbjörn, dit-il en extirpant les deux balles du mur.

— Mais il faut mesurer et… objecta Paula.

De toute évidence, Mellberg n'écoutait rien. D'une mine suffisante, il brandit le sachet devant eux, puis le fourra dans la poche de son short. Il retira les gants en caoutchouc et les balança dans l'évier.

— Il faut penser aux empreintes digitales, déclara-t-il en plissant le front. C'est hyper-important, ça. Après toutes ces années de métier, moi, j'ai ça dans le sang.

Paula se mordit la lèvre. Dépêche-toi de rappliquer, Hedström, se répétait-elle.

Mais sa prière ne fut pas exaucée et Mellberg continua allègrement de piétiner les éclats de verre.

## FJÄLLBACKA 1931

*Elle pouvait sentir les regards dans sa nuque. Les gens croyaient que Dagmar ne comprenait rien, mais elle ne se laissait pas duper, surtout pas par Laura. Sa fille était bonne comédienne et recevait les sympathies de tout le monde. On la plaignait d'avoir à s'occuper de la maison comme une véritable petite ménagère, et d'avoir une mère comme Dagmar. Personne ne voyait la vraie personnalité de Laura, mais Dagmar perçait son hypocrisie à jour. Elle savait ce qu'il y avait sous la surface soignée. Laura portait la même malédiction qu'elle. Elle était brûlée au fer rouge, même si la marque était cachée sous la peau. Elles partageaient le même destin. Pas la peine que Laura se fasse des idées.*

*Dagmar tremblait un peu, assise là, dans la cuisine. Elle avait mangé un bout de pain croquant sans garniture, pour accompagner son verre de gnôle du matin, en s'appliquant à faire tomber le plus de miettes possible. Laura détestait quand il y avait des miettes par terre, elle n'était pas tranquille tant qu'elle ne les avait pas balayées. Il y en avait aussi sur la table et elle les envoya distraitement par terre. Comme ça, la gamine aurait un peu à faire en rentrant de l'école.*

*Dagmar tambourina fébrilement des doigts sur la nappe fleurie. Elle portait en elle une agitation pour laquelle il fallait chaque jour trouver un exutoire. Cela faisait longtemps qu'elle ne tenait plus en place. Douze années s'étaient écoulées depuis qu'Hermann l'avait quittée. Pourtant, elle pouvait encore sentir ses mains sur son corps, ce corps qui avait tant changé et ne ressemblait en rien à la jeune fille d'alors.*

*La fureur qu'elle avait ressentie contre lui dans la petite pièce aseptisée de l'hôpital s'était comme envolée. Elle l'aimait et il* l'aimait. Rien ne correspondait à ce qu'elle avait espéré, mais c'était bon de savoir à qui en revenait la faute. À longueur de journée, et même la nuit dans ses rêves, elle voyait le visage de Carin Göring, toujours avec une mine arrogante et railleuse. Elle avait pris plaisir à les voir humiliées, Laura et elle, c'était évident. Dagmar tambourina plus fort des doigts sur la nappe. Penser à Carin la comblait, c'était grâce à ça et à l'alcool qu'elle tenait debout jour après jour.

Elle prit le journal sur la table. N'ayant pas les moyens d'acheter la presse, elle volait de vieux numéros dans les piles de retours qui attendaient leur retrait derrière le kiosque. Elle parcourait toujours minutieusement chaque page, car parfois elle avait trouvé des articles évoquant Hermann. Il était retourné en Allemagne, et Hitler, le nom qu'il avait crié à l'hôpital, était mentionné lui aussi. Elle lisait ce qu'on écrivait à son sujet et sentait l'excitation grandir en elle. Cet homme dont parlaient les journaux, c'était lui, son Hermann, et pas l'être gras et vociférant en tenue d'hôpital. Il portait à nouveau un uniforme et, s'il n'était pas aussi svelte et beau qu'à l'époque, il était redevenu un homme de pouvoir.

Ses mains tremblaient quand elle ouvrit le journal. La gnôle du matin était de plus en plus longue à faire son effet. Ce serait peut-être aussi bien d'en prendre un deuxième verre tout de suite. Dagmar se leva et se resservit une bonne rasade, qu'elle avala cul sec. Elle sentit tout de suite la chaleur se répandre dans son corps et atténuer les tremblements. Puis elle se rassit et commença à feuilleter le journal.

Elle était presque arrivée à la dernière page quand elle vit l'article. Les lettres se brouillèrent devant ses yeux et elle se força à se concentrer sur le titre : "L'épouse de Göring inhumée. Couronne d'Hitler."

Dagmar examina les deux photos. Puis un sourire gagna ses lèvres. Carin Göring était morte. Ce n'était pas une blague et elle éclata de rire. Maintenant, il n'y avait plus d'obstacle entre Hermann et elle. Il allait enfin lui revenir. Ses pieds se mirent à tambouriner follement contre le sol.

Cette fois, il s'était rendu seul à la carrière de granit. Pour être tout à fait honnête, Josef n'aimait pas spécialement la compagnie d'autrui. Ce qu'il cherchait, il ne le trouvait que dans l'introspection. Personne ne pourrait le lui donner. Parfois, il aurait aimé être différent, ou plutôt être comme les autres. Pouvoir revendiquer une appartenance, se sentir intégré à un groupe, mais il ne laissait même pas sa propre famille l'approcher. Le nœud dans sa poitrine était trop serré. Il se faisait penser à un enfant qui appuie le front contre la vitrine d'un magasin de jouets et regarde toutes les merveilles sans jamais oser franchir la porte. Quelque chose l'empêchait d'entrer, de tendre la main.

Il s'assit sur un bloc de pierre et ses pensées allèrent de nouveau vers ses parents. Dix ans s'étaient écoulés depuis leur mort, mais il était toujours perdu sans eux. Il avait honte de leur avoir dissimulé son secret. Son père avait toujours mis en avant l'importance de la confiance, de l'honnêteté et de la vérité, et il avait fait comprendre à Josef qu'il savait qu'il lui cachait quelque chose. Mais comment aurait-il pu leur raconter ? Certains secrets étaient trop grands, et ses parents avaient fait tant de sacrifices pour lui.

Ils avaient tout perdu pendant la guerre : famille, amis, objets personnels, sécurité, patrie. Tout sauf la foi et l'espoir d'une vie meilleure. Pendant qu'ils souffraient, Albert Speer se baladait ici, pointait son doigt, posait ses conditions et commandait les pierres qui serviraient à construire la ville la plus prestigieuse de l'empire reconquis. À vrai dire, Josef ne savait pas si Speer en personne était venu ici, mais ses sbires avaient très certainement fait le tour de cette carrière près de Fjällbacka.

La guerre ne lui semblait pas appartenir à un passé lointain. Chaque jour de sa jeunesse, Josef avait entendu les récits de juifs pourchassés et trahis, la fumée qui sortait des cheminées des camps, la mine épouvantée des soldats libérateurs face à l'horreur. La Suède qui les avait accueillis à bras ouverts, mais qui refusait catégoriquement de reconnaître sa participation à la guerre. Tous les jours, son père en parlait : sa nouvelle patrie devait se réveiller et reconnaître les méfaits commis. On avait inculqué cette idée à Josef, on l'avait gravée dans son esprit, à l'instar des chiffres tatoués sur les bras de ses parents.

Les mains croisées comme pour une prière, il leva les yeux au ciel. Il demanda de la force pour gérer correctement son héritage, pour réussir à contrer Sebastian et le passé, qui menaçaient à présent de détruire ce qu'il avait l'intention d'accomplir. Les années étaient passées tellement vite... Il avait acquis un certain don pour l'oubli. On pouvait toujours s'inventer sa propre histoire. Lui, il avait tenté de gommer cette partie de sa vie, et il souhaitait sincèrement que Sebastian ait fait de même.

Josef se leva et balaya de la main la poussière de pierre sur son pantalon. Il espérait que Dieu ait entendu ses prières, dans ce lieu qui symbolisait à la fois ce qui aurait pu être et ce qui allait advenir. À partir de cette pierre, il allait dispenser un savoir, et le savoir engendrait la compréhension et la paix. Il allait payer la dette à ses ancêtres, aux juifs qui avaient été harcelés et opprimés. Ensuite, une fois son œuvre achevée, la honte serait effacée à tout jamais.


Le portable sonna et Erica refusa l'appel. C'était sa maison d'édition, et quel que soit le sujet, ça prendrait sûrement du temps. Et justement, du temps, elle n'en avait pas.

Pour la énième fois, son regard balaya son cabinet de travail. Elle détestait cette impression que quelqu'un y était entré et avait fouillé ses affaires. C'était une violation de sa sphère privée. Qui avait eu ce culot, et que cherchait-il (ou elle) ? Profondément plongée dans ses pensées, elle sursauta en entendant la porte d'entrée au rez-de-chaussée s'ouvrir puis se refermer. Elle descendit rapidement et trouva Patrik et Gösta dans le vestibule.

— Salut! Qu'est-ce que vous faites là?

Gösta évita de croiser son regard, il avait l'air pour le moins inquiet. Leur accord secret le mettait sans aucun doute mal à l'aise, et Erica ne put s'empêcher d'en rajouter un peu.

— Ça fait un bail, Gösta. Comment ça va?

Elle eut un mal fou à réprimer un sourire en le voyant rougir jusqu'aux oreilles.

— Hum… ça peut aller, murmura-t-il en fixant ses pieds.

— Et ici, tout va bien? demanda Patrik.

Erica retrouva immédiatement son sérieux. Un bref instant, elle avait réussi à oublier que quelqu'un s'était introduit chez eux. Elle savait qu'elle devrait faire part à Patrik de ses soupçons, mais elle ne détenait pas encore de preuves, et d'une certaine façon, c'était aussi bien qu'elle n'ait pas réussi à le joindre. Elle savait combien il s'inquiétait dès que sa famille était menacée. S'il pensait qu'un individu était entré par effraction, il pourrait décider de les mettre à l'abri quelque part. Après une courte réflexion, elle choisit d'attendre, sans toutefois parvenir à se défaire de l'inquiétude qui la rongeait. Son regard était sans cesse attiré vers la porte de la véranda, comme si un inconnu pouvait entrer à tout moment.

Elle fut sur le point de répondre quand Kristina arriva de la buanderie au sous-sol, les enfants sur ses talons.

— Mais tu es là, Patrik? Tu sais pas ce qui est arrivé tout à l'heure? J'ai cru que j'allais avoir une crise cardiaque. J'étais en train de préparer des crêpes pour les enfants quand j'ai aperçu Noel dehors, il filait tout droit vers la rue, tu aurais vu ses petites jambes, une vraie machine à pédaler, je peux te dire que je l'ai rattrapé de justesse. Il faut vraiment que vous pensiez à fermer les portes correctement, ils sont tellement rapides, ces petits loupiots. Ça peut mal se terminer et après on le regrette le restant de sa vie…

Erica regardait sa belle-mère, fascinée, en se demandant à quel moment elle allait prendre le temps de respirer.

— J'ai oublié de fermer la porte de la véranda, dit-elle à Patrik sans croiser son regard.

— Très bien, joli sauvetage, maman. C'est vrai, faut qu'on fasse plus attention maintenant qu'ils gambadent partout dans la maison.

Les jumeaux déboulèrent en trombe pour se jeter dans ses bras.

— Salut, tonton Gösta, dit Maja.

Gösta devint écarlate de nouveau et supplia Erica du regard. Mais Patrik ne sembla rien remarquer d'inhabituel, tout occupé à chahuter avec ses fils. Au bout d'un moment, il leva les yeux vers Erica.

— Au fait, on est venus chercher mon portable. Tu l'as vu?

— Tu l'as laissé sur le plan de travail ce matin, répondit-elle en montrant la cuisine.

Patrik partit tout de suite le récupérer.

— Tu as essayé de me joindre? Un problème particulier?

— Non, je voulais juste te dire que je t'aime, dit-elle en espérant ne pas être percée à jour.

— Je t'aime aussi, ma chérie, dit Patrik distraitement, le regard rivé sur l'écran du portable. J'ai loupé cinq appels d'Annika aussi. Je la rappelle tout de suite.

Erica tenta d'écouter la conversation en douce, mais Kristina déversait un flot ininterrompu de bavardages sur Gösta, et elle ne put capter qu'un mot par-ci par-là. L'expression de Patrik, cependant, en disait long. Lorsqu'il eut raccroché, il lança :

— Coups de feu sur Valö. On a tiré sur la maison. Anna est là-bas aussi. C'est elle qui a donné l'alerte, d'après Annika.

Erica plaqua sa main sur sa bouche.

— Anna?! Elle va bien? Elle est blessée? Qui…?

Ses questions étaient confuses, elle s'en rendait bien compte, mais elle paniquait à la seule pensée qu'il ait pu arriver quelque chose à Anna.

— Si j'ai bien compris, personne n'est blessé. C'est la bonne nouvelle, dit Patrik à l'intention de Gösta. La mauvaise, c'est qu'Annika a été obligée de faire appel à Mellberg, vu qu'elle n'arrivait pas à nous joindre.

— À Mellberg? dit Gösta sur un ton dubitatif.

— Oui. On ferait mieux de ne pas traîner.

— Mais vous ne pouvez pas aller là-bas s'il y a un forcené qui tire sur tout ce qui bouge, dit Kristina avec autorité.

— Bien sûr que si. C'est mon boulot, enfin, s'énerva Patrik. Piquée au vif, Kristina redressa la nuque et disparut dans le salon.

— Je viens avec vous, dit Erica.

— Jamais de la vie !

— Si, si, je vous accompagne. Si Anna est là-bas, je viens.

— Il y a un fou là-bas qui tire sur les gens. Tu restes ici ! martela Patrik.

— Il y aura des policiers partout, qu'est-ce qui peut bien m'arriver ? Je serai parfaitement en sécurité.

Elle était déjà en train d'enfiler ses baskets.

— Et qui va garder les enfants ?

— Kristina peut sûrement rester encore un peu.

Elle se leva et lança un regard qui ne souffrait aucune protestation. Son inquiétude pour sa sœur redoublait de minute en minute. Que Patrik boude était le cadet de ses soucis. Elle se sentait responsable d'Anna.


— Pyttan ? Tu es là ?

Perplexe, Percy fit le tour de l'appartement. Elle n'avait pas prévenu qu'elle devait s'absenter.

Ils étaient venus passer quelques jours à Stockholm, entre autres pour fêter les soixante ans d'un ami. Une bonne partie de la noblesse suédoise viendrait probablement rendre hommage au nouveau sexagénaire, ainsi que quelques grosses pointures de la vie économique. Certes, ces hommes-là n'étaient pas considérés comme des pointures dans ce milieu, où la hiérarchie était bien établie. Être PDG d'une des plus grandes entreprises de la Suède importait peu si on n'était pas issu de la bonne famille, si on ne portait pas le nom qu'il fallait et si on n'avait pas fréquenté les écoles qui comptaient.

Évidemment, Percy remplissait tous ces critères. En règle générale, il n'y pensait même pas. Toute sa vie, il en avait été ainsi. C'était aussi évident que l'air qu'il respirait. Mais aujourd'hui il risquait de devenir un comte sans château, ce qui modifierait grandement sa position sociale. Il ne se retrouverait pas tout en bas de l'échelle avec les nouveaux riches, mais il serait certainement déclassé.

Il s'arrêta devant la desserte du salon, qui tenait lieu de bar, et se servit un whisky. Un Mackmyra Preludium, à près de cinq mille couronnes* la bouteille. Il ne lui serait jamais venu à l'idée de boire un whisky de qualité inférieure. Le jour où il serait obligé de se contenter d'un Jim Beam, il pourrait tout aussi bien prendre le vieux Luger de son père et se tirer une balle dans la tête.

Ce qui l'accablait le plus, c'était l'idée d'avoir trahi son père. Il était le fils aîné et avait toujours été traité comme tel. On n'en avait jamais fait mystère dans la famille. De façon objective et sans effusion de sentiments, son père l'avait clairement signifié à son frère et sa sœur : "Percy est à part, c'est lui qui un jour va reprendre le flambeau." Percy se souvenait de s'être secrètement réjoui les quelques fois où son père avait remis son frère et sa sœur à leur place. En revanche, il préférait ignorer la déception qu'il pouvait parfois lire dans son regard. Il savait que son père le trouvait faible, veule, trop gâté, et effectivement sa mère l'avait peut-être surprotégé, mais elle avait souvent énuméré les occasions où il avait failli mourir. Il était né prématurément, petit comme un oisillon. Les médecins avaient dit à ses parents qu'il n'allait sans doute pas survivre, mais pour la première et la dernière fois de sa vie, il s'était montré fort. Contre toute attente, il avait survécu, même s'il avait gardé une santé fragile.

Il regarda Karlaplan dehors. L'appartement était doté d'un magnifique bow-window donnant sur la place dégagée, avec la fontaine, et il contempla la cohue, son verre de whisky à la main. En hiver, la place était vide et déserte, mais aujourd'hui tous les bancs publics étaient occupés et des enfants jouaient partout, mangeaient des glaces et profitaient du soleil.

Il entendit des pas dans la cage d'escalier et dressa l'oreille. C'était peut-être Pyttan qui rentrait. Elle était sûrement sortie faire du shopping express. Pourvu que la banque n'ait pas

* Environ cinq cent soixante euros.

encore eu le temps de bloquer sa carte de crédit. L'humiliation se répandit dans son corps. Quelle drôle de société, en fait, qui osait lui réclamer une véritable fortune en impôts! Putain de manières de communistes! Percy serra fort son verre. Mary et Charles seraient aux anges s'ils apprenaient l'étendue de ses soucis pécuniaires. Ils continuaient à répandre des mensonges sur son compte, comme quoi il les avait fait expulser de leur domicile et les avait privés de ce qui leur appartenait.

Subitement, Valö surgit dans son esprit. Il aurait voulu ne jamais y être allé. Alors rien ne serait arrivé, rien de ce qu'il avait décidé d'écarter pour toujours de son esprit, mais qui revenait parfois s'y glisser.

Il avait d'abord pensé que le changement d'école était une excellente idée. L'ambiance au lycée de Lundsberg était devenue insupportable après un incident fâcheux. Deux mauvais sujets avaient forcé le souffre-douleur de l'école à avaler de grandes quantités d'un puissant laxatif juste avant la cérémonie de fin d'année dans l'amphithéâtre, et Percy avait assisté à la scène sans intervenir. Les vêtements d'été blancs et légers du malheureux garçon avaient pris une teinte brune jusque dans son dos.

Après cet incident, le proviseur avait fait venir son père à Lundsberg pour un entretien. Il avait voulu éviter le scandale et l'exclusion, mais il avait encouragé son père à trouver une autre école. Père était devenu fou furieux. Percy n'avait pas participé au méfait, il avait juste été spectateur, ce n'était tout de même pas un crime! Il avait fini par s'avouer vaincu et, après s'être discrètement renseigné dans les milieux appropriés, il avait compris que la meilleure solution était l'internat de Rune Elvander sur l'île de Valö. Père aurait préféré envoyer son fils à l'étranger, mais mère lui avait tenu tête pour une fois. Il avait intégré l'école de Rune et ainsi gagné un certain nombre de mauvais souvenirs à refouler.

Percy but une large rasade de whisky. La vie lui avait appris que la honte paraissait plus petite diluée dans du whisky de marque. Il contempla le salon. Pyttan avait eu les mains libres pour la décoration. Tout ce blanc, ce côté high-tech n'étaient pas tout à fait à son goût, mais tant qu'elle ne touchait pas aux pièces du château, elle pouvait faire à sa guise. Le château devait rester exactement comme au temps de son père, de son grand-père et de son arrière-grand-père. C'était une question d'honneur.

Une vague inquiétude au creux de l'estomac le poussa à aller dans la chambre. Pyttan aurait dû être de retour à présent. Ils étaient invités à un cocktail chez des amis ce soir, et en général elle commençait à se préparer dès l'après-midi.

Tout paraissait en ordre, mais la sensation de malaise refusait de céder. Il posa son verre sur la table de chevet de Pyttan et s'avança d'un pas hésitant jusqu'à la partie de la penderie qui était à elle. Il l'ouvrit et le brusque appel d'air fit balancer les cintres. La penderie était vide.


Tout était d'un calme presque irréel. Qui pourrait croire que quelques heures plus tôt seulement des coups de feu avaient été tirés ici? se dit Patrik en accostant à l'embarcadère.

Avant qu'il ait le temps d'amarrer le bateau, Erica sauta sur le ponton et se mit à courir vers la maison. Il la suivit, avec Gösta sur ses talons. Elle courait tellement vite qu'il ne put la rattraper, et quand il arriva, elle tenait déjà Anna dans ses bras. Melker et Ebba étaient effondrés dans un canapé, l'air abattu. À côté d'eux, ils virent non seulement Mellberg, mais aussi Paula.

Patrik ignorait pourquoi Paula était là, mais il se réjouit de pouvoir ainsi compter sur un rapport sensé des événements.

— Tout le monde va bien? lui demanda-t-il.

— Oui. Ils sont un peu secoués, évidemment, surtout Ebba. On a tiré par la fenêtre de la cuisine alors qu'elle s'y trouvait. Rien n'indique que le tireur soit toujours dans les parages.

— Vous avez appelé Torbjörn?

— Son équipe est en route. Mais Mellberg a pour ainsi dire déjà commencé l'examen technique.

— Oui, j'ai trouvé les balles, dit fièrement Mellberg en brandissant le sac plastique contenant les deux balles. Elles étaient fichées assez superficiellement dans le mur, c'était facile de les extraire. Le tireur ne devait pas se trouver bien loin, sinon elles auraient été logées beaucoup plus profondément.

Patrik sentit la colère gronder en lui, mais faire une scène n'arrangerait rien, si bien qu'il serra ses poings dans ses poches et respira profondément. En temps et en heure, il aurait une conversation sérieuse avec son chef concernant les règles en vigueur lors de l'examen d'un lieu de crime.

Il se tourna vers Anna, qui essaya de se dégager de l'étreinte d'Erica.

— Tu étais où quand ça s'est passé?

— Au premier. Ebba venait de descendre dans la cuisine pour préparer du café.

— Et vous? demanda-t-il à Melker.

— J'étais allé à la cave pour chercher de la peinture. Je revenais du continent, j'avais juste eu le temps d'y descendre quand j'ai entendu les détonations, répondit Melker, tout pâle sous son bronzage.

— Il n'y avait pas de bateau inconnu au ponton quand vous êtes arrivé? demanda Gösta.

— Non, seulement celui d'Anna.

— Et vous n'avez pas vu d'étrangers rôder dans le coin?

— Personne, répondit Ebba.

Ses yeux étaient vitreux et se perdaient dans le vide.

— Pourquoi est-ce qu'on nous fait ça? dit Melker avec un regard résigné sur Patrik. Qui essaie de nous frapper comme ça? Est-ce que c'est lié à la carte que je vous ai donnée?

— Nous n'en savons rien, malheureusement.

— Quelle carte?

Patrik ignora la question d'Erica, mais au coup d'œil qu'elle lui lança, il comprit qu'il serait obligé de lui fournir une réponse plus tard.

— À partir de maintenant, personne n'entre dans la cuisine. Considérez-la comme zone interdite. Il faut naturellement qu'on fouille l'île, et le mieux serait que vous, Ebba et Melker, vous partiez sur le continent trouver un endroit où loger jusqu'à ce qu'on en ait fini ici.

— Mais… dit Melker. On n'en a pas envie.

— Si, moi je préfère, dit Ebba fermement.

— Et où va-t-on trouver une chambre maintenant, en pleine saison touristique?

— Vous pouvez dormir chez nous. On a une chambre d'amis, dit Erica.

Patrik sursauta. Était-elle devenue folle ? Elle proposait à Ebba et Melker de rester chez eux alors qu'une enquête les concernant était ouverte ?

— C'est vrai ? Tu es certaine ? demanda Ebba en regardant Erica.

— Bien sûr. Comme ça, je te montrerai les documents que j'ai recueillis sur ta famille. J'ai fait d'autres recherches hier, ça devrait t'intéresser.

— Mais je ne trouve pas que… commença Melker, puis ses épaules s'affaissèrent. Voilà ce qu'on va faire. Toi, tu y vas, et moi je reste ici.

— Je préférerais que ni l'un ni l'autre ne reste, dit Patrik.

— Je reste, s'entêta Melker, et Ebba ne protesta pas.

— D'accord, alors je propose qu'Ebba, Erica et Anna partent tout de suite, comme ça nous, on peut se mettre au boulot, en attendant Torbjörn. Gösta, tu vas inspecter le sentier qui descend à la plage. Paula, tu prends le périmètre autour de la maison, et moi, je vais ratisser plus large. Ce sera plus facile quand on aura un détecteur de métaux, mais on va se débrouiller comme on peut pour l'instant. Avec un peu de chance, le tireur a jeté l'arme derrière un buisson.

— Et avec un peu de malchance, l'arme se trouve déjà au fond de la mer, dit Gösta en se balançant sur ses talons.

— C'est possible, mais il faut tenter le coup. On verra bien ce que ça donne, répliqua Patrik, puis il se tourna vers Melker. Vous essayerez de vous tenir à l'écart. Mais, j'insiste, ce n'est vraiment pas prudent de rester là, surtout que vous serez seul cette nuit après notre départ.

— Je vais travailler au premier étage. Je ne serai pas dans vos pattes, dit-il d'une voix atone.

Patrik l'observa un instant, puis il laissa tomber. Si Melker y était opposé, Patrik ne pouvait pas l'obliger à quitter l'île. Il s'approcha d'Erica, qui se tenait sur le seuil de la maison, prête à partir.

— À tout à l'heure, dit-il en lui faisant une bise sur la joue.

— À tout à l'heure. Anna, on prend ton bateau, hein ?

Tel un chien de berger, elle rassembla le mini-troupeau qu'elle devait ramener à la maison. Patrik ne put s'empêcher de sourire. Il leur fit un petit au revoir de la main et considéra ensuite les policiers qu'il avait en face de lui. Quelle drôle d'équipe! Ce serait un miracle s'ils réussissaient à trouver quoi que ce soit.

La porte s'ouvrit lentement, et John enleva ses lunettes puis posa son livre.

— Qu'est-ce que tu lis? demanda Liv en s'asseyant sur le bord du lit.

Il reprit le livre et lui montra la couverture. *Race, Evolution and Behavior*, de Philippe Rushton.

— C'est intéressant comme bouquin. Je l'ai lu il y a quelques années.

Il prit sa main et lui sourit.

— C'est dommage que les vacances soient bientôt finies.

— Oui, dans la mesure où on peut qualifier cette semaine de vacances. Combien d'heures par jour a-t-on travaillé?

— C'est pas faux, dit-il en plissant le front.

— Tu penses encore à l'article dans *Bohusläningen*?

— Non, je crois que c'est toi qui as raison. Ce n'est pas très grave. Dans une semaine, tout le monde l'aura oublié.

— C'est Gimle alors qui te tracasse?

John lui jeta un regard grave. Elle savait qu'il ne fallait pas en parler à voix haute. Les seuls à être informés du projet étaient les membres du premier cercle, et il regrettait vivement de ne pas avoir tout de suite brûlé le bout de papier où il avait pris des notes. C'était une erreur impardonnable, même s'il ne pouvait pas être sûr que ce soit cette auteure qui avait mis la main dessus. Le vent avait pu l'emporter, ou il avait pu lui-même l'égarer dans la maison, mais au fond il était persuadé que l'explication n'était pas aussi simple. Le papier était dans la pile de documents avant l'arrivée d'Erica Falck et quand il avait voulu le prendre quelques minutes après son départ, il n'y était plus.

— On va y arriver, dit Liv en lui caressant la joue. J'y crois. On a déjà bien avancé, mais on risque de stagner si on ne frappe pas un grand coup. On doit élargir notre espace de manœuvre. Pour le bien de tous.

— Je t'aime.

Il pouvait le dire en toute sincérité. Personne ne le comprenait comme Liv. Ils avaient partagé les idéaux et les expériences, les succès et les revers. Elle était la seule à qui il s'était confié et avait tout dévoilé du passé de sa famille. Certes, quantité de gens connaissaient son histoire, elle avait été déversée sur la place publique depuis bien longtemps, mais il n'avait jamais avoué à quiconque, sauf à Liv, les pensées qui l'avaient agité à cette époque-là.

— Je peux dormir ici cette nuit? dit-elle subitement.

Elle lui lança un coup d'œil mal assuré et des sentiments contradictoires envahirent John. En réalité, il ne désirait rien d'autre, avoir le corps chaud de Liv tout contre lui, s'endormir en la tenant dans ses bras et sentir l'odeur de ses cheveux. Mais il savait que ça ne marcherait pas. La proximité engendrait toujours trop d'espoir et faisait remonter toutes les déceptions et les promesses non tenues.

— On pourrait peut-être réessayer? dit-elle en caressant le dos de sa main. Ça fait un moment maintenant, les choses ont peut-être... changé?

Il se détourna d'elle sans ménagement et retira sa main. L'évocation de son impuissance l'étouffa presque. Il n'avait pas la force de traverser ça encore une fois. Les visites médicales, les petites pilules bleues, des pompes bizarres, les yeux de Liv quand il n'y arrivait pas. Non, impossible.

— Je t'en prie, va-t'en.

Il leva le livre et le tint comme un bouclier devant lui. Sans rien voir, il fixa les pages le temps que Liv traverse sa chambre et referme lentement la porte derrière elle. Ses lunettes de lecture restèrent sur la table de chevet.

Il était tard quand Patrik rentra. Erica était assise seule dans le canapé devant la télé. Une fois les enfants couchés, elle n'avait pas eu la force de ranger derrière eux, et Patrik dut slalomer entre les jouets qui jonchaient le sol.

— Ebba dort ? demanda-t-il en prenant place à côté d'elle.

— Oui, elle s'est endormie vers huit heures, elle avait l'air exténué.

— C'est normal, répliqua Patrik. On regarde quoi ?

— Letterman.

— C'est qui, l'invité ?

— Megan Fox.

— Oh… dit Patrik en posant les pieds sur la table basse et en se laissant glisser parmi les coussins du canapé.

— Ah parce que tu as l'intention de t'exciter devant Megan Fox pour ensuite assouvir tes fantasmes sur ta pauvre femme ?

— Exactement, dit-il en fourrant sa tête dans son cou.

Erica le repoussa.

— Ça s'est passé comment sur Valö ?

— Mal, soupira Patrik. On a fouillé la plus grand partie de l'île avant qu'il fasse nuit. Torbjörn et ses mecs ont débarqué une demi-heure après votre départ. Mais on n'a rien trouvé.

— Rien ? répéta Erica en prenant la télécommande pour baisser le volume.

— Non, aucune trace du tireur. Il ou elle a sans doute balancé l'arme à la mer. Mais les balles nous fourniront peut-être une piste. Torbjörn a juste eu le temps de les envoyer au labo.

— C'était quoi, cette carte dont parlait Melker ?

Patrik ne répondit pas tout de suite. C'était un exercice d'équilibriste. Il ne pouvait pas révéler trop de choses à sa femme sur une enquête criminelle en cours, mais d'un autre côté, ils avaient plusieurs fois par le passé tiré profit du don d'Erica pour dénicher des indices. Il se lança.

— Pendant toute sa vie, Ebba a reçu des cartes pour son anniversaire, signées d'un G. Elles n'ont jamais contenu aucune menace. Sauf la dernière. Melker est venu au commissariat aujourd'hui et nous a montré celle qui venait d'arriver par la poste. Elle était d'un tout autre ton que les précédentes.

— Vous soupçonnez donc que la personne qui envoie ces cartes serait aussi le responsable des incidents sur Valö ?

— On ne soupçonne rien pour l'instant, mais on va évidemment examiner cette piste de plus près. Demain, je prends

Paula avec moi et je vais à Göteborg voir les parents adoptifs d'Ebba. Gösta n'est pas très doué pour le relationnel, tu sais. Et Paula m'a supplié de la laisser prendre le train en marche pour bosser un peu. Apparemment, elle devient folle, à rester à la maison.

— Fais attention à elle, il faut qu'elle se ménage. On a vite tendance à se surestimer.

— Tu es vraiment une maman poule jusqu'au bout des ongles, sourit Patrik. J'ai vécu deux grossesses. Je ne suis pas un ignare complet.

— Soyons précis, Patrik. *Toi*, tu n'as pas vécu deux grossesses. Je ne me rappelle pas que tu aies connu les douleurs pelviennes, les chevilles enflées, les fourmis dans les jambes et les remontées gastriques, ni que tu aies subi un accouchement de vingt-quatre heures et une césarienne.

— D'accord, message compris, dit Patrik, les mains levées. Et je promets de faire attention à Paula. Mellberg ne me le pardonnerait jamais s'il lui arrivait quelque chose. On peut dire ce qu'on veut de lui, il se jetterait dans le feu pour sa famille.

Le générique de fin du *talk-show* de Letterman se déroulait et Erica chercha sur les différentes chaînes une autre émission à regarder.

— Au fait, qu'est-ce qu'il trafique là-bas, Melker ? Pourquoi il a tant insisté pour y rester ?

— Je ne sais pas. Ça m'a embêté de le laisser sur l'île. Il donne l'impression d'être sur le point de craquer. Il est calme en apparence et semble prendre tous ces événements avec une sorte de philosophie étonnante, mais il me fait penser à ce dessin, tu sais, ce canard qui glisse tranquillement sur l'eau alors que sous la surface ses pieds remuent à toute vitesse. Tu vois ce que je veux dire, ou je divague ?

— Non, je vois parfaitement.

Erica continua d'appuyer sur la télécommande, et pour finir choisit *Péril en haute mer* sur Discovery Channel. Elle regardait distraitement les images d'hommes en ciré remontant des casiers remplis d'énormes crabes à bord de leur bateau sur une mer déchaînée.

— Vous n'emmenez pas Ebba à Göteborg ?

— Non, je pense qu'il vaut mieux qu'on parle avec ses parents sans elle. Paula sera là à neuf heures demain matin, on prendra la Volvo.

— Bien, comme ça je pourrai montrer à Ebba toutes les infos que j'ai dégotées.

— Tu me les montres aussi ? Il y a peut-être quelque chose qui pourrait être utile à l'enquête.

Erica réfléchit un peu, puis elle secoua la tête.

— Non, je t'ai déjà raconté tout ce qui était pertinent. Ce que j'ai appris sur la famille d'Ebba remonte plus loin dans le temps, ça n'a d'intérêt que pour elle.

— J'aimerais bien que tu me montres le dossier quand même. Mais pas ce soir. Tout ce que je veux, pour le moment, c'est décompresser un peu, dit-il et il se rapprocha d'Erica, passa son bras autour d'elle et appuya la tête sur son épaule. Mon Dieu, tu parles d'un boulot. Ils risquent leur vie à chaque instant. Je suis bien content de ne pas être pêcheur de crabes.

— Oui, mon amour. Moi aussi, je remercie le ciel tous les jours que tu ne sois pas pêcheur de crabes !

Depuis l'accident, Leon sentait par moments une sorte de frémissement dans ses articulations. Une douleur, un élancement, comme le pressentiment d'un événement à venir. Il le sentait aujourd'hui, telle la chaleur étouffante précédant l'orage.

Ia savait parfaitement deviner dans quel état d'esprit il se trouvait. D'habitude, elle le grondait quand il s'abîmait dans les angoisses et les ruminations, mais pas cette fois. Au contraire, ils prenaient mutuellement soin de s'éviter, et se déplaçaient dans la maison sans se croiser.

D'une certaine manière, cela l'excitait. Son plus grand ennemi avait toujours été l'ennui. Quand il était petit, son père avait ri de son incapacité à tenir en place, de sa recherche continuelle de défis à relever et de limites à braver. Sa mère s'était plainte de toutes les fractures et plaies qui en résultaient, tandis que son père en tirait une grande fierté.

Après Pâques de cette année-là, il n'avait plus jamais revu son père. Il était parti à l'étranger sans avoir le temps de lui dire au revoir. Puis les années étaient passées et il n'avait plus eu qu'un seul but : profiter de la vie. Son père se montrait toujours généreux et approvisionnait son compte en banque dès qu'il était vide. Jamais il ne lui avait fait de reproches, ni n'avait essayé de le contrôler. Il l'avait laissé voler librement.

Pour finir, Leon avait volé trop près du soleil, comme il avait toujours su qu'il le ferait. Ses parents étaient déjà morts. Ils n'eurent pas à voir comment l'accident sur cette sinueuse route de montagne le priva de son corps et de sa soif d'aventures. Papa n'eut jamais à le voir enchaîné.

Ia et lui avaient fait un long chemin ensemble, mais à présent, le tournant décisif approchait. Une petite étincelle suffirait pour que tout s'embrase. Il était hors de question de laisser quelqu'un d'autre l'allumer. C'était sa mission.

Leon tendit l'oreille vers la maison. Tout était silencieux. Ia était sans doute déjà allée se coucher. Il prit son téléphone portable et le posa sur ses genoux. Puis il roula sur la terrasse et commença à les appeler, l'un après l'autre, sans la moindre hésitation.

Quand il eut fini, il laissa ses mains reposer sur ses cuisses et regarda Fjällbacka. La ville était éclairée par des centaines de lampadaires, telle une gigantesque taverne illuminée. Puis il tourna les yeux du côté de la mer et de Valö. Dans la vieille colo, la lumière était éteinte.

## CIMETIÈRE DE LOVÖ 1933

*Deux ans s'étaient écoulés depuis la mort de Carin, mais Hermann n'était toujours pas venu la chercher. Fidèle comme un chien, Dagmar avait attendu, tandis que les jours se faisaient semaines, mois, années.*

*Elle avait continué à minutieusement suivre les nouvelles dans les journaux. Hermann était devenu ministre en Allemagne. Sur les photos, il était très beau dans son uniforme. Un homme puissant et important pour cet Hitler. Tant qu'il restait en Allemagne pour faire carrière, Dagmar pouvait comprendre qu'il la fasse attendre, mais les journaux disaient qu'il était de retour en Suède. Alors elle avait décidé de lui faciliter les choses. C'était un homme occupé et s'il ne pouvait pas venir à elle, c'est elle qui irait à lui. En tant qu'épouse d'un politicien éminent, elle serait obligée de s'adapter, et certainement même de s'installer en Allemagne. Elle avait fini par considérer que la gamine ne pourrait pas venir avec eux. Il n'était pas convenable pour un homme dans la position d'Hermann d'avoir une fille illégitime. Laura avait treize ans maintenant, elle saurait se débrouiller toute seule.*

*Les journaux ne mentionnaient pas le lieu de résidence d'Hermann, et Dagmar ne savait pas où le chercher. Elle s'était rendue à l'ancienne adresse dans Odengatan, mais un inconnu avait ouvert la porte. Il lui avait dit que les Göring n'y habitaient plus depuis de nombreuses années. Indécise, elle était restée devant l'immeuble jusqu'à ce qu'elle pense à Carin et au cimetière où elle était enterrée. Hermann était peut-être là-bas, auprès de sa défunte femme. Le cimetière de Lovö, elle avait lu le nom. Il se trouvait un peu* à l'extérieur de Stockholm. Après avoir cherché un peu, elle avait trouvé un bus qui l'y conduisit.

À présent, accroupie devant la pierre tombale, elle fixait le nom de Carin et la croix gammée gravée au-dessous. Le vent d'octobre glacial faisait danser des feuilles d'automne jaunes autour d'elle, mais elle s'en rendait à peine compte. Elle avait cru que sa haine diminuerait après la mort de Carin, mais là, devant sa tombe, dans son manteau élimé, elle se mit à penser à toutes les années de sacrifice et elle sentit la vieille fureur se réveiller.

Elle se releva vivement et recula de quelques pas. Puis elle prit son élan et se jeta sur la pierre tombale de toutes ses forces. Une douleur fulgurante irradia son bras depuis l'épaule jusqu'au bout des doigts, mais la pierre ne bougea pas. Frustrée, elle s'attaqua aux fleurs qui ornaient la tombe et arracha les plantes avec la racine. Puis elle recula de nouveau avant d'essayer de déterrer la croix gammée verte en fer plantée à côté de la pierre. Elle finit par céder et Dagmar la traîna aussi loin de la tombe qu'elle le put. Avec satisfaction, elle contempla les dégâts quand elle sentit une main lui agripper le bras.

— Bon sang, mais qu'est-ce que vous faites ?

Un homme grand et costaud se tenait tout près d'elle. Elle afficha un sourire heureux.

— Je suis la future Mme Göring. Je connais bien Hermann, il trouve que Carin ne mérite pas une si jolie tombe, et j'en ai fait mon affaire. Maintenant, je dois aller le rejoindre.

Dagmar souriait toujours, mais l'homme la regarda sévèrement. Il marmonna tout seul en secouant la tête. En tenant son bras d'une main d'acier, il la traîna en direction de l'église.

Quand la police arriva une heure plus tard, Dagmar souriait encore.

La maison mitoyenne à Falkeliden leur paraissait parfois beaucoup trop petite. Dan allait passer le week-end avec les enfants chez sa sœur à Göteborg, et pendant la fébrilité de la préparation des bagages, Anna s'était sentie de trop, où qu'elle se mette. On lui avait aussi demandé plusieurs fois de faire un saut à la boutique de la station-service pour acheter des bonbons, des sodas, des fruits et des magazines pour le trajet.

— C'est bon, vous avez tout?

Anna contempla la montagne de sacs et d'affaires dans le vestibule. Dan allait et venait entre la maison et la voiture pour tout caser. Elle voyait bien que ce serait impossible, mais ça, c'était le problème de Dan. C'était lui qui avait dit aux enfants de faire leurs bagages eux-mêmes, et qu'ils pouvaient emporter ce qu'ils voulaient.

— Tu es sûre que tu ne veux pas venir? Je n'aime pas du tout t'abandonner ici après ce que tu as vécu hier.

— Tu es gentil, mais je vais bien. Je me régale à l'idée de me retrouver seule pendant quelques jours, dit-elle en le suppliant du regard de se montrer compréhensif, de ne pas se sentir blessé.

Dan hocha la tête et lui passa les bras autour du cou.

— Je comprends parfaitement, ma chérie. Tu n'as pas besoin de me l'expliquer. Profite bien, prends soin de toi. Préparetoi un bon petit plat, va nager, je sais que tu adores ça, fais les magasins, enfin, fais tout ce que tu veux, à condition que la maison soit encore debout quand je reviens.

Il la prit une dernière fois dans ses bras, puis retourna s'occuper des sacs.

Anna sentit sa gorge se nouer. Elle fut sur le point de dire qu'elle changeait d'avis, puis serra les lèvres. Elle avait besoin de temps pour réfléchir, et pas seulement sur la frayeur de la veille. Elle avait la vie devant elle, et pourtant elle ne pouvait pas s'empêcher de regarder dans le rétroviseur. Il était temps qu'elle se décide. Comment faire pour se débarrasser du passé et se tourner vers l'avenir?

— Pourquoi tu ne viens pas avec nous, maman? demanda Emma en lui tirant la manche.

Anna s'accroupit et fut frappée de voir combien sa fille avait changé. Elle avait profité du printemps et de l'été pour devenir une grande demoiselle.

— Je te l'ai déjà dit, j'ai des trucs à faire à la maison.

— Oui, mais on va aller à Liseberg!

Emma regarda sa mère comme si elle avait perdu la tête. Ce qui était sans doute le cas dans le monde d'un enfant de huit ans, quand on ratait de son plein gré une visite au célèbre parc d'attractions.

— Je viendrai avec vous la prochaine fois. Mais tu sais bien comme j'ai la pétoche. Je n'oserais jamais monter dans un de ces manèges. Toi, tu es beaucoup plus courageuse.

— Oh oui! dit Emma toute fière. Je vais faire des montagnes russes, et ça, même papa n'ose pas le faire.

Chaque fois qu'elle entendait Emma et Adrian appeler Dan "papa", elle se sentait singulièrement émue. Cela était une des raisons pour lesquelles elle avait besoin de ces deux journées toute seule. Il fallait qu'elle trouve un moyen de se remettre sur les rails. Pour la famille.

Elle embrassa Emma sur la joue.

— On se revoit dimanche soir!

Sa fille courut à la voiture et Anna s'appuya contre le chambranle de la porte, les bras croisés, pour contempler le spectacle. Dan transpirait un peu et semblait se rendre compte enfin que son projet ne tenait pas la route.

— Bon sang, tout ce bazar qu'ils veulent emporter, dit-il en s'essuyant le front.

Le coffre était déjà rempli à ras bord, et il restait encore un tas d'objets dans le vestibule.

— Ne dis rien! conseilla-t-il à Anna en brandissant un doigt devant sa figure.

— Mais je ne dis rien! Rien du tout, répliqua-t-elle en ouvrant grands ses bras.

— Adrian! Est-ce que Dino doit absolument venir avec nous?

Dan prit la peluche préférée d'Adrian, un dinosaure d'un mètre de haut que lui avaient offert Erica et Patrik à Noël.

— Si Dino vient pas, moi non plus je viens pas, cria Adrian et il arracha le dinosaure des mains de Dan.

— Lisen? Tu es obligée de prendre toutes tes Barbie? Tu ne pourrais pas en choisir juste deux?

Lisen se mit tout de suite à pleurer et Anna secoua la tête. Elle lança un baiser à son compagnon.

— À toi de jouer, je ne m'en mêle pas. Il vaut mieux qu'il reste un parent en vie. Amusez-vous bien!

Puis elle entra et monta dans la chambre. Elle s'allongea sur le lit et alluma la petite télé avec la télécommande. Après avoir pesé le pour et le contre, elle choisit Oprah sur la trois.

Irrité, Sebastian tapait son stylo contre le bloc-notes. Sa bonne humeur habituelle manquait au rendez-vous, bien que tout se soit passé comme prévu.

Il adorait la sensation de pouvoir mener Percy et Josef par le bout du nez, et en cela, leurs affaires communes étaient en train de lui rapporter gros. Parfois il avait du mal à comprendre les gens. Personnellement, il n'aurait jamais envisagé de s'associer avec un individu dans son genre, mais ils étaient tous les deux aux abois, chacun à sa façon : Percy, par peur de se voir dépossédé de son héritage paternel ; Josef, dans sa quête de réparation et de l'approbation de ses parents. Il comprenait mieux les raisons de Percy que celles de Josef. Percy allait perdre des choses importantes : de l'argent et son statut social. Les motifs de Josef en revanche constituaient une énigme pour Sebastian. Son entreprise n'avait plus aucun sens aujourd'hui. L'idée d'ouvrir un musée dédié à la Shoah était d'ailleurs complètement absurde. Il ne serait jamais rentable et si Josef n'était pas si crétin, il l'aurait compris.

Il se leva et se posta devant la fenêtre. De nombreux bateaux dans le port battaient pavillon norvégien et, dans la rue, on entendait parler norvégien partout. Il n'avait rien contre. Il avait conclu quelques affaires immobilières juteuses avec des Norvégiens. Grâce à l'argent du pétrole, ils étaient disposés à dépenser beaucoup et à payer des prix exorbitants pour leurs maisons avec vue sur la mer, ici, sur la côte ouest de la Suède.

Lentement il tourna le regard vers Valö. Pourquoi fallait-il que Leon revienne et foute le bordel? Un bref instant il pensa à Leon et à John. En fait, il détenait un certain pouvoir sur eux aussi, mais il avait toujours eu la sagesse de ne pas en faire usage. Tel un fauve, il avait préféré identifier les éléments faibles de la meute pour les séparer des autres. Maintenant, Leon voulait reformer la bande, et Sebastian sentait intuitivement qu'il n'avait rien à y gagner. Mais les choses avaient déjà été mises en branle, les dés étaient lancés. Quand il n'avait aucun moyen d'agir sur les événements, il n'était pas dans sa nature de s'inquiéter.

Erica guetta par la fenêtre jusqu'à ce qu'elle voie la Volvo de Patrik disparaître. Alors elle s'activa, habilla les enfants en vitesse et les installa dans la voiture. Elle laissa un mot pour Ebba qui dormait encore, lui disant de se servir dans le frigo pour le petit-déjeuner et qu'elle était juste partie faire une course. Elle avait envoyé un texto à Gösta dès son réveil, et elle savait qu'il les attendait.

— On va où? demanda Maja depuis le siège arrière où elle était installée avec sa poupée sur les genoux.

— Chez tonton Gösta.

Erica réalisa aussitôt que Maja allait fatalement tout rapporter à Patrik. Tant pis, de toute façon il apprendrait tôt ou tard l'accord que Gösta et elle avaient conclu. Ce qui l'inquiétait davantage, c'était de ne pas lui avoir dit qu'ils avaient peut-être été cambriolés. Qui avait bien pu s'introduire dans la maison pour fouiller son bureau?

Elle tourna en direction d'Anrås et essaya de ne plus y penser. En réalité, elle connaissait déjà la réponse. Ou plus exactement : il n'y avait que deux possibilités. Soit c'était une personne qui la croyait en possession de données sensibles concernant l'ancienne colonie de vacances, soit l'incident était lié à sa visite chez John Holm et au bout de papier qu'elle avait emporté. Elle penchait plutôt pour cette dernière possibilité, vu le moment où cela s'était produit.

— Tu es venue avec toute la marmaille ? dit Gösta en ouvrant la porte, mais son ton bourru était nuancé par le pétillement de ses yeux.

— Si tu as des objets de valeur auxquels tu tiens particulièrement, tu ferais mieux de les planquer en lieu sûr, répliqua-t-elle en aidant les enfants à retirer leurs chaussures.

Les jumeaux étaient timides et s'agrippaient à ses jambes, mais Maja tendit les bras en s'écriant, tout heureuse :

— Tonton Gösta !

Il se raidit d'abord, ne sachant pas trop comment se comporter face à une telle marque de tendresse. Mais son visage s'adoucit rapidement et il la prit dans ses bras.

— Toi, tu es une sacrée jolie petite fille, dit-il en la portant dans la maison, puis il lança par-dessus son épaule, sans se retourner : On va se mettre dans le jardin.

Erica prit un jumeau sur chaque hanche et le suivit. Elle inspecta avec une grande curiosité la petite maison de Gösta, située tout près du golf. Elle ne savait pas trop à quoi elle s'était attendue, peut-être à un logement terne de célibataire, mais ce qu'elle voyait là était un intérieur chaleureux décoré avec goût, et les plantes vertes sur le bord des fenêtres étaient exubérantes. Le jardin derrière la maison était étonnamment bien entretenu, lui aussi, mais il était assez petit et ne devait pas demander trop de travail.

— Ils ont le droit de manger des gâteaux et de boire du sirop ou vous faites partie de ces parents qui ne jurent que par le bio et la diététique ? demanda Gösta en installant Maja sur une chaise.

Erica ne put réprimer un léger sourire, en l'imaginant passer ses soirées sur le Net, à lire des forums de discussion pour parents.

— Non, non, ils mangent de tout, et avec plaisir, dit-elle.

Puis elle posa les jumeaux, qui osèrent peu à peu s'éloigner d'elle. Maja aperçut des framboisiers dans un coin et elle sauta de sa chaise pour s'y précipiter.

— Elle peut cueillir les framboises ?

Erica connaissait sa fille suffisamment bien pour savoir que dans un instant il ne resterait plus une seule framboise mûre sur les buissons.

— Bien sûr, laisse-la, dit Gösta en leur servant du café. De toute façon, il n'y a que les oiseaux qui les mangent. Maj-Britt faisait de la confiture et du sirop, mais je n'ai pas trop la fibre pour ce genre de trucs. Ebba… commença-t-il avant de s'interrompre et de pincer les lèvres.

— Oui ? Qu'est-ce qu'elle a, Ebba ?

Erica pensa au visage d'Ebba quand elles avaient quitté Valö. Le soulagement qu'on pouvait y lire, mêlé d'inquiétude. Elle semblait tiraillée entre le désir de rester et celui de partir.

— Ebba aussi était capable d'engloutir toutes les framboises en un clin d'œil, dit Gösta à contrecœur. Cet été-là, quand elle était avec nous, Maj-Britt n'a fait ni confitures ni sirops, mais elle était heureuse quand même. C'était tellement chouette de la voir s'empiffrer de framboises, toute nue avec juste une couche. Elle en avait tellement dans la bouche que le jus lui coulait sur le ventre.

— Ebba a vécu chez vous ?!

— Oui, mais seulement jusqu'à la fin de l'été, quand elle a été placée dans sa famille adoptive à Göteborg.

Erica garda le silence un long moment pour essayer de digérer cette nouvelle. Bizarre quand même. Au cours de ses recherches, elle n'avait jamais rien lu sur le séjour d'Ebba chez Gösta et Maj-Britt. Maintenant elle comprenait mieux pourquoi il s'investissait tellement dans cette affaire.

— Vous n'avez pas envisagé de la garder ? finit-elle par demander.

Gösta fixa sa tasse pendant qu'il tournait la cuillère, inlassablement. Un instant, elle regretta d'avoir posé la question. Même s'il ne la regardait pas, elle eut l'impression que ses yeux brillaient. Puis il se racla la gorge et déglutit :

— Bien sûr que si. On y a songé et on en a beaucoup discuté. Mais Maj-Britt pensait qu'on ne saurait pas faire. Et je me suis laissé convaincre. On a dû sentir instinctivement qu'on n'avait pas grand-chose à lui offrir.

— Vous avez gardé le contact avec elle après son départ ?

Gösta sembla hésiter, puis il secoua la tête :

— Non, on a pensé que ce serait moins douloureux si on coupait les liens. Le jour où elle est partie…

Sa voix se brisa et il ne put terminer sa phrase, mais Erica comprit sans qu'il soit obligé d'en dire plus.

— Qu'est-ce que ça fait de la revoir aujourd'hui ?

— Un peu bizarre. C'est une femme adulte maintenant et je ne la connais pas. En même temps, je vois la petite fille en elle, celle qui se gavait de framboises et qui souriait dès qu'on la regardait.

— Elle ne sourit plus tant que ça.

— Non, effectivement, dit Gösta en plissant le front. Tu sais ce qui est arrivé à leur fils ?

— Non, je n'ai pas osé demander. Mais Patrik et Paula sont allés à Göteborg aujourd'hui pour rencontrer ses parents adoptifs. Je pense qu'ils vont leur poser la question.

— Je n'aime pas son mari, dit Gösta en prenant un petit pain à la cannelle.

— Melker ? Je crois qu'il est réglo. Mais il y a des problèmes entre eux, c'est sûr. La perte d'un enfant, je vois bien avec ma sœur quelles conséquences ça peut avoir sur une relation de couple. Un deuil commun, ce n'est pas ce qu'il y a de mieux pour rapprocher les gens.

— Oui, c'est vrai.

Erica réalisa qu'il savait très bien de quoi elle parlait. Gösta et Maj-Britt avaient perdu leur premier et unique enfant seulement quelques jours après sa naissance. Et ensuite, ils avaient perdu Ebba.

— Regarde, tonton Gösta ! Y a plein de framboises, cria Maja depuis les buissons.

— Oui, mange-les, tu peux y aller ! cria-t-il en réponse, et son regard scintilla de nouveau.

— Tu pourrais peut-être nous les garder de temps en temps ? dit Erica, en ne plaisantant qu'à moitié.

— Trois d'un coup, ce serait sans doute trop, mais je pourrais m'occuper de la petite, si vous êtes coincés.

— Ça, je saurai m'en souvenir!

Erica se promit de veiller à ce que Gösta ait bientôt l'occasion de garder Maja. Sa fille était rarement timide, mais le lien qu'elle avait créé avec le collègue maussade de Patrik était particulier, et il y avait de toute évidence un trou dans le cœur de Gösta que Maja pourrait contribuer à combler, un peu.

— Qu'est-ce qui s'est passé hier, d'après toi?

— Je n'arrive pas à y voir clair, répondit Gösta en secouant la tête. La famille a disparu en 1974, ils ont probablement été assassinés. Puis il ne s'est rien passé pendant toutes ces années jusqu'à ce qu'Ebba revienne sur Valö. Et voilà que l'enfer se déchaîne à nouveau. Pourquoi?

— En tout cas, si elle a été témoin de quelque chose, elle était trop petite à l'époque pour s'en souvenir.

— Non, je pense plutôt qu'on a voulu empêcher Ebba et Melker de trouver le sang. Seulement, ça ne colle pas avec les coups de feu d'hier. Le mal était déjà fait.

— Mais la carte dont parlait Melker indique malgré tout que quelqu'un lui veut du mal. Et comme ces cartes sont envoyées depuis 1974, on peut tirer la conclusion que tout ce qui est arrivé à Ebba cette semaine est lié à la disparition de sa famille. Même si le message sur les cartes n'avait jamais été menaçant jusqu'à présent.

— Oui, je…

— Maja! Fais attention à Noel, tu as failli le faire tomber!

Erica bondit et se précipita vers les enfants qui se disputaient devant les framboisiers.

— Il a pris ma framboise, c'était la mienne! Il l'a mangée, hurla Maja et elle donna un coup de pied en direction de son frère.

Erica prit sa fille par le bras et la regarda très sévèrement.

— Arrête maintenant! C'est quoi, ces façons? Tu donnes des coups de pied à ton frère? Regarde, il en reste encore plein, dit Erica en montrant les buissons qui ployaient sous les baies rouges.

— Mais c'est celle-là que je voulais!

La mine de Maja indiquait qu'elle se trouvait injustement traitée, et quand Erica lâcha son bras pour prendre Noel et le consoler, elle saisit l'occasion de filer.

— Tonton Gösta! Noel a pris ma framboise, sanglota-t-elle.

Gösta regarda la petite fille complètement barbouillée de jus de framboise, puis il la prit sur ses genoux où elle se blottit en une boule misérable.

— Allez ma puce, dit Gösta en lui caressant les cheveux, comme s'il n'avait jamais rien fait d'autre dans sa vie que de consoler des enfants désespérés. Tu sais, cette framboise que tu voulais, ce n'était pas la meilleure.

— Ah bon?

Maja cessa tout de suite de pleurer et regarda Gösta de ses grands yeux.

— Non, mais moi je sais où elles sont, les meilleures. Je vais te le dire, mais ce sera notre secret. Il ne faut le répéter à personne, pas même à tes frères et à ta maman.

— Promis.

— Je te fais confiance, dit Gösta.

Puis il se pencha et chuchota quelques mots à son oreille.

Maja écouta attentivement, puis elle descendit des genoux de Gösta et repartit vers les framboisiers. Noel s'était calmé et Erica revint s'asseoir.

— Qu'est-ce que tu lui as dit? Elles sont où, les meilleures framboises?

— Je ne peux pas te le dire, sinon je serais obligé de te tuer, sourit Gösta.

Erica tourna la tête vers le lieu de la dispute. Maja était sur la pointe des pieds et cueillait les framboises situées trop haut pour que les jumeaux puissent les atteindre.

— Tu es futé, ma parole, rit-elle. On en était où? Oui, la tentative de meurtre sur Ebba hier. Il faut qu'on trouve un moyen d'avancer. Tu as déniché où sont passées les affaires de la famille? Ce serait précieux de pouvoir les examiner. Tu penses qu'elles ont été jetées? Est-ce que quelqu'un est venu mettre de l'ordre après la disparition? Et, au fait, ils s'occupaient de tout eux-mêmes, du ménage et du jardin?

Gösta se redressa subitement sur sa chaise.

— Bon sang, mais quel idiot je suis. Parfois j'ai l'impression que je deviens sénile pour de bon.

— Qu'est-ce qui t'arrive?

— J'aurais dû y penser… Mais il faisait en quelque sorte partie des meubles. Mais bon, c'est justement pour ça que j'aurais dû y penser.

— De qui tu parles?

— D'Olle la Ferraille.

— Olle la Ferraille? Le vieux qui a un dépôt à Bräcke? Qu'est-ce qu'il a à voir avec Valö?

— Il allait et venait comme chez lui là-bas, il donnait un coup de main en cas de besoin.

— Et tu penses qu'Olle a pu récupérer leurs affaires?

— C'est une possibilité, dit Gösta en ouvrant ses larges mains. Ce bonhomme ramasse tout ce qu'il trouve, ça ne m'étonnerait pas qu'il ait emporté des choses, si personne ne les réclamait.

— Reste à savoir s'il a tout conservé.

— Tu veux dire qu'il aurait pu faire un ménage de printemps et s'en débarrasser?

— Non, tu as raison, s'il a récupéré les affaires, on devrait pouvoir les retrouver chez lui, rit Erica. Et si on allait vérifier tout de suite?

Elle était déjà en train de se lever, mais Gösta lui fit signe de se rasseoir.

— Du calme. Si les affaires sont chez le ferrailleur, ça fait plus de trente ans qu'elles n'ont pas bougé. Alors, il n'y a pas d'urgence. Et ce n'est pas un endroit idéal pour emmener les enfants. Je vais l'appeler tout à l'heure. Si c'est lui qui les a, on ira le voir quand tu auras quelqu'un pour veiller sur eux.

Erica savait qu'il avait raison, mais elle n'arrivait pas à se débarrasser de la fébrilité qui s'était emparée d'elle.

— Comment elle va? demanda Gösta, et il fallut une seconde à Erica pour comprendre de qui il parlait.

— Ebba? Elle est à bout. J'ai l'impression qu'elle apprécie malgré tout de quitter l'île pendant un petit moment.

— Et de quitter ce Melker.

— Je pense que tu te trompes sur son compte, mais c'est vrai, sur l'île, ils se chamaillent sans arrêt. Elle commence à s'interroger sur sa vraie famille et j'ai l'intention de lui montrer ce que j'ai déniché dès mon retour, quand les jumeaux feront leur sieste.

— Elle appréciera, j'en suis sûr. Elle a une histoire familiale bien tarabiscotée.

— Oui, pour le moins, dit Erica et elle but la dernière lichette de café froid en faisant une vilaine grimace. Au fait, je suis allée voir Kjell à *Bohusläningen*. Il m'a donné quelques renseignements sur John Holm.

Elle raconta brièvement la tragédie familiale qui avait conduit John sur une piste si haineuse. Elle lui fit également part du bout de papier qu'elle n'avait pas osé mentionner auparavant.

— Gimle? Ça ne me parle pas du tout. Mais ça n'a pas forcément de rapport avec Valö.

— Non, mais ça l'a peut-être rendu nerveux au point d'engager quelqu'un pour venir nous cambrioler, dit-elle avant d'avoir le temps de ravaler ses mots.

— Vous vous êtes fait cambrioler?! Qu'est-ce qu'il en dit, Patrik?

Erica se tut et Gösta la dévisagea.

— Tu ne le lui as pas dit? s'exclama-t-il, hors de lui. Tu es vraiment sûre que c'est John et ses acolytes qui sont derrière ça?

— Ce n'est qu'une supposition, finalement rien n'a été volé. Quelqu'un est entré par la véranda, a fouillé mon bureau et a essayé d'accéder à mon ordinateur, mais sans y parvenir. Je peux m'estimer heureuse que cette personne n'ait pas emporté mon disque dur.

— Patrik va péter les plombs quand il l'apprendra. Et s'il découvre que, moi, j'étais au courant sans le lui dire, il va m'en vouloir à mort.

— Je vais le lui dire, soupira Erica. Mais ce qui est intéressant dans cette affaire, c'est que j'ai quelque chose dans mon bureau qui est considéré comme tellement important qu'on prend le risque de pénétrer par effraction chez moi pour mettre la main dessus. Et mon petit doigt me dit que c'est ce bout de papier.

— John Holm ferait réellement ça? Sveriges Vänner serait gravement compromis s'il s'avérait que John s'est introduit chez un policier.

— Je pense qu'il en serait capable, s'il s'agit d'un élément d'une extrême importance. Mais c'est Kjell qui a le papier maintenant, il va essayer d'en découvrir la signification.

— Tant mieux, dit Gösta. Je veux que tu racontes tout à Patrik ce soir même, dès qu'il rentrera. Autrement, je vais me retrouver en très mauvaise posture.

— Oui, oui, répondit-elle d'une voix lasse.

L'idée n'avait rien de réjouissant, mais elle savait qu'elle devait s'y plier.

— J'espère que Patrik et Paula obtiendront des résultats à Göteborg. Je commence un peu à me décourager, dit Gösta en secouant la tête.

— Oui, mais on a aussi Olle la Ferraille dans notre manche, dit Erica, pas mécontente qu'il ait changé de sujet.

— Oui, on peut toujours espérer, philosopha Gösta.

# HÔPITAL SANKT JÖRGEN 1936

*— Nous estimons peu probable que votre mère puisse sortir d'ici dans un avenir proche, dit le Dr Jansson, un homme d'un certain âge aux cheveux blancs, qui lui rappelait un peu le père Noël, avec sa longue barbe.*

*Laura poussa un soupir de soulagement. Sa vie avait pris un tournant agréable, elle avait un travail et un nouveau logement. Elle louait une chambre chez Mme Bergström dans Galärbacken, petite certes, mais c'était la sienne et elle était jolie comme les pièces de la maison de poupée placée bien en vue sur la haute commode à côté du lit. La vie était tellement plus facile sans Dagmar. Sa mère était internée à l'hôpital Sankt Jörgen à Göteborg depuis trois ans, et c'était comme une délivrance de ne pas avoir à s'inquiéter de ce qu'elle pourrait se mettre en tête de faire.*

*— Elle souffre de quoi, exactement ? demanda-t-elle, en faisant mine de s'y intéresser réellement.*

*Elle s'était habillée avec soin, comme toujours, et était assise les jambes élégamment penchées sur le côté, son sac à main sur les genoux. Elle n'avait que seize ans, mais se sentait bien plus âgée.*

*— Nous n'avons pas pu établir de diagnostic précis, mais elle souffre probablement de ce que nous appelons des nerfs fragiles. Malheureusement, le traitement qu'elle a reçu n'a pas donné de résultats. Elle s'en tient à ses hallucinations sur Hermann Göring. Il n'est pas rare que les gens aux nerfs fragiles se mettent à fantasmer sur des personnes dont ils ont lu le nom dans le journal.*

*— Effectivement, ma mère parle de lui depuis aussi longtemps que je m'en souvienne, dit Laura.*

*Le médecin la regarda avec une compassion sincère.*

*— J'ai compris que votre enfance n'a pas été des plus sereines, mademoiselle. Mais il me semble que vous vous en êtes bien tirée. Vous n'avez pas seulement un joli visage, vous me paraissez aussi être une fille sensée.*

*— J'ai fait ce que j'ai pu, dit-elle timidement, mais un goût amer lui vint à la bouche quand les souvenirs de son enfance remontèrent à sa mémoire.*

*Elle détestait ne pas être capable de freiner ces pensées. En général, elle savait les enfouir tout au fond de son esprit, et elle pensait rarement à sa mère ou au petit appartement sombre qui puait l'alcool quoi qu'elle fasse pour éliminer l'odeur. Elle enfouissait les mots durs aussi. Plus rien ne lui rappelait sa mère et elle était respectée pour ce qu'elle était : soigneuse, ordonnée et appliquée. Aucune injure ne fusait plus dans son dos.*

*Mais la peur était toujours là, tapie. La peur que sa mère ne sorte de l'hôpital et ne vienne tout gâcher.*

*— Vous voulez voir votre mère ? Je ne vous le conseille pas, mais...*

*Le Dr Jansson fit un grand geste des bras.*

*— Oh non, je pense qu'il vaut mieux pas. Elle devient très vite... si agitée.*

*Elle avait encore en tête tout ce que sa mère avait déversé sur elle à sa dernière visite. Dagmar lui avait lancé de telles grossièretés que Laura rougissait encore de honte rien qu'en y pensant. Même le Dr Jansson paraissait s'en souvenir.*

*— Je pense que c'est une sage décision. Nous essayons de maintenir Dagmar au calme.*

*— Vous ne la laissez toujours pas lire le journal, j'espère ?*

*— Non, après ce qui s'est passé, elle n'a pas accès aux journaux, dit le médecin en secouant la tête.*

*Deux ans auparavant, l'hôpital l'avait appelée. Dagmar avait lu dans un journal que Göring avait fait transférer la dépouille de sa femme Carin à Carinhall, son domaine en Allemagne, mais surtout qu'il allait faire construire un mausolée en sa mémoire. Dagmar avait tout cassé dans sa chambre et blessé un infirmier au point qu'il lui avait fallu plusieurs points de suture.*

*— Vous me faites savoir s'il y a du nouveau ? dit-elle.*

*Elle se leva, prit ses gants de la main gauche et tendit la droite au docteur. Puis elle lui tourna le dos et quitta son bureau, un petit sourire sur ses lèvres. Elle était libre pour quelque temps encore.*

Ils approchaient de Torp juste au nord d'Uddevalla quand ils se retrouvèrent dans un énorme bouchon. Patrik ralentit et Paula se tortilla sur le siège passager pour trouver une position confortable.

Il lui jeta un regard soucieux.

— Tu es sûre que tu es en état de faire un aller-retour jusqu'à Göteborg ?

— Mais oui. Ne t'en fais pas. J'ai assez de gens comme ça qui s'inquiètent pour moi.

— Espérons juste qu'on n'y va pas pour rien. Quelle galère, cette circulation !

— Ça prendra le temps qu'il faut, dit Paula. Au fait, comment va Ebba ?

— Je ne sais pas. Elle dormait hier soir quand je suis rentré et elle dormait quand je suis parti ce matin. Erica m'a dit qu'elle était complètement épuisée.

— C'est normal. Elle doit avoir l'impression de vivre un cauchemar.

— Allez, accélère !

Patrik klaxonna comme un fou parce que la voiture devant lui n'avançait pas assez vite à son goût et qu'un trou se formait dans la file. Paula secoua la tête, mais s'abstint de tout commentaire. Elle avait fait suffisamment de trajets en voiture avec Patrik pour savoir que son humeur changeait dès qu'il avait un volant dans les mains.

Avec tous les vacanciers sur la route, il leur fallut une bonne heure de plus que d'habitude pour arriver à Göteborg, et Patrik était près d'exploser quand ils descendirent de la voiture devant le pavillon d'un petit lotissement calme. Il tira sur sa chemise pour s'éventer.

— Putain, quelle chaleur. Comment tu fais pour supporter une telle canicule ?

Paula regarda avec indulgence son front couvert de sueur.

— Moi étrangère, moi pas transpirer, dit-elle et elle souleva les bras pour montrer que ses aisselles étaient sèches.

— Alors je transpire pour nous deux. J'aurais dû emporter une chemise de rechange. Ça ne se fait pas d'aller sonner chez les gens dans cet état. Je suis complètement trempé, et toi, on dirait une baleine échouée. Ils vont se poser des questions sur le corps de police de Tanum, dit Patrik en appuyant sur la sonnette.

— Baleine échouée, toi-même. Je suis enceinte. Et toi, c'est quoi ton excuse ? dit Paula en enfonçant son doigt dans le ventre de Patrik.

— Ça ? C'est juste pour me donner de l'autorité. Ça partira dès que j'aurai repris l'entraînement.

— Il paraît que la salle de sport a émis un avis de recherche.

La porte s'ouvrit, et Patrik n'eut pas l'occasion de rendre la monnaie de sa pièce à Paula.

— Bonjour. Vous devez être les policiers de Tanumshede ? dit un homme d'une soixantaine d'années qui avait l'air très aimable.

— Oui. Je suis Patrik Hedström et voici ma collègue Paula Morales.

Une femme de la même tranche d'âge arriva pour les accueillir à son tour.

— Entrez. Je suis Berit. On s'était dit, Sture et moi, qu'on allait s'installer dans la couveuse à retraités.

— La quoi ? chuchota Paula à Patrik.

— La véranda, chuchota-t-il en retour et il la vit esquisser un sourire.

Dans la petite véranda ensoleillée, Berit tira un fauteuil en rotin devant la table et hocha la tête en direction de Paula.

— Asseyez-vous ici. Ça sera plus confortable.

— Merci. Après, il faudra sûrement une grue pour m'en sortir, dit Paula et elle se laissa tomber sur l'épais coussin.

— Et puis vous allez mettre les pieds sur ce tabouret. Ça ne doit pas être facile d'être en fin de grossesse par cette chaleur.

— Non, ça commence à devenir un peu pesant, reconnut Paula.

Après le long voyage en voiture, ses mollets lui faisaient l'effet de deux ballons de foot.

— Je me rappelle l'été, quand Ebba était enceinte de Vincent. Il faisait aussi chaud que cette année et elle…

Berit ne termina pas sa phrase et son sourire s'éteignit. Sture passa un bras autour de sa femme et lui tapota tendrement l'épaule.

— Bon, on va finir de s'installer et boire un petit café. Berit a préparé son gâteau marbré. La recette est tellement secrète que même moi, je ne sais pas comment elle le prépare, dit-il sur un ton léger pour égayer l'atmosphère, mais son regard était aussi triste que celui de sa femme.

Patrik s'installa pour l'incontournable séance café, sachant que tôt ou tard il serait obligé d'aborder ce sujet si douloureux pour les parents d'Ebba.

— Servez-vous, dit Berit en poussant l'assiette devant eux. Vous et votre mari, vous savez si c'est un garçon ou une fille?

Paula tiqua un peu, puis elle regarda la femme devant elle droit dans les yeux et dit gentiment :

— Non, avec Johanna, ma compagne, on a décidé de ne pas demander. Mais on a déjà un fils, alors évidemment, ce serait sympa si c'était une fille cette fois. En même temps, sans vouloir tomber dans le cliché, le plus important c'est d'avoir un bébé en bonne santé.

Elle se frotta le ventre et se blinda, prête à encaisser la réaction du couple. Berit s'enthousiasma :

— Il doit être fier, le premier, de devenir grand frère.

— Avec une si jolie maman, garçon ou fille, j'imagine que c'est pareil, dit Sture avec un sourire bienveillant.

C'était comme s'ils n'avaient pas entendu que l'enfant aurait deux mamans, et Paula sourit à son tour, de soulagement.

— Racontez-nous maintenant ce qui se passe, dit Sture. Ebba et Melker ne nous donnent que des réponses évasives quand on les appelle, et ils ne veulent pas qu'on leur rende visite non plus.

— Effectivement, je pense qu'il vaut mieux éviter d'aller sur l'île, dit Patrik.

La dernière chose dont la police avait besoin, c'était de davantage de personnes en danger sur Valö.

— Pourquoi? demanda Berit, et son regard errait entre Patrik et Paula. Ebba nous a raconté qu'ils ont trouvé du sang quand ils ont démoli un des planchers. C'est le sang de...?

— Oui, ça paraît probable, répondit Patrik. Mais il est tellement vieux qu'on ne peut pas établir son origine. On ne peut pas non plus savoir si c'est le sang d'une ou de plusieurs personnes.

— C'est terrible, dit Berit. On n'a jamais vraiment parlé avec Ebba de ce qui s'était passé. D'ailleurs, on n'en savait pas plus que ce que les services sociaux nous avaient dit. Le reste, on l'a lu dans les journaux. Du coup, on a été un peu surpris quand elle et Melker ont voulu reprendre la maison.

— Je ne crois pas qu'ils avaient vraiment envie d'y aller, glissa Sture. Je crois qu'ils voulaient fuir.

— Pouvez-vous nous dire ce qui est arrivé à leur fils? demanda Paula doucement.

Berit et Sture se regardèrent un instant avant que Sture se mette à parler. Lentement, il leur raconta la mort de Vincent, et Patrik sentit une boule grandir dans sa gorge pendant qu'il écoutait. Comme la vie pouvait être cruelle et absurde!

— Ebba et Melker ont déménagé combien de temps après l'accident? demanda-t-il quand Sture eut fini son récit.

— Environ six mois, répondit Berit.

— Oui, c'est ça, confirma son mari. Ils ont vendu leur maison, ils habitaient pas très loin d'ici, précisa-t-il en indiquant une direction un peu floue le long de la rue. Melker a annulé toutes ses commandes – il est menuisier. Ebba était en arrêt maladie depuis le drame. Elle travaillait aux Impôts, mais elle n'y est jamais retournée. On s'inquiète un peu de savoir comment ils vont s'en sortir financièrement, même si la vente de la villa leur a fourni un matelas de sécurité.

— On va les aider comme on peut, dit Berit. On a deux autres enfants, qui sont pour ainsi dire nos propres enfants, enfin, je veux dire, on considère évidemment Ebba comme

278

notre fille. Ils ont toujours adoré leur petite sœur et ils l'aideront sûrement aussi, je pense qu'il n'y aura pas de problèmes.

— L'endroit va être splendide quand les travaux seront terminés. Melker est apparemment un excellent menuisier, dit Patrik.

— Il est incroyablement doué, renchérit Sture. Quand ils habitaient ici, il travaillait pratiquement tout le temps. Sans doute trop par moments, mais mieux vaut ça qu'un gendre feignant.

— Je vous sers un autre café ? demanda Berit et, sans attendre de réponse, elle se leva pour aller chercher la cafetière.

Sture la regarda partir.

— Cette histoire la mine, mais elle ne veut pas le montrer. Ebba est arrivée comme un petit ange chez nous. Nos enfants avaient six et huit ans à l'époque, et on avait envisagé d'en avoir un autre. C'était l'idée de Berit de plutôt accueillir un enfant qui avait besoin d'aide.

— Vous aviez été famille d'accueil pour d'autres enfants avant Ebba ? demanda Paula.

— Non, elle a été la première et la seule. Elle est restée chez nous et on a décidé de l'adopter. Berit passait des nuits blanches avant que la procédure d'adoption soit terminée. Elle avait peur qu'ils nous l'enlèvent.

— Elle était comment, petite ?

Patrik avait demandé ça par curiosité. Quelque chose lui disait que la femme qu'il avait rencontrée n'était qu'une pâle copie d'Ebba.

— Oh, c'était un vrai feu follet, je peux vous l'assurer.

— Ebba, oh oui ! s'exclama Berit qui arrivait avec le café. Une gamine à faire des bêtises. Mais toujours de bonne humeur. C'était impossible de se mettre vraiment en colère contre elle.

— Du coup, tout est encore plus lourd à porter, constata Sture. On n'a pas seulement perdu Vincent, on a perdu Ebba aussi. C'est comme si une grande partie d'elle était morte avec son fils. Et pareil pour Melker. C'est vrai qu'il a toujours été d'un tempérament plus instable, par période il sombrait carrément dans la déprime, mais avant la mort de Vincent, leur couple fonctionnait bien. Aujourd'hui... aujourd'hui, je ne sais plus. Au début, ils ne pouvaient pratiquement pas se trouver tous les deux dans la même pièce, et les voilà coincés ensemble sur une île! Vous comprenez, on ne peut pas s'empêcher d'être inquiets.

— Vous avez une idée de qui a pu allumer l'incendie? Ou de qui a tiré sur Ebba hier? demanda Patrik.

Berit et Sture le dévisagèrent, comme pétrifiés.

— Ebba ne vous a rien dit? s'étonna-t-il.

Il regarda Paula. Il n'avait pas imaginé une seule seconde que les parents d'Ebba pouvaient ignorer ce qui était arrivé à leur fille. Sinon, il aurait évidemment posé la question avec plus de diplomatie.

— Non, elle nous a juste dit qu'ils avaient trouvé du sang, répondit Sture.

Patrik cherchait ses mots pour décrire les derniers événements de Valö quand Paula le devança et expliqua calmement l'incendie et les coups de feu.

Berit serrait le plateau de la table tellement fort que les jointures de ses mains blanchirent.

— Je ne comprends pas pourquoi elle n'a rien dit.

— Elle ne voulait peut-être pas nous inquiéter, suggéra Sture, mais il parut aussi bouleversé que sa femme.

— Mais pourquoi ils restent là-bas? C'est de la folie! Il faut qu'ils partent tout de suite. On doit y aller, Sture, leur faire entendre raison.

— Ils semblent fermement décidés à rester, dit Patrik. Mais Ebba est rentrée avec ma femme, elle a passé la nuit chez nous. Melker, par contre, a refusé de quitter l'île, il y est toujours.

— Mais il est complètement fou! s'exclama Berit. Sture, on y va. Maintenant, tout de suite.

Elle se leva, mais son mari la força doucement à se rasseoir.

— On ne va surtout pas se précipiter. On va appeler Ebba et voir ce qu'elle a à nous dire. Tu sais comme ils sont têtus. Inutile de faire des histoires.

Berit secoua la tête, mais sembla se résigner.

— Réfléchissez bien : est-ce que vous voyez pourquoi quelqu'un leur voudrait du mal? demanda Paula.

Elle se tortilla sur son siège. Malgré ce fauteuil confortable, ses articulations commençaient à se faire sentir.

— Non, on ne voit pas pourquoi, répondit Berit en appuyant sur les syllabes. Ils avaient une vie totalement ordinaire. Et pourquoi les faire souffrir davantage ? Ils ont eu leur dose de deuil et de chagrin.

— Mais ça doit quand même être lié à ce qui est arrivé à la famille d'Ebba, non ? dit Sture. Quelqu'un a peut-être peur que des indices n'apparaissent.

— C'est aussi notre théorie, mais nous ne savons pas grand-chose pour le moment. Nous devons donc rester prudents, répondit Patrik. Il y a une chose qui nous intrigue, ce sont les cartes qu'Ebba reçoit d'une personne qui signe d'un G.

— Oui, c'est assez étrange, dit Sture. À chacun de ses anniversaires, une carte arrive. Nous, on pensait que c'était un membre lointain de sa famille qui les envoyait. Ça paraissait tellement inoffensif qu'on ne s'en est pas occupé.

— Ebba a reçu une nouvelle carte hier qui était beaucoup moins inoffensive.

Les parents d'Ebba le dévisagèrent de nouveau.

— Qu'est-ce qui était écrit ?

Sture se leva et tira un peu les rideaux. La lumière du soleil se déversait à présent dans la véranda et se reflétait sur la table.

— Disons que c'était menaçant.

— Dans ce cas, c'est la première fois. Vous croyez que l'expéditeur est la personne qui a agressé Ebba et Melker ?

— Nous n'en savons rien. Mais il nous serait très utile de voir une ancienne carte, si vous les avez encore.

— Non, je suis désolé, on ne les a pas gardées, dit Sture en secouant la tête. On les montrait à Ebba et ensuite on les jetait. Ce n'était pas très personnel, ce qu'il y avait écrit. Seulement "Bon anniversaire" et "G". Rien d'autre. Si bien que ça ne servait à rien de les conserver.

— Je comprends, dit Patrik. Et rien d'autre sur les cartes ne pouvait révéler qui en était l'expéditeur ? Pouvait-on voir où elles avaient été postées ?

— Ici, à Göteborg, ce qui n'est pas vraiment un indice, dit Sture, avant de sursauter et de fixer sa femme. L'argent ! dit-il.

Berit écarquilla les yeux et se tourna vers Patrik et Paula.

— Comment on a fait pour ne pas y penser! Depuis le jour où Ebba est arrivée chez nous et jusqu'à ses dix-huit ans, une somme d'argent a été déposée anonymement chaque mois pour elle. On a seulement reçu une lettre de la banque disant qu'un compte avait été ouvert au nom d'Ebba. On n'y a pas touché, et quand Ebba et Melker ont voulu acheter une maison, on leur a donné l'argent.

— Et vous n'avez aucune idée de l'identité de ce bienfaiteur? Vous avez fait des recherches?

— Oui, quelques tentatives. Évidemment, on était curieux. Mais la banque nous a fait savoir que le donateur souhaitait rester anonyme, et on a dû se contenter de ça. On a pensé que c'était la même personne qui envoyait les cartes : un membre éloigné de sa famille qui lui voulait du bien.

— C'était quelle banque?

— La Handelsbanken. Une agence à Norrmalmstorg, à Stockholm.

— On va examiner ça de plus près. C'est bien, d'y avoir pensé.

Du regard, Patrik interrogea Paula qui fit oui de la tête. Il se leva et leur tendit la main.

— Un grand merci de nous avoir reçus. Faites-nous signe si un autre détail vous revient.

— C'est promis. Tout ce qu'on peut faire pour vous aider…

Sture afficha un pâle sourire et Patrik devina qu'ils allaient se jeter sur le téléphone et appeler leur fille dès que Paula et lui seraient partis.

Leur excursion à Göteborg s'était révélée plus fructueuse qu'il ne l'aurait espéré. *Follow the money*, comme on disait dans les films américains. S'ils arrivaient à tracer l'argent, ils trouveraient peut-être l'indice qui leur permettrait d'avancer.

Une fois installé dans la voiture, Patrik vérifia son téléphone. Vingt-cinq appels reçus. Il soupira et se tourna vers Paula.

— Quelque chose me dit que la presse a flairé l'affaire.

Il démarra et prit la direction de Tanumshede. La journée allait être longue.

*Expressen* avait publié la nouvelle concernant Valö et quand le chef de Kjell apprit *via* le téléphone arabe qu'ils auraient pu en avoir l'exclusivité, il fut pour le moins fâché. Une fois qu'il se fut défoulé en poussant sa gueulante, il expédia Kjell avec pour mission de damer le pion au géant de la presse en mettant plus de peps dans ses articles sur cette vieille affaire. "Être un journal plus petit et local ne signifie pas être moins bon", comme il disait souvent.

Kjell feuilleta parmi ses notes. Bien sûr, laisser filer une telle nouvelle était en contradiction avec ses principes journalistiques, mais son engagement contre les organisations xénophobes passait en premier. S'il devait renoncer à un scoop pour qu'on l'aide à révéler la vérité sur Sveriges Vänner et John Holm, il était prêt à le faire.

Il dut se retenir d'appeler Sven Niklasson pour avoir des nouvelles. Il n'apprendrait probablement pas grand-chose avant la parution du journal, mais il ne pouvait s'empêcher de réfléchir à la signification du mot "Gimle". Il était certain d'avoir perçu un changement dans la voix de Sven Niklasson après qu'il lui eut parlé du papier qu'Erica avait trouvé chez John Holm. Comme si ce n'était pas la première fois qu'il entendait ce mot et qu'il en savait déjà long.

Il ouvrit *Expressen* et lut l'article sur la trouvaille de Valö. Le journal consacrait quatre pages à la nouvelle, qui se transformerait sûrement en véritable feuilleton dans les prochains jours. La police de Tanum avait annoncé une conférence de presse dans l'après-midi, et avec un peu de chance, elle lâcherait des éléments exploitables. Mais il restait encore quelques heures et la gageure n'était pas d'obtenir les mêmes informations que tout le monde, mais de découvrir l'information dont personne d'autre ne disposait. Kjell se renversa dans sa chaise et réfléchit. Les gens du coin avaient toujours été intrigués par les cinq garçons restés sur l'île pour les vacances de Pâques. Les spéculations sur ce qu'ils savaient et ne savaient pas étaient allées bon train, de même que sur leur participation éventuelle à la disparition de la famille Elvander. S'il dénichait le plus de matériel possible concernant ces adolescents, il pourrait sans doute pondre un article qu'aucun autre journal ne viendrait égaler.

Il se redressa et commença à fouiller dans son ordinateur. Les registres officiels, c'était un bon endroit pour commencer ses investigations. Il y trouverait certains renseignements sur les hommes que ces jeunes garçons étaient devenus. Et puis, il avait ses propres notes issues de son interview avec John. Il allait tenter de localiser les quatre autres dans la journée. Ça ferait beaucoup de boulot en peu de temps, mais le résultat pourrait être à la hauteur.

Une autre chose le frappa, qu'il nota rapidement dans son calepin. Il devait rencontrer Gösta Flygare, qui avait été présent à l'époque. Il aurait probablement des choses à dire sur les interrogatoires qu'il avait menés avec les garçons, et cela donnerait davantage de poids à son article.

Gimle venait sans cesse parasiter ses pensées, mais Kjell repoussa fermement ce nom. Ce n'était plus de son ressort, et peut-être même que ça n'avait aucune importance. Il prit son téléphone portable et commença à passer des coups de fil. Il n'avait pas le temps pour les spéculations.

Lentement, Percy fit ses bagages. Il n'irait pas à la fête prévue. Quelques coups de téléphone lui avaient suffi pour apprendre que non seulement Pyttan l'avait quitté, mais qu'elle avait aussi emménagé chez le sexagénaire qui les avait invités à son anniversaire.

Au matin, Percy monterait dans sa Jag et irait à Fjällbacka. Il n'était pas sûr que ce soit une bonne idée. Mais l'appel de Leon était arrivé comme une confirmation de ce qu'il avait pressenti : sa vie était en train de s'écrouler, alors qu'avait-il réellement à perdre ?

Comme toujours, quand Leon parlait, on obéissait. À l'époque déjà, c'était lui le chef. Qu'il ait eu la même autorité à seize ans qu'aujourd'hui était légèrement effrayant. Peut-être sa vie aurait-elle été différente s'il n'avait pas suivi les ordres de Leon, mais il ne voulait pas penser à ça maintenant. Pendant toutes ces années, il avait réussi à refouler les événements de Valö. Et il n'était jamais retourné sur les lieux. Quand le bateau des policiers l'avait ramené sur le continent ce samedi-là, il n'avait même pas jeté un dernier regard sur l'île.

Maintenant, il allait devoir replonger dans ses souvenirs. Il aurait mieux fait de rester à Stockholm, de prendre une bonne cuite et de regarder la vie passer dans la rue en attendant l'arrivée de ses créanciers. Mais la voix de Leon au téléphone lui avait ôté toute volonté, exactement comme autrefois.

La sonnerie de la porte le fit sursauter. Il n'attendait pas de visite et Pyttan avait déjà emporté tous les objets de valeur. Il ne se faisait guère d'illusion sur un retour éventuel de son épouse. Elle n'était pas idiote. En un certain sens, il pouvait la comprendre. Il avait grandi dans un monde où l'on se mariait avec celui qui avait quelque chose à offrir, dans une sorte de troc aristocratique.

En ouvrant la porte, il trouva maître Buhrman, son avocat.

— Nous avions rendez-vous? demanda Percy en se creusant la tête.

— Non, répondit l'avocat et il fit un pas en avant, forçant ainsi Percy à reculer et à le laisser entrer. J'étais en ville, et j'aurais dû rentrer chez moi tout de suite après avoir réglé mes affaires. Mais ce que j'ai à te dire est urgent.

Buhrman évita son regard et Percy sentit ses genoux se mettre à trembler. Cela n'augurait rien de bon.

— Entrez, dit-il et il lutta pour rester maître de sa voix.

Dans sa tête, résonnaient les paroles de son père : Quoi qu'il arrive, ne te montre jamais faible. Subitement, il lui revint à l'esprit toutes les occasions où il n'avait pas su suivre ce conseil et où il s'était effondré en pleurs par terre, priant et suppliant. Il déglutit et ferma les yeux. Ce n'était sûrement pas le moment de se laisser envahir par le passé. Il serait amplement servi le lendemain. Pour l'heure, il fallait écouter ce que maître Buhrman lui voulait.

— Je vous sers un petit whisky? demanda-t-il et il alla se servir un verre au bar roulant.

— Non merci, répondit Buhrman en prenant place dans le canapé, lentement et péniblement.

— Un café alors?

— Non merci. Assieds-toi maintenant.

Buhrman frappa le parquet avec sa canne et Percy obéit. Il garda le silence pendant que l'avocat parlait, se contentant de hocher la tête par moments pour montrer qu'il comprenait. Il ne laissa rien voir de ce qu'il en pensait. La voix de son père résonna de plus en plus fort entre ses tempes : Ne te montre jamais faible.

Après le départ de Buhrman, il se remit à faire ses bagages. Il ne lui restait qu'une chose à faire. Il avait été faible cette fois-là, tant d'années auparavant. Il s'était laissé vaincre par le mal. Percy ferma la valise et s'assit sur le lit. Il fixa le vide devant lui. Sa vie était détruite. Plus rien n'avait d'importance. Mais plus jamais il ne se montrerait faible.

# FJÄLLBACKA 1939

*À la table du petit-déjeuner, Laura regarda son époux. Cela faisait un an qu'ils s'étaient mariés. Le jour de ses dix-huit ans, elle avait répondu oui à la demande en mariage de Sigvard et un mois plus tard seulement, une cérémonie simple les avait unis. Sigvard avait alors cinquante-trois ans, il aurait pu être son père. Mais il était riche et elle savait qu'elle n'aurait plus jamais de souci à se faire pour l'avenir. De façon très pragmatique, elle avait fait une liste des arguments pour et contre, et les arguments pour l'avaient emporté. L'amour, c'était pour les fous, un luxe qu'une femme dans sa situation ne pouvait pas s'offrir.*

*— Les Allemands ont envahi la Pologne, dit Sigvard tout excité. Ce n'est que le début, tu peux me croire sur parole.*

*— La politique, tu sais, ça m'ennuie.*

*Laura se prépara une demi-tartine. Elle n'osait jamais manger plus que ça. Une faim perpétuelle, c'était le prix à payer pour être parfaite. Parfois, cependant, l'absurdité de son comportement la frappait. Elle avait épousé Sigvard pour la sécurité, pour la certitude de toujours avoir de quoi manger. Et pourtant elle restait affamée aussi souvent maintenant que dans son enfance, quand Dagmar dépensait l'argent en alcool au lieu d'acheter de la nourriture.*

*— Ils parlent de ton père aussi, rigola Sigvard.*

*Elle lui envoya un regard glacé. De sa part, elle pouvait encaisser pas mal de choses, mais elle lui avait demandé à plusieurs reprises de ne jamais évoquer quoi que ce soit en rapport avec sa folle de mère. Elle n'avait pas besoin qu'on lui rappelle le passé. Dagmar était sous bonne garde à l'hôpital Sankt Jörgen, et avec un peu de chance elle y passerait le reste de sa misérable vie.*

— Ça, ce n'était pas nécessaire, dit-elle.

— Pardon, chérie. Mais il n'y a pas de quoi avoir honte. Au contraire. Ce Göring, c'est la coqueluche d'Hitler, le chef de la Luftwaffe. Ce n'est pas rien.

Il hocha pensivement la tête et se replongea dans son journal.

Laura soupira. Elle n'était pas intéressée, et elle ne voulait plus entendre parler de Göring, plus jamais. Pendant des années, elle avait dû supporter les fantasmes morbides de sa mère et maintenant, qu'elle le veuille ou non, elle allait lire son nom dans les journaux, juste parce qu'il était un des plus proches collaborateurs d'Hitler. Seigneur, que les Allemands envahissent la Pologne, en quoi est-ce que ça les concernait, ici, en Suède?

— J'aimerais changer un peu le décor du salon. Tu veux bien? demanda-t-elle de sa voix la plus douce.

Il n'y avait pas si longtemps, elle avait entièrement transformé la pièce. C'était assez réussi, mais pas parfait. Pas autant que le salon dans la maison de poupée. Le canapé qu'elle avait acheté n'y trouvait pas vraiment sa place et les prismes du lustre de cristal n'étaient pas aussi scintillants qu'elle avait cru avant de le faire installer.

— Tu vas me ruiner, dit Sigvard avec un regard énamouré. Fais comme tu veux, mon cœur. Si ça peut te rendre heureuse.

— Anna va nous rejoindre, si c'est OK pour toi.

Erica observa Ebba. À l'instant où elle avait proposé à sa sœur de passer, elle avait compris que ce n'était peut-être pas une très bonne idée, mais Anna semblait avoir besoin de compagnie.

— Pas de problème, sourit Ebba, mais elle avait toujours l'air fatigué.

— Qu'est-ce qu'ils t'ont dit, tes parents ? Patrik a trouvé un peu bizarre que ce soit lui qui leur apprenne l'incendie et les coups de feu, il pensait vraiment que tu leur avais raconté tout ça.

— J'aurais dû, mais j'ai remis à plus tard. Ils s'inquiètent tellement. Ils auraient forcément voulu qu'on abandonne tout et qu'on revienne à Göteborg.

— Vous n'y avez pas songé vous-mêmes ? demanda Erica, tout en cherchant le DVD de *Lotta de la rue des Chahuteurs* pour Maja.

Les jumeaux dormaient, épuisés après la visite chez Gösta, et Maja était blottie dans le canapé, attendant que le film commence.

Ebba réfléchit un instant, puis secoua la tête.

— Non, on ne peut pas retourner à Göteborg. Si notre projet sur Valö ne fonctionne pas, je ne sais pas ce qu'on va faire. Je comprends que c'est idiot de rester et, oui, j'ai peur, mais en même temps... on a déjà connu le pire.

— Tu veux dire... commença Erica.

Elle avait rassemblé son courage et s'apprêtait à demander enfin ce qui était arrivé à leur fils, mais c'est le moment que choisit Anna pour ouvrir la porte.

— Salut! cria-t-elle.

— Entre, j'arrive, je suis en train de mettre le DVD de *Lotta* pour la millième fois.

— Salut, dit Anna en voyant Ebba.

Elle afficha un sourire hésitant, comme si elle ne savait pas quelle attitude adopter après les événements qu'elles avaient partagés la veille.

— Salut Anna, dit Ebba avec autant de circonspection.

La prudence paraissait faire partie de sa personnalité, et Erica se demanda si elle se montrait plus ouverte avant la mort de son fils.

Le générique du film commença et Erica se releva.

— On sera mieux dans la cuisine.

Anna et Ebba la précédèrent, et elles s'assirent autour de la table.

— Tu as réussi à dormir? demanda Anna.

— Oui, j'ai dormi plus de douze heures, mais j'ai l'impression que je pourrais remettre ça douze heures de plus.

— C'est sûrement dû au choc.

Erica arriva dans la cuisine, une pile de dossiers sur les bras.

— Ce que j'ai là n'est absolument pas exhaustif et tu en connais sans doute déjà une bonne partie, dit-elle en posant les documents sur la table.

— Je ne connais absolument rien, dit Ebba en secouant la tête. Ça peut paraître étrange, mais je n'ai jamais vraiment pensé à mes origines avant d'emménager dans la maison de Valö. Ma vie était tellement rassurante, je pense, et mon histoire devait me sembler un peu... absurde.

Elle regarda fixement la pile de documents, comme si elle pouvait ainsi assimiler un peu de leur contenu.

— Bon, on va commencer, dit Erica.

Elle ouvrit son bloc-notes et se racla la gorge.

— Ta mère, Inez, est née en 1951, elle n'avait que vingt-trois ans quand elle a disparu. Je n'ai pas trouvé grand-chose sur elle, avant qu'elle se marie avec Rune. Elle est née à Fjällbacka, elle y a grandi, à l'école elle avait des notes moyennes, et... eh bien, c'est pratiquement tout ce qu'il y a dans les archives la concernant. Elle a épousé ton père, Rune Elvander en 1970, et tu es née en janvier 1973.

— Le 3 janvier, ajouta Ebba.

— Rune était beaucoup plus âgé qu'Inez, je pense que tu le sais. Il est né en 1919, et il avait trois enfants d'un premier lit : Johan, neuf ans, Annelie, seize ans, et Claes qui en avait dix-neuf à l'époque de leur disparition. Leur mère, Carla, la première femme de Rune, est morte tout juste un an avant que Rune épouse Inez, et d'après les personnes que j'ai consultées, ça n'a pas été très facile pour ta mère de se faire une place dans la famille.

— Je me demande pourquoi elle a épousé quelqu'un de si vieux, dit Ebba. Mon père devait avoir – elle fit un rapide calcul mental – cinquante et un ans quand ils se sont mariés.

— Apparemment, ta grand-mère était derrière tout ça. On dit qu'elle était… je ne sais pas quel mot utiliser…

— Je n'ai aucun sentiment pour ma grand-mère, tu n'as pas besoin de prendre des gants avec moi. Ma vraie famille se trouve à Göteborg. Je vois cette partie de ma vie plutôt comme une sorte de curiosité.

— Alors tu ne vas pas mal le prendre si je dis que ta grand-mère passait pour un vrai dragon.

— Enfin, Erica ! dit Anna avec un regard de reproche à sa sœur.

Pour la première fois depuis qu'elles s'étaient rencontrées, Ebba rit cordialement.

— C'est bon. Ça ne me fait rien. Je veux entendre la vérité, toute la vérité si possible.

— D'accord, d'accord, dit Anna, mais elle avait toujours l'air dubitatif.

Erica poursuivit :

— Ta grand-mère s'appelait Laura, elle était née en 1920.

— Si bien que ma grand-mère avait le même âge que mon père, constata Ebba. Du coup, je me demande encore plus comment il a pu se faire, ce mariage.

— Laura, donc, en aurait été l'instigatrice. C'est elle qui aurait incité ta mère à épouser Rune. Mais ça fait partie des incertitudes de mon dossier, ce n'est pas à prendre pour argent comptant.

Erica se mit à chercher parmi les documents et en tira la copie d'une photo qu'elle posa devant Ebba.

— Tiens, c'est une photo de ta grand-mère Laura et de ton grand-père Sigvard.

— Elle ne respire pas la joie, dit Ebba en regardant la dame rigide. Lui non plus, d'ailleurs.

— Sigvard est mort en 1954, peu après que cette photo a été prise.

— On dirait qu'ils étaient riches, dit Anna en se penchant pour mieux voir la photo.

— C'est vrai, ils l'étaient, confirma Erica. En tout cas, jusqu'à la mort de Sigvard. Il s'est avéré alors qu'il avait fait une série de mauvaises affaires. Il ne restait pas beaucoup d'argent et, comme Laura ne travaillait pas, le capital s'est épuisé, lentement mais sûrement. Laura se serait probablement retrouvée sur la paille si Inez n'avait pas épousé Rune.

— Mon père était donc riche? demanda Ebba.

Elle avait pris la photo et la tenait tout près de ses yeux pour mieux distinguer les détails.

— Je ne dirais pas riche, mais il avait une bonne situation. Suffisante pour financer un appartement convenable pour Laura quand elle est devenue veuve.

— Mais elle était déjà morte quand mes parents ont disparu?

Erica chercha dans son bloc-notes.

— Oui, tu as raison. Laura est décédée d'un infarctus en 1973. À Valö, d'ailleurs. C'est Claes, le fils aîné de Rune, qui l'a trouvée derrière la maison. Elle était déjà morte.

Erica mouilla son index, feuilleta le tas de paperasse et finit par trouver la photocopie d'un article de journal.

— *Bohusläningen* en parle.

Ebba prit le feuillet et lut le texte.

— On dirait que ma grand-mère était connue ici.

— Oui, tout le monde savait qui était Laura Blitz. Sigvard était armateur, c'est comme ça qu'il avait fait fortune, on chuchotait même qu'il était en affaire avec les Allemands pendant la Seconde Guerre mondiale.

— Ils étaient nazis? dit Ebba, effarée.

— Je ne sais pas jusqu'où allait leur engagement, répondit Erica lentement. Mais tes grands-parents ne cachaient pas leurs sympathies.

— Et ma mère aussi?

Ebba écarquilla les yeux, et Anna fusilla Erica du regard.

— Cela n'est dit nulle part, répondit Erica. Elle était gentille, mais un peu naïve. C'est comme ça que la plupart décrivent Inez. Naïve et sous le joug de ta grand-mère.

— Ce qui peut expliquer le mariage avec mon père, dit Ebba en se mordant la lèvre. Lui aussi, c'était quelqu'un d'autoritaire, non? Ou c'est juste une chose que je me suis mise en tête parce qu'il était directeur d'un internat?

— Non, tu ne te trompes pas. C'était apparemment un homme assez dur et sévère.

— Et ma grand-mère était originaire de Fjällbacka?

— Oui, sa famille était de Fjällbacka depuis plusieurs générations. Sa mère s'appelait Dagmar, elle était née à Fjällbacka en 1900.

— Elle avait donc... vingt ans quand elle a eu ma grand-mère? Je suppose qu'à cette époque, c'était courant d'avoir des enfants si jeune. Et le père de ma grand-mère, c'était qui?

— Il est inscrit "père inconnu" dans les registres d'état civil. Dagmar aussi, elle avait un sacré caractère, dit Erica et elle mouilla de nouveau son index pour feuilleter ses documents jusqu'à atteindre un papier presque au fond de la pile. Ça, c'est un extrait des dossiers du tribunal correctionnel.

— Condamnée pour vagabondage et racolage? La grand-mère de ma mère se prostituait?

— Elle était célibataire avec un enfant illégitime... Elle a dû faire ce qu'il fallait pour survivre. Ça n'a pas dû être une vie facile. Elle a aussi été condamnée pour vol à quelques reprises. Dagmar était considérée comme un peu folle et elle buvait trop. Il y a des documents qui montrent qu'elle a été internée en HP pendant de longues périodes.

— Quelle enfance horrible ma grand-mère a dû avoir, soupira Ebba. Pas étonnant qu'elle soit devenue méchante.

— Effectivement, grandir avec Dagmar comme maman n'a pas dû être simple. Aujourd'hui, on trouverait sans doute scandaleux que la société laisse vivre un enfant dans des conditions pareilles. Mais les mœurs n'étaient pas les mêmes à cette époque, et le mépris pour les filles-mères était terrible.

Erica imaginait nettement la mère et la fille. Elle avait consacré tant d'heures à fouiller l'histoire de ces femmes qu'elles lui paraissaient vivantes et réelles. Elle ne savait pas au juste pourquoi elle était remontée si loin dans le temps pour démêler les fils du mystère de la famille Elvander. Mais le sort de ces femmes l'avait fascinée et elle s'était laissé prendre corps et âme.

— Qu'est-il arrivé à Dagmar ? demanda Ebba.

Erica lui tendit un autre feuillet, la copie d'une photo en noir et blanc qui semblait avoir été prise pendant un procès.

— Oh mon Dieu, c'est elle ?

— Montre-moi ! dit Anna, et Ebba tourna la photo pour qu'elle puisse voir.

— Comme elle a l'air vieille et usée ! Elle date de quand, cette photo ?

— 1945. Dagmar avait quarante-cinq ans. Elle était internée à Sankt Jörgen, à Göteborg, à cette époque.

Erica fit une pause insupportable.

— D'ailleurs, c'était quatre ans avant sa disparition.

— Dagmar a disparu ?!

— Oui, on dirait que c'est de famille. La dernière note qui mentionne Dagmar date de 1949. Après ça, c'est comme si elle était partie en fumée.

— Laura ne savait rien sur sa disparition ?

— On m'a dit que Laura avait coupé les ponts avec Dagmar bien avant ça. À ce moment-là, elle était mariée à Sigvard et vivait une tout autre vie.

— Et on ne sait pas du tout ce qu'elle est devenue ? demanda Anna.

— Certains prétendent que Dagmar se serait noyée après avoir trop bu. Mais on n'a jamais retrouvé son corps.

— Au secours ! dit Ebba en reprenant la photo. Une arrière-grand-mère pute et voleuse qui disparaît dans la nature. Ça ne va pas être facile à digérer !

— Ce n'est pas tout, annonça Erica et elle savoura l'attention de son auditoire. La mère de Dagmar…

— Oui ? dit Anna avec impatience.

— Non, je pense qu'on va déjeuner d'abord, et je vous raconterai la suite après, dit Erica, par pur jeu.

— Arrête ! crièrent Anna et Ebba de concert.

— Est-ce que l'une de vous connaît le nom d'Helga Svensson ?

Ebba sembla réfléchir un instant, puis secoua la tête. Anna garda le silence, le front plissé. Puis une lueur s'alluma dans ses yeux.

— La Faiseuse d'anges, dit-elle.

— C'est qui ? demanda Ebba.

— Fjällbacka n'est pas seulement connu pour la brèche du Roi et Ingrid Bergman, expliqua Anna. Nous avons aussi l'honneur discutable d'être le berceau de la Faiseuse d'anges Helga Svensson, qui a été décapitée vers 1909, je crois.

— 1908, rectifia Erica.

— Décapitée pour quel crime ? demanda Ebba, l'air confus.

— Elle avait assassiné des nourrissons et de jeunes enfants dont on lui avait confié la garde. Elle les noyait dans une bassine. Elle a été démasquée lorsqu'une des mères a changé d'avis et est revenue chercher son enfant. Elle a été prise de soupçons quand elle n'a pas trouvé son fils, alors qu'Helga avait parlé de lui dans des lettres pendant une année entière, et elle a alerté les autorités. Un matin, la police a fait une descente chez Helga. Il y avait aussi son mari et les enfants à la maison, sa propre fille et ceux qui lui avaient été confiés qui avaient la chance d'être encore en vie.

— Et ils ont trouvé huit cadavres d'enfants enterrés dans la cave, glissa Anna.

— Mais c'est épouvantable ! dit Ebba et elle sembla avoir le souffle coupé. Mais je ne comprends pas le lien avec ma famille.

— Helga est la mère de Dagmar, expliqua Erica. La Faiseuse d'anges Helga Svensson est la mère de Dagmar et donc ton arrière-arrière-grand-mère.

— Tu me fais marcher ? dit Ebba avec un regard incrédule.

— Non, c'est la vérité. Tu comprends maintenant pourquoi j'ai trouvé que c'était une drôle de coïncidence quand Anna m'a raconté que tu fais des bijoux en forme d'ange.

— J'aurais peut-être mieux fait de ne pas ouvrir ce dossier… soupira Ebba, mais elle ne paraissait pas penser un mot de ce qu'elle disait.

— Cela dit, c'est tellement excitant! s'enflamma Anna, mais elle regretta aussitôt ses mots et se tourna vers Ebba pour s'excuser : Pardon, je ne voulais pas…

— T'inquiète, moi aussi je trouve ça excitant, la rassura Ebba. Et je vois aussi l'ironie de mes bijoux. Étrange. Il y a vraiment de quoi s'interroger sur le destin.

Un voile sombre passa dans ses yeux et Erica présuma qu'elle pensait à son fils.

— Huit enfants, dit-elle ensuite lentement. Huit petits enfants, enterrés dans une cave.

— Comment peut-on faire une chose pareille? s'indigna Anna.

— Qu'est-il arrivé à Dagmar quand ils ont exécuté Helga? voulut savoir Ebba, les bras croisés sur sa poitrine et l'air plus fragile que jamais.

— Le mari d'Helga, le père de Dagmar donc, a été décapité lui aussi, dit Erica. C'est lui qui enterrait les corps, il a été considéré comme complice, même si c'est Helga qui noyait les bébés. Dagmar s'est retrouvée orpheline et a été placée chez un paysan près de Fjällbacka pendant quelques années. Je ne sais pas comment était la vie pour elle dans cette ferme. Mais j'imagine volontiers que c'était difficile d'être la fille d'une infanticide. Les gens du coin ne devaient pas pardonner facilement un tel péché.

Ebba hocha la tête. Elle avait l'air épuisé et Erica décida que c'en était assez pour aujourd'hui. Il était temps de déjeuner. Et elle voulait aussi vérifier son portable, voir si Gösta l'avait appelée. Elle croisa les doigts pour qu'il ait du nouveau concernant Olle la Ferraille. Que la chance leur sourie enfin!


Une mouche bourdonna à la fenêtre. Elle se jetait sans cesse contre la vitre dans une lutte désespérée. Elle devait être perplexe. Il n'y avait pas d'obstacle visible, et pourtant quelque chose l'empêchait de passer. Melker comprenait exactement comment elle devait se sentir. Il la regarda un moment avant de tendre lentement la main vers la fenêtre, former une pince avec le pouce et l'index et l'attraper. Il l'observa avec fascination pendant qu'il l'écrasait entre ses doigts. Il serra jusqu'à ce qu'elle soit toute plate, puis il s'essuya sur le bord de la fenêtre.

Sans le bourdonnement, le silence était total dans la pièce. Il était assis dans le fauteuil de bureau d'Ebba, les objets dont elle se servait pour fabriquer ses bijoux devant lui. Il regarda un ange en argent à moitié fini et se demanda quelle douleur ce bijou allait accompagner. Certes, il ne servirait pas forcément à cela. Tous les colliers n'étaient pas commandés en souvenir d'un mort, beaucoup de gens les achetaient aussi parce qu'ils étaient beaux. Mais il devina que celui-ci précisément était destiné à un être plongé dans le deuil. Depuis la mort de Vincent, il pouvait sentir la peine des autres sans même qu'ils soient là. Il prit l'ange encore inachevé dans sa main et sut qu'il était pour quelqu'un qui ressentait le même vide, la même absurdité qu'eux.

Il serra plus fort le collier dans sa paume. Ebba ne comprenait pas qu'ils pourraient combler une partie de ce vide ensemble. Tout ce qu'elle avait à faire, c'était le laisser s'approcher d'elle à nouveau. Et reconnaître ses torts. Il était longtemps resté aveuglé par ses propres sentiments de culpabilité, mais peu à peu, il comprenait que c'était Ebba, la responsable. Si seulement elle arrivait à l'admettre, il pourrait lui pardonner et lui donner une nouvelle chance. Mais elle ne disait rien, se contentait de l'accuser du regard et de guetter la faute dans ses yeux.

Ebba le repoussait et il ne comprenait pas pourquoi. Après tout ce qui était arrivé, elle aurait dû se laisser faire, s'appuyer sur lui. Avant, c'était toujours elle qui menait la barque. Leur lieu de vie, leur destination de vacances, le moment où ils auraient des enfants… Et même ce matin-là, c'était elle qui avait décidé ce qu'ils devaient faire. Les gens se laissaient toujours avoir par les yeux bleus d'Ebba et sa fine silhouette. Ils la croyaient timide et docile, mais ce n'était pas vrai. C'était elle qui avait pris la décision ce matin-là, mais à partir de maintenant, ce serait lui qui fixerait les règles.

Il se leva et balança l'ange sur la table. Couvert d'une substance rouge et collante, le bijou atterrit au milieu du bric-à-brac.

Surpris, il regarda sa paume, qui était pleine de petites entailles. Il s'essuya lentement la main sur son pantalon. Il fallait qu'Ebba revienne maintenant. Il avait deux trois petites choses à lui expliquer.

Avec des mouvements brusques, Liv essuya les meubles de jardin. Il fallait le faire tous les jours si on voulait que les chaises restent propres, et elle continua à frotter et à lustrer le plastique. Le soleil brûlant faisait perler la transpiration dans son dos. Après toutes les heures passées à la cabane de pêcheur, elle avait un joli bronzage, mais sous ses yeux on voyait des cernes sombres.

— Je trouve que tu ne devrais pas y aller, dit-elle. Pourquoi ces retrouvailles juste maintenant? La situation du parti est encore très fragile, tu le sais. On ferait mieux de ne pas prendre de risques jusqu'à ce que...

Elle s'interrompit brusquement.

— Je sais tout ça, mais il y a certaines choses qu'on ne maîtrise pas, lui dit John en repoussant ses lunettes de lecture sur son front.

Il était en train de lire les journaux. Tous les jours, il épluchait les grands quotidiens, plus quelques journaux locaux bien choisis. Il finissait toujours sa lecture rempli d'aversion pour toutes les niaiseries dont ces pages étaient farcies. Tous ces journalistes libéraux, ces chroniqueurs et pseudo-spécialistes qui croyaient savoir comment le monde tournait. Ensemble ils contribuaient à mener lentement mais sûrement le peuple suédois à la ruine. Et sa responsabilité était d'ouvrir les yeux des gens. Le prix était élevé, mais on ne faisait pas de guerre sans subir des pertes. Et il s'agissait bel et bien d'une guerre.

— Le juif sera là aussi?

Liv s'attaqua à la table après avoir décidé que les chaises étaient suffisamment propres.

— Josef participera probablement, oui, répondit John.

— Et si on te voit avec lui? Si on te prend en photo? T'imagine, si la photo est publiée dans la presse, ce que tes partisans vont penser? Tu seras contesté, et peut-être même obligé de démissionner. C'est hors de question! Pas maintenant, alors qu'on est si près du but.

John observa le port en évitant le regard de Liv. Elle ne savait rien. Comment lui raconter l'obscurité, le froid et la peur qui effaçaient toutes les frontières de race? Là-bas, à cette époque, il avait fallu survivre, et Josef et lui étaient liés pour toujours, que ce soit bien ou mal. Il ne pourrait jamais l'expliquer à Liv.

— Il faut que j'y aille, dit-il sur un ton qui marquait nettement que le sujet était clos.

Liv était suffisamment avisée pour ne pas argumenter, mais elle continua de murmurer tout bas. John sourit et regarda sa femme, son beau visage qui trahissait une volonté de fer. Il l'aimait et ils avaient partagé beaucoup de choses, mais il ne pouvait partager l'obscurité qu'avec ceux qui l'avaient vécue.

Pour la première fois après tant d'années, ils allaient être réunis. Ce serait la dernière. La tâche qui l'attendait était importante, et il devait mettre un point final au passé. Ce qui était arrivé en 1974 était temporairement remonté à la surface, mais tout cela disparaîtrait très bientôt, à condition qu'ils soient d'accord. Les vieux secrets avaient tout à gagner à rester dans la nuit où ils étaient nés.

Le seul qui l'inquiétait, c'était Sebastian. À l'époque déjà, Sebastian prenait plaisir à se trouver en position de force et il pouvait créer des problèmes. Mais s'il ne voulait pas entendre raison, il existait d'autres moyens.


Patrik respira profondément. Annika était occupée à régler les derniers détails en vue de la conférence de presse. Des journalistes venus de Göteborg étaient présents. Certains travaillaient aussi pour des journaux nationaux, si bien que le lendemain, l'affaire serait révélée au pays tout entier. À partir de maintenant, cette enquête allait devenir une sorte de cirque, il le savait d'expérience, et, au milieu de la piste, Mellberg jouerait au directeur. Ça aussi, il le savait d'expérience. Mellberg était aux anges lorsqu'il avait appris qu'ils étaient obligés de convoquer la presse à la hâte. En ce moment même, il devait être aux toilettes en train de camoufler son crâne d'œuf.

Pour sa part, Patrik était aussi nerveux que d'habitude avant une rencontre avec les journalistes. Outre rendre compte de l'enquête sans révéler trop de détails, sa mission était de limiter les dégâts que pouvait provoquer Mellberg. En même temps, il devait s'estimer heureux que la bombe n'ait pas explosé dans les médias plus tôt. Tout ce qui se passait dans la région se répandait en général en un rien de temps, et les incidents sur Valö auraient dû déjà arriver aux oreilles de tous les habitants de Fjällbacka. Ils avaient juste eu du pot que personne n'ait tuyauté la presse avant. Mais la chance avait fini par tourner et il n'y avait aucun moyen de stopper les rotatives.

Un coup discret frappé à la porte le tira de ses mornes pensées et Gösta entra. Sans attendre qu'on l'y invite, il prit place sur la chaise, face au bureau.

— Les hyènes sont là, dit-il en fixant ses pouces qu'il se tournait sur les genoux.

— Ils font leur boulot, dit Patrik.

Il avait pourtant nourri les mêmes idées l'instant d'avant. Mais ça ne servait à rien de considérer les journalistes comme des adversaires. Parfois, la presse pouvait même leur être utile.

— Comment ça s'est passé à Göteborg? demanda Gösta, toujours sans regarder Patrik.

— Pas trop mal. Si ce n'est qu'Ebba n'avait pas parlé de l'incendie et des coups de feu à ses parents.

— Comment ça se fait?

— Elle ne voulait pas les inquiéter, je crois. Ils ont dû se jeter sur le téléphone dès qu'on a franchi leur porte. La mère surtout, elle voulait aller à Valö sur-le-champ.

— Ce n'était peut-être pas une mauvaise idée. Le mieux, ce serait qu'Ebba et Melker quittent l'île jusqu'à ce qu'on ait résolu l'affaire.

— Personnellement, je ne serais pas resté une minute de plus dans un lieu où on a essayé de me tuer, pas seulement une fois, mais deux, dit Patrik en secouant la tête.

— Les gens sont bizarres.

— Oui… En tout cas les parents d'Ebba étaient sympas.

— Ah, ils t'ont fait bonne impression?

— Oui, elle n'a dû manquer de rien chez eux. Apparemment, elle a de bonnes relations avec son frère et sa sœur. Le lotissement est agréable aussi. Des maisons à l'ancienne avec plein de rosiers dans les jardins.

— Un endroit parfait pour grandir, déclara Gösta.

— Par contre, ils n'ont rien pu nous fournir concernant les cartes d'anniversaire.

— Ah bon, ils ne les ont pas gardées?

— Non, elles sont toutes parties à la poubelle. Mais, avant, ce n'était que des souhaits de bon anniversaire, sans la moindre menace, pas comme sur la dernière carte. Apparemment, elles étaient envoyées de Göteborg.

— Un vrai mystère, dit Gösta en étudiant de nouveau ses pouces.

— Et l'autre mystère, c'est que quelqu'un a versé de l'argent sur un compte au nom d'Ebba chaque mois jusqu'à ses dix-huit ans.

— Quoi? Anonymement?

— Oui. Si on pouvait le tracer, ça donnerait peut-être quelque chose. C'est ce que j'espère en tout cas. Ça ne paraît pas idiot d'imaginer que c'est la même personne qui a envoyé les cartes. Bon, il faut que j'y aille, dit Patrik en se levant. Tu voulais autre chose?

Il y eut un petit silence avant que Gösta se racle finalement la gorge et regarde Patrik.

— Non, rien d'autre. C'est tout.

— Bien.

Patrik ouvrit la porte et sortait déjà dans le couloir quand Gösta l'appela.

— Patrik?

— Oui, quoi? Dépêche-toi, la conférence de presse commence dans une minute.

— Non, rien. Oublie, dit Gösta.

— Très bien.

Patrik se dirigea vers la salle de réunion au bout du couloir avec la nette impression qu'il aurait dû insister et tirer les vers du nez de Gösta.

Puis il entra dans la salle et se concentra sur ce qu'il avait à faire, oubliant rapidement le reste. Tous les regards se tournèrent vers lui. Mellberg était déjà sur place, avec un large sourire. Il y avait au moins une personne dans le commissariat qui était prête à rencontrer la presse.

Josef raccrocha le téléphone. Ses jambes ne le portaient plus et il se laissa lentement glisser par terre, dos contre le mur. Il fixa le papier peint fleuri du vestibule, le même depuis qu'ils avaient acheté cette maison. Ça faisait un moment que Rebecca voulait le remplacer, mais il n'avait jamais compris pourquoi ils iraient gaspiller de l'argent pour un nouveau papier peint alors que celui-ci était en bon état. Quand les choses fonctionnent, on ne les change pas. Ils devaient s'estimer heureux d'avoir un toit au-dessus de la tête et une table garnie, il y avait des choses plus importantes dans la vie que la couleur du papier peint.

Maintenant, il avait perdu l'essentiel, et à sa surprise, Josef se rendit compte qu'il ne pouvait cesser de fixer le papier peint. Il était affreux. Il aurait dû écouter Rebecca, la laisser faire. Aurait-il dû l'écouter davantage de façon générale ?

C'était comme s'il se voyait subitement avec les yeux d'un autre. Un homme petit et présomptueux. Un homme qui avait cru que les rêves peuvent se réaliser et qu'il était destiné à accomplir des prouesses. Alors qu'il se retrouvait démasqué comme un crétin naïf, et ne pouvait s'en prendre qu'à lui-même. Depuis l'époque où l'obscurité l'avait cerné, depuis que l'humiliation avait durci son cœur, il avait réussi à se faire croire qu'un jour, il obtiendrait réparation. Naturellement, c'était faux. Le mal était plus puissant. Il avait marqué la vie de ses parents, et même s'ils n'en avaient jamais parlé, il savait que le mal les avait forcés à commettre des actes impies. Lui aussi, il était contaminé par le mal, mais il avait eu l'arrogance de croire que Dieu lui fournissait l'occasion de se purifier.

Josef se tapa la tête contre le mur. D'abord doucement, puis de plus en plus fort. Ça lui faisait du bien, et tout à coup il se rappela comment, là-bas, à l'époque, il avait trouvé un moyen de contourner la douleur. Savoir que leur souffrance était partagée par des millions de personnes avait été une piètre consolation pour ses parents, et c'était pareil pour lui. La honte n'en avait été que plus accablante. Dans sa naïveté, il avait cru pouvoir se débarrasser d'elle aussi, si sa pénitence était suffisamment grande.

Il se demanda ce que Rebecca et les enfants diraient si tout était dévoilé. Leon voulait qu'ils se réunissent, il voulait réveiller la souffrance qui aurait dû rester enfouie. Quand il avait appelé la veille, l'épouvante avait presque paralysé Josef. Désormais, la menace allait se concrétiser et il ne pouvait rien faire pour l'empêcher. Ça n'avait plus d'importance, aujourd'hui. Il était déjà trop tard. Son impuissance était la même qu'à l'époque, il n'avait plus la force pour se battre. De toute façon, ça ne servirait à rien. Dès le début, le rêve n'avait existé que dans son esprit, et plus que tout, il se reprochait de ne pas l'avoir compris.

## CARINHALL 1949

*Dagmar pleurait et le bonheur venait se mêler à son chagrin. Enfin, elle était arrivée auprès d'Hermann. Elle avait eu quelques doutes par moments. L'argent que Laura lui avait donné n'avait duré qu'un temps. Quand la soif l'avait assaillie, elle en avait dépensé beaucoup trop, au point que certains jours s'étaient effacés de sa mémoire, mais chaque fois, elle s'était relevée et avait poursuivi son chemin. Son Hermann l'attendait.*

*Elle savait très bien qu'il n'était pas enterré à Carinhall, comme le lui avait précisé une personne désagréable dans un des nombreux trains qu'elle avait pris. Mais peu importait l'endroit où se trouvait son corps. Elle avait lu les articles et vu les photos. Il était chez lui ici. Son âme se trouvait ici.*

*Carin Göring s'y trouvait aussi. Même après sa mort, cette maudite garce avait tenu Hermann en son pouvoir. Dagmar serra ses mains dans les poches de son manteau et respira fort en regardant le domaine. Ceci avait été son royaume, mais aujourd'hui tout était détruit. Elle sentit les larmes lui monter aux yeux. Comment était-ce possible? La résidence était en ruine et le jardin, qui avait dû être magnifique, était abandonné, retourné à l'état sauvage. Le bois touffu qui entourait la propriété menaçait de l'envahir totalement.*

*Elle avait marché pendant plusieurs heures pour arriver ici. À Berlin, elle avait fait de l'autostop, puis s'était rendue à pied jusqu'à la forêt, au nord de la ville où se trouvait Carinhall. Les voitures ne s'arrêtaient pas volontiers, et les gens avaient considéré d'un œil méfiant son apparence négligée. Elle ne parlait pas un mot d'allemand, mais elle avait répété "Carinhall" et, finalement, un* monsieur d'un certain âge avait accepté de mauvaise grâce de la faire monter dans sa voiture. Quand la route s'était divisée, il lui avait fait comprendre avec force gestes qu'il allait d'un côté et elle de l'autre, et elle était descendue. Sur le dernier bout de chemin, ses pieds lui avaient fait de plus en plus mal, mais elle avait persévéré. Tout ce qu'elle voulait, c'était se trouver près d'Hermann.

Elle explorait les lieux en déambulant parmi les ruines. Les deux guérites de part et d'autre de l'entrée du domaine témoignaient de la splendeur passée des bâtiments. Par-ci par-là, des bouts de mur et de pierres décoratives avaient résisté au temps, permettant à Dagmar d'imaginer la magnificence de la propriété. Sans Carin, cette propriété aurait porté son nom. Dagmarhall.

La haine et le chagrin l'envahirent et elle tomba à genoux en sanglotant. Elle se souvint de la douce nuit d'été, quand elle avait senti l'haleine d'Hermann sur sa peau, quand ses baisers avaient recouvert tout son corps. C'était la nuit où elle avait tout reçu et tout perdu. La vie d'Hermann aurait été tellement meilleure s'il l'avait choisie, elle. Elle aurait pris soin de lui, elle ne l'aurait pas laissé devenir le débris d'homme qu'elle avait vu à l'hôpital. Elle aurait été forte pour deux.

Dagmar ramassa une poignée de terre et la laissa s'écouler entre ses doigts. Le soleil lui brûlait la nuque et elle entendit le hurlement des chiens errants. Un peu plus loin, elle vit une statue renversée et brisée. Il lui manquait le nez et un bras, et les yeux de pierre fixaient le ciel, aveugles. Subitement, elle sentit combien elle était fatiguée. Le soleil chauffait trop sa peau, elle voulait se reposer à l'ombre. Le voyage avait été long et l'envie d'arriver, violente. Elle avait juste besoin de s'allonger un court moment et de fermer les yeux. Elle chercha autour d'elle un endroit où profiter de la fraîcheur. À côté d'un escalier qui ne menait nulle part, un gros pilier était tombé et penchait contre la marche supérieure. En dessous, elle aperçut une ombre bénie.

Elle était trop épuisée pour se redresser et rampa sur le sol raboteux jusqu'à l'escalier, où elle se fit aussi petite que possible et, avec un soupir de soulagement, se blottit dans l'espace étroit puis ferma les yeux. Depuis cette nuit-là au mois de juin, elle avait cherché à le rejoindre. Hermann. Maintenant elle avait besoin de repos.

La conférence de presse était terminée depuis deux heures et ils s'étaient réunis dans la cuisine. Ernst, qu'on avait enfermé dans le bureau de Mellberg entre-temps, avait été libéré et se vautrait, comme à son habitude, sur les pieds de son maître.

— Qu'est-ce que vous en dites, ça s'est bien passé, non? dit Mellberg avec un sourire de satisfaction. Tu devrais rentrer à la maison te reposer, Paula! rugit-il ensuite tellement fort que Patrik sursauta sur sa chaise.

— Merci, mais je décide moi-même quand j'ai besoin de repos, répondit-elle en le fusillant du regard.

— C'est idiot de venir ici alors que tu es en congé. Et de faire de la voiture, tous ces allers-retours pour Göteborg. S'il se passe quoi que ce soit, rappelle-toi que j'ai…

— Oui, je suis d'accord, on a très bien géré ça, dit Patrik pour mettre fin à la dispute avant qu'elle ne dégénère. Ça va commencer à chauffer pour les cinq garçons maintenant.

Il se rendit compte qu'il était absurde d'appeler garçons ces hommes déjà largement quinquagénaires. Mais quand il pensait à eux, c'étaient les gamins de la photo qu'il voyait, habillés à la mode des années 1970, avec dans le regard une certaine vigilance.

— Tant mieux. Surtout si ça chauffe pour ce John, dit Mellberg en grattant Ernst derrière les oreilles.

— Patrik?

Annika pointa sa tête dans la cuisine et lui fit signe de venir. Il se leva, la suivit dans le couloir et prit le téléphone sans fil qu'elle lui tendit.

— C'est Torbjörn. Apparemment, ils ont trouvé quelque chose.

Patrik sentit son pouls s'accélérer. Il prit la communication, entra dans son bureau et ferma la porte. Pendant un bon quart d'heure, il écouta ce que Torbjörn avait à lui dire et posa les questions qui s'imposaient. Une fois la conversation terminée, il retourna dans la cuisine où Annika s'était jointe à Paula, Mellberg et Gösta. Bien qu'il soit assez tard, personne ne semblait pressé de quitter le commissariat.

— Qu'est-ce qu'il a dit ? demanda Annika.

— On se calme. Je vais d'abord boire un petit café.

Avec des mouvements exagérément lents, Patrik s'apprêtait à se servir une tasse, quand Annika se leva et lui prit sans ménagement la cafetière des mains. Elle remplit une tasse à ras bord, qu'elle posa sur la table devant la place vide de Patrik.

— Voilà, t'es servi ! Maintenant tu t'assieds et tu nous racontes ce que Torbjörn a dit.

Patrik rigola, et obéit.

— Torbjörn a réussi à isoler une empreinte digitale sous le timbre de la carte de "G". Du coup, on pourra la comparer avec un éventuel suspect.

— Génial, dit Paula et elle posa ses jambes enflées sur une chaise. Mais à voir ta tête, on dirait un chat qui vient d'avaler un canari. Ce qui me fait penser que tu as appris quelque chose de bien plus important.

— Tu as raison, dit Patrik en sirotant son café brûlant. C'est au sujet de la balle.

— Laquelle ? demanda Gösta.

— C'est ça, le truc. La balle qui a été trouvée fichée sous la plinthe et celles qui ont été extraites, de façon contraire aux règlements, du mur de la cuisine après la tentative d'assassinat d'Ebba…

— Oui, oui, s'impatienta Mellberg en agitant la main. J'ai compris le message.

— Ces balles ont probablement été tirées avec la même arme.

Quatre paires d'yeux fixèrent Patrik.

— Ça paraît incroyable, mais c'est comme ça. Il est hautement probable que les membres de la famille Elvander – on ignore combien – aient été tués en 1974 avec la même arme que celle utilisée contre Ebba Stark hier.

— Est-ce que ça peut réellement être le même criminel après tant d'années ? dit Paula en secouant la tête. Ça paraît complètement fou.

— J'ai toujours pensé que les tentatives d'assassinat d'Ebba et de son mari avaient quelque chose à voir avec la disparition des Elvander. Nous en avons maintenant la confirmation, observa Patrik.

Des questions avaient été posées dans ce sens pendant la conférence de presse, et elles résonnaient encore dans sa tête. Il s'était contenté de répondre qu'il s'agissait d'une théorie. Maintenant, ils possédaient des preuves qui donnaient de la consistance à l'enquête et étayaient ses premiers soupçons.

— En examinant les rayures que le canon a laissées sur la balle, le gars du labo central a aussi pu établir de quel type d'arme il s'agit, ajouta-t-il. Nous devons donc vérifier si quelqu'un dans la région a ou a eu un Smith & Wesson calibre .38.

— Voyons les choses du bon côté : ça signifie que l'arme qui a servi à tuer la famille Elvander ne se trouve pas au fond de la mer, constata Mellberg.

— Elle ne s'y trouvait pas hier quand on a tiré sur Ebba, mais elle a très bien pu y être jetée depuis, fit remarquer Patrik.

— Ça m'étonnerait, objecta Paula. Si quelqu'un a conservé l'arme pendant toutes ces années, je l'imagine mal s'en débarrasser maintenant.

— Tu as probablement raison. La personne en question considère peut-être l'arme comme un trophée et la garde en souvenir. Toujours est-il que ces nouvelles données confirment que nous devons concentrer tous nos efforts sur les événements de 1974. Il faut interroger à nouveau les quatre qu'on a déjà entendus, et focaliser notre attention sur l'enchaînement des événements ce jour-là. Et aussi contacter Percy von Bahrn au plus vite. Ça aurait déjà dû être fait, mais j'en prends la responsabilité. Pareil pour ce prof qui est encore en vie. Celui qui était en voyage pendant les vacances de Pâques, tu sais… C'était quoi son nom déjà ? dit Patrik en claquant des doigts.

— Ove Linder, compléta Gösta, qui eut soudain l'air oppressé.

— C'est ça, Ove Linder. Il habite à Hamburgsund, ou je me trompe ? Il faut qu'on lui parle dès demain matin. Il a peut-être des informations importantes sur ce qui se passait à l'école. On peut y aller ensemble, toi et moi.

Patrik prit le papier et le stylo qui se trouvaient en permanence sur la table et commença à structurer les tâches auxquelles s'atteler sur-le-champ.

— Écoute… dit Gösta en se frottant le menton.

Patrik continua d'écrire.

— Demain, on voit les cinq garçons. On va se les répartir. Paula, tu peux remonter la piste de l'argent qui a été versé à Ebba ?

— Absolument, dit Paula et elle s'illumina. J'ai déjà contacté la banque pour demander de l'aide.

— Écoute, Patrik, dit Gösta de nouveau, mais Patrik distribuait les missions sans lui prêter attention. Patrik !

Tous les regards se tournèrent vers Gösta. Ça ne lui ressemblait pas, d'élever ainsi la voix.

— Oui, un problème ?

Patrik scruta Gösta et sentit subitement qu'il n'allait pas aimer ce que son collègue hésitait tant à lui dire.

— Eh bien, ce prof, Ove Linder…

— Oui ?

— Quelqu'un lui a déjà parlé.

— Quelqu'un ? dit Patrik, impatient d'entendre la suite.

— Je m'étais dit que ce serait bien si on était plus nombreux à travailler sur cette affaire. On ne peut pas nier qu'elle est vraiment douée pour dénicher des informations et nous, ici, on manque de personnel. Alors je me suis dit que ce ne serait pas plus mal de se faire aider. Tu l'as dit toi-même tout à l'heure, il y a des choses qu'on aurait déjà dû faire, et là, eh bien, en réalité, elles sont déjà faites. Du coup, il faut plutôt voir le côté positif.

Gösta chercha son souffle pendant que Patrik le dévisageait. Était-il devenu fou ? Essayait-il de justifier d'avoir agi à l'insu de ses collègues en présentant cela comme un bienfait ? Puis un soupçon s'éveilla en lui, et il pria pour qu'il soit infondé.

— Elle ? Tu veux parler de ma chère épouse ? Elle serait donc allée parler avec ce prof ?

— Euh… oui, répondit Gösta en fixant ses genoux.

— Non mais Gösta !

Paula le gronda, comme on gronde un petit enfant qui aurait volé un biscuit.

— Y a-t-il autre chose que je devrais savoir ? demanda Patrik. Autant tout déballer maintenant. Qu'est-ce qu'elle a bien pu faire d'autre, Erica ? Et toi aussi, tant qu'on y est.

Avec un profond soupir, Gösta commença à rendre compte de ce qu'Erica lui avait raconté : ses visites chez Liza et chez John, ce que Kjell savait sur la trajectoire de John et le bout de papier qu'elle avait trouvé. Puis il parut hésiter un peu avant de parler finalement du cambriolage.

Patrik se figea.

— Putain, tu te rends compte de ce que tu dis ?

Honteux, Gösta fixa le sol.

— J'en ai marre à la fin !

Patrik se leva brutalement, sortit en trombe et monta dans sa voiture. Il bouillonnait de colère. Une fois qu'il eut tourné la clé de contact et que le moteur eut démarré, il se força à prendre quelques profondes inspirations. Puis il appuya sur l'accélérateur.


Ebba ne pouvait plus s'arrêter de regarder les photos. Elle avait demandé à rester seule un moment, et était montée dans le cabinet de travail d'Erica, avec sous le bras le dossier relatif à sa famille. Après un regard sur le bureau débordant d'objets, elle s'était tout bonnement installée par terre et avait disposé les copies des photos en éventail devant elle. C'était sa famille, ses origines. Même si elle n'avait manqué de rien chez ses parents adoptifs, elle avait parfois envié les autres enfants liés à une vraie famille biologique, alors qu'elle-même n'était liée qu'au mystère. Elle se rappelait toutes les fois où elle avait regardé les photos encadrées au-dessus de la grande commode du salon : grands-parents maternels et paternels, tantes et cousins, des figures qui vous faisaient sentir que vous étiez un maillon d'une longue chaîne. À présent, elle regardait des photos de sa vraie famille et c'était une sensation à la fois merveilleuse et bizarre.

Ebba prit la photo de la Faiseuse d'anges. Quel joli nom pour un acte aussi hideux. Elle essaya de distinguer dans les yeux d'Helga un reflet trahissant tout le mal commis. Elle ne savait pas si la photo avait été prise avant ou pendant la période où les enfants avaient été tués, mais la fillette qui y figurait aussi, et qui devait être Dagmar, était assez petite. Ebba en déduisit que la photo devait dater de 1902 à peu près. Dagmar était vêtue d'une robe claire garnie de volants, et ignorait tout du sort qui l'attendait. Qu'était-elle devenue? S'était-elle noyée dans la mer, comme beaucoup le pensaient? Sa disparition était-elle la fin naturelle d'une vie brisée à l'instant même où le crime de ses parents fut découvert? Helga avait-elle éprouvé des regrets? Avait-elle compris que sa fille en pâtirait si elle était démasquée, ou bien était-elle persuadée que ces petits enfants non désirés ne manqueraient à personne? Les questions qui s'amoncelaient dans la tête d'Ebba n'auraient jamais de réponses. Pourtant elle ressentait une véritable parenté avec ces femmes.

Elle examina de plus près la photo de Dagmar. Son visage portait les traces évidentes d'une vie cruelle, mais on voyait qu'elle avait été belle un jour. Que devenait sa fille, quand Dagmar était arrêtée par la police ou quand elle était internée à l'HP? Ebba avait cru comprendre que Laura n'avait pas d'autre famille. Y avait-il des amis pour s'occuper d'elle ou bien se retrouvait-elle dans un orphelinat ou chez des parents d'accueil?

Soudain Ebba se rappela qu'elle avait davantage réfléchi à ses origines quand elle était enceinte de Vincent. C'était l'histoire de son fils aussi. Bizarrement, ces réflexions avaient cessé après sa naissance. Elle n'avait tout simplement plus eu beaucoup de temps pour penser, et puis il avait accaparé sa vie entière avec son odeur, le petit duvet de sa nuque et ses petites menottes. Tout le reste semblait si dérisoire. Elle aussi, elle était devenue dérisoire. Melker et elle avaient été réduits au rôle de figurants dans le film de Vincent, ou peut-être promus figurants. Elle avait adoré son nouveau rôle, mais le vide n'en avait été que plus grand, après la disparition de son fils. Aujourd'hui elle était une mère sans enfant, une figurante sans importance dans un film où manquait tout à coup le personnage principal. Les photos devant elle venaient en quelque sorte lui redonner un contexte.

Dans la cuisine, elle entendit Erica s'affairer et les enfants chahuter et crier. Et elle se retrouvait elle-même entourée des membres de sa famille. Tous morts certes, mais savoir qu'ils avaient existé n'en représentait pas moins une forme de consolation.

Ebba remonta les genoux sous son menton et s'entoura de ses bras dans un geste protecteur. Elle se demanda comment allait Melker. Elle n'avait presque pas pensé à lui pendant son séjour ici, et pour être honnête, elle ne s'était pas beaucoup souciée de lui depuis la mort de Vincent. Comment aurait-elle pu, alors qu'elle avait son propre deuil à gérer ? Mais c'était comme si cette nouvelle donne familiale lui ouvrait les yeux. Elle redécouvrait que Melker était une partie d'elle. Grâce à Vincent, ils étaient liés pour toujours. Avec qui, à part Melker, pourrait-elle partager ses souvenirs ? Il avait été à ses côtés, il avait caressé son ventre quand il grossissait, et il avait vu le cœur de Vincent battre sur l'écran pendant les séances d'échographie. Il avait essuyé la sueur de son front, massé son dos et lui avait donné à boire pendant l'accouchement – ces vingt-quatre heures longues, terribles, mais merveilleuses aussi, quand elle avait lutté pour mettre leur enfant au monde. Vincent avait résisté, mais était finalement sorti à la lumière et les avait regardés en louchant un peu, et Melker avait pris sa main et l'avait serrée fort. Il n'avait pas essayé de cacher ses larmes, s'était contenté d'essuyer ses joues avec la manche de son pull. Puis ils avaient partagé les nuits blanches avec les cris du bébé, le premier sourire, les dents qui percent. Ils avaient encouragé Vincent quand il vacillait à quatre pattes, et Melker avait filmé ses premiers pas trébuchants. Les premiers mots, la première phrase et le premier jour à la garderie ; rires et pleurs ; bons et mauvais jours. Melker était le seul à pouvoir comprendre si elle en parlait. Il n'y avait personne d'autre.

Assise là, par terre, elle sentit son cœur se réchauffer. La part froide et dure commençait lentement à dégeler. Elle allait rester ici cette nuit encore. Ensuite elle rentrerait. Auprès de Melker. L'heure était venue de lâcher la culpabilité et de vivre à nouveau.

Anna pilota le bateau vers la sortie du port et tourna son visage au soleil. Se retrouver sans enfants et sans mari la remplit d'une sensation de liberté inattendue. Erica et Patrik lui avaient prêté leur bateau, puisqu'il n'y avait plus d'essence dans le Buster de Dan, et conduire la *snipa* familière était une vraie joie. La lumière du soir fit scintiller d'un éclat doré la montagne qui surplombait le port de Fjällbacka. Elle entendit des rires au Café Bryggan où, à en juger par la musique qui lui parvenait, il y avait une soirée dansante. Personne n'avait encore osé envahir la piste de danse, mais quand les gens auraient bu quelques bières, elle serait bondée.

Anna jeta un regard sur le sac contenant les échantillons de tissu. Il était posé au milieu du bateau et elle vérifia qu'il était correctement fermé.

Ebba avait déjà vu les tissus et en avait sélectionné quelques-uns qu'elle souhaitait que Melker voie aussi. Anna s'était dit qu'elle irait le soir même, tout en hésitant un peu. L'île n'était pas un lieu sûr, elle en avait fait l'expérience la veille, et y aller sur un coup de tête lui rappelait plutôt son ancienne vie, quand elle anticipait rarement les conséquences de ses actes. Mais, pour une fois, elle avait envie de céder à ses impulsions. Que pouvait-il réellement lui arriver? Elle irait chez Melker, lui montrerait ses échantillons puis rentrerait chez elle. C'était un bon moyen de faire passer le temps, s'était-elle dit. Melker apprécierait sans doute aussi d'avoir un peu de compagnie. Ebba avait décidé de rester encore une nuit chez Erica pour étudier de plus près les documents concernant sa famille. Anna soupçonnait que ce n'était qu'un prétexte. Ebba semblait assez réticente à l'idée de retourner sur l'île, ce qui était compréhensible.

En s'approchant du ponton, elle vit Melker qui l'attendait. Elle avait appelé pour le prévenir de sa venue, et il avait dû guetter son arrivée.

— Alors, comme ça, tu oses revenir ici, alors qu'on se croirait dans un western! dit-il en riant, et il empoigna l'avant du bateau.

— J'ai toujours aimé défier le sort, répondit Anna.

Elle lança le bout à Melker qui amarra le bateau comme un pro. Voyant le nœud de bosse noué sur son dormant qu'il faisait autour d'un des piliers du ponton, elle ajouta :

— On dirait que tu es déjà un vrai loup de mer.

— Il faut bien ça, quand on vit dans l'archipel.

Il lui tendit la main pour l'aider à sauter à terre. L'autre était bandée.

— Merci. Tu t'es fait mal ?

Melker regarda le bandage comme s'il ne l'avait jamais remarqué auparavant.

— Oh tu sais, ça arrive quand on bricole. Les blessures, ça fait partie du boulot.

— On joue les héros ? le taquina Anna.

Elle se surprit à sourire bêtement, et ressentit une pointe de mauvaise conscience. N'était-elle pas plus ou moins en train de draguer le mari d'Ebba ? Mais c'était totalement innocent, même si elle devait avouer que Melker était incroyablement attirant.

— Laisse-moi porter ça !

Melker lui prit le lourd sac rempli d'échantillons et ils montèrent ensemble vers la maison.

— En temps normal j'aurais proposé qu'on s'installe dans la cuisine, mais il y a pas mal de courants d'air ces temps-ci, plaisanta Melker quand ils furent arrivés.

Anna rit. Elle avait le cœur léger. Parler avec quelqu'un qui n'avait pas tout le temps son accident à l'esprit était une délivrance.

— La salle à manger aussi pose quelques problèmes. Il n'y a plus de plancher, poursuivit-il avec un clin d'œil.

Le Melker morose qu'elle avait rencontré avant s'était comme envolé. Était-ce vraiment étrange ? Ebba aussi avait semblé revigorée chez Erica.

— Si ça ne te dérange pas d'être assise par terre, je pense que le mieux, c'est la chambre à l'étage.

Il commença à monter l'escalier sans attendre sa réponse.

— En fait, je suis un peu gênée de m'occuper de décoration après ce qui s'est passé hier, dit-elle comme pour se justifier.

— Ne t'en fais pas. La vie continue. En ça, on se ressemble, Ebba et moi. On a un certain sens pratique tous les deux.

— Mais, quand même, vous allez rester ici?

— Parfois, on n'a pas le choix, dit-il avec un haussement d'épaules, puis il posa le sac au milieu de la pièce.

Anna se mit à genoux, commença à sortir les tissus et les étala par terre. Elle expliquait avec enthousiasme l'utilisation qu'on pouvait en faire, celui-ci pour des meubles, celui-là pour des rideaux et des coussins, et la meilleure façon de les assortir. Au bout d'un moment, elle se tut et se tourna vers Melker. Il ne regardait pas les tissus. Ses yeux étaient fixés sur elle.

— T'as l'air vachement intéressé, ironisa-t-elle.

Elle sentit cependant ses joues s'enflammer et repoussa nerveusement ses cheveux derrière les oreilles. Melker la dévisageait toujours.

— Tu as faim? demanda-t-il.

— Oui, un peu.

— Bien. Reste là et range les tissus, je reviens tout de suite.

Il se releva et disparut en bas, dans la cuisine. Anna resta assise, les tissus étalés autour d'elle sur le beau parquet refait à neuf. Le soleil entrait de biais par les fenêtres et elle réalisa qu'il était plus tard que ce qu'elle avait cru. Un instant, elle se dit qu'il fallait qu'elle rentre s'occuper des enfants, puis elle se rappela qu'il n'y avait personne. La maison était vide. La seule chose qui l'attendait était un dîner en solitaire devant la télé. Elle pouvait donc bien s'attarder ici. Melker aussi était seul, et c'était plus sympa de manger ensemble. Il était déjà en train de leur préparer un repas, ce serait impoli de sa part de s'en aller maintenant.

Anna se mit à replier les tissus nerveusement. Quand elle eut fini et les eut posés en tas sur une commode, elle entendit les pas de Melker dans l'escalier et le bruit de verres qui s'entrechoquaient. Il arriva dans la pièce avec un plateau chargé.

— J'ai pris ce que j'ai trouvé. De la viande froide, un peu de fromage et du pain grillé. Avec un vin rouge correct, ça devrait aller.

— Absolument. Mais je vais me contenter d'un seul verre. Tu imagines le scandale si on m'arrêtait en état d'ivresse au gouvernail.

— Ah, ça non, je ne veux pas être à l'origine d'un tel scandale!

Melker posa le plateau et Anna sentit son cœur battre plus fort. Évidemment, elle ne devrait pas rester là, à manger du fromage et boire du vin avec un homme qui faisait trembler ses genoux. En même temps, c'était exactement ce qu'elle avait envie de faire. Elle tendit la main pour prendre une tranche de pain.

Deux heures plus tard, elle sut qu'elle allait rester plus longtemps encore. Ce n'était pas une décision consciente, ils n'en avaient pas parlé, mais ce n'était pas nécessaire. Quand le crépuscule tomba, Melker alluma des bougies et, à la lueur des flammes dansantes, Anna décida de vivre l'instant présent. Pendant une brève parenthèse, elle avait envie d'oublier ce qui lui était arrivé. Avec Melker, elle se sentait vivante à nouveau.

Elle adorait la lumière du soir, tellement plus flatteuse et clémente que le soleil impitoyable de la journée. Ia observa son visage dans la glace et passa lentement sa main sur ses traits lisses. Quand avait-elle commencé à se soucier de son physique? Durant sa jeunesse, elle avait eu d'autres préoccupations bien plus importantes. Ensuite l'amour avait pris toute la place, et Leon était habitué à ce que tout soit beau autour de lui. Depuis l'époque où leurs destins s'étaient croisés, Leon n'avait eu de cesse de chercher des défis de plus en plus fous et dangereux. Pour sa part, elle l'avait aimé avec toujours plus de force et de dévotion. Elle avait laissé les désirs de Leon guider sa vie, et après, il n'y avait plus eu de retour possible.

Ia se pencha plus près du miroir à l'affût des regrets dans son regard, mais il n'y en avait pas. Tant que Leon l'avait aimée autant qu'elle l'aimait, elle avait tout sacrifié pour lui. Mais il avait commencé à se montrer fuyant et à oublier le coup du sort qui les avait unis. L'accident lui avait fait comprendre que seule la mort pouvait les séparer. La douleur quand elle le tirait de la voiture en flammes n'était rien comparée à celle qu'elle aurait éprouvée s'il l'avait quittée. Elle n'y aurait pas survécu. Pas après tout ce qu'elle avait abandonné pour lui.

Mais là, elle ne pouvait plus rester dans cette maison. Elle ne comprenait pas pourquoi Leon avait voulu revenir dans cette ville, elle n'aurait pas dû le laisser faire. Pourquoi revisiter le passé alors qu'il représentait tant de chagrin ? Elle avait encore une fois accédé à ses souhaits, mais maintenant, c'était assez. Elle ne pouvait pas le regarder courir à sa perte. Elle allait donc rentrer à la maison et espérer qu'il la suive, pour qu'ils continuent à vivre la vie qu'ils avaient créée ensemble. Il ne pouvait pas se débrouiller sans elle, et il devrait enfin l'admettre.

Ia s'étira et jeta un long regard sur Leon, assis sur la terrasse, lui tournant le dos. Puis elle monta dans la chambre et fit ses bagages.

Erica était dans la cuisine quand elle entendit la porte d'entrée s'ouvrir à la volée. La seconde d'après, Patrik arrivait en trombe.

— C'est quoi ces putains de mystères ? hurla-t-il. On a été cambriolés, et toi tu trouves malin de ne pas me le dire ! Merde à la fin, Erica !

— C'est-à-dire, je ne suis pas tout à fait sûre que… tenta-t-elle.

Elle savait cependant que c'était sans espoir. Patrik était exactement aussi furieux que Gösta l'avait prédit.

— Gösta m'a dit que, d'après toi, c'est John Holm qui est derrière ça, et tu ne m'as rien dit ! Mais ces gens-là sont dangereux !

— Baisse d'un ton, s'il te plaît. Les enfants viennent juste de s'endormir.

En réalité, elle le lui demandait autant pour elle-même. Elle détestait les conflits et tout son corps se crispait quand on lui criait dessus. Surtout quand c'était Patrik qui criait, lui qui élevait si rarement la voix contre elle. Et là, c'était encore pire parce qu'elle devait en partie lui donner raison.

— Assieds-toi, on va en parler. Ebba est là-haut dans mon bureau, elle regarde les documents sur sa famille.

Elle vit que Patrik luttait pour se maîtriser. Il inspira profondément puis expira l'air par le nez. Cela sembla le calmer un peu, mais il était toujours pâle quand il hocha la tête et s'installa à table.

— Tu m'as caché le cambriolage, et avec Gösta, vous avez agi dans mon dos. J'espère que tu as une excellente explication à me fournir.

Erica s'assit en face de Patrik et fixa la table pendant un instant. Elle réfléchit à la meilleure façon de s'exprimer avec une sincérité absolue tout en présentant son action sous un jour plus avantageux. Elle prit son élan et raconta comment elle avait contacté Gösta, après que Patrik lui eut expliqué combien son collègue s'était impliqué personnellement dans l'affaire de la disparition de la famille Elvander. Elle reconnut qu'elle n'avait pas voulu le lui dire, parce qu'elle savait qu'il ne serait pas d'accord. Elle avait persuadé Gösta de collaborer avec elle un petit moment. Patrik avait toujours l'air furieux, mais il paraissait malgré tout écouter ce qu'elle avait à dire. Quand elle lui raconta sa visite chez John, et qu'elle s'était ensuite aperçue qu'on avait tenté d'accéder à son ordinateur, il pâlit de nouveau.

— Estime-toi heureuse qu'ils n'aient pas piqué ton ordi. Je suppose qu'il est trop tard pour faire venir quelqu'un pour relever les empreintes digitales ?

— Oui, je pense que ça ne servirait plus à rien. Je l'ai utilisé depuis, et les enfants posent leurs doigts sales partout.

Patrik secoua la tête, l'air résigné.

— Mais je ne sais pas si c'est réellement John, le coupable, dit Erica. Je l'ai simplement supposé, puisque j'ai emporté par mégarde ce bout de papier.

— Par mégarde, siffla Patrik.

— Mais j'ai transmis l'affaire à Kjell, on ne craint plus rien.

— Mais eux, ils n'en savent rien, répliqua Patrik en la regardant comme si elle était complètement idiote.

— Non, tu as raison. Cela dit, il ne s'est rien passé depuis.

— Et Kjell, il avance ? Tu aurais dû me le dire, ça aussi, ça peut très bien être lié à notre enquête.

— Je ne sais pas. Tu n'as qu'à voir avec lui… dit-elle évasivement.

— Oui, mais j'aurais préféré être mis au courant un peu plus tôt. Gösta m'a parlé de ce que vous avez trouvé.

— Parfait. Et demain on va chez Olle la Ferraille, il va nous donner les affaires de la famille.

— Olle la Ferraille?

— Gösta ne te l'a pas dit? On a découvert où sont passés les objets personnels des Elvander. Olle la Ferraille était apparemment une sorte de tonton-cambouis à l'internat, et quand Gösta a appelé pour se renseigner il a répondu : "Eh bien, vous en avez mis du temps pour vous inquiéter de leurs affaires!" dit Erica en rigolant.

— Tu veux dire qu'Olle la Ferraille a eu leurs affaires chez lui pendant toutes ces années?

— Oui, et demain à dix heures, j'y vais avec Gösta pour passer tout ça en revue.

— Ne rêve pas, dit Patrik. C'est moi qui y vais avec Gösta.

— Mais je… commença-t-elle avant de comprendre qu'elle ferait mieux d'abandonner la partie.

— Et tu te tiens à l'écart de cette enquête, lui dit-il comme un avertissement, mais à son grand soulagement elle vit qu'il n'était plus en colère.

Ils entendirent des pas dans l'escalier. Ebba descendait et Erica se leva pour finir la vaisselle.

— La paix? demanda-t-elle.

— La paix, répondit Patrik.


Il était assis dans le noir et la regardait. C'était sa faute, à elle. Anna avait tiré profit de sa faiblesse et l'avait fait rompre ses promesses à Ebba. Il avait promis d'aimer Ebba pour le meilleur et pour le pire, jusqu'à ce que la mort les sépare. Qu'il ait fini par comprendre qu'elle portait la responsabilité de l'accident n'y changeait rien. Il l'aimait et voulait lui pardonner. Il s'était tenu devant elle dans son plus beau costume et avait juré de lui être fidèle. Elle, si belle dans sa robe blanche toute simple, les yeux plongés dans les siens, elle avait écouté ses paroles et les avait conservées dans son cœur. Maintenant, Anna avait tout gâché.

Elle murmura dans son sommeil et enfonça sa tête dans l'oreiller. L'oreiller d'Ebba. Melker eut envie de le lui arracher, pour que son odeur ne vienne pas le souiller. Ebba utilisait toujours le même shampooing et la taie d'oreiller était imprégnée de son parfum. Il serra les poings, assis au bord du lit. Ça aurait dû être Ebba, couchée là, son beau visage éclairé par la lune qui formait des ombres autour de son nez et de ses yeux. Ça aurait dû être la poitrine d'Ebba qui bougeait à chaque respiration. Il observa les seins nus d'Anna au-dessus du bord de la couverture. Si différents des seins d'Ebba, qui n'étaient que de petits bourgeons. Juste en dessous, les cicatrices serpentaient vers le ventre. Plus tôt dans la nuit, elles lui avaient paru rugueuses sous ses mains, maintenant elles le dégoûtaient carrément. Il tendit la main, attrapa la couverture et la tira pour dissimuler son corps. Ce corps répugnant, qui s'était serré contre le sien et avait effacé le souvenir de la peau d'Ebba.

Cette pensée lui donna la nausée. Il fallait qu'il revienne en arrière, que ce ne soit jamais arrivé, pour qu'Ebba puisse revenir. Un instant il resta sans bouger. Puis il prit son propre oreiller et l'approcha lentement du visage d'Anna.

## FJÄLLBACKA 1951

*Elle ne s'y était absolument pas attendue. Elle n'avait jamais été contre le fait d'avoir des enfants, mais à mesure que les années passaient et que rien n'arrivait, elle avait calmement constaté qu'elle ne pouvait pas en avoir. Sigvard avait déjà deux fils adultes, si bien que lui non plus ne semblait pas tracassé par son infécondité.*

*Puis, un an auparavant, elle s'était sentie soudain terriblement et inexplicablement fatiguée. Sigvard avait craint le pire et l'avait envoyée chez le médecin de famille pour un examen approfondi. Elle avait même pensé à un cancer ou à une autre maladie mortelle, mais il s'était avéré qu'à trente ans passés, elle se retrouvait subitement enceinte. Le médecin avait annoncé la nouvelle de manière abrupte, et il fallut plusieurs semaines à Laura pour la digérer. Sa vie était pauvre en événements, ce qui lui allait très bien. Elle aimait juste rester chez elle, dans la maison dont elle était la maîtresse et où tout était réfléchi et minutieusement sélectionné. Et voilà que quelque chose allait bousculer l'ordre parfait qu'elle avait élaboré avec tant de soin.*

*La grossesse avait donné lieu à des douleurs bizarres et des changements malvenus dans son corps, et l'idée qu'elle portait en elle un être dont elle n'avait pas la maîtrise la faisait presque paniquer. L'accouchement fut épouvantable et elle décida de ne plus jamais s'exposer à une horreur pareille. Elle ne voulait plus jamais avoir à vivre les souffrances, l'impuissance et la bestialité de la mise au monde d'un enfant. Sigvard fut obligé d'emménager dans la chambre d'amis pour de bon. Il ne trouva pas grand-chose à redire, sa vie le satisfaisait.*

*Les premières semaines avec Inez avaient été un cauchemar. Puis elle avait trouvé Nanna, la merveilleuse Nanna bénie qui ôta de ses épaules la responsabilité du bébé et lui permit de reprendre sa vie normale. Nanna vint tout de suite s'installer chez eux, sa chambre jouxtait la chambre d'enfant pour qu'elle puisse aller voir Inez la nuit si elle pleurait. Elle s'occupait de tout, et Laura était libre d'aller et venir à sa guise. La plupart du temps, elle se contentait de faire un saut rapide dans la chambre d'enfant et, dans ces moments-là, elle se réjouissait d'avoir une petite fille. Inez aurait bientôt six mois et elle pouvait se montrer adorable, sauf quand elle pleurait parce qu'elle avait faim ou qu'elle s'était souillée. Mais c'était à Nanna de s'occuper de ces choses-là, et Laura trouvait que tout s'était bien arrangé, malgré l'orientation inattendue qu'avait prise sa vie. Elle n'appréciait pas les changements, et moins la naissance d'Inez modifiait son existence, plus elle se sentait capable de l'accepter.*

*Laura réarrangerait les cadres de photos sur la commode. C'étaient des photos de Sigvard et elle, et des deux fils de Sigvard avec leur famille respective. Ils n'avaient pas encore fait encadrer de photo d'Inez, et elle n'exposerait jamais une photo de sa mère. L'identité de sa mère et de sa grand-mère ferait mieux de tomber dans l'oubli.*

*Au grand soulagement de Laura, sa mère n'était pas réapparue. Cela faisait deux ans qu'ils n'avaient pas eu de ses nouvelles, et personne ne l'avait aperçue dans la région. Laura avait encore en mémoire leur dernière rencontre. Dagmar était sortie de l'hôpital psychiatrique un an plus tôt, mais n'avait pas eu l'audace de se montrer chez Sigvard et Laura. On disait qu'elle titubait dans les rues, comme quand Laura était petite. Le jour où elle s'était finalement présentée chez eux – édentée, sale et vêtue de haillons –, elle était aussi folle qu'avant, et Laura ne comprenait pas comment les médecins avaient pu la laisser sortir. À l'hôpital, elle suivait un traitement et n'avait pas accès à l'alcool. Même si Laura aurait préféré ordonner à sa mère de s'en aller, elle l'avait rapidement fait entrer dans le vestibule avant que les voisins la voient.*

*— Tiens, tiens, quelle élégance, avait dit Dagmar. On peut dire que tu as fait ton chemin dans le monde.*

Laura avait serré les poings derrière son dos. Tout ce qu'elle avait chassé et qui ne réapparaissait que dans ses cauchemars venait la rattraper.

— Qu'est-ce que tu veux?

— J'ai besoin d'aide.

La voix de Dagmar était larmoyante, des tiraillements déformaient son visage et ses mouvements étaient bizarrement saccadés.

— Tu as besoin d'argent? demanda Laura en attrapant son sac à main.

— Oui, mais pas pour moi, dit Dagmar sans cesser de regarder le sac. Je veux de l'argent pour me rendre en Allemagne.

Laura la dévisagea.

— En Allemagne? Qu'est-ce que tu vas faire là-bas?

— Je n'ai jamais pu faire mes adieux à ton père. Je n'ai jamais pu faire mes adieux à mon Hermann.

Dagmar se mit à pleurer et Laura regarda nerveusement autour d'elle. Elle ne voulait pas que Sigvard les entende et qu'il vienne dans le vestibule voir ce qui se passait. Il ne devait pas voir sa mère ici.

— Chut! Je vais te donner de l'argent. Mais calme-toi pour l'amour de Dieu! Tiens! Ça devrait suffire pour acheter un billet pour l'Allemagne, dit Laura en donnant une liasse de billets à sa mère.

— Oh merci!

Dagmar se précipita et prit l'argent et la main de Laura entre les siennes. Elle embrassa la main de sa fille et Laura la retira, dégoûtée, puis l'essuya sur sa jupe.

— Va-t'en maintenant.

Tout ce qu'elle voulait, c'était que sa mère quitte sa maison, sorte de sa vie, pour que celle-ci retrouve sa perfection. Quand Dagmar partit avec l'argent, Laura se laissa tomber sur une chaise dans le vestibule avec un soupir de soulagement.

Deux ans s'étaient écoulés depuis cet incident, et Dagmar n'était probablement plus en vie. Laura doutait qu'elle ait pu aller très loin avec l'argent qu'elle lui avait donné, surtout dans le chaos d'après-guerre. Si elle avait divagué et clamé partout qu'elle voulait faire ses adieux à Hermann Göring, on l'avait sûrement prise pour la foldingue qu'elle était et arrêtée en chemin. Göring n'était pas un homme qu'on avouait avoir connu. Son suicide en prison un an après la fin de la guerre n'avait pas effacé ses crimes. Laura frissonna à l'idée que sa mère avait continué à répandre partout qu'il était le père de son enfant. Il n'y avait pas de quoi se vanter. Elle ne gardait qu'un souvenir vague de la visite chez sa femme à Stockholm, mais elle se rappelait très nettement la honte qu'elle avait ressentie et le regard plein de pitié et de chaleur humaine que lui avait lancé Carin Göring. C'était probablement à cause de Laura qu'elle n'avait pas appelé à l'aide, malgré la peur bleue que Dagmar devait lui inspirer.

Ça appartenait au passé, tout ça. Mère avait disparu et personne ne parlait plus de ses fantasmes insensés. Nanna veillait à ce que Laura puisse mener sa vie normale. L'ordre avait été rétabli et tout était parfait. Comme elle le souhaitait.

Gösta observa Patrik qui tambourinait sur le volant et gardait les yeux obstinément fixés sur les voitures devant lui. La circulation était dense et l'étroite route de campagne pas toujours commode pour se croiser. Souvent il était obligé de s'approcher dangereusement du bas-côté.

— Tu n'as pas été trop dur avec elle, j'espère? dit Gösta et il détourna la tête pour regarder par la fenêtre.

— Vous vous êtes comportés comme des idiots, je te le dis comme je le pense, dit Patrik, mais il paraissait bien plus calme que la veille.

Gösta se tut. Il était trop fatigué pour argumenter. Il avait passé pratiquement toute la nuit à parcourir le dossier une fois de plus et avait très peu dormi. Mais il ne tenait pas à le dire à Patrik, qui n'apprécierait sans doute pas de nouvelles initiatives de sa part en ce moment. Il dissimula un bâillement derrière sa main. La déception d'avoir sacrifié son sommeil en vain ne voulait pas le quitter. Il n'avait rien découvert de nouveau, rien qui ait éveillé son intérêt, tout juste les mêmes données qui le narguaient depuis si longtemps. Et pourtant, il ne pouvait se débarrasser du sentiment que la réponse était là, sous son nez, cachée dans une des nombreuses piles de documents. Auparavant, c'était la curiosité ou peut-être une certaine fierté professionnelle qui l'avait incité à poursuivre. Aujourd'hui, il était poussé par l'inquiétude. Ebba n'était plus en sécurité et sa vie dépendait d'eux et de leur capacité à arrêter celui qui cherchait à l'atteindre.

— Tourne là, à gauche, dit-il en montrant une bifurcation un peu plus loin.

— Je sais où c'est, dit Patrik, et au mépris de toute sécurité, il effectua un hasardeux virage à gauche.

— T'aurais pas eu ton permis dans une pochette-surprise ? marmonna Gösta, cramponné à la poignée au-dessus de la portière.

— Je suis un excellent conducteur.

Gösta renifla pour toute réponse. Ils approchaient de la ferme d'Olle la Ferraille que Gösta désigna d'un mouvement de la tête.

— Je plains ses enfants le jour où il faudra enlever tout ce bordel.

L'endroit ressemblait plus à un dépotoir qu'à un lieu de résidence. Tout le monde dans la région savait que, quand on voulait se débarrasser d'un objet, on appelait Olle. Il était très serviable et venait récupérer tout et n'importe quoi, si bien que les bâtiments et hangars épars étaient entourés d'un bric-à-brac de voitures, de réfrigérateurs, de remorques et de machines à laver. Même un casque séchoir, nota Gösta pendant que Patrik se garait entre un congélateur et une vieille Volvo Amazon.

Un petit bonhomme sec en pantalon de menuisier vint les accueillir.

— J'aurais préféré que vous veniez un peu plus tôt. J'ai déjà fait la moitié de ma journée, moi.

Gösta regarda sa montre. Il était dix heures cinq.

— Salut Olle. On vient chercher les affaires dont on a parlé.

— C'est pas trop tôt. Je comprends pas ce que vous trafiquez à la police. Même pas un coup de fil, personne qui vient les réclamer… Alors moi, j'y ai pas touché. C'est là-bas, à côté des cartons de l'autre cinglé, le comte.

Ils suivirent Olle la Ferraille dans une grange sombre.

— C'est qui, le comte cinglé ? demanda Patrik.

— Je sais pas s'il était réellement comte, en tout cas il avait un nom à particule.

— Tu veux dire von Schlesinger ?

— Oui, c'est ça. Il avait une sale réputation dans le coin parce qu'il avait sympathisé avec Hitler, et que son fils était parti s'engager avec les Allemands. À peine arrivé là-bas, le pauvre gamin s'est pris une balle dans la tête, dit Olle en farfouillant dans le fatras. Si le vieux était pas déjà cinglé, il l'est devenu à ce moment-là. Il pensait que les Alliés allaient venir l'attaquer sur l'île! Si je vous racontais toutes les choses bizarres qu'il s'était mises dans la tête, vous me croiriez même pas. Il a fini par avoir une attaque et il est mort. – Olle la Ferraille s'arrêta, les regarda en plissant les yeux dans la faible lumière tout en se grattant les cheveux. – C'était en 1953, si je me trompe pas. Ensuite, il y a eu tout un tas de propriétaires, jusqu'à ce que cet Elvander débarque. Bon sang, quelle drôle d'idée. Un internat là-bas, avec tous ces rejetons de familles de la haute. N'importe qui aurait pu lui dire que ça allait mal tourner.

Il fouilla encore tout en marmonnant. Un nuage de poussière s'éleva et Gösta et Patrik se mirent à tousser.

— Voilà. Quatre cartons remplis d'affaires. Les meubles sont restés sur place quand la maison a été mise en location, mais j'ai réussi à sauver pas mal d'objets. On pouvait pas jeter tout ça à la poubelle. D'autant qu'on savait même pas s'ils reviendraient pas un jour. Mais on était tous plutôt d'avis qu'ils étaient bel et bien morts et enterrés quelque part.

— Tu n'as jamais eu l'idée de contacter la police toi-même pour prévenir que tu avais récupéré leurs affaires? demanda Patrik.

Olle la Ferraille redressa le dos et croisa les bras sur sa poitrine.

— Mais je l'ai dit à Henry.

— Quoi? Henry était au courant? s'indigna Gösta.

Ce n'était pas la seule chose qu'Henry avait loupée dans sa vie… et ça ne servait à rien de s'emporter contre un mort qui ne pouvait pas se défendre.

— On devrait pouvoir les caser dans la voiture, dit Patrik en mesurant les cartons du regard.

— Oui, on peut toujours rabattre les sièges au besoin, répondit Gösta.

— Eh bien, ça alors, c'est pas banal, rit Olle. Il vous aura fallu plus de trente ans pour venir les chercher.

Gösta et Patrik le foudroyèrent du regard, mais ne dirent rien. Certains commentaires ne méritaient que le silence comme réponse.

— Qu'est-ce que tu vas faire de tout ça, Olle ?

Gösta ne put s'empêcher de poser la question. Pour sa part, il était plutôt paniqué à la vue d'un tel foutoir. Sa petite maison n'était peut-être pas très moderne, mais il était fier de l'avoir maintenue propre et de ne pas être devenu un de ces vieux ensevelis sous un fatras sans nom.

— On sait jamais quand un objet va nous être utile. Si tous étaient aussi économes que moi, le monde aurait une autre gueule. Vous pouvez me croire.

Patrik se pencha et essaya de soulever un des cartons, mais il dut y renoncer.

— Il faut qu'on le porte à deux, Gösta, gémit-il. Il est trop lourd pour moi.

Gösta lui lança un regard effaré. Un muscle froissé pourrait lui gâcher toute sa saison de golf.

— On m'a conseillé de ne pas porter d'objets lourds. Mon dos, tu sais.

— Arrête ton char et aide-moi maintenant !

Gösta comprit qu'il avait été percé à jour et, à contrecœur, il plia les genoux et attrapa le carton d'un côté. La poussière lui chatouilla le nez et il éternua plusieurs fois.

— À tes souhaits, dit Olle la Ferraille.

Il affichait un si large sourire qu'on pouvait voir qu'il lui manquait trois dents dans la mâchoire supérieure.

— Merci, répondit Gösta.

En maugréant, il aida Patrik à caser les cartons dans le coffre de la voiture. Mais il sentit aussi une certaine excitation l'envahir. Ces objets leur fourniraient peut-être une piste précieuse, mais c'était surtout pour Ebba qu'il se réjouissait. Pouvoir lui raconter qu'ils avaient retrouvé les affaires de sa famille valait bien un lumbago.


Ils avaient fait la grasse matinée avec Carina, ce qui était plutôt rare. Il avait travaillé tard la veille au soir et trouvait qu'il avait bien mérité de dormir.

— C'est incroyable, dit Carina en posant une main sur son épaule. J'ai encore sommeil.

— Moi aussi, mais qui a dit qu'on devait se lever ? répondit Kjell et il l'attira près de lui dans le lit.

— Mmm… je suis trop fatiguée.

— Juste un petit câlin.

— Et tu voudrais que je te croie, dit-elle tout en lui tendant le cou avec volupté.

Le téléphone portable de Kjell se mit à sonner dans la poche de son pantalon en boule au pied du lit.

— Ne réponds pas, dit Carina en se serrant contre lui.

Mais le portable continua de sonner et Kjell finit par craquer. Il se redressa dans le lit, attrapa son pantalon et sortit le téléphone. "Sven Niklasson" annonçait l'écran, et il appuya maladroitement sur les touches pour répondre.

— Allô, Sven ? Oui, non, tu ne me réveilles pas du tout, dit Kjell en regardant sa montre qui affichait plus de dix heures. Tu as du nouveau ? demanda-t-il après s'être raclé la gorge.

Sven Niklasson parla longuement et Kjell écouta, de plus en plus sidéré. Pour tout commentaire, il lâcha quelques "hum hum", et il vit que Carina l'étudiait, couchée sur le côté, la tête appuyée sur un bras.

— Je peux venir te chercher à l'aéroport, finit-il par dire. C'est sympa de me prévenir. Il n'y a pas beaucoup de journalistes qui feraient ça pour un collègue. La police de Tanum est avertie ?… Ah, Göteborg. Oui, c'est peut-être mieux, vu la situation. Ils ont tenu une conférence de presse hier, ils sont débordés par l'enquête. J'imagine que votre envoyé t'a déjà tout appris. OK, on se parle tout à l'heure, je viens te chercher. Salut.

Kjell était presque essoufflé en raccrochant. Carina le regarda avec un grand sourire.

— Je suppose que c'est un gros truc, si Sven Niklasson se donne la peine de venir de Stockholm.

— Si tu savais !

Kjell sortit du lit et commença de s'habiller. Sa fatigue s'était comme envolée.

— Si tu savais, répéta-t-il, cette fois surtout pour lui-même.

Sans traîner, elle retira les draps de la chambre d'amis. Ebba était partie. Elle avait voulu emporter le matériel concernant sa famille, mais Erica avait préféré lui faire des copies, ce à quoi elle aurait évidemment dû penser plus tôt.

— Noel! Laisse ton frère tranquille! cria-t-elle vers le salon sans même avoir besoin de vérifier qui était à l'origine du chahut.

Personne ne l'écouta et les pleurs s'intensifièrent.

— Maman! Mamaaan! Noel nous frappe, cria Maja.

Avec un soupir, Erica posa les draps. Son envie de mener à bout une tâche sans cris d'enfants ni demandes d'attention était presque physique. Elle avait besoin de temps pour elle. Elle avait besoin de pouvoir être adulte. Les enfants comptaient plus que tout dans sa vie, mais parfois elle avait l'impression de sacrifier ses propres désirs. Même si Patrik avait été en congé parental pendant quelques mois, c'était elle, le contremaître qui veillait à ce que tout fonctionne. Patrik l'aidait beaucoup, mais c'était justement ça, le hic : il l'aidait. Et quand l'un des enfants était malade, c'était à elle de repousser une échéance ou d'annuler une interview pour que Patrik puisse aller au boulot. Ses besoins à elle et son travail venaient toujours en dernier, et malgré elle, cela la rendait amère.

— Arrête maintenant!

Elle sépara Noel de son frère jumeau qui sanglotait par terre. Il se mit tout de suite à pleurer, lui aussi, et Erica s'en voulut d'avoir été trop rude.

— Maman est pas gentille, dit Maja avec un regard mauvais à sa mère.

— C'est vrai, maman n'est pas gentille, dit Erica, et elle s'assit par terre et prit les jumeaux sanglotants dans ses bras.

— Ohé? fit une voix dans l'entrée.

Erica sursauta puis elle comprit aussitôt qui c'était. Personne d'autre ne rentrait chez eux sans sonner à la porte.

— Salut, Kristina, dit-elle en se levant péniblement.

Les jumeaux avaient cessé de pleurer et coururent vers leur grand-mère.

— Ordre du chef. Je prends la relève, dit Kristina, et elle essuya les joues d'Anton et de Noel, mouillées de larmes.

— La relève?

— Apparemment, il faut que tu ailles au commissariat, dit Kristina, comme si c'était une évidence. C'est tout ce que je sais. Moi, je ne suis que la retraitée de service qui accourt dès qu'on la convoque. Patrik m'a appelée pour me demander de venir illico, il a eu du pot que je sois à la maison, j'aurais tout aussi bien pu avoir autre chose à faire, qui sait, peut-être même que j'aurais pu avoir un rencard, c'est comme ça qu'on dit, non ? Mais j'ai prévenu Patrik, ça peut aller pour cette fois, mais j'aimerais vous voir faire preuve d'un peu plus de prévoyance à l'avenir. J'ai une vie à moi aussi, même si vous me trouvez sans doute trop âgée pour ça, dit Kristina puis elle chercha son souffle un instant et regarda Erica. Qu'est-ce que tu attends ? Patrik a dit que tu devais filer au commissariat.

Erica ne comprenait toujours pas, mais décida de ne plus poser de questions. Elle allait avoir un instant de répit, c'est tout ce qu'elle désirait en ce moment.

— Comme je l'ai dit à Patrik, je ne peux rester que pour la journée, ce soir il y a *Le Mot de l'été* à la télé et je ne le louperais pour rien au monde. Et avant ça, il faut que je fasse la lessive et les courses, tu vois, je ne peux rester que jusqu'à cinq heures, sinon je n'aurais pas le temps de faire tout ça, et je n'aime pas être débordée, tu le sais. Je ne peux pas être à votre service tout le temps, même si Dieu sait qu'il y a de quoi s'occuper ici.

Erica claqua la porte derrière elle avec un grand sourire. Libre !

Une fois installée dans la voiture, elle se mit à réfléchir. Qu'est-ce qui pouvait être si urgent ? La première chose qui lui vint à l'esprit fut la visite de Patrik et Gösta chez Olle la Fer-raille. Ils avaient dû trouver les affaires de la famille Elvander. En sifflotant, elle se mit en route pour Tanumshede. Tout à coup, elle regretta ses réflexions grincheuses sur Patrik, en tout cas en partie. S'il la laissait participer à l'examen des affaires, elle s'occuperait de la maison et du ménage sans rouspéter pendant un mois.

Elle s'arrêta sur le parking du commissariat et courut presque vers l'affreux bâtiment de plain-pied. Il n'y avait personne à l'accueil.

— Patrik? appela-t-elle dans le couloir.

— On est là. Dans la salle de réunion.

Elle suivit sa voix, et s'arrêta net devant la porte ouverte. Des objets étaient éparpillés partout sur la table et au sol.

— Ce n'est pas mon idée, dit Patrik en lui tournant le dos. C'est Gösta qui a trouvé que tu méritais d'être là.

Elle envoya un baiser à Gösta qui se détourna, les joues en feu.

— Vous avez trouvé des trucs intéressants?

— Pas encore, on est en train de vider les cartons.

Patrik souffla la poussière de quelques albums photo qu'il posa ensuite sur la table.

— Tu veux un coup de main ou tu préfères que je commence à examiner les affaires?

— On a presque tout sorti, tu peux tout de suite y jeter un coup d'œil, dit Patrik en se retournant pour la regarder. Maman est venue?

— Non, les enfants sont assez grands maintenant pour se débrouiller tout seuls, rit-elle. Évidemment que Kristina est venue, sinon je n'aurais pas su que tu voulais que je vienne.

— J'ai d'abord essayé d'appeler Anna, mais elle ne répondait pas, ni chez elle ni sur le portable.

— Ah bon? C'est étrange.

Erica plissa le front. En général, Anna ne s'éloignait pas à plus d'un mètre de son téléphone portable.

— Dan et les enfants sont partis pour le week-end. Elle doit être en train de rêvasser sur un transat au soleil.

— Oui, tu as raison.

Erica envoya balader son inquiétude et s'attaqua aux objets répandus devant elle. Il s'agissait pour la plupart d'affaires ordinaires : des livres, des stylos, des brosses à cheveux, des chaussures et des vêtements qui sentaient le renfermé et le moisi.

— Que sont devenus tous les meubles et les bibelots?

— Ils sont restés dans la maison. Je soupçonne qu'une bonne partie a disparu au fil des ans et des différents locataires. Il faudra demander à Ebba et Melker. Il devait quand même rester quelques meubles quand ils ont emménagé ce printemps.

— Tiens, au fait, Anna est allée voir Melker hier. Elle a emprunté notre bateau. J'espère qu'elle est bien rentrée.

— Il n'y a pas de quoi s'inquiéter, mais tu peux toujours appeler Melker pour lui demander à quelle heure elle est partie

— Tu as raison, je l'appelle tout de suite.

Elle prit son portable dans son sac et chercha le numéro de Melker. La conversation fut très brève. Après avoir raccroché, elle s'adressa à Patrik :

— Anna est restée un peu plus d'une heure hier soir, et la mer était calme quand elle est partie.

Patrik essuya ses mains poussiéreuses sur son pantalon.

— Tu vois, tout va bien.

— Oui, ça me rassure.

Erica hocha la tête, mais au fond d'elle, le doute la rongeait. Quelque chose clochait. Néanmoins elle connaissait aussi sa tendance à surprotéger sa sœur et à toujours en faire trop, si bien qu'elle s'obligea à repousser ces pensées pour se remettre à trier.

— Ça fait vraiment bizarre, dit-elle en brandissant une liste de courses. Ça doit être Inez qui a écrit ça. Ça paraît irréel qu'elle ait effectivement vécu une vie ordinaire avec des listes de courses à faire : lait, œufs, sucre, confiture, café…

Erica donna la liste à Patrik. Il la regarda, puis la rendit à Erica.

— On n'a pas le temps pour ce genre de choses, là. Il faut qu'on se concentre sur ce qui peut sembler pertinent par rapport à l'enquête.

— Très bien, dit Erica et elle reposa le bout de papier sur la table.

Ils poursuivirent méthodiquement l'examen des cartons.

— Il était sacrément ordonné, ce Rune.

Gösta agita un carnet qui semblait contenir un registre des dépenses. L'écriture était tellement soignée qu'on aurait dit que le texte avait été tapé à la machine.

— Il n'oubliait pas le moindre petit achat, constata Gösta en feuilletant le carnet de chiffres.

— Ça ne m'étonne pas, après tout ce que j'ai entendu dire sur lui, répliqua Erica.

— Écoutez ça. On dirait que quelqu'un rêvait de Leon, dit Patrik en montrant une feuille de carnet arrachée et couverte de gribouillis.

— A cœur L, lut Erica à voix haute. Elle s'est aussi entraînée à sa future signature : Annelie Kreutz. Donc, Annelie était amoureuse de Leon. Ça colle aussi avec ce que j'ai entendu.

— Je me demande ce que papa Rune pensait de ça, dit Gösta.

— Vu son besoin de tout contrôler, une relation entre eux aurait sûrement viré à la catastrophe, commenta Patrik.

— La question est de savoir si c'était réciproque, dit Erica en se hissant sur le bord de la table. Annelie s'était entichée de Leon, mais est-ce que Leon était mordu lui aussi ? D'après John, non, mais il peut très bien avoir caché ses sentiments aux autres.

— Les bruits nocturnes, lança Gösta. Tu nous as dit qu'Ove Linder avait entendu des bruits la nuit. Est-ce que ça aurait pu être Leon et Annelie qui déambulaient ?

— Ou alors des fantômes ? rigola Patrik.

— Pfft, souffla Gösta et il attrapa un paquet de factures et commença à les examiner. Ebba est retournée sur l'île ?

— Oui, elle a fait du stop avec le bateau postal, répondit Erica distraitement.

Elle avait pris un des albums photo et examinait attentivement les clichés. Il y en avait un d'une jeune femme aux cheveux longs et raides tenant un petit enfant sur le bras.

— Elle n'était pas très heureuse, on dirait.

Patrik regarda par-dessus son épaule :

— Inez et Ebba.

— Oui. Et là, ça doit être les autres enfants de Rune.

Elle montra trois enfants d'âge et de taille différents alignés devant un mur, l'air maussade.

— Ebba va être super-contente de voir tout ça, s'enthousiasma Erica en tournant les pages. Ça compte beaucoup pour elle. Regardez, je pense que c'est sa grand-mère, Laura.

— Elle n'a pas l'air commode, constata Gösta qui s'était approché d'Erica pour regarder, lui aussi.

— Elle avait quel âge quand elle est morte ? demanda Patrik.

Erica réfléchit.

— Elle devait avoir cinquante-trois ans. Ils l'ont retrouvée morte derrière la maison tôt un matin.

— Rien de suspect dans le décès?

— Non, pas à ma connaissance. Tu as entendu parler d'un truc suspect, Gösta?

— Le médecin y est allé et a constaté que, pour une raison ou une autre, elle était sortie la nuit, avait eu un infarctus et était morte. Il n'y avait aucune raison de soupçonner que la mort n'était pas naturelle.

— C'est sa mère qui avait disparu? demanda Patrik.

— Oui, Dagmar a disparu en 1949.

— Une vieille alcoolo, dit Gösta. Enfin, c'est ce qu'on dit.

— Ça tient du miracle qu'Ebba soit si normale avec des antécédents pareils.

— C'est peut-être parce qu'elle a grandi dans Rosenstigen, et pas sur Valö, dit Gösta.

— Sans doute, répondit Patrik en continuant à farfouiller parmi les objets.

Deux heures plus tard, ils avaient tout examiné et échangeaient des regards déçus. Ebba apprécierait d'avoir des photographies et des affaires personnelles de sa famille biologique, mais ils n'avaient rien trouvé qui puisse faire avancer l'enquête. Erica était presque au bord des larmes. Elle avait tant espéré, et maintenant ils se retrouvaient là, dans une salle de réunion encombrée de tout un fatras inutile.

Erica observa son mari. Quelque chose le tracassait, qu'il n'arrivait pas à déterminer. Elle avait déjà vu cette mine-là.

— À quoi tu penses?

— Je ne sais pas. Il y a quelque chose qui... peu importe, je trouverai plus tard, répondit-il, irrité.

— Bon, eh bien, il ne nous reste plus qu'à tout remettre dans les cartons, dit Gösta.

— Oui, on n'a rien de mieux à faire.

Patrik s'attela au rangement tandis qu'Erica restait immobile un instant, sans montrer la moindre intention de l'aider. Elle balaya la pièce du regard comme dans une dernière tentative de saisir un élément pertinent. Elle était sur le point d'abandonner quand ses yeux tombèrent sur quelques petits carnets noirs qu'elle reconnaissait bien. C'étaient les passeports de la famille que Gösta avait rassemblés en un tas propret à part sur la table. Elle plissa les yeux, s'approcha pour mieux voir et compta en silence. Puis elle les prit et les aligna sur la table.

Patrik cessa son rangement et la regarda.

— Qu'est-ce que tu fais ?

— Tu ne vois pas ? dit-elle en montrant les documents.

— Non, quoi ?

— Compte-les.

Il obéit et compta silencieusement, et elle le vit ouvrir des yeux étonnés.

— Il n'y en a que quatre, dit-elle. Il me semble qu'il devrait y en avoir cinq.

— Oui, en supposant qu'Ebba était trop petite pour en avoir déjà un.

Patrik prit les passeports, les ouvrit l'un après l'autre et regarda le nom et la photo. Puis il se tourna vers sa femme.

— Alors ? Qui manque à l'appel ? demanda-t-elle.

— Annelie. C'est le passeport d'Annelie qui manque

## FJÄLLBACKA 1961

*Maman savait ce qui était le mieux. C'était une vérité absolue qu'Inez avait entendue pendant toute son enfance. Elle ne se souvenait pas de son père. Elle n'avait que trois ans quand il était mort à l'hôpital après une attaque cérébrale. Depuis ce jour, il n'y avait eu qu'elle, maman et Nanna.*

*Elle se demandait parfois si elle aimait maman. Elle n'en était pas très sûre. Elle aimait Nanna et le nounours qu'elle avait dans son lit depuis toute petite, mais maman? Elle savait qu'elle aurait dû l'aimer, comme les autres enfants à l'école aimaient la leur. Les quelques fois où elle avait pu aller jouer chez une camarade de classe, elle avait vu mère et fille se retrouver les yeux remplis de joie, elle avait vu la fille se jeter dans les bras de sa mère. Inez sentait une boule dure dans son ventre chaque fois qu'elle voyait ses camarades de classe avec leur maman. Ensuite, elle avait voulu faire pareil en rentrant à la maison. Elle s'était jetée dans les bras chaleureux de Nanna qui étaient toujours ouverts pour elle.*

*Maman n'était pas méchante et n'avait jamais élevé la voix contre elle, d'après les souvenirs d'Inez. C'était Nanna qui la grondait si elle était désobéissante. Mais maman voulait que les choses soient d'une certaine façon, et Inez ne devait absolument pas la contredire.*

*Le plus important, c'était de faire les choses correctement. Maman le disait toujours : "Tout ce qui vaut la peine d'être fait vaut la peine d'être fait correctement." Inez ne devait jamais tricher. Ses devoirs devaient être soigneusement écrits, les lettres bien sur les lignes, et les chiffres du cahier de mathématiques correctement notés. Les légères traces que laissaient sur le papier les chiffres* erronés après gommage étaient interdites. Si elle n'était pas sûre d'elle, elle devait d'abord écrire sur un brouillon avant d'inscrire le résultat dans le cahier.

Il était important aussi de ne pas mettre du bazar. Au moindre désordre, quelque chose d'horrible pouvait arriver. Elle ne savait pas très bien quoi, mais sa chambre devait toujours être scrupuleusement rangée. On ne pouvait jamais savoir quand Laura y viendrait, et si les choses n'étaient pas à leur place, elle prenait un air déçu et disait qu'elle voulait avoir une conversation sérieuse avec elle. Inez détestait ces conversations. Elle ne voulait pas décevoir maman et les conversations tournaient souvent autour de ça : Maman avait été déçue par Inez.

Elle n'avait pas non plus le droit de mettre du désordre dans la chambre de Nanna ou dans la cuisine. Quant aux autres pièces — la chambre de maman, le salon, la chambre d'amis et le petit salon —, elle n'avait pas le droit d'y aller. Maman disait qu'elle pourrait casser quelque chose. Ce n'était pas des endroits pour les enfants. Elle obéissait parce que la vie était plus simple comme ça. Elle n'aimait pas les conflits et elle n'aimait pas les conversations sérieuses. Si elle faisait ce que disait maman, elle échappait aux deux.

À l'école, elle se tenait à l'écart des autres et faisait scrupuleusement ce qu'on lui disait de faire. De toute évidence, l'institutrice aimait cela. Les adultes semblaient aimer qu'on leur obéisse.

Les autres enfants ne prêtaient pas attention à elle, comme si ça ne valait même pas la peine de la harceler. Quelques rares fois, ils l'avaient taquinée et avaient dit des choses sur sa grand-mère, ce qu'Inez trouvait bizarre, vu qu'elle n'en avait pas. Elle avait posé la question à maman, mais au lieu de lui répondre, maman avait décidé qu'elles allaient avoir une conversation. Inez avait même questionné Nanna, qui avait serré les lèvres et dit que ce n'était pas à elle de parler de ça, ce qui l'avait beaucoup étonnée. Si bien qu'Inez ne demandait plus rien. Ce n'était pas suffisamment important pour risquer de s'exposer à une énième conversation, et de toute façon, maman savait ce qui était le mieux.

Ebba sauta sur l'embarcadère de Valö et remercia chaleureusement la factrice de l'avoir emmenée. Pour la première fois depuis qu'ils étaient arrivés ici, elle ressentit de l'espoir et de la joie en montant le sentier. Elle avait tant de choses à raconter à Melker.

En s'approchant de la maison, elle réalisa à quel point elle était belle. Bien sûr, les travaux étaient loin d'être terminés – malgré tout ce qu'ils avaient déjà accompli, ils n'en étaient encore qu'au début –, mais son potentiel sautait aux yeux. Comme un bijou blanc, elle était plongée dans la verdure, et même si on ne voyait pas la mer de ses fenêtres, on sentait la présence de l'eau.

Il leur faudrait du temps, avec Melker, pour se retrouver, et leur vie allait changer. Mais ça ne signifiait pas forcément qu'elle serait moins bonne. Leur relation s'en trouverait peut-être consolidée. Ebba n'avait pas osé penser cela avant, mais il y aurait peut-être la place pour un enfant dans leur nouvelle vie. Pas pour l'instant, où tout était encore fragile, et où il leur restait tant de travail, sur la maison et sur eux-mêmes, mais plus tard. Ils pourraient donner un frère ou une sœur à Vincent. C'est ainsi qu'elle voyait les choses. Un frère ou une sœur à leur petit ange.

Elle avait réussi à rassurer ses parents aussi. Elle s'était excusée de ne pas leur avoir dit tout ce qui s'était passé et les avait persuadés de ne pas se précipiter à Fjällbacka. Puis elle les avait rappelés dans la soirée pour leur raconter ce qu'elle avait appris sur sa famille biologique. Elle savait qu'ils s'en réjouissaient et qu'ils comprenaient combien c'était important pour elle. En revanche, ils ne voulaient pas qu'elle retourne sur l'île tant que la police n'avait pas élucidé ce qui s'y passait. Elle leur avait donc servi un petit mensonge pieux en prétendant qu'elle dormirait encore une nuit chez Erica et Patrik, et ils s'en étaient contentés.

Elle était effrayée par l'idée qu'on leur voulait du mal, mais Melker avait choisi d'y rester et elle venait de choisir d'être à ses côtés. Pour la deuxième fois dans sa vie, elle choisissait Melker. La crainte de le perdre était plus grande que la crainte de l'inconnu qui les menaçait. On ne pouvait pas tout maîtriser dans la vie, la mort de Vincent le lui avait appris, et son destin était de rester ici avec son mari quoi qu'il arrive.

— Melker? appela Ebba en posant son sac dans le vestibule. Tu es là?

La maison était silencieuse et elle tendit l'oreille tout en montant l'escalier. Aurait-il pu aller à Fjällbacka pour une course? Non, elle avait vu le bateau au ponton. Il y avait un autre bateau amarré aussi. Ils avaient peut-être de la visite?

— Melker? cria-t-elle encore, mais elle ne reçut pour toute réponse que l'écho de sa propre voix rebondissant sur les murs nus. Le soleil se déversait par les fenêtres et éclairait la poussière tourbillonnant sous ses pieds. Elle entra dans la chambre.

— Melker?

Interloquée, elle regarda son mari, assis par terre, dos contre le mur, le regard dans le vague. Il ne réagit pas.

L'inquiétude prit le dessus et elle s'accroupit pour lui caresser les cheveux. Il avait l'air fatigué et ravagé.

— Qu'est-ce qu'il se passe? demanda-t-elle.

— Tu es revenue? dit-il d'une voix atone en tournant le regard vers elle, et elle hocha la tête avec entrain.

— Oui, j'ai tant de choses à te raconter, tu n'as pas idée. Et j'ai pris le temps de réfléchir aussi chez Erica. J'ai compris ce que toi, tu avais déjà compris : nous sommes liés l'un à l'autre, nous devons essayer de nouveau. Je t'aime, Melker. Nous garderons toujours Vincent avec nous ici, dit-elle en posant sa main sur son cœur, mais nous ne pouvons pas vivre comme si nous étions morts nous aussi.

Elle se tut, dans l'attente d'une réaction, mais il ne dit rien.

— Les morceaux du puzzle ont trouvé leur place quand Erica m'a parlé de ma famille.

Elle s'assit par terre à côté de lui et lui parla avec enthousiasme de Laura, de Dagmar et de la Faiseuse d'anges. Quand elle eut fini, Melker hocha la tête.

— La faute est héréditaire.

— Qu'est-ce que tu veux dire ?

— La faute est héréditaire, répéta-t-il, et sa voix partit dans les aigus.

Il se passa la main dans les cheveux d'un mouvement saccadé, à n'en faire qu'une touffe ébouriffée. Elle ébaucha un geste pour les remettre en place, mais il lui donna une tape sur la main.

— Tu n'as jamais voulu reconnaître ta faute.

— Quelle faute ?

Une sensation désagréable s'insinuait lentement en elle, mais elle tenta de s'en débarrasser. Après tout, c'était Melker, son mari.

— C'est par ta faute que Vincent est mort. Comment pourrons-nous reprendre un jour notre vie si tu ne le reconnais pas ? Mais maintenant j'ai compris. C'est en toi. Ton arrière-arrière-grand-mère était une tueuse d'enfants, et toi, tu as assassiné le nôtre.

Ebba recula comme s'il l'avait frappée. Ses paroles épouvantables avaient le même effet. Assassiné Vincent ? Elle ? Le désespoir enfla dans sa poitrine et elle eut envie de hurler, mais elle comprit que quelque chose en lui s'était détraqué. Il ne savait pas ce qu'il disait, c'était la seule explication. Jamais il ne lui aurait infligé de telles horreurs.

— Melker, dit-elle aussi calmement qu'elle le pouvait, mais il pointa un doigt sur elle et poursuivit :

— C'est toi qui l'as assassiné. C'est ta faute. Ça a toujours été ta faute.

— Mais enfin, de quoi tu parles ? Tu sais que ce n'est pas vrai. Je n'ai pas tué Vincent. Personne n'est responsable de sa mort et tu le sais !

Elle prit Melker par les épaules et essaya de le secouer pour ramener une lueur de bon sens dans ses yeux.

Jetant un coup d'œil autour d'elle, elle découvrit soudain que le lit était défait et en désordre, et qu'un plateau traînait par terre avec les restes d'un repas et deux verres qui avaient apparemment contenu du vin rouge.

— Qui est venu ici?

Elle n'obtint pas de réponse. Melker se contenta de poser sur elle un regard glacé. Toujours accroupie à ses côtés, elle commença lentement à s'éloigner de lui. Elle sentit instinctivement qu'il fallait qu'elle se sauve. Cet homme n'était pas Melker, c'était quelqu'un d'autre, et pendant une seconde elle se demanda depuis combien de temps il en était ainsi. Combien de temps le froid avait-il habité ses yeux sans qu'elle s'en rende compte?

Elle continua de reculer, toujours accroupie. Avec des mouvements raides et sans la quitter des yeux, il se releva. Terrorisée, elle accéléra et tenta de se redresser, mais il tendit la main et la fit retomber.

— Melker? répéta-t-elle.

Il n'avait jamais porté la main sur elle, jamais. C'était lui qui protestait quand elle voulait tuer une araignée, insistant pour porter la petite bête dehors. Peu à peu, elle comprit que ce Melker-là n'existait plus. C'était peut-être la mort de Vincent qui l'avait détruit. Seulement, elle avait été trop occupée par son propre chagrin pour s'en rendre compte, et maintenant il était trop tard.

Melker inclina la tête sur le côté et l'étudia comme si elle était une mouche prise dans sa toile. Son cœur cognait dans sa poitrine, mais elle était incapable d'opposer une résistance. Où pouvait-elle fuir? Le plus simple était d'abandonner la partie. La mort ne lui faisait pas peur, elle irait rejoindre Vincent. Tout ce qu'elle ressentait, c'était de la peine. Quelque chose s'était brisé en Melker et ça la consternait, autant que le fait de voir l'espoir d'un avenir si rapidement voler en éclats.

Quand il se pencha et mit ses mains autour de son cou, elle croisa calmement son regard. Ses mains étaient chaudes et leur contact lui était familier, elles avaient caressé sa peau maintes et maintes fois. Il serra plus fort et elle sentit son cœur s'emballer. Un scintillement lumineux apparut derrière ses paupières et son corps privé d'oxygène se révolta et se contracta, mais par la force de sa volonté elle réussit à le détendre. Tandis que l'obscurité envahissait son esprit, elle accepta son sort. Vincent l'attendait.

Gösta s'attarda dans la salle de réunion. L'excitation ressentie quand ils s'étaient rendu compte qu'il manquait un passeport était retombée. Il n'était peut-être qu'un sceptique invétéré, mais il ne pouvait s'empêcher de penser qu'il y avait de nombreuses explications possibles à la perte d'un passeport. Celui d'Annelie avait très bien pu être abîmé ou égaré, ou alors conservé ailleurs et jeté quand la maison avait été vidée. Il n'était pas invraisemblable que ce détail ait son importance, mais ça, c'était à Patrik de le tirer au clair. Pour sa part, Gösta éprouva un besoin impérieux de tout reprendre encore plus minutieusement. Il devait à Ebba d'être scrupuleux. Maj-Britt n'aurait jamais pardonné qu'il ne fasse pas tout son possible pour aider la petiote. Ebba était repartie sur Valö. Quelque chose de sombre et de menaçant l'y attendait, et il devait faire tout ce qui était en son pouvoir pour empêcher qu'il lui arrive malheur.

Elle occupait une place à part dans son cœur depuis qu'elle s'était agrippée à lui au moment de les quitter. Ce fut un des pires jours de sa vie. Ce matin-là, quand l'assistante sociale était arrivée pour emmener Ebba dans sa nouvelle famille, resterait à jamais gravé dans sa mémoire. Maj-Britt avait fait prendre un bain à la petite et lui avait soigneusement brossé les cheveux. Elle les avait attachés avec un joli nœud et l'avait habillée de sa belle robe blanche, avec une ceinture à la taille, qu'elle avait passé plusieurs soirées à coudre. Il avait eu du mal à regarder Ebba ce matin-là, tant elle était mignonne. Jolie comme un ange.

De crainte que son cœur ne se brise, il avait envisagé de ne pas être là au moment de son départ, mais Maj-Britt avait insisté pour qu'ils fassent leurs adieux correctement. Alors il s'était accroupi et avait ouvert ses bras, et elle s'y était précipitée, la jupe flottant comme une voile blanche derrière elle.

Elle l'avait serré fort, comme si elle sentait que c'était la dernière fois.

Gösta déglutit en sortant doucement les vêtements de bébé d'Ebba d'un carton que Patrik venait de fermer.

— Gösta.

Patrik se tenait à la porte. Gösta sursauta et se retourna. Il avait toujours un maillot de bébé dans les mains.

— Comment ça se fait que tu connaissais l'adresse des parents d'Ebba à Göteborg ?

Gösta se tut. Les pensées fusèrent en tous sens dans sa tête, à la recherche d'une explication plausible : il aurait vu l'adresse quelque part, par exemple, et s'en serait souvenu. Il arriverait sans doute à paraître crédible, mais il soupira et dit :

— C'est moi qui ai envoyé les cartes.

— "G", c'est toi, dit Patrik. Ça ne m'a même pas effleuré l'esprit, je suis vraiment crétin.

— J'aurais dû te le dire, et j'ai essayé pas mal de fois, dit Gösta en baissant la tête, plein de honte. Mais c'était juste pour son anniversaire. Cette dernière carte que Melker nous a montrée, elle n'est pas de moi.

— Je sais bien. Pour tout te dire, j'ai toujours été plus intrigué par cette carte-là. Elle tranche tellement avec les autres.

— L'écriture n'est pas spécialement bien imitée non plus, constata Gösta en posant le maillot de bébé et en croisant les bras sur sa poitrine.

— Non. Faut dire qu'avec tes pattes de mouche, ça n'a pas dû être évident.

Gösta sourit, soulagé que Patrik ait choisi de se montrer compréhensif. Il doutait d'être capable lui-même d'une telle tolérance dans la même situation.

— Je sais que cette affaire est particulière pour toi, dit Patrik, comme s'il avait lu les pensées de Gösta.

— Il ne faut pas qu'il lui arrive quelque chose.

Gösta se remit à farfouiller dans le carton, puis il se tourna de nouveau vers Patrik.

— Ça change tout si Annelie est vivante. Ou si elle était vivante. Tu as prévenu Leon qu'on voulait le revoir ?

— Je préfère le prendre au dépourvu. Si on arrive à le déstabiliser, on aura plus de chances de le faire parler, répondit Patrik, puis il hésita avant de poursuivre : Je crois savoir qui a envoyé la dernière carte.

— Qui ?

— C'est juste une idée, pour le moment. J'ai demandé à Torbjörn de vérifier un truc, j'en saurai plus quand il m'aura répondu. Avant ça, je préfère ne rien dire, mais je te promets que tu seras le premier au courant.

— J'espère bien.

Gösta lui tourna le dos de nouveau. Il lui restait beaucoup d'objets à examiner. Quelque chose qu'il avait déjà vu tentait d'attirer son attention, et il n'abandonnerait pas avant d'avoir trouvé de quoi il s'agissait.


Rebecca ne comprendrait probablement pas, mais Josef lui avait quand même laissé une lettre pour qu'elle sache au moins qu'il était reconnaissant de la vie qu'ils avaient eue et qu'il l'aimait. Il les avait sacrifiés, elle et les enfants, pour son rêve, il le comprenait maintenant. La honte et la douleur l'avaient aveuglé et il n'avait pas vu combien ils comptaient pour lui. Malgré cela, ils étaient fidèlement restés à ses côtés.

Il avait posté des messages aux enfants aussi, chacun le sien. Ils ne contenaient aucune explication, seulement quelques mots d'adieu et des instructions sur ce qu'il attendait d'eux. Ils ne devaient pas oublier qu'ils avaient une responsabilité et une mission à remplir, même quand il ne serait plus là.

Lentement il mangea son œuf, cuit exactement huit minutes. Au début de leur mariage, Rebecca était un peu négligente. Parfois sept minutes, parfois neuf. Aujourd'hui elle ne ratait plus jamais la cuisson des œufs. Elle avait été une épouse bonne et fidèle, et ses parents l'aimaient bien.

Par contre, elle cédait souvent face aux enfants, ce qui l'inquiétait. Ils étaient adultes, certes, mais avaient encore besoin d'une main ferme pour les guider, et il n'était pas persuadé que Rebecca en soit capable. Il doutait aussi qu'elle maintienne en vie leur héritage juif. Mais il n'avait pas le choix. Sa honte retomberait sur eux et les empêcherait de traverser la vie la tête haute. Il était obligé de se sacrifier pour leur avenir.

Dans un moment de faiblesse, l'idée de vengeance lui avait traversé l'esprit, mais il l'avait écartée presque immédiatement. Il savait par expérience que la vengeance n'apportait rien de bon, seulement davantage de noirceur.

Après avoir fini son œuf, il s'essuya soigneusement la bouche et se leva de table. Il quitta son foyer pour la dernière fois sans se retourner.


Elle fut réveillée par le bruit d'une lourde porte qu'on ouvre. Désorientée, Anna lorgna le rai de lumière. Où se trouvait-elle? Le mal de tête cognait dans ses tempes et elle dut fournir un gros effort pour se redresser en position assise. Il faisait froid et elle n'avait qu'un mince drap autour du corps. En claquant des dents, elle sentit la panique arriver à pas feutrés et elle s'entoura de ses bras.

Melker. C'était la dernière chose dont elle se souvenait. Ils étaient couchés dans le lit de Melker et Ebba. Ils avaient bu du vin et un grand désir s'était emparé d'elle. Le souvenir devint plus net et elle essaya de le repousser, mais des images fugaces de son corps nu contre celui de Melker traversèrent son esprit. Ils avaient bougé en cadence dans le lit, et la lune les avait éclairés. Ensuite, tout était noir, elle n'avait pas d'autres souvenirs.

— Il y a quelqu'un? appela-t-elle en direction de la porte, mais sans obtenir de réponse.

Tout paraissait irréel, comme si elle s'était retrouvée dans un autre monde, telle Alice au pays des merveilles tombée dans un terrier de lapin. Elle lança un autre appel et essaya de se mettre debout, mais ses jambes se dérobèrent sous elle.

Une sorte de gros ballot fut jeté par la porte, qu'on referma aussitôt en la claquant. Anna ne bougea pas. Tout redevint d'un noir d'encre. Aucune lumière ne rentrait, mais elle décida de s'approcher de l'objet pour comprendre ce que c'était, et elle rampa lentement en tâtonnant des mains. Le sol était si froid que ses doigts s'engourdirent, et la surface rugueuse écorchait ses genoux. Finalement, elle effleura un tissu. Elle continua de tâter et eut un mouvement de recul quand elle sentit de la peau sous ses doigts. C'était un être humain. Les yeux étaient fermés et elle ne perçut aucune respiration, mais le corps était chaud. Elle laissa ses doigts se promener jusqu'au cou, où le pouls battait faiblement. Sans réfléchir, elle pinça le nez de la personne en tirant, dans un même mouvement, la tête en arrière, puis elle se pencha et recouvrit la bouche de ses lèvres. C'était une femme, elle le sentit à l'odeur et aux cheveux, et lorsqu'elle souffla à intervalles réguliers pour lui remplir les poumons, elle eut l'impression de vaguement reconnaître son parfum.

Anna ne savait plus depuis combien de temps elle poursuivait sa tentative de réanimation. Par moments, elle superposait ses mains et appuyait sur la poitrine de la femme. Elle n'était pas très sûre de bien faire. Elle n'avait vu ce geste que dans les séries médicales qui passaient à la télé. Elle n'avait plus qu'à espérer qu'elles se soient largement inspirées de la réalité...

Après ce qui lui parut une éternité, la femme émit un toussotement. Une sorte de haut-le-cœur se fit entendre, et Anna la tourna sur le côté et lui frotta le dos. La toux se calma et la femme respira à pleins poumons, de longues inspirations sifflantes.

— Je suis où? croassa-t-elle.

Anna lui passa une main rassurante sur les cheveux. La voix était tellement étouffée qu'il était difficile de déterminer de qui il s'agissait, mais elle pouvait le deviner.

— Ebba, c'est toi? Il fait tellement noir ici, on ne voit rien.

— Anna? J'ai cru que j'étais devenue aveugle.

— Non, tu n'es pas aveugle. Il fait sombre, et je ne sais pas où nous sommes.

Ebba commença à parler, mais fut interrompue par une quinte de toux qui fit trembler tout son corps. Anna continua à lui caresser la tête jusqu'à ce qu'Ebba fasse un mouvement indiquant qu'elle voulait se redresser. Anna l'aida en la prenant dans ses bras, et au bout d'un moment la toux finit par cesser.

— Moi non plus, je ne sais pas où nous sommes, dit-elle.

— Comment est-ce qu'on s'est retrouvées ici?

Ebba ne répondit pas tout de suite, puis dit à voix basse :

— Melker.

— Melker ?

Anna eut de nouveau la vision de leurs corps nus. La culpabilité fit monter des nausées dans sa gorge et elle lutta contre une envie de vomir.

— Il... dit Ebba en toussant de nouveau. Il a essayé de m'étrangler.

— De t'étrangler ?! répéta Anna incrédule.

Les paroles d'Ebba vinrent cependant éveiller une crainte enfouie en elle. Elle avait vaguement deviné que Melker ne tournait pas vraiment rond, de la même façon qu'un animal pouvait sentir quand un autre animal de la meute était malade. Mais cela ne l'avait rendu que plus attirant à ses yeux. Elle avait l'habitude des hommes dangereux, elle les reconnaissait, et hier elle avait reconnu Lucas en Melker.

Le mal au cœur la reprit et le froid du sol se répandit dans son corps. Ses tremblements ne firent qu'empirer.

— Mon Dieu, ce qu'il fait froid ici. Où est-ce qu'il a bien pu nous enfermer ? dit Ebba.

— Il va quand même nous faire sortir de là, non ?

Anna perçut le doute dans sa propre voix.

— Je ne l'ai pas reconnu. C'était un autre homme. Je l'ai vu dans ses yeux. Il... dit Ebba avant de s'interrompre et de subitement fondre en larmes. Il a dit que j'avais tué Vincent. Notre fils.

Sans un mot, Anna entoura Ebba de ses bras et tira sa tête contre son épaule.

— Ça s'est passé comment ? demanda-t-elle au bout d'un moment.

Ebba pleurait tant qu'elle était incapable de parler. Puis sa respiration se fit plus calme et elle émit une sorte de gargouillis.

— C'était début décembre. On était terriblement pris par nos boulots respectifs. Melker avait trois chantiers différents en cours, et moi j'avais de longues journées de travail. Vincent devait le sentir, parce qu'il était vraiment impossible, il nous testait sans arrêt. On était à bout, renifla-t-elle, et Anna l'entendit s'essuyer le nez sur son pull. Le matin du drame, on devait partir au boulot tous les deux. Melker était censé déposer Vincent à la garderie, mais ils ont appelé d'un des chantiers, ils avaient besoin de lui tout de suite. Un pépin, comme d'habitude. Melker m'a demandé de m'occuper de Vincent pour qu'il puisse partir, mais moi j'avais une réunion importante ce matin-là, et je me suis fâchée de le voir placer son boulot avant le mien. On a commencé à s'engueuler et, pour finir, Melker est tout bonnement parti en me laissant seule avec Vincent. J'ai compris que j'allais arriver en retard à une réunion encore une fois, et puis Vincent a fait une de ses crises, et là, j'ai craqué. Je me suis enfermée dans les toilettes pour pleurer un bon coup. Vincent hurlait et frappait à la porte, mais au bout d'une minute ou deux, je ne l'ai plus entendu. Je me suis dit qu'il avait abandonné et qu'il était sans doute monté dans sa chambre. J'ai laissé passer encore quelques minutes, le temps de me laver le visage et de me calmer.

Ebba parlait tellement vite que les mots se bousculaient. Anna voulut se boucher les oreilles pour ne pas entendre la suite. En même temps, elle devait à Ebba de l'écouter.

— Je venais de sortir des toilettes quand il y a eu un choc sourd dans l'allée. Presque immédiatement, j'ai entendu Melker hurler. Jamais je n'ai entendu un tel cri. Il n'était pas humain. Plutôt comme le cri d'un animal blessé, dit Ebba, et sa voix se brisa, mais elle continua : J'ai tout de suite compris ce qui s'était passé. J'ai su que Vincent était mort, je l'ai senti dans tout mon corps. Je me suis précipitée dehors, et je l'ai trouvé derrière notre voiture. Il n'avait pas de blouson. J'ai bien vu qu'il était mort, mais je ne pouvais pas m'empêcher de penser qu'il était dans la neige sans son blouson. Qu'il allait s'enrhumer. C'est à ça que j'ai pensé en le voyant dans la neige : qu'il allait s'enrhumer.

— C'était un accident, dit Anna à voix basse. Ce n'était pas ta faute.

— Si. Melker a raison. J'ai tué Vincent. Si je ne m'étais pas enfermée dans les toilettes, si j'avais accepté d'arriver en retard à la réunion, si je n'avais pas…

Les pleurs se transformèrent en gémissements et Anna la tira encore plus près d'elle, la laissant pleurer pendant qu'elle lui caressait les cheveux et murmurait des mots de consolation. Elle sentit la peine d'Ebba dans tout son corps, et le temps d'une brève parenthèse, sa douleur effaça la crainte de ce qui allait leur arriver. À cet instant, elles n'étaient plus que deux mères qui avaient perdu leur enfant.

Quand les pleurs d'Ebba eurent cessé, Anna tenta à nouveau de se mettre debout. Ses jambes avaient repris un peu de force. Elle se leva lentement, ne sachant pas si elle allait se cogner la tête. Mais elle parvint à se tenir droite. Elle fit un pas devant elle. Quelque chose frôla son visage et elle poussa un cri.

— Qu'est-ce qu'il y a? demanda Ebba en s'agrippant à la jambe d'Anna.

— J'ai senti quelque chose contre mon visage, c'est sûrement juste une toile d'araignée.

Elle leva une main tremblante devant elle. Quelque chose pendait dans l'air, et elle dut s'y prendre à plusieurs fois avant de réussir à l'attraper. Une ficelle. Elle tira doucement dessus. La lumière qui s'alluma était tellement aveuglante qu'elle dut fermer les yeux.

Puis elle les rouvrit et regarda autour d'elle, bouche bée. Elle entendit Ebba chercher sa respiration.


Il avait joui de son pouvoir pendant trop longtemps, même quand il avait choisi de ne pas l'exercer. Formuler des exigences à l'égard de John aurait été trop dangereux. John n'était plus la personne que Sebastian avait connue sur Valö. Même s'il faisait tout pour le dissimuler, il paraissait tellement rempli de haine aujourd'hui qu'il s'avérait risqué d'exploiter la possibilité que le hasard lui avait fournie.

Il n'avait rien exigé de Leon non plus, tout simplement parce que Leon était la seule personne, à part Face au Vent, pour laquelle il ait jamais éprouvé du respect. Après les événements, il avait disparu sans tarder, mais Sebastian l'avait suivi dans les journaux et *via* les rumeurs qui arrivaient jusqu'à Fjällbacka. Et voilà que Leon voulait se mêler au jeu que Sebastian avait mené seul jusqu'à présent. Cela dit, il avait largement eu le temps d'en tirer un max. Le projet fou de Josef n'était plus qu'un souvenir. Le terrain et le granit étaient les seules choses de valeur, et il les avait transformés en un joli magot selon le contrat que Josef avait signé sans même le lire.

Et Percy. Sebastian gloussa pendant qu'il pilotait la Porsche jaune dans les rues étroites de Fjällbacka tout en saluant de la main pratiquement une personne sur deux. Percy avait vécu son propre mythe tellement longtemps qu'il ne concevait pas qu'on puisse un jour tout lui retirer. Certes, il avait été inquiet avant que Sebastian arrive en ange sauveur, mais il n'avait sans doute jamais envisagé sérieusement de perdre ce que son droit d'aînesse lui avait donné. Aujourd'hui, le château appartenait à son frère et à sa sœur, et Percy en était l'unique responsable. Il n'avait pas su gérer son héritage, et Sebastian avait juste veillé à ce que la catastrophe ait lieu un peu plus tôt que prévu.

Il avait gagné beaucoup d'argent dans cette affaire-là aussi, mais il envisageait cela plutôt comme un bonus. C'était le pouvoir qui lui procurait le plus de satisfaction. Ce qui l'amusait particulièrement, c'est que ni Josef ni Percy ne semblaient l'avoir compris avant qu'il ne soit trop tard. Ils avaient confié leurs espoirs à sa bonne volonté et cru qu'il désirait réellement les aider. Quels imbéciles! Bon, à présent Leon allait mettre fin au jeu. C'était probablement pour cela qu'il voulait qu'ils se réunissent. La question était de savoir jusqu'où il avait l'intention d'aller. En vérité, Sebastian n'était pas très inquiet. Sa réputation était déjà telle que les gens ne seraient guère étonnés. En revanche, il était curieux de la réaction des quatre autres. Surtout de celle de John, celui d'entre eux qui avait le plus à perdre.

Sebastian se gara et resta assis un petit moment avant de sortir de la voiture. Il vérifia que la clé se trouvait bien dans la poche de son pantalon puis il alla sonner à la porte. Le show pouvait commencer.


Erica sirotait son café en lisant. Il avait été réchauffé beaucoup trop longtemps et n'était pas bon, mais elle n'avait pas eu le courage d'en refaire.

— Tu es toujours là? dit Gösta qui entra dans la cuisine et se servit une tasse.

Elle referma le dossier qu'elle avait feuilleté.

— Oui, j'ai exceptionnellement eu le droit de rester un moment pour lire l'ancienne enquête. Et, maintenant, je me demande ce que signifie l'absence du passeport d'Annelie.

— Elle avait quel âge? Seize ans? dit Gösta en s'asseyant.

— Oui, seize ans et, apparemment, elle était follement amoureuse de Leon. Il y a peut-être eu des complications qui l'ont obligée à partir. Ce ne serait pas la première fois qu'un amour de jeunesse se retrouverait au cœur d'une tragédie. En même temps, j'ai du mal à croire qu'une fille de seize ans ait pu assassiner sa famille toute seule.

— Non, ça paraît peu probable. Dans ce cas, elle aurait été aidée. Peut-être par Leon, s'ils avaient une relation? Papa leur a dit non, ils sont devenus fous furieux et...

— Oui, mais il est écrit noir sur blanc que Leon était sorti pêcher avec les autres. Pourquoi lui auraient-ils fourni un alibi? Qu'est-ce qu'ils avaient à y gagner?

— On imagine mal qu'ils aient tous eu une aventure avec Annelie, dit Gösta pensivement.

— Non, je ne pense pas qu'ils s'adonnaient à des jeux aussi sophistiqués.

— Même si on suppose qu'Annelie était le personnage central, avec éventuellement Leon, ça ne leur donne pas un motif raisonnable pour tuer toute la famille. Il aurait suffi de trucider Rune.

— Oui, je me suis dit la même chose, soupira Erica. C'est pour ça que j'épluche tous les rapports d'interrogatoire. Il devrait y avoir un détail dans l'histoire des garçons qui ne colle pas, mais ils ont dit exactement la même chose, tous. Ils étaient sortis pêcher le maquereau et, à leur retour, la famille avait disparu.

Gösta s'arrêta net.

— Tu as dit le maquereau?

— Oui, c'est ce qu'il y a écrit dans les procès-verbaux.

— Merde alors, comment j'ai pu louper un truc aussi élémentaire!

— Quoi?

Gösta posa la tasse et se passa la main sur la figure.

— Apparemment, on peut lire et relire un rapport de police je ne sais combien de fois sans voir l'évidence.

Il se tut un instant, puis adressa un sourire triomphant à Erica.

— Tu sais, je pense qu'on vient de faire voler en éclats l'alibi des garçons.

## FJÄLLBACKA 1970

*Inez avait envie de contenter sa mère. Laura ne voulait que son bien et tenait à lui assurer un bel avenir. Pourtant, assise là, à côté de cet homme sur le canapé du salon, elle devait admettre que l'aversion l'envahissait. Il était tellement vieux.*

*— Avec le temps, vous finirez par apprendre à vous connaître, dit Laura avec un regard ferme sur sa fille. Rune est un homme honnête sur qui on peut compter, il saura prendre soin de toi. Tu sais que j'ai la santé fragile, et quand je serai morte, tu n'auras plus personne. Je ne veux pas que tu sois aussi seule que je l'ai été.*

*Maman posa sa main sèche sur la sienne. Le contact lui parut étrange. Inez ne se rappelait que quelques rares occasions où sa mère l'avait touchée ainsi.*

*— Je comprends que ça peut paraître un peu précipité, dit l'homme en face d'elle qui l'examinait comme si elle était un cheval primé.*

*Elle était peut-être injuste envers lui, mais c'est ainsi qu'elle se sentait. Et, effectivement, tout ça paraissait un peu précipité. Maman avait été hospitalisée pendant trois jours pour son cœur, et en rentrant elle avait fait sa proposition : qu'Inez se marie avec Rune Elvander qui était devenu veuf un an auparavant. Nanna n'était plus de ce monde, et Inez n'avait plus que maman.*

*— Ma chère épouse tenait à ce que je trouve quelqu'un pour m'aider à élever les enfants. Et ta mère dit que tu es une fille capable, poursuivit l'homme.*

*Inez se doutait bien que ce n'était pas censé se passer ainsi. Les années 1970 venaient de commencer et les femmes avaient la possibilité de choisir leur vie. Mais elle n'avait jamais fait partie du* monde réel, seulement du monde parfait que maman avait créé. La parole de maman y faisait la loi et si aujourd'hui elle disait que le mieux pour Inez était d'épouser un veuf quinquagénaire, père de trois enfants, Inez n'avait aucun moyen de remettre en question ce choix.

— J'ai le projet d'acheter la vieille colonie de vacances sur Valö et d'y fonder une école pour garçons, un internat. J'ai besoin de quelqu'un à mes côtés pour m'y assister. Il paraît que tu es bonne cuisinière ?

Inez fit oui de la tête. Elle avait passé de nombreuses heures aux fourneaux avec Nanna qui lui avait appris tout ce qu'elle savait.

— Bon, alors c'est décidé, dit Laura. Il nous faut bien entendu respecter le délai des fiançailles, si bien qu'on pourrait prévoir un mariage dans la discrétion pour la Saint-Jean. Qu'en pensez-vous ?

— Ça me semble parfait, dit Rune.

Inez se tut. Elle étudia son futur mari et nota les rides autour de ses yeux et de sa bouche fine et déterminée. Des cheveux gris se voyaient par-ci par-là dans ses cheveux châtains et le front commençait à se dégarnir. Voici donc l'homme avec qui elle allait se marier. Elle n'avait pas encore rencontré ses enfants, elle savait seulement qu'ils avaient quinze, douze et cinq ans. Elle n'avait pas croisé beaucoup d'enfants dans sa vie, mais ça allait sûrement bien se passer. C'est ce que disait maman.

Percy resta assis dans la voiture et observa l'entrée du port de Fjällbacka, mais il voyait à peine les vagues et les bateaux. Tout ce qu'il voyait, c'était son propre sort, la façon dont le passé s'emboîtait dans le présent. Son frère et sa sœur avaient été froidement polis au téléphone. Il était de bon ton de bien se comporter, même envers celui qu'on avait vaincu. Percy savait très bien ce qui se dissimulait derrière leurs phrases de regret. Se réjouir du malheur des autres, c'était valable pour tout le monde, qu'on soit riche ou pauvre.

Ils lui avaient annoncé qu'ils avaient racheté le château, mais il le savait déjà. Maître Buhrman lui avait appris que Sebastian avait agi dans son dos. Avec les mêmes mots et expressions qu'avait utilisés Sebastian, ils lui avaient expliqué que le château allait devenir un centre de conférences haut de gamme. C'était regrettable que les choses aient tourné ainsi, mais ils lui demandaient de vider les lieux avant la fin du mois. Cela se passerait bien entendu sous la surveillance de leur avocat, pour que Percy n'emporte pas par inadvertance du mobilier inclus dans la vente de la propriété.

Il était étonné que Sebastian soit effectivement venu aujourd'hui. Percy l'avait vu monter chez Leon, depuis sa voiture. Bronzé, chemise déboutonnée, lunettes de soleil coûteuses et cheveux gominés. La même allure que d'habitude. Et tout était sans doute comme d'habitude pour lui. Rien que du business, seraient sans doute ses propres termes.

Percy se jeta un dernier regard dans le miroir de courtoisie. Il avait une tête épouvantable. Ses yeux étaient injectés de sang après peu de sommeil et trop de whisky. Sa peau, grisâtre et bouffie. Mais le nœud de cravate était parfait. C'était une question d'honneur. Il remonta le pare-soleil et descendit de la voiture. Il n'y avait aucune raison de repousser l'inévitable.

Ia appuya la tête contre la vitre latérale. Le trajet en taxi pour l'aéroport prendrait plus ou moins deux heures, selon la circulation, et elle allait essayer de dormir un peu.

Elle l'avait embrassé avant de partir. Ça allait être un cauchemar pour lui de se débrouiller seul, mais elle n'avait pas l'intention d'être là quand tout exploserait. Leon avait soutenu que ça se passerait bien. Il disait qu'il était obligé de le faire. Sinon, il ne serait jamais en paix.

Encore une fois, elle pensa au voyage en voiture sur les routes escarpées de Monaco. Il était sur le point de l'abandonner. Les mots avaient coulé à flots de sa bouche. Dans un discours embrouillé, il avait dit que les choses avaient changé. Ses besoins n'étaient plus les mêmes, ils avaient eu de nombreuses et belles années ensemble, mais il avait rencontré quelqu'un dont il était tombé amoureux. Elle aussi, elle trouverait un homme avec qui elle serait heureuse. Elle avait quitté la route sinueuse du regard pour braquer ses yeux sur lui, et pendant qu'il continuait à vomir des platitudes, elle avait pensé à tout ce qu'elle avait sacrifié par amour pour lui.

La voiture s'était mise à tanguer, et elle avait vu ses yeux effarés. Le flot de paroles absurdes s'était arrêté.

— Regarde la route quand tu conduis, avait-il dit.

Son beau visage reflétait l'inquiétude. C'était à peine croyable : pour la première fois de toute leur vie commune, Leon avait peur. La sensation de pouvoir la grisa, et elle appuya sur l'accélérateur et sentit son corps se plaquer contre le dossier du siège.

— Ralentis, Ia, la supplia Leon. Ça va trop vite!

Elle ne répondit pas, et appuya encore plus fort sur la pédale. La petite voiture de sport eut du mal à tenir la route. C'était comme s'ils planaient dans les airs et, un bref instant, elle se sentit complètement libre.

Leon avait saisi le volant, faisant zigzaguer encore davantage la voiture, et l'avait aussitôt relâché. Il l'avait suppliée plusieurs fois de ralentir, et la peur dans sa voix lui avait procuré un bonheur qu'elle n'avait plus connu depuis bien longtemps. La voiture volait presque.

Un peu plus loin, elle aperçut l'arbre, et ce fut comme si une force extérieure s'était emparée d'elle. Calmement, elle tourna le volant légèrement à droite et fonça droit dessus. Au loin, elle entendit la voix de Leon, mais le bourdonnement dans ses oreilles couvrait tous les autres bruits. Puis tout devint silencieux autour d'elle. Paisible. Ils ne se sépareraient pas. Ils resteraient ensemble pour toujours.

En découvrant qu'elle était vivante, elle avait d'abord ressenti de la surprise. À côté d'elle, Leon avait les yeux ouverts et le visage couvert de sang. Le feu se propagea rapidement. Les flammes commencèrent à lécher les sièges et à se tendre vers eux. L'odeur lui piquait les narines. Elle fut obligée de prendre une décision rapide : abandonner et laisser le feu les dévorer ou bien essayer de les sauver. Elle contempla le beau visage de Leon. Le feu avait atteint sa joue et, fascinée, elle le regarda attaquer la peau. Puis elle se décida. Leon était à elle maintenant.

Et il en avait été ainsi depuis ce jour où elle l'avait tiré hors de la voiture en feu.

Ia ferma les yeux et sentit la fraîcheur de la vitre contre son front. Elle ne voulait pas participer à ce que Leon allait faire aujourd'hui, mais elle attendrait avec impatience l'instant où ils se retrouveraient.


Anna regarda autour d'elle dans la pièce dépouillée à présent éclairée par une ampoule nue. Ça sentait la terre et autre chose, de plus difficile à identifier. Avec Ebba, elles avaient essayé en vain d'ouvrir la porte. Elle était fermée à clé et ne bougeait pas d'un poil.

Le long d'un des murs, quatre gros coffres cerclés de fer étaient alignés, surplombés du drapeau – la première chose qu'elles avaient vue en allumant la lumière. L'humidité et le moisi l'avaient assombri, mais la croix gammée se dessinait encore nettement sur le fond rouge et blanc.

— Il y a peut-être quelque chose là-dedans que tu pourrais te mettre, dit Ebba. Tu grelottes.

— Oui, n'importe quoi fera l'affaire. Je meurs de froid.

Anna eut honte de sa nudité qui se devinait à travers le drap. Elle était de celles qui n'aiment pas se montrer nues, même dans des vestiaires, et depuis l'accident, avec toutes les cicatrices qui lui zébraient le corps, cette répugnance s'était accrue. La pudeur aurait pu être le cadet de ses soucis en ces circonstances, mais ce sentiment était tellement fort qu'il dominait la peur et le froid.

— Ces trois-là sont fermés, mais celui-ci est ouvert, dit Ebba en montrant le coffre près de la porte.

Elle souleva le couvercle et trouva une épaisse couverture en laine posée sur le dessus, qu'elle jeta à Anna. Elle puait, mais Anna s'en entoura, par-dessus le drap, contente de la chaleur et de la protection qu'elle lui procurait.

— Il y a des conserves aussi, dit Ebba et elle sortit quelques pots poussiéreux du coffre. Au pire, on pourra tenir un moment.

Anna la scruta. Le ton presque enjoué d'Ebba correspondait mal à la situation et à l'état d'esprit dans lequel elle se trouvait quelques instants plus tôt. Il devait s'agir d'une sorte de mécanisme de défense.

— On n'a pas d'eau, fit-elle remarquer en laissant sa phrase planer dans l'air.

Sans eau, leur sort serait vite réglé, mais Ebba ne semblait pas l'écouter, elle continuait de fouiller dans le coffre.

— Regarde ça! dit-elle en tenant un vêtement devant elle.

— Un uniforme nazi? D'où ça sort, ces trucs?

— Si j'ai bien compris, la maison appartenait à un vieux fou pendant la guerre. C'était sûrement à lui.

— C'est glauque, dit Anna.

Elle tremblait toujours. La chaleur de la couverture gagnait progressivement son corps, mais elle était gelée jusqu'à la moelle, il lui faudrait encore un moment pour se réchauffer.

Ebba se tourna subitement vers Anna.

— Mais comment ça se fait que tu sois ici ? dit-elle, comme si elle ne réalisait qu'à cet instant l'étrangeté de la situation.

— Melker a dû m'attaquer, moi aussi, répondit Anna en serrant davantage la couverture autour d'elle.

— Mais pourquoi ? insista Ebba en fronçant les sourcils. Comme ça, sans raison, ou il s'est passé quelque chose qui…

Elle plaqua sa main sur sa bouche, et son regard se durcit.

— J'ai vu le plateau dans la chambre. Pourquoi tu es venue hier ? Tu es restée dîner ? Qu'est-ce qui s'est passé ?

Les mots crépitaient contre les murs en pierre comme les balles d'un fusil et, à chaque question, Anna sursautait comme si elle recevait une gifle. Elle n'eut pas besoin de prononcer le moindre mot. Elle savait que la réponse était écrite sur sa figure.

— Comment as-tu pu ? Tu sais ce qu'on a traversé, et ce qu'on traverse encore, dit Ebba, et ses yeux se remplirent de larmes.

Anna déglutit plusieurs fois, mais sa bouche était complètement desséchée. Et elle ne savait pas comment expliquer son comportement et demander pardon. Ebba la dévisagea encore un long moment. Puis elle prit une profonde inspiration et laissa lentement l'air s'échapper. Calmement, d'une voix maîtrisée, elle dit :

— On en parlera plus tard. Il faut qu'on reste solidaires si on veut sortir d'ici. Il y a peut-être quelque chose dans les autres coffres qui pourrait nous servir de levier pour forcer la porte.

Elle tourna le dos à Anna, le corps tout entier raidi par une colère contenue.

Anna accepta volontiers l'offre d'une trêve. Si elles ne sortaient pas d'ici, elles n'auraient de toute façon aucune raison de régler quoi que ce soit. Personne n'allait les chercher avant un bon moment. Dan et les enfants étaient partis et les parents d'Ebba ne s'inquiéteraient pas avant plusieurs jours. Restait Erica, qui en général remuait ciel et terre si elle ne réussissait pas à joindre Anna. Ce genre de situation mettait Anna hors d'elle, mais là, pour une fois, elle voulait qu'Erica s'inquiète, qu'elle pose des questions et s'obstine jusqu'à obtenir la réponse recherchée. Erica, je t'en prie, ne te retiens pas, sois aussi inquiète, curieuse et entêtée que d'habitude, pria Anna silencieusement à la lueur de l'ampoule nue.

Ebba avait commencé à donner des coups de pied au cadenas d'un des coffres. Il ne bougea pas d'un millimètre, mais elle s'acharna, et le porte-cadenas commença à céder.

— Viens m'aider, dit-elle, et en unissant leurs forces, elles eurent raison de la fixation.

Elles se penchèrent et essayèrent de soulever le couvercle. À en juger par la poussière et la crasse, il était resté fermé de nombreuses années, et elles durent solliciter tous les muscles de leurs bras. Le couvercle finit par s'ouvrir d'un coup sec.

Elles regardèrent dans le coffre, puis se regardèrent. Anna vit sa propre terreur se refléter sur le visage d'Ebba. Un cri résonna entre les murs de la pièce nue. Elle ne savait pas si c'était elle qui criait ou Ebba.


— Salut, je suppose que tu es Kjell?

Sven Niklasson vint vers lui et se présenta, la main tendue.

— Tu n'as pas de photographe avec toi? demanda Kjell en regardant partout dans le hall d'arrivée.

— C'est un mec de Göteborg. Il viendra en voiture, on le retrouve sur place.

Sven tira une petite valise cabine derrière lui jusqu'au parking. Kjell se dit qu'il devait être habitué à faire ses bagages à la va-vite et à voyager léger.

— À ton avis, on devrait informer la police de Tanum? dit Sven en s'installant sur le siège passager du grand break de Kjell.

Kjell réfléchit en manœuvrant pour sortir du parking.

— Oui, absolument. Et il faut que tu parles avec Patrik Hedström. Personne d'autre. Mais d'habitude vous vous moquez de savoir quels sont les districts de police informés, non? dit-il avec un coup d'œil à Sven.

Sven sourit et contempla le paysage par la vitre. Il avait de la chance. Trollhättan montrait son plus beau visage, inondé de soleil.

— On ne sait jamais quand on peut avoir besoin d'un service de quelqu'un de la maison. J'ai déjà un accord avec la police de Göteborg, qui nous laissera assister au coup de filet, puisqu'on leur a fourni des informations. Prévenir aussi la police de Tanum de ce qui se trame, c'est une simple marque de politesse.

— Je pense qu'à Göteborg, ils n'ont pas l'intention de se montrer aussi polis. À l'occasion, je penserai à signaler ta générosité à Hedström, rigola Kjell.

Pour sa part, il était infiniment reconnaissant à Sven Niklasson de l'avoir appelé. Il ne tenait pas seulement un scoop, mais un événement qui allait bousculer tout le milieu politique suédois et choquer la population.

— En tout cas, merci de me laisser venir, murmura-t-il, et il se sentit subitement gêné.

— On n'aurait pas pu boucler l'affaire si tu ne m'avais pas donné ces renseignements, dit Sven avec un haussement d'épaules.

— Alors vous avez réussi à interpréter les numéros?

Kjell bouillonnait littéralement de curiosité. Sven n'avait pas eu le temps de lui faire part de tous les détails quand ils s'étaient parlé au téléphone.

— C'était un code ridicule, rit Sven. Mes mômes l'auraient craqué en un quart d'heure.

— Ça fonctionnait comment alors?

— Un correspond à A, deux correspond à B. Et ainsi de suite.

— Tu plaisantes? dit Kjell avec un coup d'œil à Sven, qui leur valut un léger écart de route.

— Non, malheureusement. Ça en dit long sur eux. Ils nous prennent vraiment pour des cons.

— Et le résultat, c'est quoi?

Kjell essaya de se remémorer la combinaison, mais il n'avait jamais été doué pour les chiffres. Il avait du mal à se rappeler son propre numéro de téléphone.

— Stureplan. La place de Stureplan à Stockholm. Suivi d'une date et d'une heure.

— Nom de Dieu! Ça aurait pu tourner au massacre!

— Oui, mais la police a fait une descente ce matin contre ceux qui devaient commettre l'attentat. Ils ne peuvent plus communiquer avec qui que ce soit et ne peuvent donc pas révéler que nous, les journalistes et la police, sommes au courant de tout. C'est pour ça que tout s'est précipité. Les responsables du parti ne vont pas tarder à se rendre compte que leurs exécutants ne donnent plus de nouvelles et qu'ils sont injoignables, et ils vont se faire tout petits. Ces gugusses ont des contacts dans le monde entier, et ils n'auraient aucun problème pour disparaître de la circulation. Et nous aurions raté la seule occasion de les coincer.

— En soi, le plan était assez génial, dit Kjell.

La pensée de ce qui serait arrivé s'il avait été mis à exécution ne le lâchait plus. Des images très nettes lui traversaient l'esprit. Ça aurait été une tragédie.

— On doit s'estimer heureux finalement qu'ils montrent leur vrai visage maintenant. Ça va être un putain de réveil pour ceux qui ont cru en John Holm. Tant mieux. J'espère qu'après ça, on ne reverra pas ce genre de choses avant longtemps. Malheureusement, on a parfois la mémoire bien trop courte, nous les hommes, soupira Sven, puis il se tourna vers Kjell. Tu voulais pas appeler cet Hedman ?

— Hedström. Patrik Hedström. Oui, je le fais tout de suite.

En gardant un œil sur la route, il composa le numéro du commissariat de Tanum.


— Mais c'est quoi ce boucan ! rigola Patrik en arrivant dans la cuisine, après avoir entendu Erica l'appeler.

— Assieds-toi, dit Gösta. Tu sais combien de fois j'ai lu et relu ces vieux dossiers de la première enquête. Les témoignages des garçons étaient vraiment très concordants, mais j'ai tout le temps eu le sentiment qu'un truc clochait.

— Et on vient de mettre le doigt dessus.

D'un air satisfait, Erica croisa les bras sur sa poitrine.

— Et c'est quoi ?

— L'histoire des maquereaux.

— Des maquereaux ? répéta Patrik en plissant les yeux. Pardon, mais vous pourriez être un peu plus clairs ?

— À l'époque, je n'ai pas vu les poissons que les garçons avaient rapportés, dit Gösta. Et, pour une raison incompréhensible, je n'y ai pas pensé pendant les interrogatoires.

— Pensé à quoi ? s'impatienta Patrik.

— La saison du maquereau ne commence qu'après la Saint-Jean, dit Erica en articulant soigneusement comme si elle parlait à un enfant.

Lentement, Patrik commença à comprendre ce que ça signifiait.

— Pendant les interrogatoires, les cinq garçons disaient qu'ils avaient pêché le maquereau.

— Exactement. L'un d'eux aurait pu se tromper de poisson, mais que tous affirment la même chose montre bien qu'ils s'étaient mis d'accord. Et comme ils n'y connaissaient pas grand-chose en pêche, ils ont choisi le mauvais poiscaille.

— C'est grâce à Erica que je m'en suis rendu compte, dit Gösta d'un air un peu penaud.

— Tu es la meilleure! dit Patrik du fond du cœur et il lança un baiser à sa femme.

Son téléphone se mit à sonner, et l'écran indiqua "Torbjörn".

— Il faut que je réponde, vous avez fait du bon boulot tous les deux!

Il leva le pouce, puis alla s'enfermer dans son bureau. Il écouta attentivement ce que Torbjörn avait à dire et griffonna quelques notes sur le premier papier venu. Le soupçon qui le tourmentait depuis le début aurait pu paraître étrange, mais il se trouvait confirmé. Tout en écoutant Torbjörn, il pensa aux conséquences. À la fin de leur conversation, il était en possession de faits nouveaux, mais il s'en trouva d'autant plus troublé.

Il entendit des pas lourds dans le couloir et alla ouvrir la porte pour voir ce qui se passait. C'était Paula, trimballant son gros ventre devant elle.

— Je n'en peux plus d'attendre à la maison. La fille à la banque avec qui j'ai parlé avait promis de me donner des nouvelles aujourd'hui, mais elle n'a toujours pas rappelé…

Elle fut obligée de s'interrompre pour chercher son souffle. Patrik posa une main sur son épaule pour la calmer.

— Prends le temps de respirer, ma grande, dit-il. Tu te sens en forme pour un briefing?

— Bien sûr que oui.

— Tu étais passée où, bordel de Dieu? tonna Mellberg qui surgit subitement derrière elle, ruisselant de sueur. Rita s'est fait un souci pas possible quand tu es partie, elle m'a obligé à te suivre.

— Je vais très bien, dit Paula en levant les yeux au ciel.

— Ça tombe bien, que tu sois là, tiens. On a pas mal de trucs à passer en revue, dit Patrik.

Il partit vers la salle de réunion, et en chemin demanda à Gösta de venir. Après quelques secondes d'hésitation, il fit demi-tour jusqu'à la cuisine.

— Tu peux venir aussi, dit-il à Erica, qui bondit aussitôt de sa chaise.

Ils étaient serrés dans la petite pièce, mais Patrik avait une idée derrière la tête en les réunissant ici, entouré des affaires de la famille Elvander. Les objets seraient comme une sorte de rappel : il fallait à tout prix qu'ils réussissent à relier les fils entre eux.

Il expliqua brièvement à Paula et Mellberg qu'ils étaient allés chercher les cartons chez Olle la Ferraille et avaient déjà passé un bon moment à les examiner.

— Quelques morceaux du puzzle ont trouvé leur place, mais il faut qu'on s'y mette tous pour avancer. Premièrement, le mystérieux "G" qui a envoyé les cartes à Ebba est notre propre Gösta Flygare, dit-il en pointant un doigt sur Gösta qui rougit.

— Mais enfin, Gösta... dit Paula.

Mellberg devint écarlate, comme sur le point d'exploser.

— Oui, je sais, j'aurais dû le dire dès le début, mais je viens de m'en expliquer avec Hedström, se dépêcha de dire Gösta avec un regard mauvais sur Mellberg.

— Par contre, Gösta ne reconnaît pas la dernière carte. Elle n'est pas de lui, et elle est d'ailleurs très différente des autres, dit Patrik. J'avais ma petite idée là-dessus, et j'en ai parlé à Torbjörn qui a confirmé mes soupçons. L'empreinte digitale qu'il a relevée au dos du timbre, et qui appartient donc vraisemblablement à celui qui l'a collé et qui a envoyé la carte, correspond à une des empreintes du sachet dans lequel la carte était glissée quand Melker nous l'a donnée.

— Mais il n'y a que vous et Melker qui l'avez touchée. Ça veut dire que...

Erica pâlit et Patrik put voir les pensées tournoyer dans sa tête. Elle se mit fébrilement à chercher son portable dans son sac, et sous les regards de tous, elle composa un numéro abrégé. La pièce resta silencieuse pendant que ça sonnait à l'autre bout du téléphone, puis on entendit une voix de répondeur téléphonique.

— Merde, merde! s'exclama Erica avant de composer un autre numéro. J'essaie le portable d'Ebba.

Il y eut plusieurs sonneries, et personne ne répondit.

— Putain de merde, jura-t-elle en composant un troisième numéro.

Patrik ne souhaitait visiblement pas continuer tant qu'elle n'aurait pas fini. Il commençait lui-même à s'inquiéter pour Anna, qui n'avait pas répondu au téléphone de toute la journée.

— Elle y est allée quand? demanda Paula.

— Hier soir, et depuis je n'ai pas réussi à la joindre, répondit Erica, tenant toujours le téléphone collé à son oreille. J'appelle le bateau postal. Ils ont emmené Ebba ce matin, ils savent peut-être quelque chose… Allô? Oui, bonjour, c'est Erica Falck… C'est ça. Vous avez conduit Ebba sur Valö… Et elle a débarqué? Vous avez remarqué s'il y avait un autre bateau làbas?… Une *snipa* en bois?… Amarrée au ponton de la colo… D'accord. Merci.

Erica raccrocha et Patrik vit que sa main tremblait légèrement.

— Notre bateau, qu'Anna a pris hier… il y est toujours. Ça veut dire qu'Anna et Ebba se trouvent toutes les deux sur l'île avec Melker, et ni l'une ni l'autre ne répond au téléphone.

— Ne nous affolons pas. Anna a très bien pu rentrer depuis, dit Patrik en faisant de son mieux pour paraître plus confiant qu'il ne l'était.

— Mais Melker a dit qu'elle n'était restée qu'une heure. Pourquoi a-t-il menti?

— Il y a sûrement une explication simple. On ira vérifier sur place dès qu'on aura fini ici.

— Pour quelle raison Melker enverrait-il des lettres de menace à sa propre femme? dit Paula. Est-ce que ça veut dire qu'il serait aussi derrière les tentatives de meurtre?

— Pour le moment, on ne peut être sûrs de rien, répondit Patrik. C'est pour ça qu'on doit passer en revue tout ce qu'on sait déjà, pour identifier les cases vides à remplir. Gösta, est-ce que tu peux nous raconter ce que tu as découvert concernant le témoignage des garçons à l'époque?

— Bien sûr.

Gösta parla du maquereau et de la raison pour laquelle les déclarations des adolescents ne collaient pas.

— Ça prouve qu'ils ont menti, dit Patrik. Et s'ils ont menti là-dessus, ils ont sûrement menti sur toute la ligne. Pourquoi sinon auraient-ils monté une histoire commune à raconter? À mon avis, il faut partir de l'hypothèse qu'ils étaient mêlés à la disparition de la famille. On dispose maintenant d'un fait qui va nous permettre de les bousculer.

— Mais quel rapport avec Melker? dit Mellberg. Il n'était pas là à l'époque, alors que, d'après Torbjörn, c'est la même arme qui a servi en 1974 et l'autre jour.

— Je ne sais pas, Bertil, dit Patrik. On va prendre les choses dans l'ordre.

— Ensuite, on a le passeport manquant, dit Gösta et il se redressa sur sa chaise. Oui, le passeport d'Annelie manque. Cela peut vouloir dire qu'elle a été mêlée au meurtre d'une façon ou d'une autre, et qu'elle s'est enfuie à l'étranger après.

Patrik jeta un regard sur Erica, qui était toute pâle. Il comprit qu'elle n'arrivait pas à chasser Anna de son esprit.

— Annelie? La fille de seize ans? dit Paula, alors qu'au même moment son portable se mettait à sonner.

Elle répondit et écouta avec une mine exprimant à la fois la surprise et la détermination. Quand elle eut raccroché, elle regarda les autres à tour de rôle.

— Les parents adoptifs d'Ebba nous ont raconté, à Patrik et moi, que quelqu'un avait versé des sommes d'argent de manière anonyme sur un compte en banque au nom d'Ebba, jusqu'à ses dix-huit ans. Ils n'avaient jamais réussi à savoir d'où venait cet argent, mais on a pensé que ça pouvait être lié au drame de Valö. J'ai donc essayé de me renseigner un peu...

Elle inspira profondément pour reprendre son souffle, et Patrik se rappela qu'Erica avait eu le même problème de respiration pendant ses grossesses.

— Allez, viens-en au fait ! s'exclama Gösta, assis tout droit sur sa chaise maintenant. Ebba était seule au monde, elle n'avait personne pour s'occuper d'elle ni pour lui envoyer d'argent. Alors j'imagine que quelqu'un a eu mauvaise conscience et s'est mis à verser de l'argent pour la petiote.

— J'ignore totalement quelle était la motivation, dit Paula, qui sembla se régaler d'être la seule à disposer des données qu'elle s'apprêtait à divulguer. Mais l'argent venait d'Aron Kreutz.

Le silence fut tel qu'on entendit le bruit des voitures dehors. Gösta fut le premier à parler.

— Le père de Leon a envoyé de l'argent à Ebba ? Mais pourquoi… ?

— C'est ce que nous allons essayer de découvrir, dit Patrik.

Subitement, cette question-là lui parut plus importante que toutes les autres.

Son téléphone portable bourdonna dans sa poche et il vérifia sur l'écran qui c'était. Kjell Ringholm du *Bohusläningen*. Il avait sans doute des questions à poser à la suite de la conférence de presse. Ça pouvait attendre. Patrik choisit de ne pas répondre et il se tourna de nouveau vers ses collègues.

— Gösta. Toi et moi, on va faire un tour à Valö. Avant de commencer d'auditionner les cinq garçons, il faut qu'on s'assure qu'Anna et Ebba vont bien. On en profitera pour demander quelques précisions à Melker. Paula, j'aimerais que tu creuses encore ta piste, voir si tu peux dénicher autre chose sur le père de Leon.

Il se tut quand son regard s'arrêta sur Mellberg. Où ferait-il le moins de dégâts ? Certes, Mellberg préférait travailler le moins possible, mais il ne fallait pas non plus qu'il se sente tenu à l'écart.

— Bertil, tu es celui qui sait le mieux gérer la pression que nous mettent les médias. Est-ce que ça te dérangerait de rester au commissariat pour répondre si les journalistes cherchent à nous joindre ?

Mellberg s'illumina.

— Pas du tout. Depuis le temps, la presse, ça me connaît. Ça va être du gâteau.

Patrik soupira intérieurement. C'était le prix, certes élevé, à payer pour que les choses se déroulent correctement.

— J'aimerais venir avec vous à Valö, dit Erica, qui serrait toujours son portable dans sa main.

— Hors de question, répondit Patrik en secouant la tête.

— Mais je pense que ce serait utile que je vienne, si jamais il est arrivé quelque chose…

— Le sujet est clos, trancha Patrik et il put entendre lui-même son ton inutilement sec. Désolé, mais c'est à nous de gérer ça, ajouta-t-il en la prenant dans ses bras.

À contrecœur, Erica acquiesça de la tête et s'en alla pour rentrer à la maison. Patrik la suivit du regard, prit son téléphone et appela Victor. Après huit sonneries, la messagerie se mit en route.

— Ils ne répondent pas au Sauvetage en mer. Et notre bateau est à Valö, apparemment. Quelle poisse !

À la porte, on entendit un raclement de gorge.

— Je suis désolée, mais je ne peux pas partir. Ma voiture ne veut pas démarrer.

Patrik jeta un regard sceptique à sa femme.

— C'est bizarre, dis donc. Gösta, tu peux peut-être la ramener à la maison, le temps que je finisse quelques trucs ici. De toute façon, il faut qu'on attende d'avoir un bateau.

— D'accord, dit Gösta sans regarder Erica.

— Bien, on se retrouve au port tout à l'heure. Tu continues d'essayer de joindre Victor.

— Pas de problème.

Le téléphone dans sa poche bourdonna de nouveau et, par réflexe, Patrik vérifia l'écran. Kjell Ringholm. Autant répondre, ça serait une chose de réglée.

— Alors chacun sait ce qu'il a à faire, dit-il et il appuya sur "décrocher" pendant que les autres quittaient la pièce. Hedström, j'écoute, répondit-il dans un soupir.

Il aimait bien Kjell, mais là, il n'avait vraiment pas de temps à consacrer aux journalistes.

## VALÖ 1972

*Annelie l'avait haïe dès le début. Claes aussi. À leurs yeux, elle n'était bonne à rien, surtout comparée à leur mère, qui était apparemment une sainte. C'est en tout cas ce que laissaient entendre Rune et ses enfants.*

*Pour sa part, Inez avait déjà beaucoup appris sur la vie. La leçon la plus importante, c'était que maman n'avait pas toujours raison. Le mariage avec Rune était la plus grande erreur de sa vie, mais elle ne voyait aucune porte de sortie. Pas maintenant qu'elle portait son enfant.*

*Elle essuya la sueur de son front et continua de frotter le sol de la cuisine. Rune était très exigeant, il fallait que tout soit rutilant quand l'école ouvrirait. Rien ne devait être laissé au hasard. "C'est ma réputation qui est en jeu", disait-il et il lui distribuait de nouvelles tâches. Elle trimait du matin au soir pendant que son ventre grossissait, et elle était tellement fatiguée qu'elle tenait à peine debout.*

*Soudain, il était là. Claes. Son ombre lui tomba dessus et elle sursauta.*

*— Pardon, je t'ai fait peur ? dit-il avec cette voix qui lui faisait toujours froid dans le dos.*

*Elle sentit sa haine se déverser sur elle et, comme d'habitude, elle se contracta tellement qu'elle eut du mal à respirer. Il n'y avait jamais de preuves, rien qu'elle puisse raconter à Rune, qui de toute façon ne la croirait pas. Ce serait parole contre parole, et elle ne se faisait pas d'illusions.*

*— Tu as loupé un endroit, là, dit Claes en montrant un point derrière elle.*

Inez serra les dents, mais se retourna pour y passer la serpillière. Elle entendit le seau se renverser et sentit ses jambes se mouiller.

— Oh, je suis désolé, je ne l'ai pas fait exprès, dit Claes sur un ton de regret en totale contradiction avec son regard.

Inez se contenta de le dévisager. La rage grandissait en elle de jour en jour, à chaque insolence et à chaque coup bas.

— Je vais t'aider.

Johan, le plus jeune fils de Rune. Seulement sept ans, mais avec des yeux chaleureux et réfléchis. Dès leur première rencontre, il avait glissé sa main dans la sienne.

Avec un regard inquiet sur son grand frère, il s'agenouilla à côté d'Inez. Il lui prit la serpillière des mains et commença à éponger l'eau qui inondait le sol.

— Tu seras mouillé, toi aussi, dit-elle, émue de voir sa tête baissée et la frange qui lui tombait sur les yeux.

— Ça ne fait rien, répondit-il et il continua d'essuyer.

Claes était toujours là, derrière eux, les bras croisés sur sa poitrine. Son regard lançait des étincelles, mais il n'osa pas s'en prendre à son petit frère.

— T'es qu'une lavette, dit-il, puis il partit.

Inez respira. En fait, c'était ridicule. Claes n'avait que dix-sept ans. Même si elle n'était pas beaucoup plus âgée, elle était sa belle-mère, et elle attendait un enfant qui allait devenir son frère ou sa sœur. Elle ne devrait pas avoir peur d'un vaurien comme lui, mais sans pouvoir se l'expliquer, elle avait la chair de poule chaque fois qu'il l'approchait d'un peu trop près. Son instinct lui disait qu'elle ferait mieux de se tenir à l'écart et de ne pas le provoquer.

Elle se demanda comment ça serait quand les élèves arriveraient. Est-ce que l'ambiance serait moins pesante une fois la maison remplie de garçons, dont les voix aideraient à combler les vides ? Elle l'espérait. Sinon, elle pourrait bien étouffer.

— Tu es gentil, toi, Johan, dit-elle en passant sa main sur sa tignasse blonde.

Il ne répondit pas, mais elle vit qu'il souriait.

Il était resté devant la fenêtre un long moment avant leur arrivée, à regarder la mer et Valö et à observer les bateaux qui passaient et les estivants qui profitaient de leurs quelques semaines de détente. Même s'il n'aurait jamais supporté de vivre de cette manière, il les enviait. Dans toute sa simplicité, c'était une existence merveilleuse, mais les gens n'en avaient sans doute pas conscience. Quand la sonnette avait retenti, il s'était éloigné de la fenêtre dans son fauteuil roulant après un dernier long regard sur Valö. C'est là que tout avait commencé.

Ils étaient là maintenant. Leon les regarda. L'ambiance était lourde depuis qu'ils étaient arrivés, l'un après l'autre. Il nota qui ni Percy ni Josef ne regardaient Sebastian, qui ne semblait nullement perturbé.

— Il est temps de clore l'histoire, dit-il.

— Quel triste sort, se retrouver en fauteuil roulant. Et avoir le visage abîmé. Toi qui étais si beau, dit Sebastian en se renversant dans le canapé.

Leon ne le prit pas mal. Il savait que ces mots n'étaient pas destinés à le blesser. Sebastian était toujours très franc, sauf quand il s'apprêtait à escroquer quelqu'un. Alors il mentait sans vergogne. Il pouvait juste constater que les gens ne changeaient pas. Les autres aussi étaient toujours les mêmes. Percy avait l'air fragile, et dans les yeux de Josef, il lisait le même sérieux qu'à l'époque. Quant à John, il rayonnait du même charme.

Il s'était renseigné sur chacun d'eux avant qu'Ia et lui viennent à Fjällbacka. Un détective privé avait fait un excellent boulot qui lui avait coûté très cher, et Leon n'ignorait rien de la direction que leurs vies avaient prise. Mais c'était comme si rien de ce qui s'était passé après Valö n'avait d'importance, maintenant qu'ils étaient de nouveau réunis.

Il ne répliqua rien à la déclaration de Sebastian, se contentant de répéter :

— Le temps est venu de tout raconter maintenant.

— À quoi bon ? dit John. Ça appartient au passé.

— Je sais que c'était mon idée, mais plus je prends de l'âge, plus je réalise que ce n'était pas bien, ce qu'on a fait, dit Leon en fixant John.

Il avait deviné que convaincre John serait difficile, mais il n'avait pas l'intention de se laisser contrecarrer. Qu'il réussisse à les rallier ou pas, il divulguerait toute l'histoire, mais il avait le sens du fair-play et voulait leur confier ses intentions avant ces révélations qui les toucheraient tous.

— Je suis du même avis que John, dit Josef d'une voix atone. Il n'y a aucune raison de remuer ce qui est oublié et enterré.

— C'est pourtant toi qui parlais toujours de l'importance du passé. D'endosser sa responsabilité. Tu as oublié ? dit Leon.

Josef pâlit et détourna la tête.

— Ce n'est pas pareil.

— Bien sûr que si. Ce qui s'est passé subsiste encore. Je l'ai porté en moi pendant toutes ces années, et je sais qu'il en est de même pour vous.

— Ce n'est pas pareil, insista Josef.

— Tu disais toujours que ceux qui étaient responsables de la souffrance de tes ancêtres devaient en répondre. Alors nous devrions, nous aussi, reconnaître notre responsabilité et l'assumer.

La voix de Leon était douce, mais il vit combien ses paroles mettaient Josef mal à l'aise.

— Je ne le permettrai pas, dit John en croisant les mains sur ses genoux, assis dans le canapé à côté de Sebastian.

— Tu n'y peux rien, dit Leon, pleinement conscient qu'il révélait ainsi que sa décision était prise.

— Putain, Leon, fais ce que tu veux, dit subitement Sebastian.

Il fouilla dans sa poche, et l'instant d'après, il brandit une clé. Il se leva et la donna à Leon, qui la saisit d'une main hésitante.

Tant d'années étaient passées depuis la dernière fois où il l'avait tenue, tant d'années depuis qu'elle avait scellé leur destin.

Le silence fut total dans la pièce, et ils revirent les images gravées dans leur mémoire.

— Il faut qu'on ouvre la porte, dit Leon en fermant ses doigts autour de la clé. Je préférerais le faire avec vous, mais si vous ne voulez pas, je le ferai tout seul.

— Et Ia… commença John, mais Leon l'interrompit.

— Ia rentre en ce moment même à Monaco. Je n'ai pas réussi à la persuader de rester.

— Oui, bien sûr, vous pouvez vous enfuir, vous, dit Josef. Partir à l'étranger. Alors que nous, nous serons condamnés à patauger dans ce bourbier.

— Je n'ai pas l'intention de partir avant que tout soit tiré au clair, dit Leon. Et nous reviendrons.

— Personne n'ira nulle part, dit Percy.

Jusque-là, il n'avait pas proféré le moindre son, il était juste resté assis un peu à l'écart des autres.

— Comment ça? demanda Sebastian en se laissant paresseusement aller dans le canapé.

— Personne n'ira nulle part, répéta Percy.

Lentement, il se pencha en avant et fouilla dans son porte-documents qui était appuyé contre le pied de la chaise.

— Tu plaisantes? s'exclama Sebastian incrédule en fixant le pistolet que Percy venait de poser sur ses genoux.

Percy leva l'arme et la pointa sur lui.

— J'ai l'air de plaisanter? Tu m'as tout pris.

— Mais c'était juste du business! Et puis, évite de me mettre ça sur le dos. C'est toi qui as tout dépensé, pas moi.

Un coup de feu partit et tout le monde poussa un cri. Avec stupeur, Sebastian toucha son visage, un peu de sang suinta entre ses doigts. La balle avait frôlé sa joue gauche et poursuivi son trajet à travers la pièce pour sortir par la grande baie vitrée donnant sur la mer. La détonation résonnait encore dans leurs oreilles, et Leon réalisa qu'il serrait tellement fort les accoudoirs de son fauteuil que ses doigts étaient presque engourdis.

— Putain, Percy, qu'est-ce que tu fous? cria John. T'as perdu la tête? Pose ce pistolet avant de blesser quelqu'un.

— Il est trop tard. Tout est trop tard, dit Percy qui avait reposé l'arme sur ses genoux. Mais avant que je vous tue tous, je voudrais vous voir assumer vos actes. Sur ce point, je suis d'accord avec Leon.

— Qu'est-ce que tu veux dire? À part Sebastian, on est tous des victimes autant que toi, non? dit John avec un regard furieux sur Percy, mais la peur faisait vibrer sa voix.

— Nous sommes tous complices. Ma vie a été gâchée. Mais c'est toi qui portes la plus grande responsabilité et tu vas être le premier à mourir.

Il pointa de nouveau le pistolet sur Sebastian.

Tout était silencieux. Le seul bruit qu'elles entendaient était celui de leur propre respiration.

— C'est eux, forcément.

Ebba regarda à l'intérieur du coffre. Puis elle se retourna et vomit. Anna aussi eut des nausées, mais elle se força à observer leur découverte.

Le coffre contenait un squelette. Un crâne avec toutes ses dents en place la dévisageait de ses orbites vides. De petites touffes de cheveux courts demeuraient sur le crâne, et elle se dit que ça devait être le squelette d'un homme.

— Je pense que oui, dit Anna en passant sa main dans le dos d'Ebba.

Ebba poussa quelques sanglots avant de s'accroupir et de placer sa tête entre ses genoux, comme si elle était sur le point de s'évanouir.

— Ils étaient donc ici pendant tout ce temps.

— Oui, et j'imagine que les autres sont là-dedans.

D'un mouvement de la tête, Anna indiqua les deux coffres toujours fermés. Ebba se releva aussitôt :

— Il faut qu'on les ouvre.

— Tu ne préfères pas attendre d'être sûre qu'on sortira d'ici? demanda Anna, sceptique.

— J'ai besoin de savoir, dit Ebba.

— Mais Melker…

— Il ne va pas nous libérer. Je l'ai vu dans ses yeux. Et puis, il pense que je suis déjà morte.

Ses mots remplirent Anna de terreur. Elle savait qu'Ebba avait raison. Melker n'allait pas ouvrir la porte. Il fallait qu'elles réussissent à sortir par leurs propres moyens, sinon elles mourraient ici. Erica allaient sans doute s'inquiéter et poser des questions à droite et à gauche, mais ça ne servirait à rien. Cette pièce pouvait être située n'importe où sur l'île, pourquoi la trouveraient-ils aujourd'hui alors qu'ils ne l'avaient pas trouvée à l'époque, quand ils cherchaient la famille Elvander ?

— D'accord. On va essayer. Si ça se trouve, il y aura un outil ou quelque chose pour nous aider à forcer la porte.

Sans même lui répondre, Ebba se mit à donner des coups de pied au cadenas d'un des coffres. Mais celui-ci parut plus solidement fixé.

— Attends un peu, dit Anna. Tu me prêtes ton pendentif une seconde ? Je pourrais peut-être défaire les vis avec.

Ebba retira la chaîne de son cou et lui tendit le petit ange en argent avec une certaine hésitation. Anna commença à s'acharner sur les vis de fixation. Une fois les porte-cadenas des deux coffres démontés, elle regarda Ebba, et après un hochement muet de la tête, elles soulevèrent chacune un couvercle.

— Ils sont là. Tous, dit Ebba.

Cette fois, elle garda les yeux fixés sur les restes de sa famille qui avaient été jetés là, comme des rebuts. Pendant ce temps, Anna compta les crânes dans les trois coffres. Puis elle recompta pour être sûre.

— Il en manque un, dit-elle calmement.

Ebba sursauta.

— Comment ça ?

La couverture menaçait de glisser des épaules d'Anna et elle la serra plus étroitement contre elle.

— C'est bien cinq personnes qui ont disparu ?

— Oui.

— Il n'y a que quatre crânes. C'est-à-dire quatre corps, à moins que l'un d'eux n'ait plus de tête, dit Anna.

376

Ebba fit une grimace. Elle se pencha pour compter elle-même, puis inspira profondément.

— Tu as raison. Il en manque un.

— La question est de savoir qui.

Anna observa les squelettes. Ebba et elle finiraient aussi leur vie ici, si elles n'arrivaient pas à en sortir. Elle ferma les yeux et vit Dan et les enfants. Puis elle les rouvrit. Hors de question. D'une façon ou d'une autre, elles allaient s'échapper de là. À côté d'elle, Ebba se mit à sangloter comme une enfant.

— Paula !

Patrik lui fit signe de le suivre dans son bureau. Gösta et Erica étaient partis à Fjällbacka, et Mellberg s'était enfermé pour, comme il disait, gérer les médias.

— Qu'est-ce qu'il se passe ? demanda-t-elle en se laissant lourdement tomber sur la chaise peu confortable des visiteurs.

— J'ai bien peur qu'on ne puisse pas entendre John aujourd'hui, dit-il en se passant la main dans les cheveux. La police de Göteborg est sur le point de l'arrêter. Kjell Ringholm vient de me prévenir. Lui et Sven Niklasson, d'*Expressen*, sont déjà sur place.

— L'arrêter ? Mais pourquoi ? Et pourquoi on n'a pas été informés ?

— Kjell ne m'a donné aucun détail. Il a juste mentionné la sûreté de la nation, et qu'ils sont sur un gros coup… Tu sais comment il est, Kjell.

— Tu veux qu'on y aille ? demanda Paula.

— Non, et surtout pas toi, dans ton état. Si la police de Göteborg a repris les rênes, il vaut sûrement mieux qu'on ne soit pas dans leurs pattes. Je vais juste leur passer un coup de fil pour essayer de savoir ce qui se trame. En tout cas, on n'aura sans doute pas accès à John avant un bon bout de temps.

— Je me demande de quoi il peut bien s'agir.

— On le saura tôt ou tard. Si Kjell et Sven Niklasson sont là-bas tous les deux, tu pourras bientôt lire toute l'histoire dans le journal.

— On n'a qu'à commencer avec les autres.

— Désolé, mais ça devra attendre, trancha Patrik en se levant. Je dois retrouver Gösta et aller à Valö pour voir ce qui s'y passe.

— Le père de Leon. Dire que l'argent venait de lui, dit Paula pensivement.

— On ira parler avec Leon dès notre retour, promit Patrik, dont les pensées tourbillonnaient à toute allure. Leon et Annelie. C'est peut-être eux le nœud de l'affaire, après tout.

Il tendit une main pour aider Paula à se lever et elle la prit volontiers.

— Bon, alors je vais vérifier deux trois trucs sur Aron Kreutz, déclara-t-elle avant de repartir de son pas chaloupé de femme enceinte.

Patrik attrapa sa veste d'été et quitta son bureau. Il espérait que Gösta aurait accompli la mission de raccompagner Erica. Elle l'avait sûrement harcelé pendant tout le trajet pour pouvoir les accompagner à Valö, mais il n'avait aucune intention de céder. Même s'il n'était pas aussi inquiet qu'Erica, il sentait qu'il se passait des choses bizarres là-bas. Il ne voulait pas que sa femme soit présente, au cas où ça tournerait mal.

Il était arrivé sur le parking quand Paula le rappela.

— Qu'est-ce qu'il y a?

Elle lui fit signe de revenir et, en voyant sa mine grave, il s'exécuta tout de suite.

— Des coups de feu chez Leon Kreutz, réussit-elle à articuler entre deux respirations.

Patrik secoua la tête. Pourquoi fallait-il que tout arrive en même temps?

— J'appelle Gösta pour qu'il me retrouve là-bas. Tu peux aller réveiller Mellberg? On a besoin de tout le monde maintenant.


Sälvik s'étendait devant eux et les maisons scintillaient au soleil. De la baignade située à seulement quelques centaines de mètres, on entendait des rires joyeux d'enfants qui jouaient. C'était un lieu d'excursion populaire pour les familles. Erica y était allée presque tous les jours pendant les semaines d'été quand Patrik travaillait.

— Je me demande ce que Victor peut bien fabriquer, dit-elle.

— Oui, moi aussi.

Gösta n'avait pas pu joindre le Sauvetage en mer, et Erica l'avait persuadé de rester boire un café avec Kristina et elle en attendant.

— J'essaie encore, dit-il et il composa le numéro pour la quatrième fois.

Erica l'observa. Il fallait absolument qu'elle arrive à le faire céder. Elle devait aller à Valö. Cette attente la rendait folle.

— Ça ne répond pas. Bon, je vais faire un petit tour aux toilettes, dit Gösta.

Il se leva et sortit de la cuisine en laissant son téléphone sur la table. Presque aussitôt celui-ci sonna, et Erica se pencha pour regarder l'écran. Elle put lire Hedström écrit en grand. Elle eut une rapide délibération avec elle-même. Kristina était dans le salon en train d'essayer de calmer les enfants, et Gösta était aux toilettes. Elle hésita un instant, puis répondit.

— Ici le téléphone de Gösta, c'est Erica... Il est aux toilettes. Tu veux lui laisser un message?... Des coups de feu?... D'accord, je transmets... Oui, oui, raccroche maintenant, que je puisse le prévenir. Il sera au volant dans les cinq minutes, tu peux compter sur moi.

Elle raccrocha, et une suite de possibilités se présentèrent à son esprit. D'un côté, Patrik avait besoin d'assistance, d'un autre côté, ils feraient mieux d'aller à Valö le plus vite possible. Gösta serait bientôt de retour et il fallait qu'elle ait pris une décision avant. Elle chercha son propre téléphone et, après un bref instant d'hésitation, composa le numéro de Martin. Il répondit à la deuxième sonnerie. En murmurant, elle expliqua la situation et lui dit ce qu'il fallait faire. Il fut tout de suite sur la même longueur d'onde qu'elle. Ainsi, cet obstacle-là était franchi. Ne restait qu'à fournir une prestation d'actrice digne d'être récompensée d'un Oscar.

— C'était qui? demanda Gösta.

— Patrik. Il a réussi à joindre Ebba, tout va bien à Valö. Elle lui a dit qu'Anna avait prévu de faire la tournée des vide-greniers aujourd'hui, c'est sans doute pour ça qu'elle n'a pas pu répondre au téléphone. Cela dit, Patrik pense qu'on ferait quand même mieux d'y aller pour discuter un peu avec Ebba et Melker.

— Nous?

— Oui, Patrik a jugé que la situation n'avait plus rien d'urgent.

— Tu es vraiment certaine…? commença Gösta avant d'être interrompu par la sonnerie de son téléphone. Salut Victor… Oui, j'ai essayé de te joindre. On aurait besoin d'un bateau pour Valö. Tout de suite, de préférence… D'accord, on sera là dans cinq minutes.

Il raccrocha puis jeta un regard méfiant à Erica.

— Tu n'as qu'à appeler Patrik et lui demander, si tu ne me crois pas, dit-elle avec un sourire.

— Non, c'est bon. On y va alors.

— Tu repars déjà?

Kristina arrivait dans la cuisine en tenant Noel d'une main de fer. Il gigotait pour s'en dégager, et du salon leur parvenaient les hurlements indignés d'Anton mêlés aux cris de Maja: "Mamie! Maaaamie!"

— Je ne serai absente qu'un tout petit moment, ensuite tu auras de la relève, dit Erica et elle se promit de montrer plus d'estime pour sa belle-mère, pourvu qu'elle puisse se rendre à Valö.

— C'est la dernière fois que je vous rends service, à toi et Patrik. Il ne faudrait pas vous imaginer que j'ai des journées entières à vous consacrer! Et puis, je te le dis comme je le pense, je ne supporte plus ce rythme et ce niveau sonore, et même si les petits sont mignons, je trouve qu'ils pourraient être un peu plus polis. Ce n'est pas à moi de régler ça, les habitudes se forgent au quotidien et…

Erica fit comme si elle n'entendait pas et se fendit d'un remerciement chaleureux avant de filer dans le vestibule.

Dix minutes plus tard, ils se trouvaient à bord du *MinLouis*, en route pour Valö. Elle essaya de se détendre et de se dire que tout était normal, exactement comme elle avait dit à Gösta, en mentant éhontément. Mais elle n'y croyait pas. Elle sentait instinctivement qu'Anna était en danger.

— Je vous attends? demanda Victor en accostant habilement au ponton.

— Non, ce ne sera pas nécessaire, dit Gösta, mais on aura probablement besoin de se faire ramener plus tard. On vous passe un coup de fil ?

— Bien sûr, pas de problème. Je fais un petit tour d'inspection dans les parages.

Erica le vit partir et se demanda si c'était une sage décision. Mais il était trop tard maintenant pour changer d'avis.

— Dis-moi, c'est votre bateau, non ?

— Oui, tiens, c'est bizarre, répondit Erica en adoptant une mine surprise. Anna est peut-être revenue. On monte à la maison ?

Elle se mit en marche et Gösta la suivit. Elle l'entendit marmonner derrière elle.

Devant eux, le beau bâtiment ancien apparut. Un calme sinistre planait sur les lieux et tous les sens d'Erica se mirent en éveil.

— Il y a quelqu'un ? appela-t-elle en arrivant devant le large escalier en pierre.

La porte d'entrée était ouverte, mais personne ne répondit. Gösta s'arrêta.

— Étrange. On dirait qu'il n'y a personne. Patrik a vraiment dit qu'Ebba était sur l'île, tu en es sûre ?

— C'est ce que j'ai compris en tout cas.

— Ils sont peut-être descendus à la plage ? dit Gösta, et il fit quelques pas pour jeter un coup d'œil derrière le coin de la maison.

— Peut-être, dit Erica en entrant.

— Mais on ne peut pas entrer comme ça…

— Mais si, n'aie pas peur. Ohé ! cria-t-elle. Melker ? Il y a quelqu'un ?

Gösta la suivit dans le vestibule avec beaucoup d'hésitation. Dans la maison aussi, tout était silencieux, mais soudain Melker fut là, dans l'embrasure de la porte de la cuisine. Le ruban de délimitation était arraché et pendait le long du chambranle jusqu'au sol.

— Salut, dit-il d'une voix sourde.

Erica tressaillit en l'apercevant. Ses cheveux pendaient en mèches mouillées, comme s'il avait beaucoup transpiré, et des cernes creusaient son visage. Il posa sur eux un regard totalement vide.

— Ebba est là ? demanda Gösta.

Une ride profonde s'était formée entre ses sourcils.

— Non, elle est allée chez ses parents.

— Mais Patrik a parlé avec elle. Elle était censée être ici, dit Gösta, tout surpris.

Erica écarta les mains comme pour dire qu'elle n'y comprenait rien, et au bout de quelques secondes, les yeux de Gösta s'assombrirent, mais il ne dit rien.

— Elle n'est jamais rentrée. Elle a appelé pour dire qu'elle prenait la voiture et qu'elle allait directement à Göteborg.

Erica hocha la tête, sachant pertinemment qu'il mentait. Maria, qui pilotait le bateau postal, avait confirmé qu'elle avait débarqué Ebba sur l'île. Elle regarda autour d'elle aussi discrètement que possible et son regard s'arrêta sur un objet entre le mur et la porte d'entrée. Le sac d'Ebba. Celui où elle avait mis ses affaires de rechange quand elle avait dormi chez eux. C'était impossible qu'elle soit allée à Göteborg.

— Où est Anna ?

Melker continua à les observer de ses yeux éteints. Il haussa les épaules.

Erica fut fixée. Sans réfléchir davantage, elle s'élança, lâcha son sac à main par terre et commença à grimper l'escalier quatre à quatre tout en appelant :

— Anna ! Ebba !

Pas de réponse. Derrière elle, elle entendit des pas rapides, et elle comprit que Melker la suivait. Elle continua jusqu'au premier étage, se précipita dans la chambre où elle s'arrêta net. À côté d'un plateau avec des restes d'un repas et deux verres de vin vides, se trouvait le sac à main d'Anna.

D'abord le bateau et maintenant le sac. À contrecœur, elle fut obligée d'admettre la conclusion qui s'imposait. Anna était toujours sur l'île, tout comme Ebba.

Elle se retourna brusquement pour affronter Melker, mais son cri s'étouffa dans sa gorge. Il se tenait juste derrière elle et la visait avec un revolver. Du coin de l'œil, elle vit Gösta s'arrêter net.

— Ne bouge pas, siffla Melker.

Puis il fit un pas en avant. L'orifice du canon était maintenant à un centimètre du front d'Erica, et la main de Melker le maintenait sans trembler.

— Va là-bas, à côté d'elle, indiqua-t-il à Gösta en levant le menton sur la droite d'Erica.

Gösta s'exécuta. Les mains en l'air et les yeux fixés sur Melker, il entra dans la chambre et se plaça à côté d'Erica.

— Asseyez-vous! commanda Melker.

Tous deux s'assirent sur le parquet fraîchement rénové. Erica regarda le revolver. Où l'avait-il trouvé?

— Range ce truc, qu'on règle tout ça ensemble, tenta-t-elle.

— Comment ça? dit Melker d'un ton fielleux. Mon fils est mort à cause de l'autre salope. Comment penses-tu régler ça?

Pour la première fois, les yeux vides s'animèrent, et Erica eut un mouvement de recul face au délire qu'ils reflétaient. La folie s'était-elle trouvée là tout le temps, derrière la façade maîtrisée de Melker? Ou bien était-ce ce lieu qui l'avait engendrée?

— Ma sœur…

Son inquiétude était telle qu'elle eut du mal à respirer. Il fallait absolument qu'elle apprenne si Anna était en vie.

— Vous ne les retrouverez jamais. Exactement comme on n'a jamais retrouvé les autres.

— Les autres? Tu veux dire la famille d'Ebba? demanda Gösta.

Melker se tut. Il s'était accroupi, pointant toujours le revolver sur eux.

— Est-ce qu'Anna est en vie? demanda Erica sans espérer de réponse.

Melker sourit et croisa son regard. Erica comprit alors que son idée de mentir à Gösta était bien plus imprudente qu'elle ne l'aurait cru.

— Qu'est-ce que tu comptes faire? demanda Gösta comme s'il avait lu dans les pensées d'Erica.

Melker haussa les épaules de nouveau. Il ne dit rien, mais s'installa par terre, croisa les jambes et continua de les observer. Comme s'il attendait quelque chose, sans savoir quoi. Il avait l'air étrangement paisible. Seuls le revolver et la flamme froide dans ses yeux venaient troubler l'image. Et quelque part sur l'île, se trouvaient Anna et Ebba. Vivantes ou mortes.

# VALÖ 1973

*Laura se tourna encore et encore sur le matelas inconfortable. Inez et Rune auraient pu se procurer un meilleur lit pour elle, vu la fréquence de ses visites. Ils auraient dû prendre en considération le fait qu'elle n'était plus toute jeune. Et maintenant elle avait envie de faire pipi par-dessus le marché.*

*Elle posa ses pieds sur le sol et frissonna. Le froid de novembre s'était installé pour de bon et cette vieille maison était impossible à chauffer. Elle soupçonnait que Rune rognait sur les dépenses de chauffage pour réduire les frais. Il était assez pingre, son gendre. La petite Ebba était mignonne, en tout cas, il fallait l'admettre, mais la tenir dans ses bras ne l'amusait qu'un petit moment, de temps en temps. Les bébés ne l'avaient jamais spécialement inté-ressée et elle n'avait plus assez d'énergie pour établir une relation avec sa petite-fille.*

*Laura marcha doucement sur le plancher qui grinçait sous son poids. Les kilos avaient commencé à s'installer avec une rapidité inquiétante ces dernières années, et la mince silhouette qu'elle s'était fait un point d'honneur d'afficher n'était plus qu'un sou-venir. Mais pourquoi faire des efforts ? La plupart du temps, elle était seule dans son appartement, et son amertume grandissait de jour en jour.*

*Rune n'avait pas été à la hauteur de ses attentes. Il lui avait certes acheté un appartement, mais elle regrettait profondément de ne pas avoir attendu un meilleur parti pour Inez. Belle comme elle l'était, elle aurait pu avoir n'importe qui. Rune Elvander était beaucoup trop près de ses sous et il forçait Inez à des travaux bien trop durs. Elle était maigre comme un coucou, et toujours sur la* brèche. Quand elle ne faisait pas le ménage ou la cuisine, elle aidait Rune à maintenir la discipline parmi les élèves, et il exigeait qu'elle soit aux petits soins pour ses enfants mal embouchés. Le plus petit, ça pouvait aller, mais les deux aînés étaient carrément insupportables.

Doucement, elle descendit l'escalier. Quel calvaire de ne pas pouvoir passer une nuit entière sans devoir se lever pour aller aux toilettes, surtout par ce froid. Elle s'arrêta et dressa l'oreille. Quelqu'un d'autre bougeait au rez-de-chaussée. La porte d'entrée s'ouvrit. Sa curiosité fut définitivement éveillée. Qui donc était réveillé et debout en pleine nuit? Il n'y avait aucune raison d'aller rôder dehors, à part pour faire des bêtises. C'était sûrement un de ces mômes pourris par leurs parents qui préparait quelque friponnerie, mais elle allait y mettre le holà tout de suite.

Dès qu'elle eut entendu la porte d'entrée se refermer, elle descendit rapidement les dernières marches, puis enfila ses bottes dans le vestibule. Elle s'entoura d'un châle chaud, ouvrit la porte et jeta un coup d'œil dehors. Il était difficile de distinguer quoi que ce soit dans le noir, mais en sortant sur le perron, elle vit une ombre disparaître au coin à gauche. Il fallait se montrer ingénieuse maintenant. Elle descendit l'escalier extérieur en faisant très attention au verglas éventuel. Une fois en bas, elle prit à droite plutôt qu'à gauche. Elle allait couper le chemin à cet individu par l'autre côté, en le prenant en flagrant délit, quel que soit son petit manège.

Elle se faufila au coin de la maison et longea lentement le petit côté du bâtiment. Au coin suivant, elle s'arrêta et pointa prudemment la tête pour voir ce qui se passait à l'arrière de la maison. Pas un chat en vue. Laura plissa le front et regarda autour d'elle, déçue. Où était-il passé? Elle fit quelques pas hésitants, tout en guettant le jardin. Il était peut-être descendu à la plage? Elle n'osait pas y aller, elle risquerait de glisser et de ne plus pouvoir se relever. Le médecin lui avait interdit tout effort inutile. Elle ne devait surtout pas fatiguer son cœur fragile. Elle frissonna et serra plus fort le châle autour d'elle. Le froid commençait à s'introduire sous sa chemise de nuit et elle claquait légèrement des dents.

Subitement, une silhouette sombre se dressa devant elle et elle sursauta, avant de voir qui c'était.

— Ah, c'est toi. Qu'est-ce que tu fais là, à rôder dans la nuit?

*Les yeux durs la refroidirent encore plus. Ils étaient aussi sombres que la nuit qui les entourait. Lentement, elle commença à reculer. Sans qu'il soit nécessaire de le dire, elle comprit qu'elle avait commis une erreur. Encore quelques pas. Deux, trois seulement, puis elle serait arrivée au coin et pourrait vite rejoindre le devant de la maison et la porte d'entrée. Ce n'était pas loin, mais la distance lui semblait infranchissable. Terrorisée, elle regarda dans les yeux noirs d'encre et sut qu'elle ne rentrerait plus jamais dans la maison. Tout à coup, elle se mit à penser à Dagmar. La sensation était la même. Elle était impuissante et prise au piège sans avoir nulle part où aller. Dans sa poitrine, elle sentit quelque chose se rompre.*

Patrik regarda sa montre.

— Où il est, Gösta ? Il aurait dû arriver avant nous.

Il attendait dans la voiture avec Mellberg, les yeux fixés sur la maison de Leon. Au même moment, une autre voiture vint s'arrêter à côté de la leur et Patrik eut la surprise de voir Martin derrière le volant.

— Qu'est-ce que tu fais là ? s'exclama-t-il en ouvrant la portière pour descendre.

— Ta femme m'a appelé, elle m'a dit que c'était la crise et que vous aviez besoin d'aide.

— Mais de quoi… ?

Patrik s'interrompit aussitôt et serra les lèvres.

Quelle peste ! Erica avait évidemment réussi à persuader Gösta d'aller à Valö. Sa colère se teinta d'inquiétude. De telles initiatives étaient la dernière chose dont il avait besoin en ce moment. Ils ignoraient totalement ce qui se passait chez Leon, et il devait se concentrer sur sa tâche. En revanche, il était bien content de voir Martin. Il avait l'air fatigué et ravagé, mais en situation de crise, mieux valait un Martin fatigué qu'un Gösta Flygare.

— Qu'est-ce qu'il s'est passé ? demanda Martin en mettant sa main en visière pour regarder la maison.

— Il y a eu des coups de feu. C'est tout ce qu'on sait.

— Qui est dans la maison ?

— On ne sait pas non plus.

Patrik sentit son pouls s'accélérer. Dans son métier, c'était ce genre de circonstances qu'il détestait le plus. Quand ils avaient trop peu de renseignements pour pouvoir juger de la situation. Les moments les plus dangereux.

— On devrait demander des renforts, non ? lança Mellberg dans la voiture.

— Je ne pense pas qu'on en ait le temps. On va aller sonner à la porte.

Mellberg sembla sur le point de protester, mais Patrik le devança.

— Tu peux rester là, Bertil, et surveiller les environs. Martin et moi, on s'en occupe.

Il regarda Martin qui hocha la tête et sortit son arme de service de l'holster sur sa cuisse.

— Je suis passé le prendre au commissariat. Je me suis dit que j'en aurais peut-être besoin.

— Bien vu.

Patrik suivit son exemple, puis ils avancèrent avec prudence jusqu'à la porte d'entrée. Il appuya sur la sonnette, qu'on entendit retentir. Aussitôt, une voix leur cria :

— Entrez, c'est ouvert.

Patrik et Martin échangèrent un regard étonné, et entrèrent. Dès le premier coup d'œil, la surprise fut de taille : Leon, Sebastian, Josef et John étaient tous là. Plus un homme grisonnant que Patrik supposa être Percy von Bahrn. Il tenait un pistolet à la main et ses yeux erraient dans le vague.

— Qu'est-ce qu'il se passe ici ?

Patrik gardait son arme baissée le long du corps, et du coin de l'œil, il vit que Martin faisait de même.

— Demandez à Percy, dit Sebastian.

— Leon nous a fait venir ici pour clore le chapitre. J'avais l'intention de le prendre au mot.

La voix de Percy tremblait. Quand Sebastian bougea un peu sur le canapé, il tressaillit et pointa son arme sur lui.

— Du calme, merde, dit Sebastian en levant les mains dans un geste d'apaisement.

— Clore quoi ? demanda Patrik.

— Tout. Tout ce qui s'est passé. Tout ce qui n'aurait pas dû se passer. Ce que nous avons fait, dit Percy et il baissa le pistolet.

— C'est-à-dire ?

Personne ne répondit, et Patrik décida de les mettre sur la voie.

— À l'époque, lors des interrogatoires, vous avez déclaré que vous étiez sortis pêcher le maquereau ce jour-là. On ne peut pas pêcher le maquereau à Pâques.

Silence. Puis Sebastian dit avec mépris :

— Il n'y a que des petits citadins pour faire une boulette pareille.

— Ça ne t'avait pas choqué ce jour-là, dit Leon sur un ton qui traduisait presque de l'amusement.

Sebastian haussa les épaules.

— Pourquoi votre père a-t-il fait des versements à Ebba tout au long de son enfance ? demanda Patrik en fixant Leon. Vous l'avez appelé ce jour-là ? Un homme riche et puissant possédant un grand réseau… Il vous a aidés après que vous avez assassiné toute une famille ? Que s'est-il réellement passé ? Rune était allé trop loin ? Vous étiez obligés de tuer les autres parce qu'ils étaient des témoins gênants ?

Il pouvait entendre lui-même combien sa voix trahissait son excitation, mais il voulait les secouer pour les faire parler.

— Tu dois être content maintenant, Leon ? dit Percy sur un ton sarcastique. Voilà l'occasion de jouer cartes sur table.

John bondit du canapé.

— C'est de la folie. Je n'ai pas l'intention d'être mêlé à ça. Je m'en vais.

Il fit un pas en avant, mais Percy visa juste à sa droite et tira.

— Qu'est-ce que tu fous ? hurla John en se rasseyant.

Patrik et Martin levèrent leurs armes sur Percy, mais les baissèrent tout de suite en voyant qu'il avait toujours John dans sa ligne de mire. C'était trop risqué.

— La prochaine fois, je ne tirerai pas à côté. Au moins un héritage de mon père qu'on ne pourra pas me retirer. Toutes ces heures de tir sur cibles qu'il m'a obligé à faire, elles vont enfin m'être utiles. Je pourrais sans problème éliminer ta jolie frange si je voulais.

Percy inclina la tête sur le côté et fixa John, désormais livide.

C'est seulement à cet instant que Patrik se dit que la police de Göteborg avait dû chercher John chez lui et ne savait vraisemblablement pas qu'il se trouvait ici.

— Calmez-vous, Percy, dit Martin. On ne veut pas de blessés. Personne n'ira nulle part avant que nous ayons résolu cette affaire.

Patrik se tourna vers Leon de nouveau. Pourquoi hésitait-il, s'il avait vraiment envie de révéler ce qui s'était passé ce samedi de Pâques 1974? Commençait-il à regretter sa décision?

— C'est Annelie, le cœur de l'histoire? demanda-t-il. Nous pensons qu'elle a pris son passeport et s'est enfuie à l'étranger après les meurtres. Car il s'agissait bien de meurtres, n'est-ce pas?

Sebastian se mit à rire.

— Qu'est-ce qui est si drôle? dit Martin.

— Rien. Absolument rien.

— C'est votre père qui l'a aidée à disparaître? Vous aviez une relation avec Annelie et ça a déraillé quand Rune vous a découverts? Comment avez-vous fait pour entraîner les autres et leur faire garder le silence pendant toutes ces années?

Patrik fit un geste de la main vers le petit groupe d'hommes qui avaient la cinquantaine aujourd'hui. Il se rappela les photos d'eux prises juste après la disparition. Leurs visages butés. L'autorité naturelle de Leon. Malgré les cheveux grisonnants et les visages vieillis, c'étaient bien les mêmes. Et ils faisaient toujours bloc.

— Oui, parle-leur d'Annelie, ricana Sebastian. Toi qui as une telle passion pour la vérité. Parle-leur d'Annelie.

Il y eut plusieurs éclairs dans l'esprit de Patrik.

— J'ai déjà rencontré Annelie, n'est-ce pas? C'est Ia.

Personne ne bougea d'un cil. Ils regardèrent Leon avec un curieux mélange de crainte et de soulagement dans les yeux.

Lentement, Leon redressa le dos dans son fauteuil roulant. Puis il tourna la tête vers Patrik, de sorte que le soleil éclaire le côté de son visage qui portait les cicatrices, et dit :

— Oui, je vais vous parler d'Annelie. Et de Rune, d'Inez, de Claes et de Johan.

— Réfléchis bien à ce que tu fais, Leon, dit John.

— C'est tout réfléchi. L'heure est venue.

Il inspira un grand bol d'air, mais n'eut pas le temps de dire quoi que ce soit, car la porte d'entrée s'ouvrit à cet instant. Ia se tenait là. Son regard alla de l'un à l'autre, se posant un instant sur chacun, et ses yeux s'agrandirent quand elle découvrit le pistolet dans la main de Percy. Elle sembla hésiter quelques secondes. Puis elle s'approcha de son mari, posa sa main sur son épaule et dit doucement :

— Tu avais raison. On ne peut plus fuir.

Leon hocha la tête. Puis il commença à raconter son histoire.


Anna s'inquiétait plus pour Ebba que pour elle-même. Elle était toute pâle et sur son cou se dessinaient des stries rouges et des traces qui avaient pu être laissées par des mains. Les mains de Melker. Son propre cou n'était pas douloureux. Il l'avait peut-être droguée ? Elle s'était endormie dans ses bras, ivre de réconfort et de contact humain. Puis elle s'était réveillée ici sur le sol en béton glacé.

— C'est ma mère qui est là, dit Ebba en regardant dans un des coffres.

— Tu ne peux pas en être certaine.

— C'est le seul crâne qui a les cheveux longs. C'est forcément ma mère.

— Ça peut être ta sœur aussi, dit Anna.

Elle se demanda s'il ne fallait pas rabattre les couvercles. Mais Ebba s'était posé des questions sur sa famille pendant très longtemps, et ce qu'elle voyait maintenant était une sorte de réponse.

— C'est quoi au juste, cet endroit ? demanda Ebba, le regard toujours rivé sur les squelettes.

— Une sorte d'abri antiaérien, je dirais. Et vu le drapeau et les uniformes, il a sans doute été construit pendant la Seconde Guerre mondiale.

— Et ils étaient ici pendant tout ce temps. Comment ça se fait que personne ne les ait trouvés ?

L'esprit d'Ebba s'égarait de plus en plus, et Anna comprit qu'elle serait obligée de prendre les commandes si elle voulait sortir d'ici.

— Voyons si on peut trouver un objet pour s'attaquer aux fixations de la porte, dit-elle en donnant un petit coup de coude à Ebba. Si tu veux bien fouiller un peu parmi tout ce fatras là-bas dans le coin, je m'occuperai des… Je regarderai dans les coffres.

— Et s'ils… et s'ils tombent en morceaux ? demanda Ebba, effarée.

— Si on n'arrive pas à ouvrir la porte, on mourra ici, dit Anna calmement, en articulant bien. Il peut y avoir un outil ou quelque chose dans les coffres. Ou bien je les fouille, ou bien c'est toi qui le fais. Tu choisis.

Un bref instant, Ebba resta immobile et sembla soupeser la proposition. Puis elle lui tourna le dos et se mit à farfouiller dans le tas de vieilleries. En réalité, Anna ne pensait pas qu'on puisse y trouver quoi que ce soit, mais il fallait occuper Ebba.

Elle respira un bon coup et glissa sa main dans le premier coffre. La nausée la remplit quand elle frôla les ossements. Des cheveux secs et cassants chatouillèrent sa peau et elle ne put retenir un cri. Ebba se retourna.

— Qu'est-ce qu'il y a ?

— Rien, répondit Anna.

Elle se blinda et enfonça plus profondément sa main. Elle sentit le fond en bois sous ses doigts et se pencha en avant pour essayer de voir. Elle sentit un objet dur qu'elle saisit entre le pouce et l'index. La chose était trop petite pour être utilisable, mais elle la sortit quand même pour l'examiner. Une dent. Dégoûtée, elle la laissa retomber dans le coffre et essuya ses doigts sur la couverture.

— Tu trouves quelque chose ? demanda Ebba.

— Non, rien pour l'instant.

Au prix d'un énorme effort, Anna fouilla le deuxième coffre, et quand elle eut fini, elle se laissa tomber à genoux. Il n'y avait rien. Elles ne sortiraient jamais de là. Elles allaient mourir ici.

Puis elle se força à se relever. Il restait un coffre et elle ne devait pas s'avouer vaincue, même si l'idée d'une nouvelle tentative lui donnait des haut-le-cœur. Elle s'en approcha résolument. Avant d'y plonger la main, elle jeta un regard sur Ebba qui avait abandonné ses recherches et pleurait, dos au mur, effondrée. Avalant sa salive, elle tâta le fond, y promenant doucement ses doigts. Il y avait quelque chose ! Ça ressemblait à une liasse de documents, quoique assez lisses de surface. Elle retira sa main et tendit sa trouvaille vers l'ampoule.

— Ebba, dit-elle.

Comme elle n'obtint pas de réponse, elle alla s'asseoir par terre à côté de sa compagne d'infortune et lui tendit le paquet. Elle constata qu'il s'agissait de photographies.

— Regarde.

Elle avait très envie d'examiner elle-même ces photos, mais elles faisaient très certainement partie de l'histoire d'Ebba, et c'était à elle de les regarder et d'essayer de comprendre.

Tenant les polaroïds de ses mains tremblantes, Ebba les observa.

— C'est quoi, tout ça? dit-elle en secouant lentement la tête.

Presque à contrecœur, Ebba et Anna fixèrent les photos. Elles comprirent toutes les deux qu'elles avaient devant les yeux l'explication de ce qui s'était passé le samedi de Pâques 1974.


Melker avait l'air de plus en plus absent. Ses paupières paraissaient lourdes, sa tête pendait mollement et Erica se rendit compte qu'il était en train de s'endormir. Elle n'osa même pas regarder Gösta. Melker tenait toujours le revolver d'une main ferme, il aurait été trop dangereux de risquer un mouvement brusque.

Pour finir, ses yeux se fermèrent tout à fait. Lentement, Erica se tourna vers Gösta et posa son index sur ses lèvres. Elle leva le menton en direction de la porte, mais Gösta secoua la tête. Non, elle non plus ne pensait pas que ça puisse marcher. Si Melker se réveillait au moment où ils quittaient la pièce, le risque était grand qu'il se mette à tirer comme un fou.

Elle réfléchit. Il fallait qu'ils demandent de l'aide. Elle esquissa un téléphone avec sa main qu'elle approcha de son oreille. Gösta comprit et fouilla immédiatement dans ses poches, puis il lui lança un regard dépité. Il n'avait pas son portable avec lui. Erica examina la pièce. Le sac à main d'Anna était posé un peu plus loin. Toujours assise par terre, elle se déplaça lentement dans sa direction. Melker tressaillit dans son sommeil et elle s'arrêta net, mais il continua de dormir, la tête lourdement penchée sur sa poitrine. Elle sentit le sac sous ses doigts, avança de quelques centimètres et réussit à en saisir l'anse. Retenant sa respiration, elle le souleva puis le tira vers elle sans un bruit. Avec précaution, elle se mit à fouiller dedans. Gösta gardait les yeux rivés sur elle. Il étouffa un toussotement et elle fronça les sourcils. Ce n'était pas le moment de réveiller Melker.

Enfin la main d'Erica trouva le portable d'Anna. Elle voulut d'abord s'assurer qu'il était en mode silencieux, avant de réaliser qu'elle ne disposait pas du code PIN. Il ne lui restait plus qu'à deviner. Elle entra la date de naissance d'Anna. "Code erroné", signala l'écran, et elle jura intérieurement. Anna n'avait peut-être même pas modifié le code original du téléphone, et il serait alors impossible à trouver. Mais il ne fallait pas raisonner ainsi. Il lui restait deux essais. Erica réfléchit un instant, puis elle tenta la date de naissance d'Adrian. "Code erroné." Soudain une pensée la frappa. Il y avait une autre date très importante dans la vie d'Anna : le jour funeste où Lucas était mort. Erica entra les quatre chiffres, et une lumière verte lui souhaita la bienvenue dans le monde merveilleux de la téléphonie.

Elle jeta un regard enthousiaste à Gösta qui respira de soulagement. Maintenant, il fallait agir vite. Melker pouvait se réveiller à tout moment. Heureusement les deux sœurs avaient le même modèle de portable, et Erica navigua facilement dans les menus. Elle écrivit un SMS bref mais suffisamment éloquent pour que Patrik comprenne la gravité de la situation. Juste quand elle fut sur le point d'envoyer son message, elle s'arrêta et ajouta rapidement d'autres destinataires. Si Patrik ne lisait pas le texto tout de suite, quelqu'un d'autre le verrait et réagirait. Elle appuya sur "envoyer" et repoussa le sac. Melker bougea dans son sommeil. Elle coinça le téléphone sous sa cuisse droite, pour l'avoir sous la main en cas de besoin, mais de façon que Melker ne le voie pas s'il se réveillait. Il ne leur restait plus qu'à attendre.

Kjell s'appuya sur la portière et regarda dans la direction où les voitures de police avaient disparu. La tentative d'arrestation de John Holm avait échoué, ils n'avaient pu embarquer que sa femme.

— Merde alors, il est où ?

L'agitation était toujours intense à l'intérieur et autour de la maison. Chaque millimètre devait être examiné, et le photographe d'*Expressen* aussi était très occupé. Il n'avait pas le droit d'approcher trop près de la villa, mais avec les objectifs dont il disposait, ce n'était pas un problème.

— Est-ce qu'il a pu fuir à l'étranger ? avança Sven Niklasson.

Tout à l'heure, dans la voiture de Kjell, il avait déjà écrit le premier jet de son article et l'avait envoyé à la rédaction.

Kjell savait qu'il aurait dû faire preuve d'autant de zèle et se mettre immédiatement en route pour la rédaction de *Bohus-läningen*, où sans nul doute il serait salué comme le héros de la journée. Quand il avait appelé pour rapporter la descente de police, le rédacteur en chef avait exulté et hurlé, à en faire éclater le tympan de Kjell. Mais il ne voulait pas y retourner avant d'avoir découvert où était passé John.

— Non, je ne pense pas qu'il partirait sans Liv. Elle ne semblait absolument pas préparée à ce coup de filet, et si elle n'était pas au courant, John ne l'était pas non plus. On dit qu'ils forment une équipe très soudée.

— Mais dans ces petites villes, la rumeur frappe plus vite que l'éclair : s'il ne s'est pas déjà sauvé, il le fera très bientôt.

Debout, adossé à la voiture, Sven Niklasson guettait la maison, les lèvres serrées.

— Mmm, dit Kjell distraitement.

Mentalement, il passa en revue tout ce qu'il savait sur John et réfléchit à l'endroit où il pourrait se trouver. La police avait déjà vérifié sa cabane de pêcheur sans succès.

— Tu en sais plus sur ce qui s'est passé à Stockholm ? finit-il par demander.

— La Säpo* et la police semblent avoir réussi à collaborer, pour une fois, et ont réalisé une intervention parfaite. Tous les responsables du parti ont été coffrés sans le moindre couac.

* La Säkerhetspolisen ("police de sécurité"), ou la Säpo, est le service de la sûreté de la Suède.

Ils jouent aux durs, ces mecs-là, mais ce n'est que du pipeau au bout du compte.

— Oui, tu as raison.

Kjell pensa aux titres belliqueux qui allaient remplir les journaux dans les jours à venir. Ce ne serait pas seulement une affaire nationale. Un peu partout, on allait de nouveau s'étonner qu'une telle chose puisse avoir lieu en Suède, ce petit pays que le monde entier considérait comme presque ridiculement bien organisé.

Son téléphone sonna.

— Salut Rolf… Oui, c'est un peu confus ici. Ils ne savent pas où se trouve John… Putain, des tirs? D'accord, on y va tout de suite.

Il raccrocha et se tourna vers Sven.

— Saute dans la voiture. Il y a eu des coups de feu chez Leon Kreutz. On y va.

— Leon qui?

— Kreutz. L'un des garçons qui fréquentaient l'école de Valö en même temps que John. Il y a quelque chose de vraiment pas net dans tout ça, et je ne suis pas le seul à le penser.

— Je ne sais pas… Et si John se pointait ici?

Kjell posa son bras sur le toit de la voiture et regarda Sven.

— Ne me demande pas de te l'expliquer, mais je pense que John est là-bas. Décide-toi vite. Tu viens ou pas? La police de Tanum est déjà sur place.

Sven s'assit dans la voiture. Kjell s'installa au volant, claqua la portière et démarra. Il savait qu'il avait raison. Les garçons de Valö avaient dissimulé la vérité, et elle serait révélée sous peu. Pour rien au monde, il n'aurait raté ça.

## VALÖ 1974

C'était comme si quelqu'un l'observait en permanence. Inez n'au
rait pas pu décrire les choses autrement. Elle avait eu cette sensation
depuis le matin où ils avaient retrouvé sa mère morte. Personne
ne savait pourquoi elle était sortie en pleine nuit de novembre. Le
docteur qui était venu l'examiner avait constaté que son cœur avait
flanché, tout simplement. Il disait qu'il l'avait déjà mise en garde.

Pourtant, Inez avait des doutes. Quelque chose avait changé
dans la maison depuis la mort de Laura. Elle le sentait où qu'elle
aille. Rune était encore plus taciturne et sévère, et Annelie et Claes
la défiaient de plus en plus ouvertement. Rune semblait ne rien
voir, ce qui tendait à renforcer leur insolence.

La nuit, elle entendait des pleurs dans le dortoir des garçons.
Pas forts, à peine audibles. Des pleurs qu'on essayait d'étouffer
tant bien que mal.

Elle avait peur. Il avait fallu plusieurs mois avant qu'elle comprenne que c'était ça, la sensation qu'elle n'avait pas su nommer.
Quelque chose clochait. Personne ne l'évoquait ouvertement, et
elle savait que si elle faisait part à Rune de son inquiétude, il se
contenterait de la balayer avec une moue de mépris. Mais elle
était certaine qu'il était lui aussi conscient du malaise général.

La fatigue n'y était sans doute pas pour rien. Le travail à l'école
et la charge d'Ebba l'usaient, tout comme l'effort de se taire sur ce
qui devait rester un secret.

— Mammammmamamam, pleurnicha Ebba dans son parc.

Elle s'était levée et s'agrippait aux barreaux, les yeux fixés sur sa
mère. Inez l'ignora. Elle n'en pouvait plus. Sa fille était terriblement exigeante et elle se sentait incapable de la satisfaire. Et c'était

*la fille de Rune. Le nez et la bouche étaient comme des copies des siens, ce qui entravait plus encore son amour maternel. Inez s'occupait d'elle, la changeait, la nourrissait, la prenait dans ses bras et la consolait quand elle s'était fait mal, mais elle ne pouvait pas donner plus. La peur occupait trop de place.*

*Heureusement, il n'y avait pas que ça. Il y avait aussi ce qui l'aidait à supporter cette vie encore un moment et à ne pas s'enfuir tout bonnement en prenant le bateau et abandonnant tout derrière elle. Dans les moments les plus sombres, quand elle avait joué avec cette idée, elle n'avait pas osé se demander si elle emmènerait Ebba avec elle. Elle n'était pas sûre de vouloir connaître la réponse.*

*— Je peux la prendre?*

*La voix de Johan la fit sursauter. Elle ne l'avait pas entendu entrer dans la buanderie où elle était en train de plier des draps.*

*— Bien sûr, dit-elle.*

*Si elle restait, c'était sans doute aussi grâce à Johan. Il l'aimait, et il aimait sa petite sœur. Et cet amour était réciproque. Quand Ebba l'apercevait, tout son visage s'illuminait. Là, elle lui tendait les bras derrière les barreaux de son parc.*

*— Viens avec moi, Ebba, dit Johan.*

*Ebba s'agrippa aux bras de son grand frère quand il la sortit du parc, puis elle enfouit son visage dans son cou.*

*Inez s'interrompit et les contempla. Une pointe de jalousie la submergea. Ebba ne la regardait jamais avec un tel amour inconditionnel. Il y avait toujours un mélange de chagrin et de manque dans son regard.*

*— Tu veux qu'on aille regarder les oiseaux? dit Johan tout en frottant son nez contre celui d'Ebba, ce qui la faisait hurler de rire. Je peux l'emmener dehors?*

*Inez fit oui de la tête. Elle avait confiance en Johan et savait qu'il ne laisserait jamais quoi que ce soit arriver à Ebba.*

*— Oui, bien sûr, filez tous les deux.*

*Elle se pencha pour prendre un autre drap à plier. Ils partirent sous les éclats de rire enjoués d'Ebba.*

*Au bout d'un instant, elle ne les entendit plus. Le silence résonnait entre les murs et elle s'accroupit par terre et appuya sa tête contre ses genoux. La maison la tenait dans une prise tellement*

*serrée qu'elle avait du mal à respirer, et la sensation d'être pié-*
*gée augmentait de jour en jour. Ils étaient au bord du précipice,*
*mais il n'y avait rien, absolument rien, qu'elle puisse faire pour*
*les empêcher de sombrer.*

Patrik ne se préoccupa pas tout de suite du message que son téléphone lui signalait. Percy semblait sur le point de perdre les pédales, et avec l'arme qu'il tenait, on allait droit à la catastrophe. En même temps, tout le monde était comme hypnotisé par la voix de Leon. Il parlait de Valö, de la famille Elvander et de Rune, racontait comment ils étaient devenus amis, tous les cinq, et comment lentement mais sûrement tout s'était mis à dérailler. Ia se tenait à côté de lui et lui caressait la main. Après avoir planté le décor, il sembla hésiter, et Patrik comprit qu'il s'apprêtait à entamer le récit de ce qui avait mis fin à leur amitié.

Bientôt la vérité allait être dévoilée, mais son inquiétude pour Erica l'incita à sortir son téléphone et à y jeter un coup d'œil. Un message d'Anna. Il l'ouvrit rapidement et lut, puis sa main se mit à trembler de façon incontrôlable.

— Il faut qu'on aille à Valö tout de suite, lança-t-il en l'air, interrompant Leon au milieu d'une phrase.

— Qu'est-ce qu'il y a? demanda Ia.

— Calme-toi et dis-nous ce qui se passe, ajouta Martin.

— Je pense que c'est Melker qui a mis le feu à la maison et qui a tiré sur Ebba l'autre jour. Maintenant Gösta et Erica sont coincés là-bas chez lui. Anna et Ebba ont disparu, personne n'a de leurs nouvelles depuis hier et…

Patrik se rendit compte de la confusion de ses propos et se força à un peu de maîtrise de soi. Pour pouvoir aider Erica, il devait garder la tête froide.

— Melker possède une arme qui est probablement celle qui a été utilisée en 1974. Est-ce que ça vous dit quelque chose?

Les hommes se regardèrent. Puis Leon lui tendit une clé.

— Il a dû découvrir l'abri. Le revolver s'y trouvait. Pas vrai, Sebastian?

— Oui, je n'ai rien touché depuis qu'on a verrouillé la porte. Je ne comprends pas comment il a pu y entrer. À ma connaissance, il n'y a que cette clé.

— Il peut très bien y en avoir d'autres, dit Patrik. Où est situé cet abri?

— Dans la cave, derrière une porte secrète. Il est impossible de le repérer quand on ne connaît pas son existence, répondit Leon.

— Est-ce que ça peut être là qu'Ebba…? demanda Ia, toute pâle subitement.

— Ça me semble une supposition plausible, confirma Patrik en se dirigeant vers la porte d'entrée.

— Qu'est-ce qu'on fait de lui? dit Martin en montrant Percy.

Patrik fit demi-tour, s'approcha de Percy à grandes enjambées et lui prit le pistolet des mains avant qu'il n'ait eu le temps de réagir.

— C'est fini maintenant, ces conneries. On tirera tout ça au clair plus tard. J'appelle le Sauvetage en mer pour qu'ils nous conduisent à Valö. Martin, tu appelles des renforts. Qui nous accompagne pour nous montrer cet abri?

— Moi, dit Josef en se levant.

— Je viens aussi, dit Ia.

— Si Josef vient, ça suffit.

— Je vous accompagne aussi, et vous ne pouvez rien faire pour m'en dissuader, dit Ia en secouant la tête.

— Très bien, alors allons-y.

Patrik leur fit signe de le suivre. Sur l'allée menant au parking, il faillit percuter Mellberg de plein fouet.

— John Holm est là?

— Oui, dit Patrik, mais nous, on doit aller à Valö. Erica et Gösta ont des problèmes là-bas.

— Ah bon? dit Mellberg qui paraissait complètement déboussolé. J'ai parlé avec Kjell et Sven qui sont là avec moi, et apparemment John est recherché par la police. Les gars de Göteborg ne savent pas encore qu'il se trouve ici, alors je me suis dit que…

— Je te laisse gérer ça, dit Patrik.

— Vous allez où ?

Kjell Ringholm vint vers eux, accompagné d'un homme blond dont le visage paraissait vaguement familier à Patrik.

— Nous sommes sur une autre affaire. Si vous cherchez John Holm, il est dans la maison. Mellberg se met à votre disposition.

Il continua à courir à petits pas vers sa voiture, Martin sur ses talons. Josef et Ia étaient restés en retrait, et c'est avec une certaine irritation que Patrik leur tenait la portière arrière ouverte. Emmener des civils sur des lieux potentiellement dangereux était contraire au règlement, mais il avait besoin de leur aide.

Pendant tout le trajet pour Valö, il trépigna à l'avant du bateau, comme pour l'inciter à filer plus vite. Derrière lui, Martin parlait à voix basse avec Josef et Ia, et Patrik l'entendit leur recommander de se tenir à l'écart le plus possible et d'obéir aux instructions de la police. Il ne put s'empêcher de sourire. Avec les années, Martin était passé du statut de policier fébrile et surexcité à celui de collègue équilibré à qui on pouvait faire confiance.

Quand ils s'approchèrent de Valö, il serra fort le plat-bord du bateau. Il avait vérifié son téléphone portable toutes les minutes, mais il n'y avait pas eu d'autres messages. Il avait envisagé de répondre au SMS pour dire qu'ils étaient en route, mais n'osa pas le faire au cas où une sonnerie révélerait qu'Erica disposait d'un téléphone.

Il remarqua qu'Ia l'observait. Il y avait tant de choses qu'il voulait lui demander. Pourquoi elle s'était enfuie pour ne revenir que maintenant. Quel avait été son rôle dans la mort de son père et du reste de sa famille. Mais tout cela pouvait attendre. Ils auraient le temps de creuser l'affaire plus tard. Pour l'instant, c'était avant tout Erica qui occupait son esprit, elle était en danger. Rien d'autre n'avait d'importance. Lorsqu'il avait failli la perdre dans l'accident de voiture un an et demi plus tôt, il avait réalisé à quel point il était dépendant d'elle, et la place qu'elle occupait dans sa vie.

En sautant sur le ponton, Martin et lui saisirent comme sur un signal donné leur arme de service. Ils invitèrent Josef et Ia à rester derrière eux. Puis ils commencèrent tout doucement à monter vers la maison.

Percy fixa un point indéfini sur le mur.

— Eh bien voilà, dit-il.

— Qu'est-ce qui t'a pris, merde? dit John en passant sa main dans sa frange blonde. Tu pensais vraiment tous nous descendre?

— Mouais. Je voulais surtout me descendre moi-même. Et m'amuser un peu avant. Vous foutre la trouille.

— Pourquoi tu veux te suicider?

Leon regarda avec tendresse son vieil ami, si fragile dans sa supériorité. Déjà à l'époque de Valö, Leon avait senti qu'il pouvait craquer à tout moment. Qu'il ne l'ait pas déjà fait tenait du miracle. Tout indiquait que les souvenirs ne le laisseraient jamais tranquille, mais peut-être avait-il hérité lui aussi du don de la dénégation.

— Sebastian m'a tout pris. Et Pyttan m'a quitté. Je vais devenir la risée de tous!

Sebastian fit un large geste de la main.

— La risée! Qui utilise encore ce mot de nos jours?

On aurait dit des enfants. Leon s'en rendit très nettement compte à cet instant. Ils n'avaient pratiquement pas évolué, ils étaient toujours là-bas, dans leurs souvenirs. Comparé à eux, il avait de la chance, il en était conscient. Il contempla les hommes devant lui et vit les adolescents qu'ils avaient été. Et même si cela pouvait paraître étrange, il éprouvait de l'affection pour eux. Ils avaient partagé une expérience qui les avait profondément transformés et qui avait façonné leur vie. Le lien entre eux était tellement fort qu'il ne pourrait jamais être coupé. Il avait toujours su qu'il allait revenir, que ce jour allait arriver, mais il n'avait pas imaginé qu'Ia serait à ses côtés. Son courage l'avait surpris. Peut-être avait-il sciemment choisi de la sous-estimer pour ne pas se sentir coupable du sacrifice qu'elle avait fait, et qui était plus grand que celui des autres.

Mais pourquoi était-ce précisément Josef qui avait répondu présent et osé retourner sur l'île? Leon pensait connaître la réponse. Dès le moment où Josef avait franchi la porte, il avait vu dans ses yeux qu'il était prêt à mourir aujourd'hui. C'était un regard qu'il connaissait bien. Il l'avait vu en haut de l'Everest quand la tempête s'abattait sur lui, et dans le radeau de sauvetage après le naufrage de son bateau au milieu de l'océan Indien. Le regard d'un homme qui renonce à la vie.

— Je n'ai pas l'intention de participer à tout ça, dit John et il se leva, en tirant sur son pantalon pour reformer les plis. Ça fait trop longtemps qu'elle dure, cette comédie. Je vais tout nier en bloc, il n'y a pas de preuves et tu assumeras toi-même toutes tes déclarations.

— John Holm?

Une voix s'éleva du côté de la porte. John tourna la tête.

— Bertil Mellberg! s'exclama-t-il. Ne manquait plus que ça. Qu'est-ce que vous faites là? Si vous avez l'intention de me parler sur le même ton que la dernière fois, c'est à mon avocat que vous aurez affaire.

— Si vous le dites.

— Bien, alors je vais rentrer chez moi. Ravi de vous avoir croisé.

John se dirigea vers la porte d'entrée, mais Mellberg lui barra le chemin. Derrière lui se tenaient trois hommes, dont un avec un gros appareil photo qui mitraillait sans interruption.

— Vous allez me suivre, dit Mellberg.

— Vous plaisantez, j'espère? soupira John. C'est du harcèlement, ni plus ni moins, et je peux vous promettre que vous allez en subir les conséquences.

— Je vous arrête pour incitation au meurtre, vous allez me suivre immédiatement, dit Mellberg avec un large sourire.

De son fauteuil roulant, Leon assistait au spectacle, et Percy et Sebastian le contemplaient aussi avec la plus grande attention. John, soudain écarlate, fit mine de forcer le passage, mais Mellberg le poussa contre le mur. Avec de grands moulinets des bras, il immobilisa ses mains et lui mit les menottes. Le photographe continuait de mitrailler, et les deux autres hommes derrière lui s'approchèrent.

— La police vient de démanteler ce qu'au sein de Sveriges Vänner vous appelez le projet Gimle. Vous avez un commentaire? dit l'un d'eux.

Les jambes de John se dérobèrent sous lui et Leon suivit la scène avec beaucoup d'intérêt. Tôt ou tard, tout le monde devait répondre de ses actes. Subitement, il s'inquiéta pour Ia, mais il repoussa cette pensée. Quoi qu'il advienne, c'était écrit. Elle était obligée de faire ce qu'elle faisait pour s'acquitter de la culpabilité et du manque qui l'avaient incitée à ne vivre que pour lui, Leon. Son amour pour lui avait frôlé l'obsession, mais il savait qu'ils avaient brûlé du même feu sacré tous les deux, celui qui l'avait poussé à relever le moindre défi. Pour finir, ils avaient brûlé ensemble, dans la voiture, sur la route escarpée de Monaco. Ils n'avaient pas d'autre choix que d'achever ensemble ce qu'ils avaient commencé. Il était fier d'elle, il l'aimait et maintenant elle allait enfin rentrer chez elle. Aujourd'hui, tout serait terminé, et il espérait que la fin serait heureuse.

Melker ouvrit lentement les yeux et les regarda.
— Je me suis endormi.

Ni Erica ni Gösta ne répondirent. Tout à coup, Erica aussi ressentit une grande fatigue. La montée d'adrénaline était finie, et à l'idée que sa sœur pouvait être morte, elle se sentait totalement paralysée. Tout ce qu'elle voulait, c'était se mettre en boule sur le parquet. Fermer les yeux, s'endormir et se réveiller quand tout serait terminé. D'une façon ou d'une autre.

Elle avait vu l'écran du téléphone scintiller. Dan. Seigneur, il devait être mort d'inquiétude après avoir lu son message. Mais Patrik n'avait pas répondu. Il était peut-être tellement pris qu'il ne l'avait pas lu…

Melker les observait de nouveau. Son corps était détendu et il affichait un air indifférent. Erica regretta de ne pas avoir davantage questionné Ebba sur ce qui était arrivé à leur fils. Quelque chose avait dû se mettre en branle à cette occasion, qui avait progressivement mené Melker à la folie. Si seulement elle avait connu les circonstances, elle aurait peut-être été en mesure de le raisonner. Ils ne pouvaient pas juste rester là, à attendre qu'il les tue. Car elle ne doutait pas que telle était son intention. Elle l'avait compris à la vue de la lueur froide dans ses yeux. Doucement, elle dit :
— Parle-nous de Vincent.

Il ne répondit pas tout de suite. On n'entendait que la respiration de Gösta et le bruit d'un hors-bord au loin. Elle attendit, et pour finir il lança d'une voix atone :

— Il est mort.

— Qu'est-ce qu'il s'est passé?

— C'était la faute d'Ebba.

— Pourquoi, sa faute?

— Je le réalise maintenant.

Erica sentit l'impatience monter en elle.

— Elle l'a tué? demanda-t-elle en retenant son souffle. C'est pour ça que tu as essayé de tuer Ebba?

Du coin de l'œil, elle vit que Gösta suivait l'échange attentivement. Melker jouait avec le revolver. Le soupesait dans ses mains.

— Je ne voulais pas allumer un si gros incendie, dit-il en reposant l'arme sur ses genoux. Juste qu'elle réalise qu'elle avait besoin de moi. Que j'étais celui qui pouvait la protéger.

— C'est pour ça que tu lui as tiré dessus?

— Il fallait qu'elle comprenne qu'on devait rester soudés, elle et moi. Mais en réalité tout ça n'avait pas d'importance. Je m'en rends compte maintenant. Elle m'a manipulé pour que je ne voie pas l'évidence. Elle l'a tué.

Il hocha la tête pour donner plus de poids à ses paroles, et son regard était tellement effrayant qu'Erica dut lutter pour garder son calme.

— Elle a tué Vincent?

— Oui, tout à fait. J'ai tout compris quand elle est revenue de chez toi. Elle a hérité de la faute. Une telle malveillance, on ne peut pas l'effacer, c'est évident.

— Tu veux parler de son arrière-arrière-grand-mère? La Faiseuse d'anges? dit Erica, tout étonnée.

— Oui. Ebba m'a dit qu'elle noyait les enfants dans un bassin et les enterrait dans la cave parce qu'elle pensait qu'ils ne manqueraient à personne, que personne ne viendrait les chercher. Mais moi, je voulais Vincent. Je l'ai cherché, mais il était déjà parti. Elle l'avait noyé. Il était enterré avec les autres enfants et il n'arrivait pas à sortir.

Melker cracha les mots, un peu de salive coulait sur son menton.

Erica comprit qu'il serait impossible d'entrer en contact avec lui. Différentes réalités s'étaient superposées et avaient formé un étrange paysage d'ombres où il était inatteignable. La panique l'envahit et elle jeta un regard à Gösta. Son air résigné lui dit qu'il avait tiré la même conclusion. Ils ne pouvaient que prier et attendre qu'on vienne les sauver.

— Chut, dit subitement Melker et il redressa le dos.

Erica et Gösta tressaillirent tous les deux, tant son mouvement était inattendu.

— Quelqu'un arrive. Chut, dit-il encore.

Avec un doigt posé sur ses lèvres, il saisit le revolver et bondit sur ses pieds. Il se précipita à la fenêtre et regarda dehors. Un instant, il sembla réfléchir aux options qui s'offraient à lui, puis il se tourna vers Gösta et Erica.

— Vous deux, vous restez là. Je sors. Je dois les surveiller. Il ne faut pas qu'ils les retrouvent.

— Que vas-tu faire ?

Erica ne put se contenir. À l'espoir que quelqu'un était en route pour les aider se mêla la crainte pour la vie d'Anna, si ce n'était déjà trop tard.

— Où est ma sœur ? Tu dois me dire où se trouve Anna ! cria-t-elle, et sa voix partit dans les aigus.

Gösta posa sa main sur son bras pour la calmer.

— On va attendre ici, Melker. On n'ira nulle part. On sera là quand tu reviendras, dit-il en le fixant du regard.

Melker finit par hocher la tête, tourner les talons et dévaler l'escalier. Erica voulut tout de suite se relever et le suivre, mais Gösta prit fermement son bras et souffla :

— Calme-toi. On va d'abord vérifier si on peut voir où il va par la fenêtre.

— Mais Anna... dit-elle au bord du désespoir et elle essaya de se dégager.

Gösta fut inflexible.

— Réfléchis au lieu de te précipiter. On regardera par la fenêtre, ensuite on descendra rejoindre ceux qui arrivent. C'est sûrement Patrik et les autres, ils vont nous aider.

— D'accord, dit Erica et elle se mit debout sur des jambes en coton.

Tous deux s'approchèrent de la fenêtre pour guetter Melker.

— Tu vois quelqu'un ?

— Non, dit Gösta. Toi non plus ?

— Non. J'imagine qu'il n'est pas allé du côté de l'embarcadère. Ce serait se jeter droit dans la gueule du loup.

— Il a forcément filé derrière la maison.

— Je ne le vois pas en tout cas. J'y vais maintenant.

Lentement, Erica descendit l'escalier. La maison était paisible, elle n'entendit aucune voix, mais elle savait qu'ils essaieraient d'approcher le plus silencieusement possible. La porte d'entrée était grande ouverte et elle sentit les pleurs monter dans sa gorge. Il n'y avait personne.

Au même moment, elle aperçut des mouvements parmi les arbres. Plissant les yeux pour mieux voir, le soulagement l'envahit. C'était Patrik suivi de Martin et de deux autres personnes. Il lui fallut un instant pour reconnaître Josef Meyer. À côté de lui marchait une femme élégamment vêtue. Peut-être Ia Kreutz ? Erica fit un signe à Patrik, puis retourna à l'intérieur.

— On va rester ici, dit-elle à Gösta qui avait fini par descendre, lui aussi.

Ils se plaquèrent contre le mur du vestibule pour ne pas être aperçus dans l'embrasure de la porte ouverte. Melker pouvait se trouver n'importe où, et elle ne voulait pas risquer de se transformer en cible vivante.

— Où est-il allé ? Peut-être qu'il est toujours dans la maison ? dit Gösta.

Erica comprit qu'il avait raison et sentit la panique poindre, comme si Melker allait surgir à tout moment et les tuer. Mais il n'était visible nulle part.

Lorsque Patrik et Martin furent enfin là, elle croisa le regard de Patrik. Elle y lut le soulagement et l'inquiétude.

— Melker ? chuchota-t-il, et Erica lui raconta brièvement ce qui s'était passé depuis qu'il les avait entendus approcher.

Patrik lui signifia qu'il avait compris, puis fit un tour rapide du rez-de-chaussée avec Martin, arme au poing. De retour dans le vestibule, ils secouèrent la tête. Ia et Josef n'avaient pas bougé. Erica se demanda ce qu'ils faisaient là.

— Je ne sais pas où sont Anna et Ebba. Melker divaguait complètement, il disait qu'il devait les surveiller. Est-ce qu'il a pu les enfermer quelque part ? dit-elle dans un sanglot.

— Là, c'est la porte de la cave, dit Josef en montrant une porte au fond du vestibule.

— Et qu'est-ce qu'il y a dans la cave ? demanda Gösta.

— On n'a pas le temps pour les explications, dit Patrik. Reste derrière nous. Et vous deux, vous ne bougez pas d'ici, dit-il à Erica et Ia.

Erica s'apprêtait à rouspéter, mais elle vit la tête de Patrik. Inutile de tenter la moindre protestation.

— On descend, dit Patrik avec un dernier regard sur Erica.

Elle vit qu'il craignait autant qu'elle ce qu'il allait trouver.

## VALÖ, SAMEDI DE PÂQUES 1974

*Tout devait être comme d'habitude. Rune s'attendait à cela. La plupart des élèves étaient rentrés chez eux pour les vacances et elle avait timidement demandé si les garçons qui étaient restés sur l'île ne pouvaient pas déjeuner avec eux le samedi de Pâques, mais Rune n'avait même pas daigné lui répondre. Il allait de soi qu'un déjeuner de Pâques était réservé à la famille.*

*Elle avait cuisiné pendant deux jours : gigot d'agneau, œufs durs farcis, saumon froid... Les demandes de Rune étaient infinies. D'ailleurs, demandes n'était pas le terme. Il était plutôt question d'exigences.*

*— Carla préparait toujours ça. Chaque année, avait-il précisé avant le repas de Pâques la première année de leur mariage en lui donnant une liste de plats.*

*Inez savait qu'il était inutile de protester. Si Carla l'avait fait, il en serait ainsi. Et sinon, gare à elle.*

*— Tu peux installer Ebba dans sa chaise, Johan ? dit-elle en posant le gros gigot sur la table, tout en priant Dieu pour qu'il soit à la convenance de Rune.*

*— Il faut absolument qu'Ebba soit là ? Elle me dérange, dit Annelie en s'asseyant.*

*— Et qu'est-ce que tu veux que je fasse d'elle ?*

*Après son travail de forçat dans la cuisine, Inez n'était pas d'humeur à entendre les provocations de sa belle-fille.*

*— Je n'en sais rien, mais rien qu'à la voir à table, ça me donne envie de vomir.*

*Inez se sentit exploser.*

— Si c'est difficile à ce point, tu n'es pas obligée de rester manger avec nous, cracha-t-elle.

— Inez!

Elle tressaillit. Rune était arrivé dans la salle à manger, le visage rouge de colère.

— Qu'est-ce que tu es en train de dire! Ma fille ne serait pas la bienvenue à table? dit-il d'une voix glaciale, le regard rivé sur Inez. Dans cette famille, tout le monde a sa place pour manger.

Annelie ne dit rien, mais Inez vit qu'elle se délectait de voir sa belle-mère se faire réprimander.

— Pardon, je n'ai pas réfléchi.

Inez se retourna et déplaça le plat de pommes de terre sur la table. Elle bouillonnait intérieurement. Elle avait une irrépressible envie de crier, de suivre son cœur et de fuir d'ici. Elle ne voulait plus rester coincée dans cet enfer.

— Ebba vient de vomir, dit Johan. J'espère qu'elle n'est pas malade?

Il sembla inquiet et essuya le menton de sa sœur avec une serviette.

— Non, je pense qu'elle a simplement mangé trop de bouillie, le rassura Inez.

— Tant mieux, dit Johan sans paraître convaincu.

Il se faisait de plus en plus protecteur, trop même, et Inez se demanda encore une fois comment il pouvait être si différent de son frère et sa sœur.

— Du gigot d'agneau. Je suis sûr qu'il ne sera pas aussi bon que celui de maman.

Claes arriva et s'assit à côté d'Annelie. Elle pouffa et lui fit un clin d'œil, mais il ne lui prêta aucune attention. En fait, ces deux-là auraient dû être de grands amis, mais Claes ne paraissait avoir d'affection pour personne. À part pour sa mère, dont il parlait à tout bout de champ.

— J'ai fait de mon mieux, dit Inez, et Claes renifla de mépris.

— Tu étais où? demanda Rune en se servant en pommes de terre. Je te cherchais. Olle a déchargé les planches que je lui avais demandées sur l'embarcadère. Il faut que tu m'aides à les porter.

— Je me promenais sur l'île. Je m'occuperai des planches plus tard, répondit Claes avec un haussement d'épaules.

— *Tout de suite après le repas*, précisa Rune, se contentant cependant de la réponse de Claes.

— *Normalement, c'est plus rose*, dit Annelie en fronçant le nez devant la tranche de gigot qu'elle venait de se servir.

— *On n'a pas un très bon four ici. La température est irrégulière. J'ai fait ce que j'ai pu*, dit Inez en serrant les dents.

— *C'est dégueulasse*, déclara Annelie et elle repoussa sa viande. *Tu peux me passer la sauce?* demanda-t-elle à Claes.

— *Bien sûr*, dit-il en tendant la main vers la saucière posée à sa gauche. *Oups...*

Il garda les yeux fixés sur Inez. La saucière était tombée par terre et la sauce marron se répandit sur le sol et s'infiltra dans les interstices des planches. Inez soutint son regard. Elle savait qu'il l'avait fait exprès. Et il savait qu'elle savait.

— *Tu es vraiment maladroit*, dit Rune avec un regard sur le parquet. *Inez, sois gentille, va chercher une serpillière.*

— *Oui*, dit-elle avec un sourire forcé.

Il ne serait évidemment pas venu à l'esprit de Rune que Claes pouvait nettoyer lui-même ce qu'il avait renversé.

— *Tu nous rapportes de la sauce?* lui lança Rune quand elle se dirigea vers la cuisine.

— *Il n'y en a plus.*

— *Carla en gardait toujours un peu dans la cuisine au cas où.*

— *Oui, mais moi je ne l'ai pas fait. J'ai mis toute la sauce dans la saucière.*

Quand elle eut fini de nettoyer le sol, à quatre pattes à côté de la chaise de Claes, elle se rassit. Sa nourriture était froide maintenant, mais de toute manière elle n'avait plus d'appétit.

— *C'est super-bon, Inez*, dit Johan et il tendit son assiette pour qu'on le resserve. *J'adore ce que tu nous prépares.*

Ses yeux étaient si bleus, si innocents qu'elle faillit fondre en larmes. Pendant qu'elle remplissait de nouveau son assiette, il donnait à manger à Ebba avec sa petite cuillère en argent.

— *Tiens, voilà encore des pommes de terre, mmmm, c'est bon, hein, pas vrai que c'est bon?* gazouilla-t-il et il rayonnait chaque fois qu'elle ouvrait la bouche.

Claes poussa un rire grossier.

— Quelle putain de mauviette tu fais, dit-il.

— Tu utilises un autre ton pour parler à ton frère, siffla Rune. Il a les meilleures notes dans toutes les matières, il est plus futé que vous deux réunis. Toi-même, tu ne t'es pas spécialement distingué par tes bons résultats à l'école, et tu devrais lui parler poliment jusqu'à ce que tu aies fait tes preuves. Ta mère aurait eu honte si elle avait vu ton bulletin de fin d'année, espèce de vaurien.

Claes tressaillit et Inez vit de petits nerfs bouger de façon incontrôlée sur son visage. Ses yeux étaient sombres et sans fond.

Un bref instant, le silence se fit. Même Ebba se tint coîte. Claes fixa Rune bien en face, et Inez serra ses mains sous la table. C'était à une lutte de pouvoir qu'elle assistait, et elle n'était pas sûre de vouloir connaître son issue.

Ils se dévisagèrent pendant plusieurs minutes. Puis Claes détourna le regard.

— Pardon Johan, dit-il.

Inez frissonna. Sa voix était remplie de haine. Elle sentit qu'elle ferait mieux de suivre son instinct. Elle avait encore la possibilité de se lever et de fuir. Elle devait la saisir, quelles qu'en soient les conséquences.

— Excusez-moi de vous déranger en plein repas. Mais j'aurais besoin d'échanger quelques mots avec vous, Rune. C'est urgent.

Leon se tenait à la porte, la tête poliment inclinée.

— Ça ne peut pas attendre ? On est en train de manger, dit Rune en plissant les sourcils.

Il ne tolérait pas qu'on l'interrompe en plein repas, encore moins un jour de fête.

— Je comprends tout à fait, et je ne demanderais pas si ce n'était pas très important.

— C'est à quel sujet ? demanda Rune et il s'essuya la bouche avec sa serviette.

Leon hésita. Inez regarda Annelie. Elle était incapable de détacher ses yeux de Leon.

— Il s'agit d'une situation urgente à la maison. Papa m'a demandé de vous parler.

— Ah bon, ton père. Pourquoi ne l'as-tu pas dit tout de suite ?

Rune se leva. Il avait toujours du temps pour les parents fortunés de ses élèves.

— *Continuez à manger, je ne serai pas long*, dit-il et il partit rejoindre Leon.

Inez suivit Rune des yeux. Son ventre se noua. Toutes les tensions ressenties ces derniers mois se concentrèrent pour former une boule dure au creux de son estomac. Quelque chose était sur le point d'arriver.

Le paysage défilait derrière les vitres et, à l'avant, ce désagréable Mellberg s'emportait au téléphone. Il semblait refuser de le livrer aux policiers sur place à Fjällbacka, insistant pour faire tout le chemin jusqu'à Göteborg. De toute façon, l'un ou l'autre, ça lui était égal.

John se demanda comment Liv allait s'en sortir. Elle aussi, elle avait tout misé sur un seul cheval. Ils auraient peut-être dû se contenter de ce qu'ils avaient déjà accompli, mais la tentation était devenue trop grande de tout changer d'un seul coup et de réussir ce qu'aucun parti nationaliste n'avait réussi jusquelà en Suède : atteindre une position politique dominante. Au Danemark, Dansk Folkeparti avait déjà réalisé beaucoup des rêves que nourrissait Sveriges Vänner. Était-ce vraiment une erreur de vouloir hâter cette évolution ici ?

Le projet Gimle aurait uni les Suédois pour qu'ils puissent enfin redresser le pays ensemble. Le plan était simple et, malgré quelques inquiétudes parfois, il avait été convaincu qu'ils allaient réussir. Maintenant, tout était détruit. Tout ce qu'ils avaient bâti serait démoli et oublié dans le sillage de Gimle. Personne ne comprendrait qu'ils avaient voulu créer un nouvel avenir pour la nation tout entière.

Tout avait commencé quand quelqu'un du premier cercle avait lancé une proposition, par plaisanterie. Liv en avait tout de suite perçu le potentiel. Elle leur avait expliqué comment obtenir en très peu de temps un changement qui autrement nécessiterait des dizaines d'années. En une nuit, ils feraient une révolution, ils mobiliseraient les Suédois dans une lutte contre les ennemis qui s'étaient infiltrés partout et qui étaient en train de ruiner la société. Le raisonnement était logique et le prix paraissait abordable.

Une seule bombe. Placée en plein centre commercial de la Sturegallerian à l'heure de pointe. Toutes les pistes que la police suivrait les mèneraient à des terroristes islamistes. Ils avaient dressé des plans pendant plus d'un an, passé en revue tous les détails et avaient soigneusement veillé à ce qu'on ne puisse pas tirer d'autre conclusion : des islamistes avaient perpétré un attentat en plein cœur de Stockholm, en plein cœur de la Suède. La population aurait peur, et quand les gens avaient peur, ils se fâchaient. Alors Sveriges Vänner se manifesterait, confirmerait leurs peurs, les prendrait doucement par la main et leur montrerait comment retrouver une vie tranquille. Comment vivre en bons Suédois.

Rien de tout cela n'aboutirait. L'inquiétude pour ce que Leon s'apprêtait à révéler était ridicule et absurde en comparaison du scandale qui les attendait à présent. Il se retrouverait au milieu de la scène, mais pas dans le rôle qu'il avait imaginé. Le projet Gimle avait engendré sa chute, pas son triomphe.


Ebba regarda les photographies qu'elle avait étalées par terre. Des garçons nus fixaient l'objectif d'un regard vide.

— Ils ont l'air si vulnérables, dit-elle en détournant la tête.

— Tu n'y es pour rien, dit Anna en lui caressant le bras.

— J'aurais préféré ne jamais rien apprendre sur ma famille. La seule image qui me restera d'elle, si on…

Elle ne termina pas sa phrase et Anna savait qu'elle ne voulait pas prononcer les mots à voix haute : Si on sort d'ici.

Ebba regarda les photos de nouveau.

— Ça doit être les élèves de mon père. S'il leur faisait subir ça, je comprends qu'ils l'aient tué.

Anna acquiesça de la tête. On voyait bien que les adolescents essayaient de se couvrir avec leurs mains, mais que le photographe ne le permettait pas. L'angoisse se lisait nettement sur leur visage et on pouvait imaginer la rage que l'humiliation avait fait naître en eux.

— Ce que je ne comprends pas, c'est pourquoi ils devaient tous mourir, dit Ebba.

Subitement elles entendirent des pas derrière la porte. Elles furent tout de suite sur pied, tous les sens en éveil. Quelqu'un était en train d'ouvrir la serrure.

— C'est Melker, souffla Ebba, terrorisée.

Instinctivement, elles cherchèrent un moyen de fuir, mais elles étaient prises au piège comme des rats. La porte s'ouvrit lentement et Melker entra, un revolver à la main.

— Tu n'es pas morte? dit-il à Ebba.

Anna fut effrayée de voir à quel point cela lui était indifférent que sa femme soit morte ou vivante. Ebba, en larmes, se dirigea vers lui :

— Pourquoi tu fais ça?

— Ne bouge pas.

Il leva le revolver et le pointa sur elle, ce qui l'arrêta net. Anna chercha à capter l'attention de Melker.

— Fais-nous sortir d'ici. On te promet qu'on ne dira rien.

— Et tu veux que je te croie? De toute façon, je m'en fous. Je n'ai aucune envie de…

Il s'interrompit et regarda les coffres, où les ossements étaient bien visibles.

— C'est quoi?

— C'est la famille d'Ebba, dit Anna.

Melker ne put détacher son regard des squelettes.

— Ils sont restés là pendant tout ce temps?

— Oui, forcément.

Elle entrevit une lueur d'espoir : Melker était peut-être suffisamment ébranlé pour qu'elle puisse l'atteindre. Elle se pencha en avant. Il bondit immédiatement et braqua le revolver sur elle.

— Je voulais juste te montrer quelque chose.

Anna prit les photos et les lui donna.

— C'est qui, ça? demanda-t-il d'un air sceptique, et pour la première fois sa voix parut presque normale.

Anna sentit son cœur cogner dans sa poitrine. Quelque part là-dedans se trouvait encore le Melker équilibré et raisonnable. Il approcha les photos de son visage et les étudia de près.

— C'est probablement mon père qui leur a fait subir ça, dit Ebba.

Ses cheveux pendaient devant son visage et toute son attitude corporelle indiquait qu'elle avait abandonné.

— Rune ? dit Melker, puis il sursauta à un bruit dans l'escalier, et se dépêcha de refermer la porte.

— C'est qui ? demanda Anna.

— Ils vont tout gâcher, déclara Melker, et la lucidité dans son regard avait de nouveau disparu. Mais ils n'entreront pas ici. J'ai la clé. Je l'ai trouvée ici, dans la cave, au-dessus du linteau de la porte, oubliée et rouillée. Je l'ai essayé dans toutes les serrures, mais elle n'allait nulle part. Et puis, il y a une semaine, par hasard, j'ai découvert l'entrée de cette pièce. Elle est géniale, pratiquement impossible à voir.

— Pourquoi tu ne me l'as pas dit ? demanda Ebba.

— Je commençais à me douter que tu étais coupable de la mort de Vincent mais que tu refusais de le reconnaître. Que tu essayais de rejeter la faute sur moi. Et dans le coffre qui était ouvert, j'ai trouvé ça, dit-il en agitant le revolver. J'ai su qu'il allait me servir.

— Ils vont réussir à entrer ici. Tu le sais, dit Anna. Autant leur ouvrir la porte tout de suite.

— Je ne peux plus l'ouvrir. Il n'y a pas de poignée de ce côté, quelqu'un a dû l'enlever. La porte se ferme d'elle-même, et pour l'ouvrir de l'extérieur il faut une clé. C'est moi qui ai la clé. Donc, si jamais ils la trouvaient, ils ne pourraient pas entrer. Cette porte secrète a été installée par un parano, elle résiste à pratiquement tout, sourit Melker. Et le temps qu'ils rapportent de quoi la forcer, il sera trop tard.

— Je t'en prie, Melker, le supplia Ebba.

Anna comprit cependant que ça ne servait à rien d'essayer de le raisonner. Il fallait agir, sinon Melker mourrait ici avec elles.

Au même instant, une clé glissa dans la serrure et Melker tourna la tête, sidéré. Anna y vit l'occasion tant attendue. D'un geste ample, elle attrapa le pendentif avec l'ange par terre et se jeta en avant, lui entaillant profondément la joue. De l'autre main, elle chercha à lui prendre son arme. Juste au moment où elle sentit l'acier froid sous ses doigts, un coup de feu partit.

Il avait décidé que c'était le jour où il allait mourir. Cela lui était apparu comme la suite logique de tous ses échecs, et cette décision le remplissait de soulagement. En partant de chez lui, il n'avait pas encore déterminé comment ça allait se passer, mais quand Percy avait commencé à agiter son pistolet, il avait joué avec l'idée de mourir en héros.

À présent, cette décision lui paraissait étrangement précipitée. En descendant l'escalier sombre de la cave, Josef ressentit une volonté de vivre plus forte que jamais. Il ne voulait plus mourir, surtout pas à l'endroit où il avait vécu un tel cauchemar pendant de si longs mois. Il regarda les policiers devant lui, et se sentit désagréablement nu sans arme. Personne n'avait contesté le fait qu'il les accompagne dans la cave. Il était le seul à connaître le chemin. Lui seul savait où se trouvait l'enfer.

Les policiers l'attendaient en bas de l'escalier. Patrik Hedström leva un sourcil interrogateur, et Josef indiqua le mur du fond qui avait l'aspect d'un mur ordinaire, avec des étagères de guingois encombrées de pots de peinture barbouillés. Il vit la mine sceptique de Patrik et s'approcha pour lui montrer. Il s'en souvenait si bien : toutes les odeurs, le contact du béton sous les pieds, l'air renfermé qui envahissait ses poumons.

Josef appuya sur le côté droit de l'étagère du milieu. Le mur céda, pivota vers l'intérieur et révéla un couloir menant à une lourde porte. Il s'écarta. Les policiers le dévisagèrent, abasourdis, avant de retrouver leur aplomb et de s'engager dans le couloir. Arrivés devant la porte, ils s'arrêtèrent pour écouter. On percevait un murmure sourd de l'autre côté. Josef savait exactement comment c'était, là-dedans. Il n'avait qu'à fermer les yeux pour que l'image soit aussi nette que s'il avait vu la pièce la veille. Les murs aveugles, l'ampoule nue qui pendait au plafond. Et les quatre coffres. Ils avaient mis le revolver dans l'un d'eux. Le mari d'Ebba avait dû le trouver. Josef se demanda s'il avait ouvert les coffres cadenassés aussi, s'il savait ce qu'ils contenaient. Quoi qu'il en soit, tout le monde le saurait très bientôt. Il n'y avait pas de retour possible.

Patrik prit la clé dans sa poche, la glissa dans la serrure et la tourna. Il jeta un regard sur Josef et ses collègues, un coup d'œil leur indiquant clairement qu'il craignait le pire.

Avec précaution, Patrik poussa la porte. Un coup de feu claqua et Josef vit les policiers se précipiter dans la pièce, l'arme au poing. Lui, il resta dans le couloir. Dans le tumulte, il était difficile de déterminer exactement ce qui se passait, mais il entendit très distinctement Patrik crier : "Lâche ton arme !" Un éclair lumineux, puis un second coup de feu lui vrilla les oreilles. Il entendit le bruit d'un corps qui tombait à terre.

Dans le silence qui suivit, Josef entendit sa propre respiration, courte et superficielle. Il était vivant, il sentit à quel point il était vivant, et il en était reconnaissant. Rebecca allait s'inquiéter en trouvant sa lettre, mais il essaierait de lui expliquer. Car il n'allait pas mourir aujourd'hui.

Quelqu'un dévala l'escalier de la cave, et en se retournant il vit Ia arriver en courant. Son visage traduisait une immense frayeur.

— Ebba ! cria-t-elle. Elle est là ?

Le sang avait giclé sur les coffres et jusque sur le mur. Derrière elle, elle entendit les cris d'Ebba, mais ils semblaient très lointains.

— Anna.

Patrik la prit par les épaules et la secoua. Elle montra son oreille.

— J'ai l'impression que j'ai le tympan éclaté. Je n'entends presque rien.

Sa voix était sourde et bizarre. Tout était allé si vite. Elle regarda ses mains. Elles étaient pleines de sang. Elle examina aussi son corps pour voir si elle saignait, mais n'en eut pas l'impression. Elle tenait toujours l'ange d'Ebba serré dans sa main et elle comprit que le sang provenait de l'entaille qu'elle avait ouverte dans la joue de Melker. Il gisait par terre, les yeux ouverts. Une balle avait ouvert un gros trou dans son crâne.

Anna détourna les yeux. Ebba criait toujours, et subitement une femme entra et la prit dans ses bras. Elle la berça doucement et les cris d'Ebba cessèrent lentement pour se transformer en gémissements. Sans un mot, Anna montra les coffres et Patrik, Martin et Gösta découvrirent les squelettes que le sang de Melker avait éclaboussés par endroits.

— Il faut que vous sortiez d'ici, dit Patrik en poussant doucement Anna et Ebba vers la porte, suivies de près par Ia.

Dans la cave, Anna vit Erica débouler d'un escalier raide. Elle descendait les marches deux par deux et Anna accéléra pour aller à sa rencontre. Ce ne fut qu'en enfouissant son visage dans le cou de sa sœur qu'elle sentit les larmes arriver.

Elles regagnèrent le vestibule, où la lumière était tellement forte qu'elles durent plisser les yeux. Anna tremblait toujours, comme prise de fièvre, et Erica partit lui chercher ses vêtements au premier étage. Elle ne fit aucun commentaire sur le fait qu'ils se trouvaient dans la chambre de Melker et Ebba, mais Anna savait qu'elle aurait pas mal de choses à expliquer, surtout à Dan. Elle sentit un coup au cœur en pensant au mal qu'elle allait lui infliger, mais elle n'eut pas la force de s'en soucier maintenant. Ce serait pour plus tard.

— J'ai appelé des renforts, ils sont en route, dit Patrik.

Il aida Anna et Ebba à s'asseoir sur le perron. Ia s'installa à côté d'Ebba et passa le bras autour de ses épaules. Gösta se plaça de l'autre côté et les observa attentivement. Patrik se pencha pour lui chuchoter à l'oreille :

— C'est Annelie. Je te raconterai tout à l'heure.

Gösta l'interrogea du regard. Puis la pensée le frappa comme la foudre et il secoua la tête.

— L'écriture. Évidemment, c'était ça.

Il savait qu'il avait loupé quelque chose en examinant les cartons. Quelque chose qui se trouvait sous ses yeux et qu'il aurait dû comprendre. Il se tourna vers Ia.

— Elle aurait pu rester chez nous, mais elle a été bien accueillie dans l'autre famille aussi.

Gösta se doutait bien que les autres ne comprenaient absolument pas de quoi il parlait.

— Je n'avais pas la force de penser à qui allait s'occuper d'elle. Je n'avais pas la force de penser à elle du tout. C'était plus simple comme ça, dit Ia.

— Elle était si mignonne. On l'a tellement aimée cet été-là. Bien sûr qu'on aurait voulu qu'elle reste. Mais on avait déjà perdu un enfant, et on avait fait notre deuil de l'idée d'avoir un petit chez nous...

Gösta regarda ailleurs.

— Oui, elle était mignonne. Un vrai petit ange, dit Ia avec un sourire triste.

Ebba les contempla, confondue.

— Comment avez-vous compris qui je suis? demanda Ia à Gösta.

— La liste des courses. Il y avait une liste écrite à la main parmi les affaires qu'on a retrouvées. Et ensuite vous m'aviez noté votre adresse sur un bout de papier. C'était la même écriture.

— Est-ce que quelqu'un peut m'expliquer ce qui se passe? demanda Patrik. Gösta?

— C'était l'idée de Leon que j'utilise le passeport d'Annelie plutôt que le mien, dit Ia. On avait quelques années de différence, mais on se ressemblait suffisamment pour que ça fonctionne.

— Je ne comprends pas, dit Ebba en secouant la tête.

Gösta la regarda droit dans les yeux. Il revit la petiote qui avait couru dans leur jardin, et laissé une telle empreinte indélébile dans leur cœur. Il était grand temps de répondre aux questions qu'elle se posait depuis si longtemps.

— Ebba. Je te présente ta maman. Voici Inez.

Le silence fut assourdissant. On n'entendait plus que le vent qui jouait dans les bouleaux.

— Mais, mais... bégaya Ebba, en montrant la cave du doigt. Qui est-ce alors, avec les longs cheveux?

— Annelie. On avait de longs cheveux châtains toutes les deux, expliqua Ia en caressant tendrement la joue d'Ebba.

— Pourquoi n'as-tu jamais...?

Tous ces chocs émotionnels avaient brisé la voix d'Ebba.

— Je n'ai pas de réponses simples. Il y a tant de choses que je ne peux pas expliquer, car je ne les comprends pas moi-même. J'étais obligée de ne pas penser à toi. Autrement, je n'aurais pas pu te quitter.

— Leon n'a pas eu le temps de révéler la fin de l'histoire, dit Patrik. Je pense qu'il est temps maintenant.

— Oui, sans doute, dit Inez.

Sur la mer, ils virent des bateaux qui se dirigeaient vers Valö. Gösta était content de laisser d'autres personnes reprendre les rênes. Il était heureux d'apprendre enfin ce qui s'était passé ce samedi de Pâques en 1974. Il prit la main d'Ebba dans la sienne. Inez lui prit l'autre.

## VALÖ, SAMEDI DE PÂQUES 1974

— Qu'est-ce que c'est que ça?

Se tenant à la porte de la salle à manger, Rune était blême. Derrière lui, on apercevait Leon et les autres garçons : John, Percy, Sebastian et Josef.

Inez les observa, intriguée. Elle n'avait jamais vu Rune perdre le contrôle auparavant, mais il était à présent tellement hors de lui qu'il tremblait de tout son corps. Il alla se planter devant Claes. Dans les mains, il tenait un paquet de photographies et un revolver.

— Qu'est-ce que c'est que ça? répéta-t-il.

Claes garda le silence, le visage totalement inexpressif. Les cinq adolescents firent quelques pas prudents dans la pièce et Inez chercha les yeux de Leon, mais il évita de la regarder. Il fixait Claes et Rune. Un long moment, le silence resta total. L'air semblait lourd, difficile à respirer, et Inez serra fort le bord de la table. Quelque chose d'effroyable allait se passer sous ses yeux, et ça allait très mal se terminer.

Lentement, un sourire se dessina sur les lèvres de Claes. Avant que son père n'ait eu le temps de réagir, il attrapa le revolver et le déchargea sur son front. Rune tomba au sol, inanimé. Le sang coula abondamment d'un trou noir au milieu du front, et Inez s'entendit hurler. On aurait dit quelqu'un d'autre, mais c'était bien sa voix qui résonnait entre les murs et qui se mêlait aux hurlements d'Annelie en un duo macabre.

— Vos gueules! cria Claes, le revolver toujours pointé sur Rune. Vos gueules!

Frappée de terreur, elle ne pouvait plus retenir ses cris tandis qu'elle regardait le corps de son mari. Ebba pleurait à chaudes larmes.

— Vos gueules, j'ai dit!

Claes tira un autre coup de feu sur son père, faisant tressaillir le corps. La chemise blanche se teinta lentement de rouge.

Le choc cloua le bec à Inez. Les cris d'Annelie s'arrêtèrent tout aussi brusquement, mais Ebba continua de pleurer.

Claes se passa une main sur la figure. De l'autre, il tenait le revolver, prêt à tirer. Inez se dit qu'il ressemblait à un petit garçon qui jouait au cow-boy, mais elle écarta tout de suite cette pensée absurde. La tête de Claes n'avait rien de celle d'un petit garçon. Elle n'avait rien d'humain, en réalité. Son regard était vide et il affichait toujours son horrible sourire, comme si son visage s'était figé. Sa respiration était rapide, saccadée.

D'un mouvement brusque, il se tourna vers Ebba et la visa. Elle criait toujours, le visage écarlate. Comme pétrifiée, Inez vit les doigts de Claes presser la détente et Johan se jeter en avant puis s'immobiliser subitement. Abasourdi, il regarda sa chemise où une tache rouge s'étala peu à peu. Puis il s'effondra sur le sol.

Le silence se fit de nouveau dans la salle à manger. Un silence surnaturel. Même Ebba se tut et glissa son pouce dans sa bouche. Au pied de la chaise d'enfant, Johan gisait sur le dos. La frange blonde était tombée devant ses yeux bleus qui fixaient le plafond, sans plus rien voir. Inez étouffa un sanglot.

Claes recula de sorte à tourner le dos au petit mur.

— Faites ce que je dis maintenant. Et surtout : taisez-vous! leur ordonna-t-il, et sa voix était d'un calme funeste, comme s'il jouissait de la situation.

Du coin de l'œil, Inez devina un mouvement près de la porte, que Claes aperçut aussi. Rapide comme l'éclair, il pointa le revolver sur les garçons.

— Personne ne s'en va. Personne n'a le droit de partir.

— Que vas-tu faire de nous? demanda Leon.

— Je ne sais pas. Je ne me suis pas encore décidé.

— Mon père est très riche, dit Percy. Il peut te payer si tu nous laisses partir.

— L'argent ne m'intéresse pas, dit Claes avec un rire creux. Tu devrais le savoir, n'est-ce pas?

— On ne dira rien, c'est promis, le supplia John, mais il parlait à un sourd.

Inez savait que c'était sans espoir. Elle avait eu raison au sujet de Claes. Elle avait senti que quelque chose lui faisait défaut. Quoi qu'il ait fait aux garçons, il tenait à le cacher à tout prix. Il avait déjà tué deux personnes, et il ne les laisserait pas sortir d'ici vivants. Ils allaient tous mourir.

Leon chercha subitement son regard et elle comprit qu'il pensait la même chose qu'elle. Leur histoire s'arrêterait, avec les moments volés qu'ils avaient connus. S'ils avaient attendu, patienté encore quelque temps, ils auraient pu avoir un avenir ensemble. Maintenant, c'était terminé.

— Je savais bien que cette pute mijotait quelque chose, dit Claes subitement. Ce regard-là ne trompe personne. Ça fait combien de temps que tu baises ma belle-mère, Leon?

Inez garda le silence. Le regard d'Annelie se posa sur elle, puis sur Leon.

— C'est vrai? dit-elle et elle sembla oublier un instant sa propre peur. Espèce de sale garce! N'y a-t-il donc personne de ton âge que...

Sa phrase fut interrompue. Claes avait calmement levé le revolver et tiré une balle dans la tempe de sa sœur.

— Je vous ai dit de fermer vos gueules, dit-il d'une voix atone.

Inez sentit les larmes brûler derrière ses paupières. Combien de temps leur restait-il à vivre? Ils étaient impuissants et ne pouvaient qu'attendre d'être abattus, l'un après l'autre.

Ebba se remit à crier et Claes sursauta. Elle criait de plus en plus fort et Inez sentit son corps se tendre. Elle aurait dû se lever, mais elle en était incapable.

— Fais-la taire, dit Claes. Fais taire cette bâtarde, je te dis.

Inez ouvrit la bouche, mais aucun son n'en sortit et Claes haussa les épaules.

— Très bien. Dans ce cas, je vais la faire taire moi-même, dit-il et il pointa de nouveau le revolver sur Ebba.

Juste au moment où il pressa la détente, Inez se jeta en avant pour protéger sa fille avec son corps.

Mais rien ne se produisit. Claes pressa de nouveau la détente. Toujours rien. Il regarda l'arme d'un air ahuri. Au même moment, Leon se précipita sur lui.

*Inez prit Ebba dans ses bras et la tint serrée contre sa poitrine où son cœur cognait violemment. Claes se retrouva prisonnier sous le poids de Leon, mais il se tortilla pour se dégager.*

*— Aidez-moi! hurla Leon, puis il poussa un cri en prenant un coup de poing dans le ventre.*

*Il semblait perdre le contrôle de Claes, qui se débattait sauvagement. Mais un coup de pied bien placé de la part de John atteignit Claes à la tête, et un bruit désagréable se fit entendre. Tout son corps se relâcha et la lutte cessa.*

*Leon roula rapidement sur le côté et se retrouva à quatre pattes sur le parquet. Percy donna un coup de pied dans le ventre de Claes pendant que John continuait à viser sa tête. Josef se contentait de regarder. Puis il s'approcha de la table, les mâchoires serrées, enjamba le corps de Rune et prit le couteau qui avait servi à découper le gigot. Il tomba à genoux à côté de Claes et leva les yeux sur John et Percy qui cessèrent leurs coups, à bout de souffle. Un gargouillement monta du gosier de Claes, et il roula des yeux. Lentement, presque avec jouissance, Josef leva le grand couteau et posa la lame acérée contre le cou de Claes. Puis il lui trancha prestement la gorge, et le sang jaillit.*

*Ebba criait toujours et Inez la serra davantage contre elle. Cet instinct de protection était plus fort que tout ce qu'elle avait déjà pu ressentir dans sa vie. Elle tremblait de tout son corps, mais Ebba se blottit comme un petit animal dans ses bras. Elle s'agrippa si fort à son cou qu'Inez eut du mal à respirer. Par terre, devant elles, Percy, Josef et John étaient accroupis autour du corps martyrisé de Claes, tels des lions autour d'une proie.*

*Leon s'approcha d'elles. Il prit quelques profondes inspirations.*

*— Il faut qu'on fasse le ménage. Ne t'inquiète pas. Je vais m'occuper de tout ça, dit-il à voix basse, et il l'embrassa doucement sur la joue.*

*Comme à distance, elle l'entendit qui lançait des ordres. Des mots épars arrivèrent jusqu'à elle, sur ce que Claes avait fait, sur aes preuves qu'il fallait éliminer, sur la honte, mais c'était comme s'ils arrivaient de très loin. Les yeux fermés, elle berçait Ebba. Bientôt, ce serait fini. Leon allait tout arranger.*

Ils se sentaient bizarrement vides. On était lundi soir et tout ce qui s'était passé avait lentement fait son chemin dans leurs esprits. Encore et encore, Erica avait ressassé ce qui était arrivé à Anna – et ce qui aurait pu arriver. La veille, Patrik l'avait dorlotée toute la journée, comme une petite enfant. D'abord elle avait trouvé ça adorable, mais là, elle en avait assez.

— Tu veux une couverture ? lui demanda-t-il en posant un baiser sur son front.

— Il fait environ trente degrés dans la maison. Alors, non merci, pas de couverture. Et je te jure : si tu m'embrasses encore une fois sur le front, je fais la grève du sexe pendant un mois.

— Oh, pardon de prendre soin de ma femme, dit Patrik et il s'en alla dans la cuisine.

— Tu as vu le journal d'aujourd'hui ? lança-t-elle derrière lui.

Elle ne reçut qu'un murmure en guise de réponse et se leva pour le rejoindre. La chaleur persistait bien qu'il soit plus de huit heures du soir, et elle avait envie d'une glace.

— Oui, malheureusement. J'ai particulièrement apprécié la une, avec Mellberg qui pose devant la voiture de police en compagnie de John, et le titre : LE HÉROS DE FJÄLLBACKA.

Erica rit. Elle ouvrit le congélateur et en sortit une boîte de glace au chocolat.

— Tu en veux ?

— Oui, bonne idée.

Patrik s'installa à table. Les enfants dormaient et le calme régnait dans la maison. Autant en profiter tant que ça durait.

— Il est satisfait, j'imagine ?

— Oui, il ne tient plus en place. Et la police de Göteborg lui en veut de s'être approprié toute la gloire. Mais les projets de Sveriges Vänner ont été déjoués et l'attentat a pu être arrêté à temps, c'est quand même le principal. Il leur faudra du temps pour s'en remettre, à ces types-là.

Erica aurait aimé y croire. Elle regarda Patrik avec gravité.

— Raconte-moi maintenant. Comment ça s'est passé, chez Leon et Inez?

— Je ne sais pas, soupira-t-il. J'ai eu les réponses aux questions que je posais, mais je ne suis pas tout à fait sûr de comprendre.

— Comment ça?

— Leon a raconté tout ce qui s'est passé, mais il n'est pas toujours facile à suivre. Ça a commencé quand il a flairé que quelque chose clochait à l'école. Et c'est Josef qui a finalement craqué et lui a raconté ce que Claes leur faisait subir, à John, Percy et lui.

— C'était l'idée de Leon d'aller le dénoncer à Rune?

— Oui. Eux, ils étaient contre, mais Leon les a convaincus. J'ai l'impression qu'il a réfléchi plus d'une fois à ce qu'auraient été leurs vies s'il y avait renoncé.

— C'était la seule chose à faire. Il ne pouvait pas savoir que Claes était fou à ce point. Personne n'aurait pu prévoir ce qui allait se passer.

Erica racla ce qui restait de glace dans son bol, sans quitter Patrik des yeux. Elle avait voulu l'accompagner chez Leon et Inez, mais Patrik avait fixé les limites. Elle devait se contenter d'un compte rendu de sa visite.

— C'est exactement ce que j'ai dit.

— Et après le drame? Pourquoi n'ont-ils pas appelé la police tout de suite?

— Ils avaient peur qu'on ne les croie pas. Et le choc a dû jouer, aussi. Ils n'arrivaient pas à raisonner logiquement. Et puis, on ne doit pas sous-estimer la honte. La peur que leur calvaire ne soit révélé a sans doute suffi pour qu'ils acceptent le plan de Leon.

— Mais Leon n'avait rien à perdre s'il laissait la police prendre les choses en main. Il ne faisait pas partie des victimes de Claes, et il n'avait pas non plus participé à son meurtre.

— Il risquait de perdre Inez, dit Patrik et il posa sa cuillère sans avoir touché à sa glace. Si tout avait été rendu public, le scandale aurait été tel qu'ils n'auraient probablement pas pu rester ensemble.

— Mais Ebba ? Comment ont-ils pu la laisser là ?

— J'ai l'impression que c'est ça qui a le plus tourmenté Leon au fil des ans. Il a convaincu Inez d'abandonner Ebba, et même s'il ne l'a pas dit directement, je pense qu'il n'a jamais cessé de se le reprocher. Mais je me suis abstenu de leur poser la question. À mon avis, ils ont suffisamment souffert de cette décision, tous les deux.

— Mais je ne comprends quand même pas comment il a pu lui infliger ça.

— Ils étaient follement amoureux l'un de l'autre. Ils vivaient une histoire d'amour passionnelle et ils étaient terrorisés à l'idée que Rune la découvre. L'amour interdit, c'est un moteur puissant. Et une partie de la faute revient sans doute à Aron, le père de Leon. Leon l'a appelé pour lui demander de l'aide, et Aron lui a expliqué qu'Inez pourrait sans doute quitter le pays, mais pas accompagnée d'un tout petit enfant.

— Je peux comprendre que Leon ait été d'accord avec ça. Mais Inez ? Même si elle était éperdument amoureuse, comment a-t-elle pu abandonner son propre enfant ?

La voix d'Erica était sur le point de se briser à l'idée de quitter l'un de ses enfants sans espoir de le revoir.

— Elle ne devait pas avoir toute sa lucidité. Et Leon a probablement soutenu que c'était pour le bien d'Ebba. Il a dû lui faire peur en disant qu'ils iraient en prison s'ils restaient là, et qu'alors elle perdrait Ebba quoi qu'il en soit.

Erica secoua la tête. Non. Elle ne comprendrait jamais comment un parent peut abandonner son enfant de son plein gré.

— Et ensuite ils ont caché les corps et se sont mis d'accord sur cette histoire de pêche ?

— D'après Leon, son père avait suggéré qu'ils jettent les corps à la mer, mais Leon a eu peur qu'ils remontent à la surface et il a eu l'idée de les cacher dans l'abri antiaérien. Ils les ont donc transportés là-bas et les ont mis dans les coffres avec les photographies. Ils ont posé le revolver là où ils pensaient que Claes l'avait trouvé. Puis ils ont fermé la pièce et se sont dit qu'elle était suffisamment bien dissimulée pour que la police ne la trouve pas.

— Et ils ont eu raison, constata Erica.

— C'est vrai, cette partie-là du plan a bien fonctionné, sauf que Sebastian est parvenu à faire main basse sur la clé. Depuis, il l'a apparemment tenu comme un couperet au-dessus de leurs têtes.

— Mais pourquoi la police n'a-t-elle trouvé aucune trace des événements quand elle a examiné la maison?

— Les garçons ont minutieusement frotté le plancher, ils ont dû réussir à enlever tout le sang qui était perceptible à l'œil nu. Dis-toi bien que ça s'est passé en 1974 et que c'est une police provinciale qui a fait l'examen technique. Ce n'était pas tout à fait le niveau des *Experts*, tu vois? Ensuite ils se sont changés et sont partis avec le bateau, après avoir passé un coup de fil anonyme à la police.

— Où était passée Inez?

— Elle s'était cachée. Ça aussi, c'était l'idée d'Aron, d'après Leon. Ils sont entrés par effraction dans une maison de vacances sur une île voisine où elle a pu rester jusqu'à ce que les choses se soient suffisamment tassées pour qu'elle et Leon puissent quitter le pays.

— Alors, pendant que la police cherchait la famille, elle se trouvait dans une maison secondaire tout près... dit Erica, incrédule.

— Oui. Il y a sûrement eu une plainte pour cambriolage plus tard dans l'été, quand les propriétaires sont arrivés, mais le lien n'a pas été fait avec la disparition sur Valö.

Erica se sentit soulagée de voir les morceaux du puzzle trouver leur place. Après toutes les heures passées à réfléchir sur le sort de la famille Elvander, elle connaissait maintenant presque tous les détails.

— Je me demande comment Inez et Ebba s'en sortent, dit-elle et elle tendit la main pour prendre le bol de Patrik afin de manger la glace qui fondait à vue d'œil. Je n'ai pas voulu la déranger, mais je suppose qu'Ebba est retournée chez ses parents, à Göteborg.

— Tu n'es pas au courant ? dit Patrik et il s'illumina pour la première fois depuis qu'ils avaient commencé à parler de l'affaire.

— Non, quoi ?

— Elle s'est installée dans la chambre d'amis de Gösta pendant quelques jours, pour se reposer. Inez devait dîner avec eux ce soir. Ce qui veut dire qu'elles cherchent à se rapprocher malgré tout.

— Ça me semble très bien. Elle va en avoir besoin. Quel choc ça doit être, ce qui est arrivé à Melker. Tu te rends compte, vivre avec quelqu'un qu'on aime et en qui on a confiance, et qui se montre capable d'une telle chose ! Remarque, Gösta doit être ravi de l'avoir avec lui. Si seulement...

— Oui, je sais. Et Gösta y a sûrement pensé plus d'une fois. Mais Ebba était bien tombée après tout, et au fond je pense que c'est ce qui compte le plus, pour Gösta. Comment va Anna ? dit-il en changeant brutalement de sujet, comme si c'était trop douloureux de penser à ce que Gösta avait raté.

Erica plissa le front, soucieuse.

— Je n'ai pas encore eu de ses nouvelles. Dan est rentré directement à la maison quand il a reçu mon SMS, et je sais qu'elle allait tout lui dire.

— Tout ?

Elle fit oui de la tête.

— Comment tu crois que Dan va réagir ?

— Je n'en sais rien. J'espère qu'ils vont s'en sortir.

Erica prit encore quelques cuillérées de glace, qu'elle touilla jusqu'à obtenir un mélange liquide.

— Mouais, fit Patrik, mais elle vit sa mine sceptique, et ce fut à son tour de changer de sujet.

Elle ne voulait pas tout à fait l'avouer, ni à elle-même ni à Patrik, mais ces derniers jours elle s'était tellement inquiétée pour Anna qu'elle avait à peine pu penser à autre chose. Elle avait cependant résisté à la tentation de l'appeler. Dan et elle avaient besoin de calme pour résoudre leurs problèmes, si tant est que ce fût possible. Elle donnerait de ses nouvelles en temps voulu.

— Il n'y aura donc pas de suites judiciaires pour Leon et les autres ?

— Non, le crime est prescrit. Le seul qui aurait pu être poursuivi, c'est Melker. Et on verra ce qui va se passer pour Percy.

— J'espère que Martin n'est pas complètement effondré d'avoir tué Melker. C'est la dernière chose dont il a besoin en ce moment, dit Erica. Et j'ai bien l'impression que c'est à cause de moi qu'il s'est retrouvé mêlé à tout ça.

— Il ne faut pas voir les choses comme ça. Il va aussi bien que possible, et il semble vouloir revenir au boulot au plus vite. Le traitement de Pia va durer longtemps, et leurs parents vont les aider. Ils ont discuté de la possibilité d'un mi-temps en tout cas.

— Ça me paraît une bonne solution, dit Erica, mais elle n'arrivait quand même pas à se débarrasser de sa mauvaise conscience.

Patrik l'observa. Il se pencha en avant, lui caressa la joue, et elle croisa son regard. Comme par un accord tacite, ils n'avaient pas évoqué le fait qu'il avait failli la perdre encore une fois. Elle était ici avec lui maintenant. Et ils s'aimaient. C'était la seule chose qui comptait.

# DEUX CARIN GÖRING ?

Les restes retrouvés il y a quelque temps dans un cercueil de zinc près de ce qui fut la propriété d'Hermann Göring, Carinhall, viennent d'être analysés par l'institut médicolégal de Linköping. Le rapport dit qu'il s'agit des restes de Carin Göring, née Fock, décédée en 1931. Fait étrange, en 1951 un garde forestier avait trouvé sur la propriété des ossements éparpillés, qu'on avait supposé appartenir à Carin Göring. Ces ossements furent incinérés en grand secret et les cendres transportées en Suède par un pasteur suédois afin d'être inhumées de nouveau à Lovö.

Ainsi, Carin Göring a été enterrée trois fois. D'abord dans le caveau de la famille Fock au cimetière de Lovö, puis à Carinhall où son mari fit déplacer sa dépouille, puis finalement en Suède de nouveau en 1951.

Aujourd'hui un nouveau chapitre vient donc de s'écrire dans cette étrange histoire. L'analyse d'ADN indique en effet que ces restes qu'on vient de retrouver sont bien ceux de Carin Göring. On peut légitimement se demander qui est réellement enterré dans le cimetière de Lovö près de Stockholm?

# POSTFACE

Quand j'écris ceci, une semaine s'est écoulée depuis la bombe à Oslo et la tuerie sur l'île d'Utøya. J'ai regardé les journaux télévisés avec la même boule au ventre que tout le monde et j'ai tenté en vain de comprendre comment un homme peut être habité par tant de mal. Les images du drame à Oslo m'ont fait comprendre que certains événements de mon livre frôlent ce même mal. Mais, malheureusement, ce qu'on dit est vrai : la réalité dépasse la fiction. C'est un pur hasard si mes personnages qui justifient leurs actions malveillantes par la politique ont été inventés avant les massacres en Norvège, mais mon récit fournit peut-être une indication sur la direction que prend notre société.

Il y a cependant d'autres faits dans *La Faiseuse d'anges* qui sont fondés sur des faits réels. Je voudrais remercier Lasse Lundberg qui, lors de son tour guidé de Fjällbacka, a enflammé mon imagination en parlant du granit du Bohuslän qu'Albert Speer aurait sélectionné pour Germania, et de la visite qu'Hermann Göring aurait faite sur l'une des îles de l'archipel de Fjällbacka. J'ai pris la liberté de tisser une histoire à partir de ces informations.

Pour écrire ce livre, j'ai dû faire beaucoup de recherches sur Hermann Göring. Le livre de Björn Fontander, *Carin Göring skriver hem**, fut une source formidable, surtout concernant le temps qu'Hermann Göring a passé en Suède. Dans ce livre, j'ai aussi découvert un authentique mystère, que j'ai pu tresser dans mon intrigue avec la magie qui s'impose parfois aux auteurs. C'est toujours aussi merveilleux. Merci Björn pour l'inspiration que ton livre m'a apportée.

* *Carin Göring écrit à sa mère*, non traduit en français.

435

Il n'y a jamais eu de faiseuse d'anges malfaisante à Fjällbacka, mais il y a évidemment des points communs entre la Helga Svensson du roman et Hilda Nilsson d'Helsingborg, qui s'est pendue dans sa cellule en 1917, avant que sa condamnation à mort soit exécutée.

La colonie de vacances à Valö a réellement existé et fait partie de l'histoire de Fjällbacka. J'y ai passé de nombreuses semaines d'été en colo, et il ne doit pas y avoir beaucoup d'habitants de Fjällbacka qui n'ont pas un lien avec la grande maison blanche. Aujourd'hui, elle fait office de gîte d'étape et de restaurant, et elle vaut le détour. J'ai pris la liberté de modifier certaines dates et des noms de propriétaires pour qu'ils collent avec mon récit. Pour tous les autres détails concernant Fjällbacka, j'ai comme toujours reçu l'aide irremplaçable d'Anders Torevi.

Le journaliste Niklas Svensson m'a aidée pour les pans politiques du livre, avec toute sa compétence et une extrême générosité. Un grand merci!

Pour résumer, j'ai comme d'habitude mélangé des détails de la réalité à ma propre imagination. Et je suis la seule responsable de toute erreur éventuelle. J'ai également situé l'une des histoires à une époque où le délai de prescription pour meurtre était de vingt-cinq ans. Cette loi a changé depuis.

Il y a beaucoup d'autres personnes que je voudrais remercier. Mon éditrice Karin Linge Nordh et ma conseillère de rédaction Matilda Lund qui ont fait un travail herculéen avec mon manuscrit.

Mon mari, Martin Melin, qui m'est toujours d'un grand soutien. Cette fois, il travaillait pour la première fois sur un manuscrit de sa plume, si bien que nous avons pu nous stimuler mutuellement pendant de longues heures d'écriture. Naturellement, c'est aussi un avantage énorme d'avoir son propre policier à domicile pour poser des questions sur tout et n'importe quoi touchant au travail de la police.

Mes enfants, Wille, Meja et Charlie, qui me donnent de l'énergie à déverser dans mes livres. Et tout le réseau autour d'eux : grand-mère Gunnel Läckberg et Rolf "Sassar" Svensson, Sandra Wirström, le papa de mes deux aînés, Mikael Eriksson ainsi que Christina Melin qui se sont mobilisés de façon exceptionnelle quand la machine s'est grippée. Merci à vous tous.

Nordin Agency – Joakim Hansson et toute l'équipe –, vous savez combien j'apprécie votre travail pour moi en Suède et dans le monde. Christina Saliba et Anna Österholm chez Weber Shandwick qui ont consacré un temps incroyable à tout ce qui permet à un auteur de rencontrer le succès. Vous faites un travail fabuleux.

Mes collègues auteurs. Pas de noms pour n'oublier personne. Je n'ai pas le temps de vous voir aussi souvent que je le voudrais, mais quand nous nous voyons, vous me chargez d'énergie positive et de joie d'écrire. Et je sais que vous êtes toujours là. Denise Rudberg, mon amie, collègue et compagne d'armes depuis de nombreuses années, occupe une place à part dans mon cœur. Que ferais-je sans toi ?

Je ne pourrais pas non plus écrire ces livres si les sympathiques habitants de Fjällbacka ne me laissaient pas si gentiment inventer toutes sortes d'atrocités dans leur petite ville. Parfois je m'inquiète un peu de tout ce que je provoque, mais vous semblez même accepter d'être envahis par des équipes de tournage ! Cet automne, cela va se reproduire, et j'espère que vous serez fiers du résultat quand Fjällbacka aura de nouveau l'occasion de dévoiler son paysage unique, cette fois-ci au-delà des frontières de la Suède.

Pour finir, je voudrais remercier mes lecteurs. Vous attendez toujours patiemment le livre suivant. Vous me soutenez quand le vent souffle froid. Vous me donnez une tape sur l'épaule quand j'en ai besoin et vous êtes là avec moi depuis de nombreuses années. Je vous apprécie. Infiniment. Merci.

Camilla Läckberg,
*Måsholmen, le 29 juillet 2011.*

DERNIERS TITRES PARUS

## LE TAILLEUR DE PIERRE

roman traduit du suédois
par Lena Grumbach et Catherine Marcus

"La dernière nasse était particulièrement lourde et il cala son pied sur le plat-bord pour la dégager sans se déséquilibrer. Lentement il la sentit céder et il espérait ne pas l'avoir esquintée. Il jeta un coup d'œil par-dessus bord mais ce qu'il vit n'était pas le casier. C'était une main blanche qui fendit la surface agitée de l'eau et sembla montrer le ciel l'espace d'un instant.

Son premier réflexe fut de lâcher la corde et de laisser cette chose disparaître dans les profondeurs…"

Un pêcheur de Fjällbacka trouve une petite fille noyée. Bientôt, on constate que Sara, sept ans, a de l'eau douce savonneuse dans les poumons. Quelqu'un l'a donc tuée avant de la jeter à la mer. Mais qui peut vouloir du mal à une petite fille ?

Alors qu'Erica vient de mettre leur bébé au monde et qu'il est bouleversé d'être papa, Patrik Hedström mène l'enquête sur cette horrible affaire. Car sous les apparences tranquilles, Fjällbacka dissimule de sordides relations humaines – querelles de voisinage, conflits familiaux, pratiques pédophiles – dont les origines peuvent remonter jusqu'aux années 1920. Quant aux coupables, ils pourraient même avoir quitté la ville depuis longtemps. Mais lui vouer une haine éternelle.

## L'OISEAU DE MAUVAIS AUGURE
roman traduit du suédois
par Lena Grumbach et Catherine Marcus

L'inspecteur Patrik Hedström est sur les dents. Il voudrait participer davantage aux préparatifs de son mariage avec Erica Falck, mais il n'a pas une minute à lui. La ville de Tanumshede s'apprête en effet à accueillir une émission de téléréalité et ses participants avides de célébrité, aussi tout le commissariat est mobilisé pour éviter les débordements de ces jeunes incontrôlables. Hanna Kruse, la nouvelle recrue, ne sera pas de trop. D'autant qu'une femme vient d'être retrouvée morte au volant de sa voiture, avec une alcoolémie hors du commun. La scène du carnage rappelle à Patrik un accident similaire intervenu des années auparavant. Tragique redite d'un fait divers banal ou macabre mise en scène ? Un sombre pressentiment s'empare de l'inspecteur. Très vite, alors que tout le pays a les yeux braqués sur la petite ville, la situation s'emballe. L'émission de téléréalité dérape. Les cadavres se multiplient. Un sinistre schéma émerge…

Dans ce quatrième volet des aventures d'Erica Falck, Camilla Läckberg tisse avec brio l'écheveau d'une intrigue palpitante. Cueilli par un dénouement saisissant, le lecteur en redemande.

## L'ENFANT ALLEMAND

roman traduit du suédois
par Lena Grumbach

La jeune Erica Falck a déjà une longue expérience du crime. Quant à Patrik Hedström, l'inspecteur qu'elle vient d'épouser, il a échappé de peu à la mort, et tous deux savent que le mal peut surgir n'importe où, qu'il se tapit peut-être en chacun de nous, et que la duplicité humaine, loin de représenter l'exception, constitue sans doute la règle. Tandis qu'elle entreprend des recherches sur cette mère qu'elle regrette de ne pas avoir mieux connue et dont elle n'a jamais vraiment compris la froideur, Erica découvre, en fouillant son grenier, les carnets d'un journal intime et, enveloppée dans une petite brassière maculée de sang, une ancienne médaille ornée d'une croix gammée. Pourquoi sa mère, qui avait laissé si peu de choses, avait-elle conservé un tel objet? Voulant en savoir plus, elle entre en contact avec un vieux professeur d'histoire à la retraite. L'homme a un comportement bizarre et se montre élusif. Deux jours plus tard, il est sauvagement assassiné...

Dans ce cinquième volet des aventures d'Erica Falck, Camilla Läckberg mêle avec une virtuosité plus grande que jamais l'histoire de son héroïne et celle d'une jeune Suédoise prise dans la tourmente de la Seconde Guerre mondiale. Tandis qu'Erica fouille le passé de sa famille, le lecteur plonge avec délice dans un nouveau bain de noirceur nordique.

## CYANURE

roman traduit du suédois
par Lena Grumbach

Quelques jours avant Noël, Martin Molin, le collègue de Patrik Hedström, accompagne sa petite amie Lisette à une réunion de famille sur une île au large de Fjällbacka. Mais au cours du premier repas, le grand-père, un richissime magnat de l'industrie, leur annonce une terrible nouvelle avant de s'effondrer, terrassé. Dans son verre, Martin décèle une odeur faible mais distincte d'amande amère. Une odeur de meurtre. Une tempête de neige fait rage, l'île est isolée du monde et Martin décide de mener l'enquête. Commence alors un patient interrogatoire que va soudain troubler un nouveau coup de théâtre…

Offrant une pause à son héroïne Erica Falck, Camilla Läckberg nous livre un polar familial délicieusement empoisonné.

## LA SIRÈNE

roman traduit du suédois
par Lena Grumbach

Un homme a mystérieusement disparu à Fjällbacka. Toutes les recherches lancées au commissariat de Tanumshede par Patrik Hedström et ses collègues s'avèrent vaines. Impossible de dire s'il est mort, s'il a été enlevé ou s'il s'est volontairement volatilisé.

Trois mois plus tard, son corps est retrouvé figé dans la glace. L'affaire se complique lorsque la police découvre que l'une des proches connaissances de la victime, l'écrivain Christian Thydell, reçoit des lettres de menace depuis plus d'un an. Lui ne les a jamais prises au sérieux, mais son amie Erica, qui l'a aidé à faire ses premiers pas en littérature, soupçonne un danger bien réel. Sans rien dire à Patrik, et bien qu'elle soit enceinte de jumeaux, elle décide de mener l'enquête de son côté. À la veille du lancement de *La Sirène*, le roman qui doit le consacrer, Christian reçoit une nouvelle missive. Quelqu'un le déteste profondément et semble déterminé à mettre ses menaces à exécution.

Dans cette passionnante enquête, sixième volet de la série consacrée à Erica Falck, Camilla Läckberg reprend avec bonheur tous les ingrédients qui font le charme et le succès de ses livres. Ses fidèles lecteurs découvriront son roman le plus abouti à ce jour.

## LE GARDIEN DE PHARE

roman traduit du suédois
par Lena Grumbach

Par une nuit d'été, une femme se jette dans sa voiture. Les mains qu'elle pose sur le volant sont couvertes de sang. Avec son petit garçon sur le siège arrière, Annie s'enfuit vers le seul endroit où elle se sent en sécurité : la maison de vacances familiale, l'ancienne résidence du gardien de phare, sur l'île de Gråskär, dans l'archipel de Fjällbacka.

Quelques jours plus tard, un homme est assassiné dans son appartement à Fjällbacka. Mats Sverin venait de regagner sa ville natale, après avoir travaillé plusieurs années à Göteborg dans une association d'aide aux femmes maltraitées. Il était apprécié de tous, et pourtant, quand la police de Tanumshede commence à fouiller dans son passé, elle se heurte à un mur de secrets. Bientôt, il s'avère qu'avant de mourir Mats est allé rendre une visite nocturne à Annie, son amour de jeunesse, sur l'île de Gråskär – appelée par les gens du cru "l'île aux Esprits", car les morts, dit-on, ne la quittent jamais et parlent aux vivants…

Erica, quant à elle, est plus que jamais sur tous les fronts. Tout en s'occupant de ses bébés jumeaux, elle enquête sur la mort de Mats, qu'elle connaissait depuis le lycée, comme Annie. Elle s'efforce aussi de soutenir sa sœur Anna, victime, à la fin de *La Sirène*, d'un terrible accident de voiture aux conséquences dramatiques… Avec *Le Gardien de phare*, Camilla Läckberg poursuit la série policière la plus attachante du moment.

Pour en savoir plus sur la collection Actes noirs,
tous les livres, les nouveautés, les auteurs, les actualités,
lire des extraits en avant-première :

actes-sud.fr
facebook/actes noirs
application Actes noirs disponible gratuitement sur
l'Apple Store et Google Play

OUVRAGE RÉALISÉ
PAR L'ATELIER GRAPHIQUE ACTES SUD
ACHEVÉ D'IMPRIMER
SUR ROTO-PAGE
EN NOVEMBRE 2014
PAR L'IMPRIMERIE FLOCH
À MAYENNE
POUR LE COMPTE DES ÉDITIONS
ACTES SUD
LE MÉJAN
PLACE NINA-BERBEROVA
13200 ARLES

DÉPÔT LÉGAL
1ʳᵉ ÉDITION : JUIN 2014
N° impr. : 87650
(Imprimé en France)